비상하기 위한 우리만의 비밀 신호

도전하는 네게 용기를 주는 비밀신호

시·도 교육청 주관 중학영어 듣기능력평가란?

<table>
<tr><td colspan="2">시행 목적</td><td colspan="3">• 영어 의사소통능력 향상을 위한 교수·학습 및 평가 방법 개선
• 중학교에서의 영어 듣기능력평가 방향 제시</td></tr>
<tr><td colspan="2">시행 방침</td><td colspan="3">• 2012년부터 한국 교육과정평가원과 EBS 교육방송에 문항 출제 및 녹화, 방송 등을 위탁
• 평가 문항은 EBS에서 녹음하고 EBS 라디오(FM)를 통하여 방송
• 평가 실시 및 평가 결과의 성적 반영 여부와 방법 등은 학교 성적관리위원회에서 결정
• 듣기능력평가 점수는 전국적으로 평균 15~30% 내신 성적에 반영</td></tr>
<tr><td colspan="2">시행 계획</td><td colspan="3">• 실시 대상 : 중학교 전 학년   • 방송 시간 : 11:00~11:20(20분)
• 실시 횟수 : 연 2회   • 방송 매체 : EBS 라디오(FM)
• 문항 수 : 학년 당 20문항</td></tr>
<tr><td rowspan="4">시험 경향</td><td>대화 및 담화 수준</td><td>중1
대화 : 20~60 words
담화 : 20~50 words</td><td>중2
대화 : 35~75 words
담화 : 35~65 words</td><td>중3
대화 : 50~90 words
담화 : 50~80 words</td></tr>
<tr><td>내용</td><td colspan="3">• 범교과적 소재를 바탕으로 중학교 교육과정의 내용과 수준에 맞춰 출제됨.
• 5~8개의 단어로 이루어진 단문 문장이 주를 이룸.
• 중학교 과정 기본 단어 중에서도 어려운 어휘는 출제 가능성이 낮은 편임.</td></tr>
<tr><td>선택지</td><td colspan="3">2013년부터 5지선다형</td></tr>
<tr><td>녹음 발음</td><td colspan="3">2013년부터 영국식 영어 발음 문항 학년당 2~3개 내외 출제(이전에는 모든 문항 미국식 영어 발음)</td></tr>
</table>

중학영어 듣기능력평가 유형 분석(1학년)

문제 유형		2014	2015	2016	2017	2018. 4	계
그림 정보 파악	사물	4	4	4	3	1	16
	동물				1	1	2
	날씨	2	2	2	2	1	9
	길 찾기	2	2	2	1	1	8
	사물의 위치				1		1
의도 파악		2	2	2	2	1	9
언급되지 않은 것		2	2	2	2	1	9
숫자 정보 파악 – 시간		2	2	2	2	1	9
직업 및 장래 희망		4	4	4	4	2	18
심정 파악		2	2	2	2	1	9
한 일 / 할 일 파악		2	2	3	3	1	11
주제 파악		2	2	2	2	1	9
특정 정보 파악		2	2	3	3	2	12
이유 파악		2	2	2	2	1	9
관계 추론		2	1	1	1	1	6
장소 추론			1	1	1		3
부탁, 요청, 제안한 일 파악		4	4	4	4	2	18
어색한 대화 찾기		2	2				4
알맞은 응답 찾기		4	4	4	4	2	18

회 영어 듣기모의고사

☐ insect	곤충
☐ near	~ 가까이에
☐ pond	연못
☐ look for	~을 찾다
☐ square shaped	정사각형 모양의
☐ rectangular	직사각형의
☐ forecast	예보, 예측
☐ all day long	하루 종일
☐ museum	박물관
☐ be interested in	~에 관심이 있다
☐ return	돌려주다, 반납하다
☐ take a walk	산책하다
☐ theater	극장
☐ owner	주인, 소유자
☐ terrible	형편없는
☐ pleasure	기쁨
☐ drugstore	약국
☐ next to	~ 옆에
☐ romantic	로맨틱한, 낭만적인
☐ bestseller	베스트셀러
☐ skinny	(몸에) 딱 붙는
☐ hot item	인기 상품
☐ fault	잘못
☐ problem	문제
☐ library	도서관

01 곤충

02 ~ 가까이에

03 연못

04 ~을 찾다

05 정사각형 모양의

06 직사각형의

07 예보, 예측

08 하루 종일

09 박물관

10 ~에 관심이 있다

11 돌려주다, 반납하다

12 산책하다

13 극장

14 주인, 소유자

15 형편없는

16 기쁨

17 약국

18 ~ 옆에

19 로맨틱한, 낭만적인

20 베스트셀러

21 (몸에) 딱 붙는

22 인기 상품

23 잘못

24 문제

25 도서관

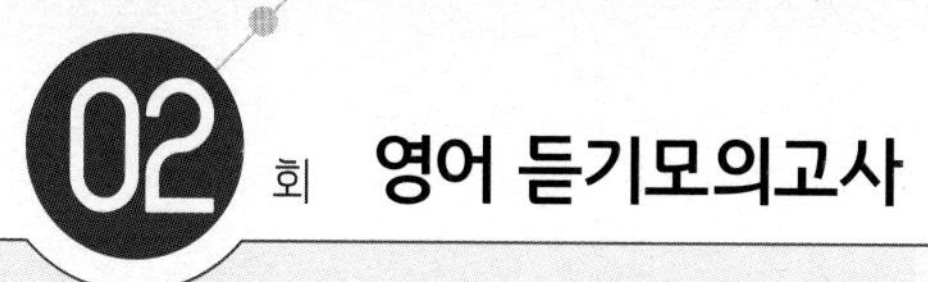

02 회 영어 듣기모의고사

☐ metal	금속
☐ sharp	날카로운, 뾰족한
☐ cut	자르다
☐ clothes	옷
☐ present	선물
☐ try on	입어 보다
☐ activity	활동
☐ goal	목표
☐ practice	연습하다
☐ ticket office	매표소
☐ product	상품, 물건
☐ order	주문하다
☐ deliver	배달하다
☐ bored	지루한
☐ feel like -ing	~하고 싶다
☐ pick	(꽃 등을) 꺾다
☐ keep	지키다, 보호하다
☐ get to	~에 도착하다
☐ dentist	치과
☐ decide	결심하다, 결정하다
☐ item	물품, 물건
☐ sold out	매진된, 다 팔린
☐ event	행사, 이벤트
☐ fill out	채우다
☐ invite	초대하다

01 금속
02 날카로운, 뾰족한
03 자르다
04 옷
05 선물
06 입어 보다
07 활동
08 목표
09 연습하다
10 매표소
11 상품, 물건
12 주문하다
13 배달하다
14 지루한
15 ~하고 싶다
16 (꽃 등을) 꺾다
17 지키다, 보호하다
18 ~에 도착하다
19 치과
20 결심하다, 결정하다
21 물품, 물건
22 매진된, 다 팔린
23 행사, 이벤트
24 채우다
25 초대하다

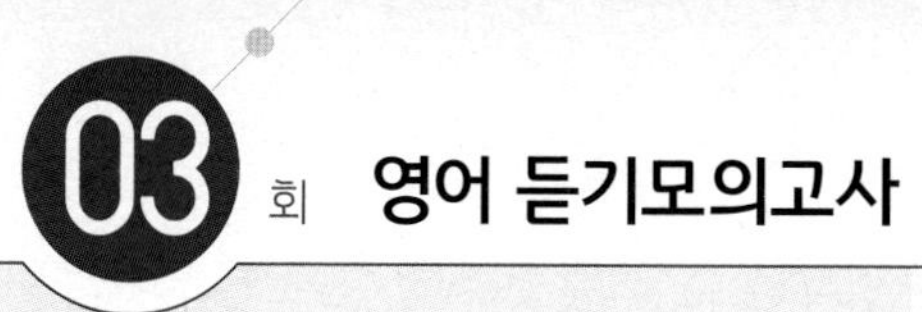

03회 영어 듣기모의고사

☐ tail	꼬리
☐ strong	강한
☐ report	보고
☐ musical	뮤지컬
☐ fantastic	환상적인
☐ relax	휴식을 취하다
☐ painter	화가
☐ come back	돌아오다
☐ fit	~에게 맞다
☐ brand	상표, 브랜드
☐ ride a bike	자전거를 타다
☐ excited	신이 난, 흥분한
☐ exciting	신나는, 흥미진진한
☐ look good on	~에게 잘 어울리다
☐ puppy	애완동물
☐ medicine	약
☐ mix	섞다
☐ get well	병이 나아지다
☐ remember	기억하다
☐ lock	잠그다
☐ idea	생각
☐ part	배역, 역할
☐ join	가입하다
☐ cartoon	만화
☐ draw	그리다

01 꼬리

02 강한

03 보고

04 뮤지컬

05 환상적인

06 휴식을 취하다

07 화가

08 돌아오다

09 ~에게 맞다

10 상표, 브랜드

11 자전거를 타다

12 신이 난, 흥분한

13 신나는, 흥미진진한

14 ~에게 잘 어울리다

15 애완동물

16 약

17 섞다

18 병이 나아지다

19 기억하다

20 잠그다

21 생각

22 배역, 역할

23 가입하다

24 만화

25 그리다

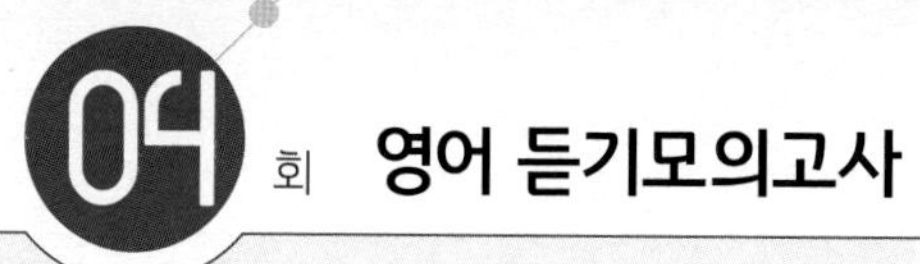

☐ neck	목
☐ mean	의미하다
☐ stripe	줄무늬
☐ come out	나오다
☐ see a doctor	진찰 받다
☐ still	아직
☐ lake	호수
☐ watermelon	수박
☐ produce	제작하다
☐ performance	공연
☐ mirror	거울
☐ for a while	잠시 동안
☐ go out	외출하다
☐ subway	지하철
☐ happen	(일, 사건 등이) 일어나다
☐ play	연주하다
☐ learn	배우다
☐ lend	빌려주다
☐ expensive	(값이) 비싼
☐ visit	방문하다
☐ free	한가한
☐ worksheet	활동지, 워크시트
☐ sick	아픈
☐ out of style	유행이 지난
☐ think	생각하다

01 목

02 의미하다

03 줄무늬

04 나오다

05 진찰 받다

06 아직

07 호수

08 수박

09 제작하다

10 공연

11 거울

12 잠시 동안

13 외출하다

14 지하철

15 (일, 사건 등이) 일어나다

16 연주하다

17 배우다

18 빌려주다

19 (값이) 비싼

20 방문하다

21 한가한

22 활동지, 워크시트

23 아픈

24 유행이 지난

25 생각하다

05회 영어 듣기모의고사

☐ skin	피부
☐ smooth	부드러운
☐ excellent	훌륭한
☐ aquarium	수족관, 아쿠아리움
☐ somewhat	약간
☐ meal	식사
☐ dessert	디저트, 후식
☐ had better	~하는 게 낫다
☐ in a hurry	서둘러
☐ actress	여배우
☐ fever	열
☐ sore	아픈
☐ have a look	~을 보다
☐ shot	주사
☐ sneakers	운동화
☐ lose weight	살을 빼다
☐ grateful	고마운
☐ look around	둘러보다
☐ traffic	교통
☐ text	문자를 보내다
☐ laptop computer	노트북 컴퓨터
☐ cool	멋진
☐ responsibility	책임(감)
☐ protect	보호하다
☐ be proud of	~을 자랑스러워하다

01 피부

02 부드러운

03 훌륭한

04 수족관, 아쿠아리움

05 약간

06 식사

07 디저트, 후식

08 ~하는 게 낫다

09 서둘러

10 여배우

11 열

12 아픈

13 ~을 보다

14 주사

15 운동화

16 살을 빼다

17 고마운

18 둘러보다

19 교통

20 문자를 보내다

21 노트북 컴퓨터

22 멋진

23 책임(감)

24 보호하다

25 ~을 자랑스러워하다

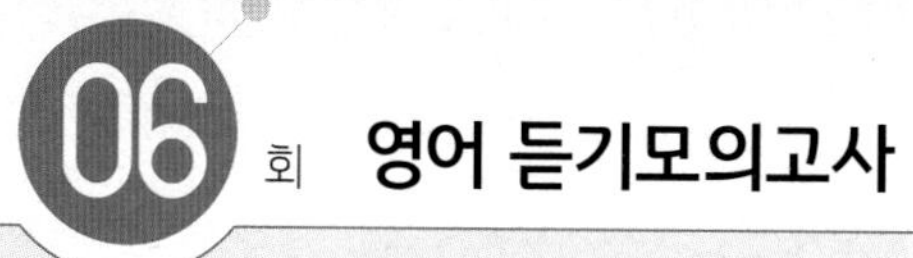

06회 영어 듣기모의고사

☐ adult	성인
☐ back	등, 허리
☐ pain	통증
☐ festival	축제
☐ field trip	현장 학습, 견학 여행
☐ get well	회복하다
☐ poet	시인
☐ society	사회
☐ impressive	인상적인
☐ be in trouble	곤경에 빠지다
☐ nervous	긴장한, 초조한
☐ without	~ 없이
☐ go bad	상하다
☐ turn on	~을 켜다
☐ actor	배우
☐ tonight	오늘밤에
☐ square	광장
☐ through	~을 통과하여
☐ gloves	장갑
☐ during	~ 동안에
☐ bazaar	바자회
☐ collect	모으다, 모금하다
☐ upload	올리다, 업로드하다
☐ mystery	미스터리, 추리
☐ passport	여권

01 성인

02 등, 허리

03 통증

04 축제

05 현장 학습, 견학 여행

06 회복하다

07 시인

08 사회

09 인상적인

10 곤경에 빠지다

11 긴장한, 초조한

12 ~ 없이

13 상하다

14 ~을 켜다

15 배우

16 오늘밤에

17 광장

18 ~을 통과하여

19 장갑

20 ~ 동안에

21 바자회

22 모으다, 모금하다

23 올리다, 업로드하다

24 미스터리, 추리

25 여권

07회 영어 듣기모의고사

□ traditional	전통적인
□ turtle	거북
□ carrot	당근
□ hind leg	뒷다리
□ struggle with	~로 고심하다
□ It's a piece of cake.	식은 죽 먹기이다.
□ solve	(문제 등을) 풀다
□ daily life	일상생활
□ usually	대개, 보통
□ flat	바람이 빠진, 펑크 난
□ fix	고치다, 수리하다
□ mechanic	정비공
□ think twice	심사숙고하다, 재고하다
□ follow	따르다
□ advice	충고, 조언
□ cost	(가격이) ~이다
□ village	마을
□ first	우선, 먼저
□ across from	~의 바로 맞은편에
□ mess	엉망인 상태
□ put away	~을 치우다
□ be good at	~을 잘하다
□ bake	굽다
□ far from	~에서 먼
□ top	정상, 꼭대기

01 전통적인

02 거북

03 당근

04 뒷다리

05 ~로 고심하다

06 식은 죽 먹기이다.

07 (문제 등을) 풀다

08 일상생활

09 대개, 보통

10 바람이 빠진, 펑크 난

11 고치다, 수리하다

12 정비공

13 심사숙고하다, 재고하다

14 따르다

15 충고, 조언

16 (가격이) ~이다

17 마을

18 우선, 먼저

19 ~의 바로 맞은편에

20 엉망인 상태

21 ~을 치우다

22 ~을 잘하다

23 굽다

24 ~에서 먼

25 정상, 꼭대기

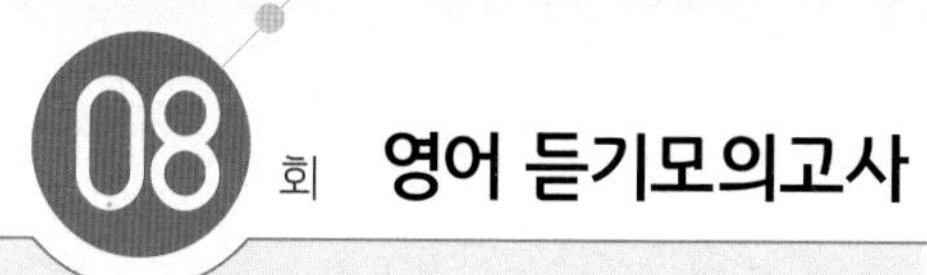

08회 영어 듣기모의고사

- ☐ point to ~를 가리키다
- ☐ carefully 주의 깊게
- ☐ rainy 비 오는
- ☐ snowy 눈 내리는
- ☐ be in hospital 입원해 있다
- ☐ volunteer 자원봉사자
- ☐ the disabled 장애인
- ☐ take place 개최되다, 일어나다
- ☐ pack 포장하다
- ☐ director 연출가, 감독
- ☐ disappear 사라지다
- ☐ look like ~처럼 보이다
- ☐ do the dishes 설거지하다
- ☐ locker 사물함
- ☐ save 구하다
- ☐ amazing 놀라운
- ☐ helpful 도움이 되는
- ☐ art gallery 미술관
- ☐ cross 건너다, 가로지르다
- ☐ woods 숲
- ☐ reach (손이) 닿다
- ☐ take out ~을 꺼내다
- ☐ glad 기쁜, 반가운
- ☐ wake up ~을 깨우다
- ☐ kid 농담하다

01 ~를 가리키다

02 주의 깊게

03 비 오는

04 눈 내리는

05 입원해 있다

06 자원봉사자

07 장애인

08 개최되다, 일어나다

09 포장하다

10 연출가, 감독

11 사라지다

12 ~처럼 보이다

13 설거지하다

14 사물함

15 구하다

16 놀라운

17 도움이 되는

18 미술관

19 건너다, 가로지르다

20 숲

21 (손이) 닿다

22 ~을 꺼내다

23 기쁜, 반가운

24 ~을 깨우다

25 농담하다

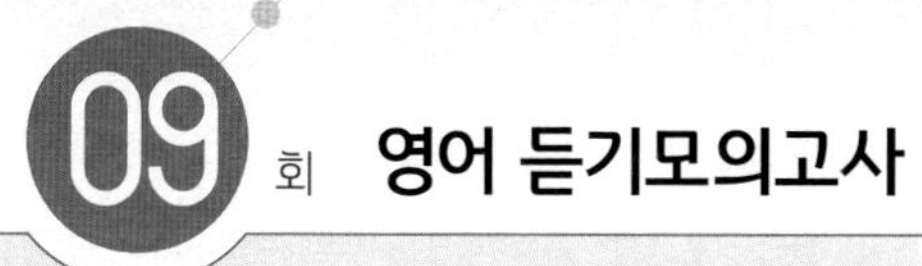

09회 영어 듣기모의고사

□ provide	제공하다
□ information	정보
□ scan	스캔하다, 조사하다
□ response	반응
□ straight hair	생머리
□ glasses	안경
□ appreciate	고마워하다
□ listen to	~을 듣다
□ postage	우편 요금
□ express mail	빠른우편
□ regular mail	일반 우편
□ invention	발명(품)
□ take a break	쉬다
□ parade	퍼레이드
□ empty	빈
□ spill	흘리다, 쏟다
□ book	예약하다
□ rush hour	(출퇴근) 혼잡 시간대
□ answer the phone	전화를 받다
□ wrap	포장하다
□ keep -ing	~을 계속하다
□ wake-up call	모닝콜
□ rather than	~보다는
□ hurt oneself	다치다, 부상당하다
□ need to	~해야 하다

01 제공하다

02 정보

03 스캔하다, 조사하다

04 반응

05 생머리

06 안경

07 고마워하다

08 ~을 듣다

09 우편 요금

10 빠른우편

11 일반 우편

12 발명(품)

13 쉬다

14 퍼레이드

15 빈

16 흘리다, 쏟다

17 예약하다

18 (출퇴근) 혼잡 시간대

19 전화를 받다

20 포장하다

21 ~을 계속하다

22 모닝콜

23 ~보다는

24 다치다, 부상당하다

25 ~해야 하다

10회 영어 듣기모의고사

☐ simple	단순한
☐ mostly	대개, 일반적으로
☐ shape	모양
☐ stay	머무르다
☐ record	기록
☐ give up	포기하다
☐ alone	혼자서, 홀로
☐ countryside	시골
☐ domestic animal	가축
☐ reporter	기자
☐ curious	호기심이 많은, 궁금한
☐ matter	문제, 일
☐ already	이미, 벌써
☐ stadium	경기장, 스타디움
☐ pale	창백한
☐ There is no need to ~	~할 필요가 없다
☐ favor	부탁
☐ package	소포
☐ walk	~을 산책시키다
☐ housework	가사, 집안일
☐ understand	이해하다
☐ explain	설명하다
☐ mark	(수학) 부호, 기호
☐ save	(돈을) 모으다, 저축하다
☐ mention	언급하다

01 단순한

02 대개, 일반적으로

03 모양

04 머무르다

05 기록

06 포기하다

07 혼자서, 홀로

08 시골

09 가축

10 기자

11 호기심이 많은, 궁금한

12 문제, 일

13 이미, 벌써

14 경기장, 스타디움

15 창백한

16 ~할 필요가 없다

17 부탁

18 소포

19 ~을 산책시키다

20 가사, 집안일

21 이해하다

22 설명하다

23 (수학) 부호, 기호

24 (돈을) 모으다, 저축하다

25 언급하다

회 영어 듣기모의고사

☐ spend	(시간을) 보내다
☐ ocean	바다
☐ lay	(알을) 낳다
☐ perfect	완벽한
☐ life	삶, 인생
☐ get home	집에 도착하다
☐ bring ~ back	~을 돌려주다
☐ calm down	진정하다
☐ light	(색깔이) 연한
☐ heavy traffic	교통 체증
☐ exchange	교환하다
☐ company	회사
☐ keep ~ secret	~을 비밀로 하다
☐ extra	여분의, 추가의
☐ bad cold	심한 감기, 독감
☐ form	서류
☐ hand in	제출하다
☐ print out	~을 출력하다
☐ lovely	사랑스러운
☐ get to	~하게 되다
☐ act	연기하다
☐ memorize	암기하다
☐ line	대사
☐ presentation	발표, 프레젠테이션
☐ download	내려받다

01 (시간을) 보내다

02 바다

03 (알을) 낳다

04 완벽한

05 삶, 인생

06 집에 도착하다

07 ~을 돌려주다

08 진정하다

09 (색깔이) 연한

10 교통 체증

11 교환하다

12 회사

13 ~을 비밀로 하다

14 여분의, 추가의

15 심한 감기, 독감

16 서류

17 제출하다

18 ~을 출력하다

19 사랑스러운

20 ~하게 되다

21 연기하다

22 암기하다

23 대사

24 발표, 프레젠테이션

25 내려받다

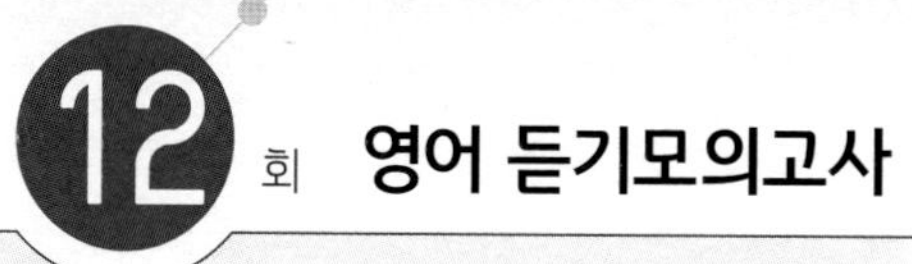

12회 영어 듣기모의고사

☐ machine	기계
☐ press	누르다
☐ math	수학
☐ be likely to	~할 것 같다
☐ jogging suit	운동복
☐ taste	~한 맛이 나다
☐ full	배가 부른
☐ boiled	끓인
☐ cooked	익힌
☐ in front of	~ 앞에서
☐ result	결과
☐ physical checkup	건강 검진
☐ forget	잊어버리다
☐ cancel	취소하다
☐ borrow	빌리다
☐ nature	자연
☐ driver's license	운전면허증
☐ department store	백화점
☐ water	물을 주다
☐ serious	심각한
☐ make friends	친구를 사귀다
☐ right away	바로, 당장
☐ skirt	치마
☐ design	디자인하다
☐ wallet	지갑

01 기계

02 누르다

03 수학

04 ~할 것 같다

05 운동복

06 ~한 맛이 나다

07 배가 부른

08 끓인

09 익힌

10 ~ 앞에서

11 결과

12 건강 검진

13 잊어버리다

14 취소하다

15 빌리다

16 자연

17 운전면허증

18 백화점

19 물을 주다

20 심각한

21 친구를 사귀다

22 바로, 당장

23 치마

24 디자인하다

25 지갑

13회 영어 듣기모의고사

☐ balance	균형을 맞추다
☐ stomach	배
☐ comfortable	편안한
☐ shade	그늘
☐ move	이사하다
☐ dinosaur	공룡
☐ get back	돌아오다
☐ professor	교수
☐ confident	자신감 있는
☐ nobody	아무도 ~ 없다
☐ get in trouble	곤란에 처하다
☐ set the table	상을 차리다
☐ attention	주의, 집중
☐ captain	기장
☐ local	현지의
☐ temperature	온도
☐ more than	~ 이상
☐ show time	상영 시간
☐ insert	넣다
☐ garbage	쓰레기
☐ charity	자선 단체
☐ scared	두려운
☐ head for	~으로 향하다
☐ take a look	살펴보다
☐ get it	이해하다

01 균형을 맞추다

02 배

03 편안한

04 그늘

05 이사하다

06 공룡

07 돌아오다

08 교수

09 자신감 있는

10 아무도 ~ 없다

11 곤란에 처하다

12 상을 차리다

13 주의, 집중

14 기장

15 현지의

16 온도

17 ~ 이상

18 상영 시간

19 넣다

20 쓰레기

21 자선 단체

22 두려운

23 ~으로 향하다

24 살펴보다

25 이해하다

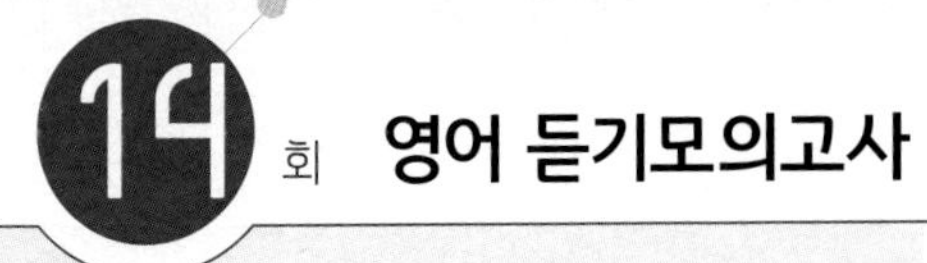

14회 영어 듣기모의고사

☐ frog	개구리
☐ cold-blooded	냉혈의
☐ poison	독
☐ wonderful	아주 멋진
☐ envy	부러워하다
☐ go sightseeing	관광하다
☐ move	이사하다
☐ make a speech	연설하다
☐ turn	차례, 순서
☐ breathe	숨 쉬다
☐ dolphin	돌고래
☐ smart	영리한
☐ break	부러지다
☐ hurry	서두르다
☐ brand-new	신상품의
☐ ahead	앞으로
☐ Here we are.	자, 도착했어.
☐ enough	충분한
☐ restroom	화장실
☐ actually	사실은, 실제로
☐ instead	대신에
☐ finally	마침내
☐ flight	항공편
☐ apartment	아파트
☐ miss	그리워하다

01 개구리

02 냉혈의

03 독

04 아주 멋진

05 부러워하다

06 관광하다

07 이사하다

08 연설하다

09 차례, 순서

10 숨 쉬다

11 돌고래

12 영리한

13 부러지다

14 서두르다

15 신상품의

16 앞으로

17 자, 도착했어.

18 충분한

19 화장실

20 사실은, 실제로

21 대신에

22 마침내

23 항공편

24 아파트

25 그리워하다

15회 영어 듣기모의고사

☐ anytime	언제든지
☐ anywhere	어디서든지
☐ digital	디지털
☐ dot	점
☐ heavy rain	폭우
☐ have a good time	즐거운 시간을 보내다
☐ hurry up	서두르다
☐ acting	연기
☐ storyline	줄거리
☐ review	비평, 평론
☐ upset	화가 난
☐ down	(컴퓨터) 작동이 안 되는
☐ everyone	모든 사람
☐ in need	어려움에 처한
☐ It's time to ~	~할 시간이다
☐ don't have to	~할 필요가 없다
☐ on foot	도보로, 걸어서
☐ student ID	학생증
☐ sign up	등록하다
☐ have ~ in mind	~을 마음에 두다
☐ among	(셋 이상) ~ 사이에서
☐ work	작동하다
☐ think of	~을 생각하다
☐ bored	지루한
☐ vacation	방학

01 언제든지

02 어디서든지

03 디지털

04 점

05 폭우

06 즐거운 시간을 보내다

07 서두르다

08 연기

09 줄거리

10 비평, 평론

11 화가 난

12 (컴퓨터) 작동이 안 되는

13 모든 사람

14 어려움에 처한

15 ~할 시간이다

16 ~할 필요가 없다

17 도보로, 걸어서

18 학생증

19 등록하다

20 ~을 마음에 두다

21 (셋 이상) ~ 사이에서

22 작동하다

23 ~을 생각하다

24 지루한

25 방학

16회 영어 듣기모의고사

☐ wing	날개
☐ fly	날(리)다
☐ business trip	출장
☐ symbol	상징
☐ pleasure	기쁨
☐ be ready for	~할 준비가 되다
☐ raincoat	비옷
☐ someday	언젠가
☐ disappointed	실망한
☐ fall off	~에서 떨어지다
☐ complain of	(몸 어디가) 아프다고 하다
☐ right away	즉시, 곧바로
☐ copy	복사하다
☐ after-school	방과 후의
☐ different	다른
☐ take a look	(한번) 보다
☐ main character	주인공
☐ look over	~을 대충 훑어보다
☐ parking lot	주차장
☐ be away	부재중이다
☐ flu	독감
☐ go fishing	낚시하러 가다
☐ spacecraft	우주선
☐ space station	우주 정거장
☐ cough	기침

01 날개

02 날(리)다

03 출장

04 상징

05 기쁨

06 ~할 준비가 되다

07 비옷

08 언젠가

09 실망한

10 ~에서 떨어지다

11 (몸 어디가) 아프다고 하다

12 즉시, 곧바로

13 복사하다

14 방과 후의

15 다른

16 (한번) 보다

17 주인공

18 ~을 대충 훑어보다

19 주차장

20 부재중이다

21 독감

22 낚시하러 가다

23 우주선

24 우주 정거장

25 기침

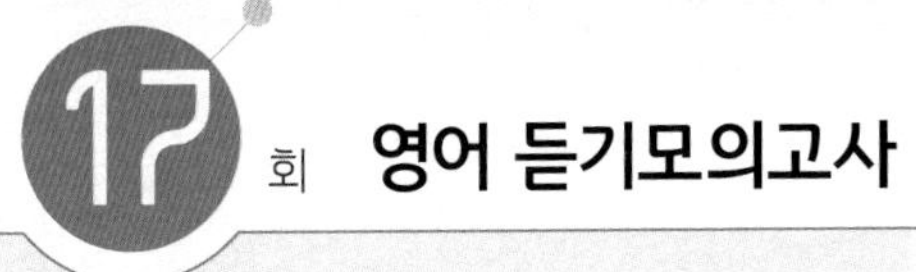

17회 영어 듣기모의고사

☐ plastic	플라스틱
☐ metal	금속
☐ refrigerator	냉장고
☐ clear up	날씨가 개다
☐ heart attack	심근 경색, 심장마비
☐ make it	해내다, 이겨내다
☐ on vacation	휴가로
☐ salary	월급
☐ stressful	스트레스가 많은
☐ as long as	~하는 한
☐ terrible	기분이 안 좋은
☐ throw	던지다
☐ original	원래의
☐ juicy	과즙이 많은
☐ message	메시지
☐ parking space	주차 공간
☐ straight	똑바로, 곧장
☐ staff meeting	직원회의
☐ last	계속되다
☐ at most	기껏해야
☐ fly	(시간이) 아주 빨리 가다
☐ weigh	체중이 ~ 나가다
☐ by the way	그런데
☐ a couple of	몇 개의
☐ expect	예상하다

01 플라스틱

02 금속

03 냉장고

04 날씨가 개다

05 심근 경색, 심장마비

06 해내다, 이겨내다

07 휴가로

08 월급

09 스트레스가 많은

10 ~하는 한

11 기분이 안 좋은

12 던지다

13 원래의

14 과즙이 많은

15 메시지

16 주차 공간

17 똑바로, 곧장

18 직원회의

19 계속되다

20 기껏해야

21 (시간이) 아주 빨리 가다

22 체중이 ~ 나가다

23 그런데

24 몇 개의

25 예상하다

18회 영어 듣기모의고사

☐ be famous for	~으로 유명하다
☐ grass	풀
☐ root	뿌리
☐ pet name	애칭
☐ strap	끈
☐ breeze	산들바람, 미풍
☐ sunset	일몰
☐ soldier	군인
☐ graduation	졸업
☐ firefighter	소방관
☐ lifesaver	인명 구조자
☐ turn off	끄다
☐ mistake	실수
☐ clean up	청소하다
☐ emergency	비상
☐ purpose	목적
☐ break one's leg	다리가 부러지다
☐ summary	요약
☐ take up	(시간을) 쓰다
☐ spare	(돈을) 내 주다
☐ embarrassed	당혹한, 창피한
☐ pay ~ back	~에게 빌린 돈을 갚다
☐ infection	감염
☐ keep -ing	계속 ~하다
☐ try out	(대회 등에) 참가하다

01 ~으로 유명하다

02 풀

03 뿌리

04 애칭

05 끈

06 산들바람, 미풍

07 일몰

08 군인

09 졸업

10 소방관

11 인명 구조자

12 끄다

13 실수

14 청소하다

15 비상

16 목적

17 다리가 부러지다

18 요약

19 (시간을) 쓰다

20 (돈을) 내 주다

21 당혹한, 창피한

22 ~에게 빌린 돈을 갚다

23 감염

24 계속 ~하다

25 (대회 등에) 참가하다

19회 영어 듣기모의고사

☐ place	장소
☐ symbol	기호
☐ guess	추측하다
☐ curly	곱슬곱슬한
☐ headband	머리띠
☐ originally	원래
☐ more than	~ 이상
☐ promise	약속; 약속하다
☐ songwriter	작곡가
☐ do one's best	최선을 다하다
☐ work out	운동하다
☐ gym	체육관, 헬스장
☐ downtown	시내에
☐ close	가까운
☐ topic	주제
☐ due on	~가 기한인
☐ beef	쇠고기
☐ ask ~ a favor	~에게 부탁을 하다
☐ recommendation	추천
☐ apply for	~에 지원하다
☐ attic	다락(방)
☐ give you a hand	도와주다, 거들어 주다
☐ shift	교대 근무 (시간)
☐ emergency room	응급실
☐ tough	거친, 힘든

01 장소

02 기호

03 추측하다

04 곱슬곱슬한

05 머리띠

06 원래

07 ~ 이상

08 약속; 약속하다

09 작곡가

10 최선을 다하다

11 운동하다

12 체육관, 헬스장

13 시내에

14 가까운

15 주제

16 ~가 기한인

17 쇠고기

18 ~에게 부탁을 하다

19 추천

20 ~에 지원하다

21 다락(방)

22 도와주다, 거들어 주다

23 교대 근무 (시간)

24 응급실

25 거친, 힘든

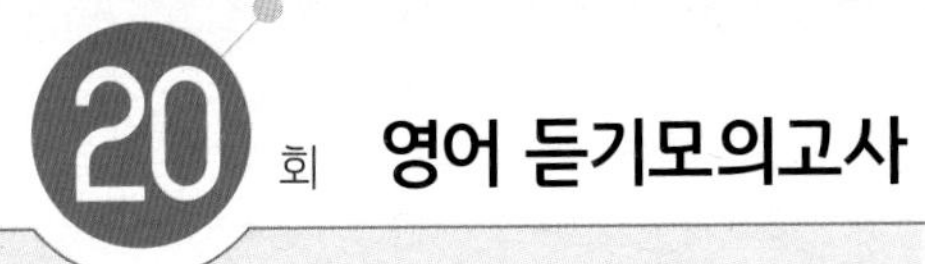

☐ vegetable	야채, 채소
☐ vitamin	비타민
☐ dish	음식
☐ driver	운전자
☐ icy road	빙판길
☐ reason	이유
☐ thirsty	목이 마른
☐ throat	목
☐ most of all	무엇보다도
☐ seat	자리, 좌석
☐ main entrance	주 출입구
☐ major in	~을 전공하다
☐ ambitious	야심 있는
☐ somewhere	어딘가로, 어딘가에
☐ Thai	태국의
☐ hire	고용하다
☐ bother	괴롭히다
☐ waste	낭비
☐ for a second	잠시
☐ whole	전부의, 모든
☐ have a seat	앉다
☐ thin	마른, 날씬한
☐ late teens	10대 후반
☐ catch	(붙)잡다
☐ for fun	재미로, 재미 삼아

01 야채, 채소

02 비타민

03 음식

04 운전자

05 빙판길

06 이유

07 목이 마른

08 목

09 무엇보다도

10 자리, 좌석

11 주 출입구

12 ~을 전공하다

13 야심 있는

14 어딘가로, 어딘가에

15 태국의

16 고용하다

17 괴롭히다

18 낭비

19 잠시

20 전부의, 모든

21 앉다

22 마른, 날씬한

23 10대 후반

24 (붙)잡다

25 재미로, 재미 삼아

21회 영어 듣기모의고사

☐ drawer	서랍
☐ board	판
☐ due	~로 예정된
☐ fall down	(기온 등이) 떨어지다
☐ below zero	영하
☐ keep up with	~에 뒤지지 않다
☐ tiring	피곤한
☐ Spanish	스페인 사람(의)
☐ on sale	할인 중인
☐ carpenter	목수
☐ professional	전문적인, 직업의
☐ be over	끝나다, 마치다
☐ respect	존경하다
☐ alive	살아 있는
☐ extra	여분의
☐ get to	~에 이르다, ~에 닿다
☐ stair	계단
☐ report	숙제, 보고서
☐ wet	젖은, 비가 오는
☐ signing event	사인회
☐ in fact	사실상
☐ take care of	~을 돌보다
☐ feed	먹이를 주다
☐ totally	완전히
☐ iron	다리미질을 하다

01 서랍

02 판

03 ~로 예정된

04 (기온 등이) 떨어지다

05 영하

06 ~에 뒤지지 않다

07 피곤한

08 스페인 사람(의)

09 할인 중인

10 목수

11 전문적인, 직업의

12 끝나다, 마치다

13 존경하다

14 살아 있는

15 여분의

16 ~에 이르다, ~에 닿다

17 계단

18 숙제, 보고서

19 젖은, 비가 오는

20 사인회

21 사실상

22 ~을 돌보다

23 먹이를 주다

24 완전히

25 다리미질을 하다

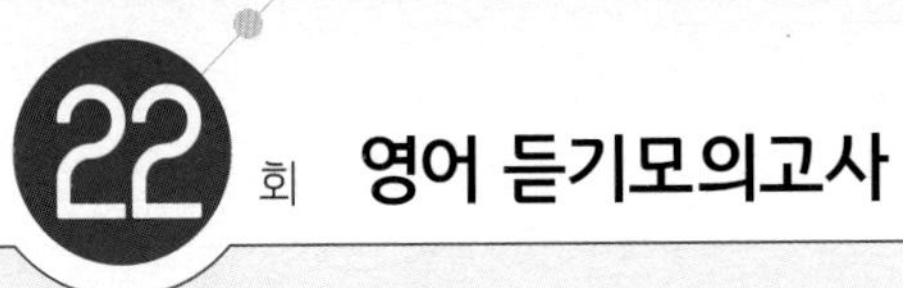

22회 영어 듣기모의고사

- ☐ ride 타다
- ☐ accident 사고
- ☐ injury 부상
- ☐ hard 많이, 심하게
- ☐ bubble 비눗방울
- ☐ blow (입으로) 불다
- ☐ lesson 수업, 교습
- ☐ sailor 선원
- ☐ blind 눈이 먼
- ☐ slow down (속도를) 늦추다
- ☐ direction 길, 방향
- ☐ crowded 붐비는, 혼잡한
- ☐ nothing 아무것도 (~ 아니다)
- ☐ heavily 아주 많이
- ☐ reader 독자
- ☐ though 하지만, 그렇지만
- ☐ bore 지루하게 하다
- ☐ stereo system 오디오
- ☐ lamp 전기스탠드
- ☐ active 활동적인
- ☐ prepare 준비하다
- ☐ abroad 해외로
- ☐ experience 경험; 경험하다
- ☐ temple 절
- ☐ peaceful 평화로운

01 타다

02 사고

03 부상

04 많이, 심하게

05 비눗방울

06 (입으로) 불다

07 수업, 교습

08 선원

09 눈이 먼

10 (속도를) 늦추다

11 길, 방향

12 붐비는, 혼잡한

13 아무것도 (~ 아니다)

14 아주 많이

15 독자

16 하지만, 그렇지만

17 지루하게 하다

18 오디오

19 전기스탠드

20 활동적인

21 준비하다

22 해외로

23 경험; 경험하다

24 절

25 평화로운

Final Test  회

☐ traditional story	전래 동화
☐ deep	깊이
☐ hunter	사냥꾼
☐ family	(동식물 분류상의) 과
☐ outdoor activity	야외 활동
☐ give away	나눠 주다
☐ campaign	캠페인
☐ for lunch	점심 식사로
☐ at that time	그때에
☐ be good at	~을 잘하다
☐ need to	~해야 한다
☐ right now	당장
☐ museum	박물관
☐ match	경기, 시합
☐ popular	인기 있는, 대중적인
☐ expensive	값 비싼
☐ broken	고장 난
☐ different	다른
☐ look like	~처럼 생긴
☐ have a look	살펴보다
☐ plan	계획하다
☐ delicious	맛있는
☐ dessert	디저트, 후식
☐ flea market	벼룩시장
☐ racket	라켓

01 전래 동화

02 깊이

03 사냥꾼

04 (동식물 분류상의) 과

05 야외 활동

06 나눠 주다

07 캠페인

08 점심 식사로

09 그때에

10 ~을 잘하다

11 ~해야 한다

12 당장

13 박물관

14 경기, 시합

15 인기 있는, 대중적인

16 값 비싼

17 고장 난

18 다른

19 ~처럼 생긴

20 살펴보다

21 계획하다

22 맛있는

23 디저트, 후식

24 벼룩시장

25 라켓

Final Test 02 회

☐ thick	두꺼운
☐ sharp	날카로운
☐ ground	땅, 육지
☐ blanket	담요
☐ invite	초대하다
☐ off	할인해서
☐ attend	참가하다, 참여하다
☐ sign up	등록하다
☐ hide and seek	술래잡기
☐ candle	초, 양초
☐ gym	체육관
☐ erase	지우다
☐ be held	열리다
☐ hole	구멍
☐ fix	고치다, 수리하다
☐ remember	기억하다
☐ drink	음료
☐ sell	팔다
☐ strawberry	딸기
☐ list	목록, 리스트
☐ borrow	빌리다, 대출하다
☐ bring back	반납하다
☐ still	아직도, 여전히
☐ hurt	다치다
☐ how often	얼마나 자주

01 두꺼운

02 날카로운

03 땅, 육지

04 담요

05 초대하다

06 할인해서

07 참가하다, 참여하다

08 등록하다

09 술래잡기

10 초, 양초

11 체육관

12 지우다

13 열리다

14 구멍

15 고치다, 수리하다

16 기억하다

17 음료

18 팔다

19 딸기

20 목록, 리스트

21 빌리다, 대출하다

22 반납하다

23 아직도, 여전히

24 다치다

25 얼마나 자주

중학영어
듣기모의고사 22회

1

STRUCTURE

구성 및 특징

1 유형공략

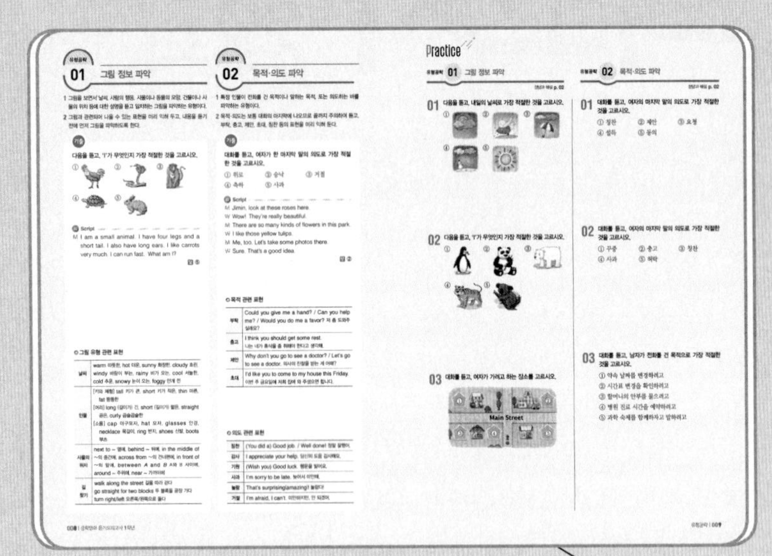

유형 학습으로 기초 다지기

- 최신 기출문제를 통해 유형별로 출제 경향과 핵심 전략 익히기
- Practice를 통해 실전 감각 익히기

2 영어 듣기모의고사 22회

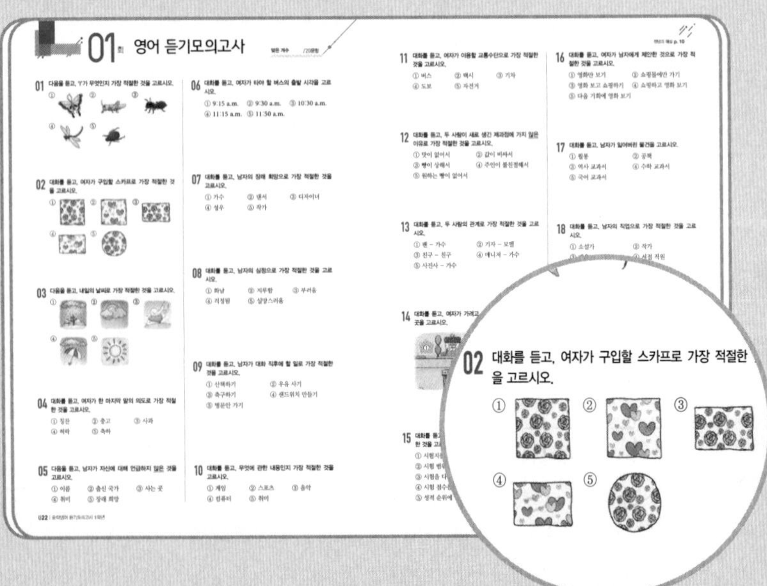

실전 문제로 실력 확인하기

- 최근 3개년 기출 경향에 맞춰 출제된 22회의 모의고사 풀이를 통해 실력 점검
- 실제 기출문제와 동일한 유형을 빠른 속도로 연습하여 실전 대비
- 영국식 발음 문항 연습

3 Dictation Test

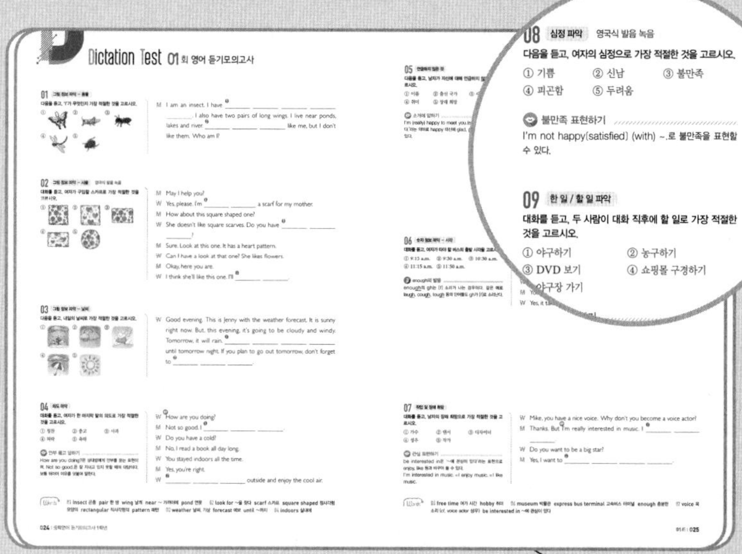

Dictation Test로 실력 다지기

- 받아쓰기 전용 MP3 파일 제공
- 받아쓰기를 통해 문제 풀이에 필요한 핵심 어휘 및 주요 표현을 완벽 이해
- 주요 의사소통 기능에 대한 설명과 발음을 tip으로 완벽 이해

4 기출문제를 활용한 FINAL TEST

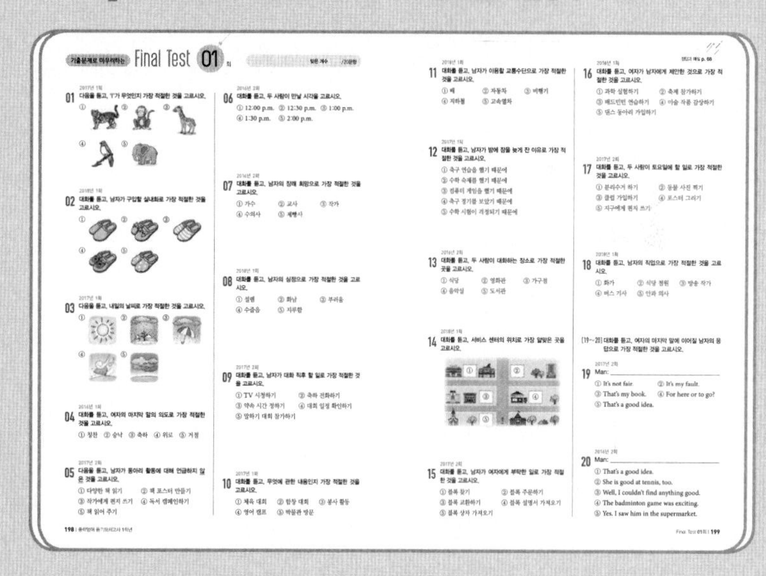

기출문제로 최종 마무리

- 최근 3개년 기출문제를 융합한 FINAL TEST 2회분을 통해 시험 전 최종 점검

부록

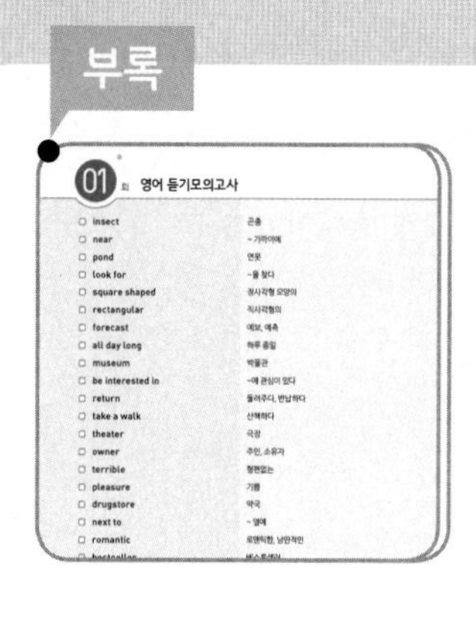

미니 단어장

- 각 회차별 핵심 어휘를 단어장을 통해 완벽 학습할 수 있도록 별책 부록으로 제공

CONTENTS 차례

PART 1 유형공략

PART 2 영어 듣기모의고사

In this age, which believes that there is a short cut to everything, the greatest lesson to be learned is that the most difficult way is, in the long run, the easiest.

모든 것에 지름길이 있다고 믿는 요즘,
최대의 교훈은 가장 어려운 방법으로 배우는 것이
장기적으로 가장 쉽다는 것이다.

소설가 Henry Miller(1891~1915)

PART 1

듣기 시험 유형공략 12

01 그림 정보 파악 / 02 목적·의도 파악
03 내용 일치·불일치 / 04 숫자 정보 파악
05 도표 이해 / 06 관계·직업 추론
07 심정·이유 파악 / 08 한 일 / 할 일 파악
09 주제·화제 파악 / 10 장소 추론
11 어색한 대화 찾기 / 12 마지막 말에 대한 응답 찾기

01 그림 정보 파악

1 그림을 보면서 날씨, 사람의 행동, 사물이나 동물의 모양, 건물이나 사물의 위치 등에 대한 설명을 듣고 일치하는 그림을 파악하는 유형이다.

2 그림과 관련되어 나올 수 있는 표현을 미리 익혀 두고, 내용을 듣기 전에 먼저 그림을 파악하도록 한다.

다음을 듣고, 'I'가 무엇인지 가장 적절한 것을 고르시오.

① 
② 
③ 
④ 
⑤ 

Script

M I am a small animal. I have four legs and a short tail. I also have long ears. I like carrots very much. I can run fast. What am I?

 ⑤

그림 유형 관련 표현

날씨	warm 따뜻한, hot 더운, sunny 화창한, cloudy 흐린, windy 바람이 부는, rainy 비가 오는, cool 서늘한, cold 추운, snowy 눈이 오는, foggy 안개 낀
인물	[키와 체형] tall 키가 큰, short 키가 작은, thin 마른, fat 뚱뚱한 [머리] long (길이가) 긴, short (길이가) 짧은, straight 곧은, curly 곱슬곱슬한 [소품] cap 야구모자, hat 모자, glasses 안경, necklace 목걸이, ring 반지, shoes 신발, boots 부츠
사물의 위치	next to ~ 옆에, behind ~ 뒤에, in the middle of ~의 중간에, across from ~의 건너편에, in front of ~의 앞에, between *A* and *B* A와 B 사이에, around ~ 주위에, near ~ 가까이에
길 찾기	walk along the street 길을 따라 걷다 go straight for two blocks 두 블록을 곧장 가다 turn right/left 오른쪽/왼쪽으로 돌다

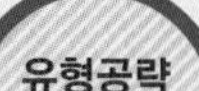

02 목적·의도 파악

1 특정 인물이 전화를 건 목적이나 말하는 목적, 또는 의도하는 바를 파악하는 유형이다.

2 목적·의도는 보통 대화의 마지막에 나오므로 끝까지 주의하여 듣고, 부탁, 충고, 제안, 초대, 칭찬 등의 표현을 미리 익혀 둔다.

대화를 듣고, 여자가 한 마지막 말의 의도로 가장 적절한 것을 고르시오.

① 위로 ② 승낙 ③ 거절
④ 축하 ⑤ 사과

Script

M Jimin, look at these roses here.
W Wow! They're really beautiful.
M There are so many kinds of flowers in this park.
W I like those yellow tulips.
M Me, too. Let's take some photos there.
W Sure. That's a good idea.

답 ②

목적 관련 표현

부탁	Could you give me a hand? / Can you help me? / Would you do me a favor? 저 좀 도와주실래요?
충고	I think you should get some rest. 나는 네가 휴식을 좀 취해야 한다고 생각해.
제안	Why don't you go to see a doctor? / Let's go to see a doctor. 의사의 진찰을 받는 게 어때?
초대	I'd like you to come to my house this Friday. 이번 주 금요일에 저희 집에 와 주셨으면 합니다.

의도 관련 표현

칭찬	(You did a) Good job. / Well done! 정말 잘했어.
감사	I appreciate your help. 당신의 도움 감사해요.
기원	(Wish you) Good luck. 행운을 빌어요.
사과	I'm sorry to be late. 늦어서 미안해.
놀람	That's surprising(amazing)! 놀랍다!
거절	I'm afraid, I can't. 미안하지만, 안 되겠어.

Practice

유형공략 01 그림 정보 파악

정답과 해설 p. 02

01 다음을 듣고, 내일의 날씨로 가장 적절한 것을 고르시오.

①   ②   ③ 

④  ⑤ 

02 다음을 듣고, 'I'가 무엇인지 가장 적절한 것을 고르시오.

①  ②   ③ 

④ ⑤ 

03 대화를 듣고, 여자가 가려고 하는 장소를 고르시오.

유형공략 02 목적·의도 파악

정답과 해설 p. 02

01 대화를 듣고, 여자의 마지막 말의 의도로 가장 적절한 것을 고르시오.

① 칭찬 ② 제안 ③ 요청
④ 설득 ⑤ 동의

02 대화를 듣고, 여자의 마지막 말의 의도로 가장 적절한 것을 고르시오.

① 꾸중 ② 충고 ③ 칭찬
④ 사과 ⑤ 허락

03 대화를 듣고, 남자가 전화를 건 목적으로 가장 적절한 것을 고르시오.

① 약속 날짜를 변경하려고
② 시간표 변경을 확인하려고
③ 할머니의 안부를 물으려고
④ 병원 진료 시간을 예약하려고
⑤ 과학 숙제를 함께하자고 말하려고

03 내용 일치·불일치

1 대화를 들으면서 세부 정보를 파악하는 유형이다.

2 대화를 듣기 전에 선택지를 먼저 살펴보며 대화 내용을 예상해 본 후에 들으면서 필요한 부분을 메모한다.

다음을 듣고, 여자가 친구에 대해 언급하지 않은 것을 고르시오.

① 학교 ② 외모 ③ 취미 ④ 생일 ⑤ 성격

Script

M Hi, everyone. I'd like to introduce my best friend, Sumi, to you. She goes to Brown Middle School. She has long curly hair. Her hobby is making things with paper. She is kind, so many people like her.

답 ④

○ 소개 관련 표현

자기 소개	My name is Steve. 제 이름은 Steve입니다. I'm 14 years old. 저는 14살입니다. I'm from London, England. 저는 영국의 런던 출신입니다. I like singing. 저는 노래 부르는 것을 좋아합니다. I want to be a movie star like James Dean. 저는 James Dean과 같은 영화배우가 되고 싶습니다.
다른 사람 소개	Let me talk about my family. 제 가족에 대해 이야기 하겠습니다. My father is a firefighter. 저의 아버지는 소방관이십니다. My younger brother likes to paint pictures and wants to be an artist. 저의 남동생은 그림 그리는 것을 좋아하고 예술가가 되고 싶어 합니다.

04 숫자 정보 파악

1 대화나 담화를 듣고 시각, 가격 등을 파악하는 유형이다.

2 처음에 나오는 숫자가 답이 아닌 경우가 많으므로 끝까지 주의하여 메모하면서 듣고, 발음이 비슷한 숫자 표현들을 미리 익혀 둔다

대화를 듣고, 두 사람이 만날 시각을 고르시오.

① 09:00 a.m. ② 09:30 a.m.
③ 10:00 a.m. ④ 10:30 a.m.
⑤ 11:30 a.m.

Script

W Sam, did you buy a gift for Mother's Day?
M No. What about you?
W Not yet. Why don't we go shopping together?
M Okay. Let's meet tomorrow morning at 10.
W Um.... That's a little early for me. Can we meet at 10:30 a.m.?
M No problem. See you tomorrow.

답 ④

○ 숫자 정보 관련 표현

시간·시각	When(What time) shall we make it? 몇 시에 만날까? It takes an hour to get there. 그곳에 도착하는 데 한 시간이 걸려. I'm going to get there at 7 p.m. 나는 오후 7시에 그곳에 도착할 예정이야.
물건 사기	What do you want to buy? 무엇을 사고 싶니? I want to buy two tickets. 표 2장을 사고 싶어요. How much is it? 얼마예요? It's four dollars each. 각각 4달러입니다. It's on sale 50% off. 50% 할인 중입니다.
숫자 읽기	6:00 (six=six o'clock) 4:50 (four fifty=ten to five) 6:10 (six ten=ten past six) 5:15 (five fifteen=quarter past five) 2014 (two thousand fourteen) $12.50 (twelve dollars and fifty cents) 20% (twenty percent) 1/2 (a half) 1/4 (a quarter=one fourth) 3/5 (three fifths) phone number 123-4507 (one - two - three - four - five - O - seven)

Practice

유형공략 03 내용 일치·불일치

정답과 해설 p. 03

01 다음을 듣고, 여자에 대해 언급되지 않은 것을 고르시오.

① 출신 국가 ② 부모님의 직업
③ 좋아하는 운동 ④ 여동생들의 장래 희망
⑤ 애완동물의 이름

02 대화를 듣고, 내용과 일치하지 않는 것을 고르시오.

① 수빈이는 여동생들이 있다.
② 수빈이의 아버지는 군인이시다.
③ 수빈이의 어머니는 젊어 보이신다.
④ 수빈이의 어머니는 44세이시다.
⑤ 수빈이의 어머니는 간호사이시다.

03 대화를 듣고, 여자에 대한 설명으로 가장 적절한 것을 고르시오.

① 운동화를 구입했다.
② 잡지를 읽고 있다.
③ 책 읽기를 좋아한다.
④ 헬스클럽에 등록했다.
⑤ 줄넘기 대회에서 일 등을 했다.

유형공략 04 숫자 정보 파악

정답과 해설 p. 03

01 대화를 듣고, 남자가 타게 될 버스 시각으로 가장 적절한 것을 고르시오.

① 5:10 ② 5:30 ③ 5:35
④ 6:30 ⑤ 6:35

02 대화를 듣고, 여자가 지불할 금액으로 가장 적절한 것을 고르시오.

① $12 ② $25 ③ $30
④ $49 ⑤ $62

03 대화를 듣고, 남자가 일주일에 인라인스케이트를 타는 횟수를 고르시오.

① 1~2회 ② 2~3회
③ 2~4회 ④ 3~4회
⑤ 4~5회

05 도표 이해

1 대화나 담화를 듣고 도표를 보며 지불할 금액이나 세부 정보를 파악하는 유형이다.

2 숫자와 관련된 표현에 집중해서 들으면서 도표에서 해당 내용을 하나씩 체크하면서 듣는다.

대화를 듣고, 여자가 지불해야 할 금액을 고르시오.

MENU		
Food	Steak	$15.00
	Spaghetti	$10.00
Salad	Tomato Salad	$6.00
	Orange Salad	$5.00
Dessert	Ice Cream	$4.00
	Apple Pie	$3.00

① $24 ② $25 ③ $26
④ $27 ⑤ $28

Script

M What would you like to have?
W I'll have a steak and a tomato salad.
M Anything else?
W I would like the apple pie for dessert.
M OK. I'll be right back.

답 ①

○ 도표 관련 표현

주문	Can(May) I help you? 제가 도와드릴까요? Would you like anything to drink? 뭔가 마실 것을 원합니까? I'd like to have one hamburger. 저는 햄버거를 하나 먹고 싶어요. Do you need anything else? 더 필요하신 것이 있나요?
도표	Only four students are interested in drawing. 4명의 학생들만 그림 그리는 것에 관심이 있다. Eight students like reading books and the same number of students love to listen to music in their free time. 8명의 학생들이 책 읽는 것을 좋아하고 동일한 수의 학생들이 한가한 시간에 음악 듣는 것을 좋아한다.

06 관계·직업 추론

1 대화를 듣고 대화의 흐름이나 상황을 통해 대화자 간의 관계를 파악하는 유형이다.

2 대화가 이루어지는 장소를 생각해 보면 대화자 간의 관계나 직업을 쉽게 유추할 수 있다.

대화를 듣고, 두 사람의 관계로 가장 적절한 것을 고르시오.

① 가수 – 팬
② 호텔 직원 – 고객
③ 기자 – 발명가
④ 도서관 사서 – 학생
⑤ 여행 가이드 – 관광객

Script

M Hi, Dr. Yoon. I'm James King from ABA News.
W Good afternoon.
M Could you tell us about your new invention?
W I invented a cleaning robot to help busy people.
M I'm sure many people will love it.
W I hope this saves lots of time.
M Great. Thanks for the interview.

답 ③

○ 관계 관련 표현

의사와 환자	What's the matter? 무엇이 문제이십니까? – I have a toothache. 이가 아파요.
종업원과 손님	How may I help you? 어떻게 도와드릴까요? – I'm looking for a T-shirt. 티셔츠를 찾고 있어요. We are having a sale this week. 이번 주에 세일을 하고 있습니다. May I take your order? 주문하시겠어요? – No, I'm waiting for my friends. 아니요. 제 친구들을 기다리고 있습니다.
선생님과 학생	Did you do your homework? 숙제는 다 했니? Hand in the report by tomorrow. 보고서를 내일까지 제출하세요.
엄마와 아들	It's already 8 o'clock. Please hurry up. You're late for school. 벌써 8시야. 어서 서둘러. 지각하겠어. – I can't find my glasses. 안경을 못 찾겠어요.
동창생	Excuse me, aren't you Jessica? 실례지만, Jessica 아니세요? – Yes, your name is Patrick, isn't it? We went to the same middle school, right? 네, 당신의 이름이 Patrick, 맞죠? 우리 같은 중학교에 다녔죠?

Practice

유형공략 05 도표 이해

정답과 해설 p. 04

01 다음을 듣고, 내용과 일치하지 않는 것을 고르시오.

①	Romance books	4명
②	Mystery books	5명
③	Biography	4명
④	Sci-fi books	11명
⑤	Comic books	11명

02 대화를 듣고, 남자의 질문에 대한 가장 적절한 대답을 고르시오.

1	2	3	4	5	6	7	8	9
N	O	P	Q	R	S	T	U	V

① TOP ② OUT ③ OUR
④ ROW ⑤ ROT

03 대화를 듣고, 체육 대회가 있는 날짜를 고르시오.

April						
Sun	Mon	Tue	Wed	Thu	Fri	Sat
		1	2	3	4	5
6	7	8	9	10	11	12
13	14	15	16	17	18	19
20	21	22	23	24	25	26
27	28	29	30			

① 4월 14일 ② 4월 18일
③ 4월 24일 ④ 4월 25일
⑤ 4월 30일

유형공략 06 관계·직업 추론

정답과 해설 p. 05

01 대화를 듣고, 남자의 직업으로 가장 적절한 것을 고르시오.

① 기자 ② 소방관
③ 미용사 ④ 선생님
⑤ 사진작가

02 대화를 듣고, 두 사람의 관계로 가장 적절한 것을 고르시오.

① 점원 – 손님 ② 엄마 – 아들
③ 교사 – 학생 ④ 사장 – 직원
⑤ 의사 – 환자

03 대화를 듣고, 여자의 직업으로 가장 적절한 것을 고르시오.

① 경찰관 ② 소방관
③ 건축가 ④ 관광 가이드
⑤ 선생님

07 심정·이유 파악

1 대화를 듣고 감정에 대한 이유나 특정 인물의 심경을 파악하는 유형이다.
2 대화자들의 어조를 통해 분위기를 유추하며 듣는다.

대화를 듣고, 남자가 여자를 도와줄 수 없는 이유로 가장 적절한 것을 고르시오.

① 집에 가야하기 때문에
② 시험을 봐야하기 때문에
③ 청소를 해야 하기 때문에
④ 우체국에 가야하기 때문에
⑤ 동아리 모임이 있기 때문에

Script

W Chris, can you do me a favor?
M What is it, Amy?
W Could you help me with my math homework at lunch time?
M I'd love to, but I can't. I have a club meeting in the art room then.
W Oh, I see.
M Why don't you ask Betty?
W Okay, I will. Thanks.

답 ⑤

심정 관련 표현

안부 / 기분 묻기	How are you (doing)? 어떻게 지내니? How are you feeling today? 오늘 기분은 어떠니? What's the matter with you? 무슨 일이니? Are there any problems? 무슨 문제가 있니?
심정	nice 좋은, happy 행복한, pleased 즐거운, interested 흥미 있어 하는, excited 신이 난, surprised 놀란, I can't believe this. 이것을 믿을 수가 없어., angry(upset) 화난, worried 걱정스러운, nervous 초조한, sad 슬픈, bored 지루한, tired 피곤한

이유 관련 표현

이유 묻기	Why are you late? 왜 늦었니? Why do you so upset? 왜 그렇게 화가 났니? Why do you look so happy? 무슨 일로 그렇게 행복해 보이니?
이유 말하기	(Because) I missed the bus. 버스를 놓쳐서. (Because) I miss my family. 가족이 그리워서. (Because) I passed the exam. 시험에 합격해서. (Because) I won a prize. 상을 받아서.

08 한 일 / 할 일 파악

1 대화를 듣고 질문에서 요구하는 특정 정보를 파악하는 유형이다.
2 대화 속에 나오는 정보들을 간략이 메모하며 듣고, 뒷부분에 답이 나오는 경우가 많으므로 끝까지 집중해서 듣는다.

대화를 듣고, 남자가 대화 직후에 할 일로 가장 적절한 것을 고르시오.

① 진로 상담하기
② 병원 진료받기
③ 재킷 구입하기
④ 식당으로 돌아가기
⑤ 분리수거 도와주기

Script

W Eric, let's go to the concert now.
M Okay. (*Pause*) Wait!
W What's wrong?
M I left my jacket in the restaurant.
W Are you sure?
M I think so. The tickets are in the jacket.
W Oh, no! What should we do?
M Wait here, and I'll go back to the restaurant right now.

답 ④

한 일 관련 표현

한 일	stay home 집에 머무르다, take a walk 산책하다, go shopping(hiking/swimming) 쇼핑(하이킹/수영)하다 do the dishes 설거지하다, go to the library 도서관에 가다

할 일 관련 표현

할 일 제안	Why don't we visit her? / How about visiting her? / Let's visit her. 그녀를 방문하는 것이 어때? Can you take care of your sister? 너의 여동생 좀 돌볼 수 있겠니? You should finish your homework first. 너는 우선 숙제를 끝내야 해. Do you want to go jogging tomorrow morning? 너는 내일 아침에 조깅하러 갈래?
할 일 말하기	I need to take some medicine. 나는 약을 좀 먹어야 해. I must visit my aunt. 나는 이모를 뵈러 가야만 해. I'm going to visit a museum. 나는 박물관을 방문할 예정이야.

Practice

유형공략 07 심정·이유 파악

정답과 해설 p. 05

01 대화를 듣고, 남자의 심정으로 가장 적절한 것을 고르시오.

① 슬픔　② 놀라움
③ 외로움　④ 행복함
⑤ 반가움

02 대화를 듣고, 남자가 여행을 갈 수 없었던 이유로 가장 적절한 것을 고르시오.

① 비행기 표가 없어서
② 날씨가 나빠서
③ 병원에 가야 해서
④ 개가 아파서
⑤ 동생을 돌봐야 해서

03 대화를 듣고, 여자의 심정으로 가장 적절한 것을 고르시오.

① 반가움　② 부러움
③ 지루함　④ 걱정함
⑤ 미안함

유형공략 08 한 일 / 할 일 파악

정답과 해설 p. 06

01 대화를 듣고, 남자가 주말에 할 일로 가장 적절한 것을 고르시오.

① 자전거 타기　② 공원 산책하기
③ 동생 돌보기　④ 박물관 견학하기
⑤ 피아노 수업 듣기

02 대화를 듣고, 남자가 대화 직후에 할 일로 가장 적절한 것을 고르시오.

① 저녁 식사 준비하기　② 운동하기
③ 방 청소하기　④ 개 산책시키기
⑤ TV 보기

03 대화를 듣고, 여자가 방학 동안 한 일을 고르시오.

① 독서하기　② TV보기
③ 수영하기　④ 운동하기
⑤ 영어 배우기

09 주제·화제 파악

1 대화나 담화를 듣고 주제와 요지를 파악하는 유형이다.

2 보통 담화의 처음과 끝 부분에서 주제에 대해 간략한 소개를 하는 경우가 많으므로, 처음부터 끝까지 집중해서 들어야 한다.

기출

대화를 듣고, 무엇에 관한 내용인지 가장 적절한 것을 고르시오.

① TV 시청　② 병원 진료
③ 봉사 활동　④ 컴퓨터 수리
⑤ 진로 캠프 신청

Script

W Nick, what are you doing?
M I'm looking on the Internet for volunteer work to do.
W What kind of work do you want to do?
M I want to play the violin for people.
W Hmm... Oh, look! You can play it for the patients at Nara Hospital.
M Excellent!

답 ③

주제 및 화제 관련 표현

사물	This fruit is round and heavy. 이 과일은 둥글고 무겁다. It's green on the outside but red on the inside. 바깥은 녹색이고 안쪽은 빨간색이다. This is something that you ride in. 이것은 네가 타는 것이다. It has wings and can move through the sky. 그것은 날개가 있고 하늘을 날 수 있다. People use this when they want to know how long something is. 사람들은 물건이 얼마나 긴지를 알기 원할 때 이것을 사용한다.
동물	I am a small animal. 나는 작은 동물이다. I have four legs and a short tail. 나는 다리가 네 개이고 꼬리가 짧다. This animal is famous for its long neck and eats leaves on top of trees. 이 동물은 긴 목으로 유명하고 나무 꼭대기에 있는 잎을 먹는다.
설명하는 담화	First, prepare a frying pan, an egg, oil and some salt. 우선, 프라이팬과 달걀 한 개, 기름과 약간의 소금을 준비해라. Second, break the egg into the pan. 두 번째로, 팬에서 달걀을 깨라. Third, add some salt over the egg. 세 번째로, 달걀 위에 약간의 소금을 뿌려라.

10 장소 추론

1 대화 또는 담화를 듣고 그것이 이루어지고 있는 장소를 파악하는 유형이다.

2 장소에 따라 자주 나오는 대화 표현과 어휘를 미리 익혀 둔다.

대화를 듣고, 두 사람이 대화하는 장소로 가장 적절한 곳을 고르시오.

① 교실　② 복도
③ 행정실　④ 화장실
⑤ 운동장

Script

W Why is it so hot in this room?
M We just came back from P.E class. We are still sweating.
W Please open the windows and let's begin the class.
M Okay, Ma'am.
W Move your desks into groups of four. Let's start our history project.

답 ①

장소 관련 표현

상점 / 식당	refund 반품하다, exchange 교환하다, receipt 영수증, take an order 주문하다 Can I help you with something? 무엇을 도와드릴까요? I want to buy a present for my daughter. 딸에게 줄 선물을 사려고요. I'll take it. 그걸로 할게요.
우체국	express mail 특급우편, stamp 우표, parcel (package) 소포, by air mail 항공 우편으로 I'd like to send this package. 이 소포를 보내고 싶습니다.
병원 / 약국	catch a cold 감기 걸리다, take a temperature 체온을 재다, take a medicine 약을 먹다, have a good rest 휴식을 취하다 What's the matter with you? 무슨 문제가 있습니까? – I have a sore throat and fever. 목이 아프고 열이 납니다.
도서관	I'd like to check out this book. 이 책을 대출하고 싶습니다. I want to return this book. 이 책을 반납하고 싶어요.

Practice

유형공략 09 주제·화제 파악

정답과 해설 p. 06

01 대화를 듣고, 무엇에 관한 내용인지 가장 적절한 것을 고르시오.

① 시계 구입 ② 영화 관람 ③ 가족 여행 ④ 연극 공연 ⑤ 책 선정

02 대화를 듣고, 무엇에 관한 내용인지 가장 적절한 것을 고르시오.

① 날씨 ② 운동 ③ 음식 ④ 학교 ⑤ 취미

03 다음을 듣고, 무엇에 관한 설명인지 가장 적절한 것을 고르시오.

① apple ② grape ③ kiwi ④ strawberry ⑤ watermelon

유형공략 10 장소 추론

정답과 해설 p. 07

01 대화를 듣고, 두 사람이 만나기로 한 장소로 가장 적절한 곳을 고르시오.

① 극장 ② 공원 ③ 학교 ④ 백화점 ⑤ 도서관

02 대화를 듣고, 대화가 이루어지는 장소로 가장 적절한 곳을 고르시오.

① 백화점 ② 도서관 ③ 서점 ④ 미술관 ⑤ 극장

03 대화를 듣고, 대화가 이루어지는 장소로 가장 적절한 곳을 고르시오.

① church ② bank ③ library ④ pet shop ⑤ toy shop

11 어색한 대화 찾기

1 대화를 듣고 질문과 대답이 서로 적절하지 않게 짝지어진 것을 파악하는 유형이다.

2 대화를 들으며 질문의 유형이 의문문, 제안문, 권유문, 사과문인지 파악한 후 이에 대한 대답을 빠르게 예상해야 한다.

다음을 듣고, 두 사람의 대화가 어색한 것을 고르시오.

① ② ③ ④ ⑤

Script

① M Will you help me?
W Sure. What is it?

② M Where is the bus stop?
W I go to school by bus.

③ M What are you doing now?
W I'm listening to music.

④ M May I use your phone?
W Sure. Here you are.

⑤ M Is there a cat in the box?
W Yes, there is.

답 ②

어색한 대화 관련 표현

의문사 있는 의문문	What are you doing now? 너는 지금 무엇을 하고 있니? – I'm listening to music. 나는 음악을 듣고 있어. How much is this shirt? 이 셔츠는 얼마인가요? – It's twenty dollars. 20달러입니다. What's your favorite subject? 네가 가장 좋아하는 과목은 뭐니? – I like history most. 나는 역사를 가장 좋아해.
의문사 없는 의문문	Is there a cat in the box? 상자에 고양이 한 마리가 있나요? – Yes, there is. 네, 있습니다. Are those your new shoes? 그것이 새 신발인가요? – Yes, my mom bought them for me. 네, 엄마가 제게 사 주셨어요.
제안 / 권유	Will you help me? 저를 도와주실래요? – Sure. What is it? 물론이죠. 뭔데요? May I use your pen? 당신의 펜을 사용해도 될까요? – Sure. Here you are. 물론이죠. 여기 있어요. May I take your order? 주문하시겠어요? – Yes. I'd like bulgogi, please. 네. 불고기를 주세요.

12 마지막 말에 대한 응답 찾기

1 대화를 듣고 마지막 말에 이어질 적절한 응답을 고르는 유형이다.

2 전체적인 대화의 흐름을 이해하고, 마지막 말에 논리적으로 적절한 응답을 파악해야 하므로 대화자의 마지막 말을 집중해서 듣는 것이 중요하다.

대화를 듣고, 남자의 마지막 말에 이어질 여자의 응답으로 가장 적절한 것을 고르시오.

Woman ______________________

① I'm 14 years old.
② I'll go there by train.
③ I'm doing my homework.
④ I had some delicious seafood.
⑤ I'll join the swimming camp.

Script

W Hi, Suho. What will you do this summer vacation?
M I'm going to travel with my family.
W That's wonderful! Where will you go?
M We'll visit Ulleung-do.
W Oh, I went there last year.
M Really? What did you do in Ulleungdo?
W ______________________

답 ④

마지막 말에 대한 응답 관련 표현

구체적 정보	Where are they? 그것들은 어디 있니? – On the table. 테이블 위에. What's your favorite subject? 네가 가장 좋아하는 과목은 뭐니? – I like science very much. 나는 과학을 무척 좋아해.
부탁 / 제안	Will you teach me? 저에게 가르쳐 주실래요? – Yes, I will. 네, 그렇게 할게요. Why don't you try? 너도 참가해 보지 그래? – I'd like to, but I'm too busy. 그러고 싶지만, 너무 바빠.
칭찬 / 격려 / 위로	I really love your drawing class. 저는 당신의 그리기 수업이 정말 마음에 들어요. – I'm happy to hear that. 그 얘길 들으니 기뻐. You'll do better next time. 너는 다음번에는 더 잘 할 거야. – Thank you. 고마워. He's still in the hospital. 그는 여전히 병원에 있어. – That's too bad. 정말 안됐다.

Practice

유형공략 11 어색한 대화 찾기

정답과 해설 p. 08

01 다음을 듣고, 두 사람의 대화가 어색한 것을 고르시오.

① ② ③ ④ ⑤

02 다음을 듣고, 두 사람의 대화가 어색한 것을 고르시오.

① ② ③ ④ ⑤

03 다음을 듣고, 두 사람의 대화가 어색한 것을 고르시오.

① ② ③ ④ ⑤

유형공략 12 마지막 말에 대한 응답 찾기

정답과 해설 p. 09

01 대화를 듣고, 남자의 마지막 말에 이어질 여자의 응답으로 가장 적절한 것을 고르시오.

Woman ______________________

① Ten dollars. ② So delicious.
③ On the table. ④ With a spoon.
⑤ Five minutes later.

02 대화를 듣고, 여자의 마지막 말에 이어질 남자의 응답으로 가장 적절한 것을 고르시오.

Man ______________________

① Help yourself.
② You'll get well soon.
③ I'm glad to hear that.
④ I like to play computer games.
⑤ I'm not good at fixing machines.

03 대화를 듣고, 남자의 마지막 말에 이어질 여자의 응답으로 가장 적절한 것을 고르시오.

Woman ______________________

① I was very busy.
② I'm sorry, but I can't.
③ Let's do this together.
④ I'm sorry to hear that.
⑤ The trip sounds like fun.

I have learned that success is to be measured not so much
by the position that one has reached in life as by the obstacles which
he has overcome while trying to succeed.

성공이란 그가 인생에서 도달해 온 지위가 아니라,
그가 성공하기 위해 애쓰는 과정에서 극복해 온
장애물에 의해 측정되는 것이라고 나는 배웠노라.

연설가 Booker Washington(1856~1915)

PART 2

중학영어 듣기모의고사

영어 듣기모의고사 01~22회

기출문제로 마무리하는 Final Test 01~02회

01회 영어 듣기모의고사

맞은 개수 /20문항

01 다음을 듣고, 'I'가 무엇인지 가장 적절한 것을 고르시오.

① 
② 
③ 
④ 

⑤ 

02 대화를 듣고, 여자가 구입할 스카프로 가장 적절한 것을 고르시오.

① 
② 
③ 
④ 
⑤ 

03 다음을 듣고, 내일의 날씨로 가장 적절한 것을 고르시오.

① 
② 
③ 
④ 
⑤ 

04 대화를 듣고, 여자가 한 마지막 말의 의도로 가장 적절한 것을 고르시오.

① 칭찬 ② 충고 ③ 사과
④ 허락 ⑤ 축하

05 다음을 듣고, 남자가 자신에 대해 언급하지 않은 것을 고르시오.

① 이름 ② 출신 국가 ③ 사는 곳
④ 취미 ⑤ 장래 희망

06 대화를 듣고, 여자가 타야 할 버스의 출발 시각을 고르시오.

① 9:15 a.m. ② 9:30 a.m. ③ 10:30 a.m.
④ 11:15 a.m. ⑤ 11:50 a.m.

07 대화를 듣고, 남자의 장래 희망으로 가장 적절한 것을 고르시오.

① 가수 ② 댄서 ③ 디자이너
④ 성우 ⑤ 작가

08 대화를 듣고, 남자의 심정으로 가장 적절한 것을 고르시오.

① 화남 ② 지루함 ③ 부러움
④ 걱정됨 ⑤ 실망스러움

09 대화를 듣고, 남자가 대화 직후에 할 일로 가장 적절한 것을 고르시오.

① 산책하기 ② 우유 사기
③ 축구하기 ④ 샌드위치 만들기
⑤ 병문안 가기

10 대화를 듣고, 무엇에 관한 내용인지 가장 적절한 것을 고르시오.

① 게임 ② 스포츠 ③ 음악
④ 컴퓨터 ⑤ 취미

11 대화를 듣고, 여자가 이용할 교통수단으로 가장 적절한 것을 고르시오.

① 버스 ② 택시 ③ 기차
④ 도보 ⑤ 자전거

12 대화를 듣고, 두 사람이 새로 생긴 제과점에 가지 않은 이유로 가장 적절한 것을 고르시오.

① 맛이 없어서 ② 값이 비싸서
③ 빵이 상해서 ④ 주인이 불친절해서
⑤ 원하는 빵이 없어서

13 대화를 듣고, 두 사람의 관계로 가장 적절한 것을 고르시오.

① 팬 – 가수 ② 기자 – 모델
③ 친구 – 친구 ④ 매니저 – 가수
⑤ 사진사 – 가수

14 대화를 듣고, 여자가 가려고 하는 장소로 가장 알맞은 곳을 고르시오.

15 대화를 듣고, 남자가 여자에게 부탁한 일로 가장 적절한 것을 고르시오.

① 시험지를 복사해 주기
② 시험 범위를 알려 주기
③ 시험을 다시 보게 해 주기
④ 시험 점수를 다시 확인해 주기
⑤ 성적 순위에 대해 설명해 주기

16 대화를 듣고, 여자가 남자에게 제안한 것으로 가장 적절한 것을 고르시오.

① 영화만 보기 ② 쇼핑몰에만 가기
③ 영화 보고 쇼핑하기 ④ 쇼핑하고 영화 보기
⑤ 다음 기회에 영화 보기

17 대화를 듣고, 남자가 잃어버린 물건을 고르시오.

① 필통 ② 공책
③ 역사 교과서 ④ 수학 교과서
⑤ 국어 교과서

18 대화를 듣고, 남자의 직업으로 가장 적절한 것을 고르시오.

① 소설가 ② 작가
③ 배우 ④ 서점 직원
⑤ 드라마 연출가

[19～20] 대화를 듣고, 남자의 마지막 말에 이어질 여자의 응답으로 가장 적절한 것을 고르시오.

19 Woman: ______________________

① Here you are.
② That sounds fun.
③ It was not your fault.
④ I like it. The color is nice.
⑤ Good. Thanks for asking me.

20 Woman: ______________________

① Let's go.
② Sorry, I'm late.
③ Have a nice day.
④ OK, see you then.
⑤ I'm happy to hear that.

Dictation Test 01회 영어 듣기모의고사

01 그림 정보 파악 – 동물

다음을 듣고, 'I'가 무엇인지 가장 적절한 것을 고르시오.

① ② ③ ④ ⑤

M I am an insect. I have ❶ ________ ________ ________ ________ ________. I also have two pairs of long wings. I live near ponds, lakes and river. ❷ ________ ________ ________ like me, but I don't like them. Who am I?

02 그림 정보 파악 – 사물 영국식 발음 녹음

대화를 듣고, 여자가 구입할 스카프로 가장 적절한 것을 고르시오.

① ② ③ ④ ⑤

M May I help you?
W Yes, please. I'm ❶ ________ ________ a scarf for my mother.
M How about this square shaped one?
W She doesn't like square scarves. Do you have ❷ ________ ________ ________?
M Sure. Look at this one. It has a heart pattern.
W Can I have a look at that one? She likes flowers.
M Okay, here you are.
W I think she'll like this one. I'll ❸ ________ ________.

03 그림 정보 파악 – 날씨

다음을 듣고, 내일의 날씨로 가장 적절한 것을 고르시오.

① ② ③ ④ ⑤

W Good evening. This is Jenny with the weather forecast. It is sunny right now. But, this evening, it's going to be cloudy and windy. Tomorrow, it will rain. ❶ ________ ________ ________ ________ until tomorrow night. If you plan to go out tomorrow, don't forget to ❷ ________ ________ ________.

04 의도 파악

대화를 듣고, 여자가 한 마지막 말의 의도로 가장 적절한 것을 고르시오.

① 칭찬 ② 충고 ③ 사과
④ 허락 ⑤ 축하

안부 묻고 답하기

How are you doing?은 상대방에게 안부를 묻는 표현이며, Not so good.은 잘 지내고 있지 못할 때의 대답이다. 보통 뒤이어 이유를 덧붙여 말한다.

W How are you doing?
M Not so good. I ❶ ________ ________ ________.
W Do you have a cold?
M No, I read a book all day long.
W You stayed indoors all the time.
M Yes, you're right.
W ❷ ________ ________ ________ outside and enjoy the cool air.

Words 01 **insect** 곤충 **pair** 한 쌍 **wing** 날개 **near** ~ 가까이에 **pond** 연못 02 **look for** ~을 찾다 **scarf** 스카프 **square shaped** 정사각형 모양의 **rectangular** 직사각형의 **pattern** 패턴 03 **weather** 날씨, 기상 **forecast** 예보 **until** ~까지 04 **indoors** 실내에

05 언급하지 않은 것

다음을 듣고, 남자가 자신에 대해 언급하지 않은 것을 고르시오.

① 이름 ② 출신 국가 ③ 사는 곳
④ 취미 ⑤ 장래 희망

소개에 답하기
I'm (really) happy to meet you.는 '만나서 (정말) 반갑다.'라는 의미로 happy 대신에 glad, pleased 등을 쓸 수 있다.

M How are you? I am David. I ❶ ________ ________ Australia. Now I live in Yongsan. My family also lives with me in Yongsan. In my free time, I ❷ ________ ________. Cooking is my hobby. I'm really happy to meet you all.

06 숫자 정보 파악 – 시각

대화를 듣고, 여자가 타야 할 버스의 출발 시각을 고르시오.

① 9:15 a.m. ② 9:30 a.m. ③ 10:30 a.m.
④ 11:15 a.m. ⑤ 11:50 a.m.

enough의 발음
enough의 gh는 [f] 소리가 나는 경우이다. 같은 예로 laugh, cough, tough 등의 단어들도 gh가 [f]로 소리난다.

M Mary, are you going to go to the museum in Cheonan today?
W Yes, I am.
M When is your bus to Cheonan?
W It starts at 11:15 a.m. At ❶ ________ ________ ________.
M You have enough time. It's only 9:15.
W Yes, it takes about ❷ ________ ________ to go to the terminal.

07 직업 및 장래 희망

대화를 듣고, 남자의 장래 희망으로 가장 적절한 것을 고르시오.

① 가수 ② 댄서 ③ 디자이너
④ 성우 ⑤ 작가

관심 표현하기
be interested in은 '~에 관심이 있다'라는 표현으로 enjoy, like 등과 바꾸어 쓸 수 있다.
I'm interested in music. = I enjoy music. = I like music.

W Mike, you have a nice voice. Why don't you become a voice actor?
M Thanks. But I'm really interested in music. I ❶ ________ ________ ________.
W Do you want to be a big star?
M Yes, I want to ❷ ________ ________ ________ ________.

Words 05 **free time** 여가 시간 **hobby** 취미 06 **museum** 박물관 **express bus terminal** 고속버스 터미널 **enough** 충분한 07 **voice** 목소리 (*cf.* voice actor 성우) **be interested in** ~에 관심이 있다

Dictation Test

08 심정 파악

대화를 듣고, 남자의 심정으로 가장 적절한 것을 고르시오.

① 화남 ② 지루함 ③ 부러움
④ 걱정됨 ⑤ 실망스러움

M Oh, what should I do?
W Something's wrong?
M Yes. I should ❶ ________ ________ ________ to the library today, but I left it on the bus.
W Did you call the bus company?
M I did, but they said they couldn't find it. I don't know ❷ ________ ________ ________.

09 한 일 / 할 일 파악

대화를 듣고, 남자가 대화 직후에 할 일로 가장 적절한 것을 고르시오.

① 산책하기 ② 우유 사기
③ 축구하기 ④ 샌드위치 만들기
⑤ 병문안 가기

M What are you going to do after lunch, Jane?
W I'm going to ❶ ________ ________ ________ in the park. How about you, Mark?
M I'm going to play soccer.
W That sounds fun. By the way, what did you bring ❷ ________ ________ today?
M I brought a sandwich.
W Me, too!
M Oh, can you wait for a minute? I want to ❸ ________ ________ ________.
W Okay.

10 주제 파악

대화를 듣고, 무엇에 관한 내용인지 가장 적절한 것을 고르시오.

① 게임 ② 스포츠 ③ 음악
④ 컴퓨터 ⑤ 취미

Don't you의 발음
Don't you는 [t]와 [y]가 겹쳐져 [돈츄]로 발음한다.

W David, what do you do ❶ ________ ________ ________ ________?
M I usually play computer games. What about you?
W I ❷ ________ ________ ________ or play the piano.
M Don't you exercise?
W Yes. I love to play table tennis, too.

11 특정 정보 파악

대화를 듣고, 여자가 이용할 교통수단으로 가장 적절한 것을 고르시오.

① 버스 ② 택시 ③ 기차
④ 도보 ⑤ 자전거

W Excuse me. How can I get to ABC theater?
M It's ❶ ________ ________. Do you want to walk there?
W I have no idea. Should I take a taxi?
M No, you don't have to. Well... how about ❷ ________ ________ ________? The bus No. 2 stops in front of the theater.
W Oh, that's good. Thanks!

Words 08 **return** 돌려주다, 반납하다 **library** 도서관 **leave** 두고 가다(-left) 09 **take a walk** 산책하다 **by the way** 그런데, 그건 그렇고 **for a minute** 잠시 동안, 잠깐 10 **exercise** 운동하다 **table tennis** 탁구 11 **theater** 극장 **take a taxi** 택시를 타다

12 이유 파악 영국식 발음 녹음

대화를 듣고, 두 사람이 새로 생긴 제과점에 가지 않은 이유로 가장 적절한 것을 고르시오.

① 맛이 없어서　② 값이 비싸서
③ 빵이 상해서　④ 주인이 불친절해서
⑤ 원하는 빵이 없어서

W Look! It's a new bakery. It smells very nice. Let's buy some bread.

M No, I don't want to do that. Jane went there to buy some bread yesterday.

W What did she say?

M The bread tasted good, but the owner was ❶ ________ ________ ________ young students.

W Oh, terrible! Let's go to ❷ ________ ________.

13 관계 추론 영국식 발음 녹음

대화를 듣고, 두 사람의 관계로 가장 적절한 것을 고르시오.

① 팬 – 가수　② 기자 – 모델
③ 친구 – 친구　④ 매니저 – 가수
⑤ 사진사 – 가수

놀람 표현하기

I can't believe it.은 놀람을 나타내는 표현으로 What a surprise. / That's surprising. 등으로 바꿔 쓸 수 있다.

W I can't believe it! Am I dreaming? I am really ❶ ________ ________ ________ you.

M Thank you for welcoming me. It's also very nice to meet you.

W I really ❷ ________ ________ ________. Today is a great day for me. Can we take a picture together?

M Sure. It's my pleasure.

W Thank you very much.

14 그림 정보 파악 – 길 찾기

대화를 듣고, 여자가 가려고 하는 장소로 가장 알맞은 곳을 고르시오.

위치 말하기

be동사 뒤에 위치를 나타내는 전치사(구)인 next to(~ 옆에), behind(~ 뒤에), in front of(~ 앞에) 등을 이용하여 위치를 말할 수 있다.

W Excuse me, how do I get to the closest drugstore?

M Let me see. ❶ ________ ________ ________ ________ and then turn left. It's on your left.

W Go straight one block and turn right?

M No, ❷ ________ ________. And it's on the left side. John's Drugstore is next to a fast-food restaurant.

W Okay, I ❸ ________ ________.

12 **bakery** 제과점 **owner** 주인, 소유자 **terrible** 형편없는 13 **welcome** 환영하다 **take a picture** 사진을 찍다 **together** 함께 **pleasure** 기쁨 14 **closest** 가장 가까운 **drugstore** 약국 **next to** ~ 옆에

Dictation Test

15 부탁한 일 파악

대화를 듣고, 남자가 여자에게 부탁한 일로 가장 적절한 것을 고르시오.

① 시험지를 복사해 주기
② 시험 범위를 알려 주기
③ 시험을 다시 보게 해 주기
④ 시험 점수를 다시 확인해 주기
⑤ 성적 순위에 대해 설명해 주기

불만족의 원인에 대해 묻기

상대방의 불만족에 대해 물을 때 What's wrong with it? / What's the matter? 등으로 표현한다.

W Hi, Jun. How are you?
M Good, Ms. Kim. Thank you for seeing me.
W You're welcome.
M Actually, I came here for ❶ ________ ________ ________.
W What's wrong with it?
M I thought my score would be perfect, but I got 95 points. Can you ❷ ________ ________ ________ ________ again?

16 제안한 일 파악

대화를 듣고, 여자가 남자에게 제안한 것으로 가장 적절한 것을 고르시오.

① 영화만 보기　② 쇼핑몰에만 가기
③ 영화 보고 쇼핑하기　④ 쇼핑하고 영화 보기
⑤ 다음 기회에 영화 보기

계획 묻기

What are we going to do ~?는 가까운 미래의 계획에 대해 묻는 표현으로 '~에 무엇을 할 예정이니?'라는 의미를 나타낸다.

W What are we going to do this Saturday?
M I want to see *Iron Man*. I heard it's really fun.
W We went to see a movie last week. How about ❶ ________ ________ ________ ________?
M No. I don't want to miss this movie.
W Let's see the movie ❷ ________ ________, then. Okay?
M That sounds good.

17 특정 정보 파악

대화를 듣고, 남자가 잃어버린 물건을 고르시오.

① 필통　② 공책
③ 역사 교과서　④ 수학 교과서
⑤ 국어 교과서

W Are you looking for something?
M Yes, I can't find ❶ ________ ________ ________. Our next class is history, isn't it?
W No, our next class is math.
M Oh, is it?
W Yes, but we have history right after math.
M So I need my textbook. Can you ❷ ________ ________ ________ ________?
W Sure.

Words 15 **wrong** 잘못된 **perfect** 완벽한 **point** 점수　16 **hear** 듣다(-heard) **mall** 쇼핑몰 **miss** 놓치다　17 **history textbook** 역사 교과서 **next** 다음의 **class** 수업 **math** 수학 **anyway** 어쨌든

18 직업 및 장래 희망

대화를 듣고, 남자의 직업으로 가장 적절한 것을 고르시오.

① 소설가 ② 작가
③ 배우 ④ 서점 직원
⑤ 드라마 연출가

좋아하는 것 묻기
상대방에게 좋아하는 것을 물을 때는 What kind of ~ do you want? / What's your favorite ~?이라고 표현한다.

W Hi, where can I ❶ ________ ________?
M What kind of novels do you want?
W Well, I'd like to read romantic novels.
M Okay. Section F is ❷ ________ ________ ________. You can also find some in the bestseller section.
W It's very nice of you. Thank you.
M You're welcome.

[19~20] 대화를 듣고, 남자의 마지막 말에 이어질 여자의 응답으로 가장 적절한 것을 고르시오.

19 알맞은 응답 찾기

Woman: ______________________________

① Here you are.
② That sounds fun.
③ It was not your fault.
④ I like it. The color is nice.
⑤ Good. Thanks for asking me.

의견 묻기
What do you think of ~?는 어떤 사물이나 사람에 대한 상대방의 생각 또는 의견을 물을 때 사용하는 표현이다.

M Can I help you?
W Yes, I'm ❶ ________ ________ a pair of skinny jeans.
M What color do you want?
W I want blue or black.
M What do you think of this pair? This is a ❷ ________ ________.

20 알맞은 응답 찾기 영국식 발음 녹음

Woman: ______________________________

① Let's go.
② Sorry, I'm late.
③ Have a nice day.
④ OK, see you then.
⑤ I'm happy to hear that.

W These math problems are difficult. Can we study together?
M Sure. ❶ ________ ________ ________ ________ at the school library? Peter and Mary will come there, too.
W Good. What time shall we meet?
M ❷ ________ ________.

Words 18 **romantic** 로맨틱한, 낭만적인 **bestseller** 베스트셀러 19 **skinny** (몸에) 딱 붙는 **hot item** 인기 상품 **fault** 잘못 20 **problem** 문제 **library** 도서관

02회 영어 듣기모의고사

맞은 개수 /20문항

01 다음을 듣고, 'It'이 가리키는 것으로 가장 적절한 것을 고르시오.

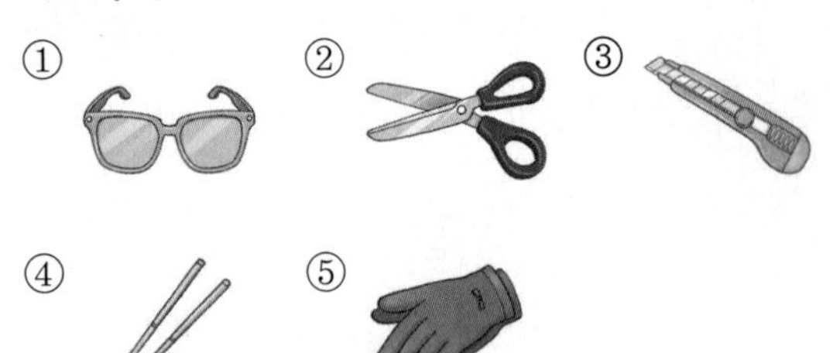

02 대화를 듣고, 여자가 남자에게 선물한 것으로 가장 적절한 것을 고르시오.

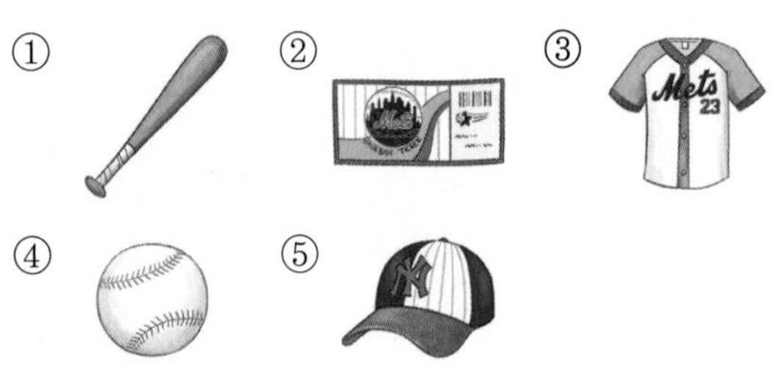

03 다음을 듣고, 목요일의 날씨로 가장 적절한 것을 고르시오.

04 대화를 듣고, 여자가 한 마지막 말의 의도로 가장 적절한 것을 고르시오.

① 항의 ② 승낙 ③ 칭찬
④ 감사 ⑤ 거절

05 다음을 듣고, 여자가 동아리 활동에 대해 언급하지 <u>않은</u> 것을 고르시오.

① 모임 시간 ② 활동 목표 ③ 활동 내용
④ 모임 횟수 ⑤ 모임 장소

06 대화를 듣고, 두 사람이 만날 시각을 고르시오.

① 10:40 a.m. ② 11:00 a.m.
③ 11:20 a.m. ④ 11:40 a.m.
⑤ 12:00 p.m.

07 대화를 듣고, 여자의 장래 희망으로 가장 적절한 것을 고르시오.

① 모델 ② 선생님 ③ 프로듀서
④ 쇼 호스트 ⑤ 카피라이터

08 다음을 듣고, 여자의 심정으로 가장 적절한 것을 고르시오.

① 기쁨 ② 신남 ③ 불만족
④ 피곤함 ⑤ 두려움

09 대화를 듣고, 두 사람이 대화 직후에 할 일로 가장 적절한 것을 고르시오.

① 야구하기 ② 농구하기
③ DVD 보기 ④ 쇼핑몰 구경하기
⑤ 야구장 가기

10 대화를 듣고, 여자가 무엇에 관해 말하는지 가장 적절한 것을 고르시오.

① 탐구 정신 ② 자연 보호
③ 봉사 정신 ④ 자원 재활용
⑤ 수질 오염

11 대화를 듣고, 두 사람이 함께 이용할 교통수단으로 가장 적절한 것을 고르시오.

① 지하철과 버스 ② 지하철과 택시
③ 지하철과 케이블카 ④ 버스와 케이블카
⑤ 택시와 케이블카

12 대화를 듣고, 남자가 약속을 미루는 이유로 가장 적절한 것을 고르시오.

① 교통이 혼잡해서
② 치과에 가야 해서
③ 박물관에 가야 해서
④ 방학 숙제를 해야 해서
⑤ 친구와의 선약이 있어서

13 대화를 듣고, 두 사람의 관계로 가장 적절한 것을 고르시오.

① 가수 – 팬 ② 교사 – 학생
③ 의사 – 환자 ④ 운동선수 – 코치
⑤ 식당 종업원 – 손님

14 대화를 듣고, 서점의 위치로 가장 알맞은 곳을 고르시오.

15 대화를 듣고, 여자가 남자에게 부탁한 일로 가장 적절한 것을 고르시오.

① 책을 사다 주기
② 책을 빌려 주기
③ 책을 읽어 주기
④ 책을 도서관에 반납해 주기
⑤ 도서관에 두고 온 책 가져다주기

16 대화를 듣고, 남자가 여자에게 제안한 것으로 가장 적절한 것을 고르시오.

① 몰에 가기 ② 선물 포장하기
③ 여동생 만나기 ④ 상품권 사기
⑤ 인터넷으로 쇼핑하기

17 대화를 듣고, 남자가 주말에 한 일로 가장 적절한 것을 고르시오.

① 독서 ② 장보기
③ 삼촌 댁 방문 ④ 콘서트 관람
⑤ 도서 전시회 관람

18 대화를 듣고, 여자의 직업으로 가장 적절한 것을 고르시오.

① 경찰 ② 은행원
③ 사진사 ④ 판매원
⑤ 소방관

[19~20] 대화를 듣고, 여자의 마지막 말에 이어질 남자의 응답으로 가장 적절한 것을 고르시오.

19 Man: ____________________

① On Sunday.
② At 2 p.m.
③ I think so, too.
④ At Peter's house.
⑤ Sorry, maybe next time.

20 Man: ____________________

① Yes, please.
② Not at all.
③ You're welcome.
④ I don't agree with you.
⑤ I'm sorry to hear that.

Dictation Test 02회 영어 듣기모의고사

01 그림 정보 파악 – 사물

다음을 듣고, 'It'이 가리키는 것으로 가장 적절한 것을 고르시오.

① ② ③ ④ ⑤

legs의 발음
복수를 나타내는 -s가 자음 뒤에 위치할 때는 [z]로 발음하므로 legs는 [레-그즈]로 발음한다.

M Its body is metal. It has two big ears. It also has two long legs. Its legs are ❶ ________ ________. We can ❷ ________ ________ ________ ________ with them. We can also cut hair and food with them. What is it?

02 그림 정보 파악 – 사물

대화를 듣고, 여자가 남자에게 선물한 것으로 가장 적절한 것을 고르시오.

① ② ③ ④ ⑤

W This is a present for you.
M Oh, thank you. Can I open it?
W Sure. I hope you like it.
M Wow! It's ❶ ________ ________ ________, the New York Mets.
W Try it on.
M OK. It's a very nice ❷ ________ ________. I like it.

03 그림 정보 파악 – 날씨

다음을 듣고, 목요일의 날씨로 가장 적절한 것을 고르시오.

① ② ③ ④ ⑤

W Good morning. This is Jennifer for the weather report. Here is the weather for this week. It will be hot and sunny ❶ ________ ________ ________ ________. On Thursday, however, it will ❷ ________ ________ all day long, and it will rain heavily on Friday. But don't worry. You'll see clear skies on the weekend.

04 의도 파악

대화를 듣고, 여자가 한 마지막 말의 의도로 가장 적절한 것을 고르시오.

① 항의 ② 승낙 ③ 칭찬
④ 감사 ⑤ 거절

요청하기
상대방에게 뭔가를 요청할 때는 Can(Could) you ~? / Can I ask you to ~? 등의 표현을 이용한다.

M Can you ❶ ________ ________ ________ ________?
W Sure, Dad. What is it?
M I have to send this letter in the afternoon, but I have a meeting from 3 p.m. Can you ❷ ________ ________ ________ ________?
W I'm sorry, but I can't. I have to go to the after-school class today.
M Well, never mind. I'll ❸ ________ ________ ________.

Words 01 **metal** 금속 **leg** 다리 **sharp** 날카로운, 뾰족한 **cut** 자르다 **clothes** 옷 02 **present** 선물 **try on** 입어 보다 03 **heavily** 몹시, 심하게 **clear** 맑은, 화창한 04 **after-school** 방과 후의 **never mind** 걱정하지 마

05 언급하지 않은 것 영국식 발음 녹음

다음을 듣고, 여자가 동아리 활동에 대해 언급하지 않은 것을 고르시오.

① 모임 시간 ② 활동 목표 ③ 활동 내용
④ 모임 횟수 ⑤ 모임 장소

W Welcome to our English club. Let me tell you about our club activities. Our goal is ❶ ________ ________ ________. We speak only in English. We often listen to English songs, read English books, or watch English movies. We meet ❷ ________ ________ ________ ________ in the English club room.

06 숫자 정보 파악 – 시각

대화를 듣고, 두 사람이 만날 시각을 고르시오.

① 10:40 a.m. ② 11:00 a.m.
③ 11:20 a.m. ④ 11:40 a.m.
⑤ 12:00 p.m.

[Cellphone rings.]

M Hello, Susan!

W Hey, Bill! Where are you? It's already 11 o'clock now.

M I'm sorry, Susan. I will be ❶ ________ ________ ________.

W What time do you think you'll get here?

M I'll be there in 20 minutes.

W Then, ❷ ________ ________ ________ 11:20 in front of the ticket office.

M Okay.

07 직업 및 장래 희망

대화를 듣고, 여자의 장래 희망으로 가장 적절한 것을 고르시오.

① 모델 ② 선생님 ③ 프로듀서
④ 쇼 호스트 ⑤ 카피라이터

W What do you want to be in the future?

M I want to be a PD, ❶ ________ ________ ________. How about you?

W Hmm.... I want to ❷ ________ ________ ________ to people.

M You want to be a show host for a home shopping channel, don't you?

W Yes, that's right.

Words 05 **activity** 활동 **goal** 목표 **practice** 연습하다 06 **ticket office** 매표소 07 **PD** 프로듀서(= producer) **introduce** 소개하다 **product** 상품, 물건

Dictation Test

08 심정 파악 영국식 발음 녹음

다음을 듣고, 여자의 심정으로 가장 적절한 것을 고르시오.

① 기쁨 ② 신남 ③ 불만족
④ 피곤함 ⑤ 두려움

불만족 표현하기
I'm not happy[satisfied] (with) ~.로 불만족을 표현할 수 있다.

W Yesterday, my brother and I ordered pizza at 11 a.m. We ordered a potato pizza and a large Coke. But ❶ ________ ________ ________ ________ by 1 p.m. At last, the pizza was delivered, but ❷ ________ ________ ________ ________. In addition, we didn't get a large Coke. I was not happy about the service.

09 한 일 / 할 일 파악

대화를 듣고, 두 사람이 대화 직후에 할 일로 가장 적절한 것을 고르시오.

① 야구하기 ② 농구하기
③ DVD 보기 ④ 쇼핑몰 구경하기
⑤ 야구장 가기

감정 표현하기
자신의 감정 상태를 말할 때는 I'm ~. / I feel ~. 또는 I'm feeling ~.으로 표현할 수 있다.

M I feel bored, Jenny.
W Me, too. Let's watch a DVD.
M That's not a good idea. I ❶ ________ ________ ________ ________.
W Then, how about going to the shopping mall? Window-shopping will be fun.
M I don't like it.
W Then, what do you want to do? Tell me.
M Shall we ❷ ________ ________ ________ ________? There's a baseball game.
W All right. Let's go.

10 주제 파악

대화를 듣고, 여자가 무엇에 관해 말하는지 가장 적절한 것을 고르시오.

① 탐구 정신 ② 자연 보호
③ 봉사 정신 ④ 자원 재활용
⑤ 수질 오염

의무 표현하기
의무나 당위를 말할 때는 We have to ~. / We must[should] ~. 등을 사용하여 표현한다.

W James! What are you doing?
M I'm ❶ ________ ________ ________. They are so beautiful.
W Oh, you should not pick the flowers.
M Why not?
W We have to ❷ ________ ________ ________ ________ and clean, right?
M Yes, mom.

11 특정 정보 파악

대화를 듣고, 두 사람이 함께 이용할 교통수단으로 가장 적절한 것을 고르시오.

① 지하철과 버스 ② 지하철과 택시
③ 지하철과 케이블카 ④ 버스와 케이블카
⑤ 택시와 케이블카

제안하기
상대방에게 제안할 때 Let's ~. / Why don't you[we] ~? / How about -ing ~? 등의 표현을 사용하여 나타낼 수 있다.

M Are you ready?
W Yes. Let's go. How do you ❶ ________ ________ ________ to N Seoul Tower?
M We can take the Namsan shuttle bus from the Seoul subway station or Chungmuro subway station.
W Well, I'd like to ❷ ________ ________ ________ ________ up the mountain.
M Okay. Then, let's go to Myeongdong Station by subway. From there we can walk to the cable car in about 15 minutes.

Words 08 order 주문하다 deliver 배달하다 in addition 게다가 09 bored 지루한 feel like -ing ~하고 싶다 window-shopping 윈도쇼핑, 물건은 사지 않고 구경하기 10 pick (꽃 등을) 꺾다 keep 지키다, 보호하다 11 take ~을 타다 get to ~에 도착하다

12 이유 파악 영국식 발음 녹음

대화를 듣고, 남자가 약속을 미루는 이유로 가장 적절한 것을 고르시오.

① 교통이 혼잡해서
② 치과에 가야 해서
③ 박물관에 가야 해서
④ 방학 숙제를 해야 해서
⑤ 친구와의 선약이 있어서

M Did you finish your vacation homework?

W Almost, but I didn't visit the museum yet.

M I didn't do it, either. Let's go together.

W That's a good idea. ❶ ________ ________ ________ on this Wednesday, August 14th?

M Let me think..., I have to ❷ ________ ________ ________ ________ on that day. How about next day?

W Fine.

13 관계 추론

대화를 듣고, 두 사람의 관계로 가장 적절한 것을 고르시오.

① 가수 – 팬 ② 교사 – 학생
③ 의사 – 환자 ④ 운동선수 – 코치
⑤ 식당 종업원 – 손님

isn't의 발음
부정형은 [t] 발음이 생략된 채 강하게 발음하므로, isn't는 [이즌]으로 소리 난다.

W Excuse me. I can't decide ❶ ________ ________ ________. Can you help me?

M Well, how about trying this *pajeon*? It's a new item, and many young people really like it.

W Oh, a new one? Isn't it too hot? I don't like hot ones.

M No, ❷ ________ ________ ________.

W Okay, I'll have the *pajeon*.

M Good. ❸ ________ ________?

W No, thanks.

14 그림 정보 파악 – 길 찾기

대화를 듣고, 서점의 위치로 가장 알맞은 곳을 고르시오.

W Excuse me. Is there a bookstore around here?

M Yes, ❶ ________ ________ ________ the Natural History Museum.

W How can I get there?

M Go straight one block, and then ❷ ________ ________.

W Okay. Then what?

M Go straight again, and you'll see the museum on your right. The bookstore is ❸ ________ ________ ________ ________.

Words 12 **museum** 박물관 **dentist** 치과 13 **decide** 결심하다, 결정하다 **item** 물품, 물건 **hot** 매운 14 **near** 근처에 **natural** 자연의

Dictation Test

15 부탁한 일 파악

대화를 듣고, 여자가 남자에게 부탁한 일로 가장 적절한 것을 고르시오.

① 책을 사다 주기
② 책을 빌려 주기
③ 책을 읽어 주기
④ 책을 도서관에 반납해 주기
⑤ 도서관에 두고 온 책 가져다주기

W Chris, are you ❶ ________ ________ ________ ________ today?
M Yes. I will go to the library to read some books.
W Then, can you ❷ ________ ________ ________ to the library for me?
M Okay! Give me the book.
W Thank you.

16 제안한 일 파악 영국식 발음 녹음

대화를 듣고, 남자가 여자에게 제안한 것으로 가장 적절한 것을 고르시오.

① 몰에 가기 ② 선물 포장하기
③ 여동생 만나기 ④ 상품권 사기
⑤ 인터넷으로 쇼핑하기

M What are you going to do this afternoon?
W I'm going to the mall. I'll ❶ ________ ________ ________ for my sister.
M Oh, I need a present for my sister, too. But I don't know ❷ ________ ________ ________ for her.
W How about going to the mall together?
M Let's ❸ ________ ________ ________ ________ ________ first. There are lots of discount coupons online.
W That's a good idea.

17 한 일 / 할 일 파악

대화를 듣고, 남자가 주말에 한 일로 가장 적절한 것을 고르시오.

① 독서 ② 장보기
③ 삼촌 댁 방문 ④ 콘서트 관람
⑤ 도서 전시회 관람

과거의 일에 대해 묻고 답하기
What did you do ~?는 과거에 한 일을 묻는 표현으로 do 뒤에 과거를 나타내는 부사(구)를 쓴다. 이에 답할 때는 일반동사의 과거형을 써서 답한다.

M What did you do last weekend?
W I ❶ ________ ________ ________ ________. He is a farmer. I ate fresh fruit. What about you?
M I wanted to go to a concert, but the ticket was sold out. Instead, I went to the Book Fair and bought some books.
W Wow, I wanted to go there, too. People say there are ❷ ________ ________ ________.

Words 15 **library** 도서관 16 **mall** 쇼핑몰 **discount** 할인 **coupon** 쿠폰 17 **fresh** 신선한 **fruit** 과일 **sold out** 매진된, 다 팔린 **event** 행사

18 직업 및 장래 희망

대화를 듣고, 여자의 직업으로 가장 적절한 것을 고르시오.

① 경찰 ② 은행원
③ 사진사 ④ 판매원
⑤ 소방관

photo의 발음
photo의 ph는 [f]로 소리 난다. phone, physics 등의 단어의 ph도 [f]로 소리 나는 예이다.

W What can I do for you?
M I want to ❶ ________ ________ ________.
W Please ❷ ________ ________ ________ ________.
M Okay.
W Can I see some photo ID?
M Sure. Here you are.
W How much do you ❸ ________ ________ ________?
M I'll deposit $500 today.

[19~20] 대화를 듣고, 여자의 마지막 말에 이어질 남자의 응답으로 가장 적절한 것을 고르시오.

19 알맞은 응답 찾기

Man: ______________________

① On Sunday.
② At 2 p.m.
③ I think so, too.
④ At Peter's house.
⑤ Sorry, maybe next time.

M Hi, Amy. ❶ ________ ________ ________ ________ Peter's birthday party today?
W Peter's birthday party?
M He invited us to his birthday party.
W Oh, I forgot about it. ❷ ________ ________ is the party?

20 알맞은 응답 찾기

Man: ______________________

① Yes, please.
② Not at all.
③ You're welcome.
④ I don't agree with you.
⑤ I'm sorry to hear that.

음식 권하기
음식을 권할 때는 Would you like to have ~? / Please try some ~. 등의 표현을 사용한다.

M Wow, did you make ❶ ________ ________ ________ ________?
W Yes, I did.
M Did you make this pretty cake, too? It smells sweet.
W Would you like to have ❷ ________ ________ ________ ________?

Words 18 **account** (은행) 계좌 **fill out** 채우다 **ID** 신분증(= identification) **deposit** 예금하다 19 **invite** 초대하다 **forget** 잊다 20 **smell** 냄새가 나다 **sweet** 달콤한 **a piece of** 한 조각의

03회 영어 듣기모의고사

맞은 개수 /20문항

01 다음을 듣고, 'I'가 무엇인지 가장 적절한 것을 고르시오.

① 
② 
③ 
④ 
⑤ 

02 대화를 듣고, 여자가 남자에게 빌려준 것으로 가장 적절한 것을 고르시오.

① 
② 
③ 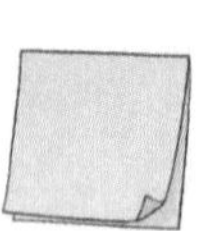
④ 
⑤ 

03 다음을 듣고, 오늘 오후의 날씨로 가장 적절한 것을 고르시오.

① 
② 
③ 
④ 
⑤ 

04 대화를 듣고, 남자가 한 마지막 말의 의도로 가장 적절한 것을 고르시오.

① 충고 ② 동의 ③ 위로
④ 제안 ⑤ 칭찬

05 다음을 듣고, 남자가 고양이에 대해 언급하지 않은 것을 고르시오.

① 이름 ② 나이 ③ 사는 곳
④ 가족 수 ⑤ 놀이 활동

06 대화를 듣고, 두 사람이 갈 식당의 점심 식사가 시작되는 시각을 고르시오.

① 11:00 a.m. ② 11:30 a.m. ③ 12:00 p.m.
④ 12:30 p.m. ⑤ 1:00 p.m.

07 대화를 듣고, 남자의 장래 희망으로 가장 적절한 것을 고르시오.

① 화가 ② 사진작가
③ 수의사 ④ 동물 조련사
⑤ 건축가

08 대화를 듣고, 여자의 심정으로 가장 적절한 것을 고르시오.

① 슬픔 ② 놀라움 ③ 두려움
④ 행복함 ⑤ 실망스러움

09 대화를 듣고, 두 사람이 오늘 오후에 할 일로 가장 적절한 것을 고르시오.

① 쇼핑몰 가기 ② 숙제하기
③ 인터넷 검색하기 ④ 옷 수선하기
⑤ 온라인 게임하기

10 대화를 듣고, 무엇에 관한 내용인지 가장 적절한 것을 고르시오.

① 운동회 ② 봉사 활동
③ 학급 소풍 ④ 주말 계획
⑤ 취미 활동

11 대화를 듣고, 여자가 이용할 교통수단으로 가장 적절한 것을 고르시오.

① 비행기 ② 기차 ③ 배
④ 택시 ⑤ 자전거

12 대화를 듣고, 여자가 주황색 옷을 즐겨 입는 이유로 가장 적절한 것을 고르시오.

① 주황색 옷이 많아서
② 주황색이 날씬해 보여서
③ 주황색이 따뜻해 보여서
④ 주황색을 입으면 행복해져서
⑤ 다른 사람들이 주황색이 어울린다고 해서

13 대화를 듣고, 두 사람의 관계로 가장 적절한 것을 고르시오.

① 교사 – 학생 ② 식당 점원 – 손님
③ 승무원 – 승객 ④ 전화 상담원 – 고객
⑤ 수의사 – 강아지 주인

14 대화를 듣고, 여자가 가려고 하는 서점의 위치로 가장 알맞은 곳을 고르시오.

15 대화를 듣고, 여자가 남자에게 부탁한 일로 가장 적절한 것을 고르시오.

① 청소하기 ② 전화하기
③ 일찍 돌아오기 ④ 숙제 마치기
⑤ 문단속하기

16 대화를 듣고, 남자가 여자에게 제안한 것으로 가장 적절한 것을 고르시오.

① 과학박물관 가기 ② 과학책 읽기
③ 공상 과학 영화 보기 ④ 인터넷 활용하기
⑤ 언니에게 의견 묻기

17 대화를 듣고, 두 사람이 일요일에 할 일로 가장 적절한 것을 고르시오.

① 우비 구입하기 ② 등산 가기
③ 영화 보기 ④ 도서관에 가기
⑤ 음악 감상하기

18 대화를 듣고, 여자의 직업으로 가장 적절한 것을 고르시오.

① 팝 가수 ② 신문 기자
③ 소설 작가 ④ 무대 감독
⑤ 뮤지컬 배우

[19~20] 대화를 듣고, 여자의 마지막 말에 이어질 남자의 응답으로 가장 적절한 것을 고르시오.

19 Man: ____________________

① That's too bad.
② That's all right.
③ I can't believe it.
④ Sorry, but I can't.
⑤ Don't worry about it.

20 Man: ____________________

① Sorry, I can't.
② The comic book was boring.
③ How about the cartoon club?
④ I'll go to the theater tonight.
⑤ I'd like to join the swimming club.

Dictation Test 03회 영어 듣기모의고사

01 그림 정보 파악 – 동물

다음을 듣고, 'I'가 무엇인지 가장 적절한 것을 고르시오.

① ② ③ ④ ⑤

W I'm a big animal. I ❶ ________ ________ ________. My ears are small and round, and my tail is very short. I have four strong legs. My back legs are longer than my front ones. I live in ❷ ________ ________ ________ ________. And I sleep very often in winter. Who am I?

02 그림 정보 파악 – 사물

대화를 듣고, 여자가 남자에게 빌려준 것으로 가장 적절한 것을 고르시오.

① ② ③ ④ ⑤

M Ann, I need to ❶ ________ ________ ________. Do you have a piece of paper?

W No, I don't. But ❷ ________ ________ ________.

M That'll be good. Can I have one?

W Of course. Here you are.

허락 요청하기

Can I ~?는 상대방에게 허락을 요구할 때 쓰는 표현으로, 허락할 때는 Of course (you can)로, 불허할 때는 Sorry, but you can't.라고 답한다.

03 그림 정보 파악 – 날씨

다음을 듣고, 오늘 오후의 날씨로 가장 적절한 것을 고르시오.

① ② ③ ④ ⑤

M Hello, this is the weather report for today. It is ❶ ________ ________ ________ now, so don't forget to take an umbrella with you. But the rain will stop soon and you can see the sun in the afternoon. It'll ❷ ________ ________ ________ ________. Thank you.

상기시켜 주기

Don't forget to ~.는 상대방에게 반드시 해야 하는 일을 상기시켜 줄 때 쓰는 말로, Remember to ~.로 바꾸어 쓸 수 있다.

Words 01 **round** 둥근 **tail** 꼬리 **strong** 강한 **front** 앞쪽의 02 **a piece of paper** 종이 한 장 03 **report** 보고 **soon** 곧, 바로 **take** 가지고 가다

04 의도 파악

대화를 듣고, 남자가 한 마지막 말의 의도로 가장 적절한 것을 고르시오.

① 충고 ② 동의 ③ 위로
④ 제안 ⑤ 칭찬

동의하기
I think so, too.는 상대방의 의견에 동의할 때 사용하며, 유사한 표현으로는 Me, too. / Same here. / I agree. 등이 있다.

W What did you do last weekend?
M I went to ❶ ________ ________ ________.
W You did? What musical did you see?
M I saw *Cats*.
W I saw it, too. I think ❷ ________ ________ ________.
M Well, I think so, too.

05 언급하지 않은 것

다음을 듣고, 남자가 고양이에 대해 언급하지 않은 것을 고르시오.

① 이름 ② 나이 ③ 사는 곳
④ 가족 수 ⑤ 놀이 활동

M Good morning! I'd like to introduce my best friend, Cutty. She is a one-year-old cat. She lives at my grandma's house. I go to see her on the weekends. She ❶ ________ ________ ________ ________. We wrestle. Then we ❷ ________ ________ ________ in the sun. We often take a nap in Grandma's bed.

06 숫자 정보 파악 – 시각 영국식 발음 녹음

대화를 듣고, 두 사람이 갈 식당의 점심 식사가 시작되는 시각을 고르시오.

① 11:00 a.m. ② 11:30 a.m. ③ 12:00 p.m.
④ 12:30 p.m. ⑤ 1:00 p.m.

W I got ❶ ________ ________ ________ ________ for Sunday Restaurant. Will you go with me tomorrow?
M Of course! What time?
W Its ❷ ________ ________ ________ ________ 11:30, and we can use the coupon between 11:30 and 1:00.
M Then, I'll come to your house at 11 o'clock.
W All right! See you then.

07 직업 및 장래 희망

대화를 듣고, 남자의 장래 희망으로 가장 적절한 것을 고르시오.

① 화가 ② 사진작가
③ 수의사 ④ 동물 조련사
⑤ 건축가

M Look at these pictures.
W How nice! ❶ ________ ________ ________ ________?
M Yes, I did. I want to be a painter.
W I'm sure you'll ❷ ________ ________ ________ ________.
M Thanks. What do you want to be?
W I'm interested in animals. I want to ❸ ________ ________ ________ ________.

Words 04 **musical** 뮤지컬 **fantastic** 환상적인 05 **wrestle** 레슬링하다 **relax** 휴식을 취하다 06 **free** 공짜의, 무료의 **between *A* and *B*** A와 B 사이에 07 **painter** 화가 **be interested in** ~에 관심이 있다

Dictation Test

08 심정 파악

대화를 듣고, 여자의 심정으로 가장 적절한 것을 고르시오.

① 슬픔 ② 놀라움 ③ 두려움
④ 행복함 ⑤ 실망스러움

계획 묻고 답하기

Do you have any special plans?는 상대방의 계획을 묻는 표현으로, 특별한 계획이 있을 때는 Yes.라고 답한 다음 I'm going to ~. / I'm planning to ~.라고 부가 정보를 덧붙인다.

M Do you have any special plans this afternoon?

W Yeah. I'm ❶ ________ ________ ________ ________ with my father.

M The airport? Why?

W My mother will come back from her business trip. I haven't seen her for two weeks. I ❷ ________ ________ ________ ________ her.

09 한 일 / 할 일 파악

대화를 듣고, 두 사람이 오늘 오후에 할 일로 가장 적절한 것을 고르시오.

① 쇼핑몰 가기 ② 숙제하기
③ 인터넷 검색하기 ④ 옷 수선하기
⑤ 온라인 게임하기

know의 발음

know처럼 k가 소리 나지 않은 채 발음되는 단어들이 있는데, knife, knock이 마찬가지의 경우다. 이러한 경우의 k를 묵음이라고 한다.

W Sam, what are you doing?

M I ❶ ________ ________ this white T-shirt online. But I'm not sure. Will it fit me?

W You mean the size? Do you know the brand of that shirt?

M Yes, I know.

W Then, you'd better ❷ ________ ________ ________ ________ and try it on. I'll join you.

M Really? Thanks. Let's go to Joy mall together this afternoon.

10 주제 파악

대화를 듣고, 무엇에 관한 내용인지 가장 적절한 것을 고르시오.

① 운동회 ② 봉사 활동
③ 학급 소풍 ④ 주말 계획
⑤ 취미 활동

M Where does your class ❶ ________ ________ ________ ________?

W Olympic Park. We're going to ride bikes around the park.

M That sounds fun.

W How about your class?

M Our class is going to the Han River. We're planning to ❷ ________ ________ ________ there.

W Sounds interesting, too.

Words 08 **special** 특별한 **airport** 공항 **come back** 돌아오다 **business trip** 출장 09 **fit** ~에게 맞다 **brand** 상표, 브랜드 10 **ride a bike** 자전거를 타다 **around** ~ 주변에(서)

11 특정 정보 파악

대화를 듣고, 여자가 이용할 교통수단으로 가장 적절한 것을 고르시오.

① 비행기 ② 기차 ③ 배
④ 택시 ⑤ 자전거

M Susan, why are you so excited?

W I'll ❶ ________ ________ ________ to Jeju-do with my family this week.

M Wow! Are you going to fly there?

W No, we'll ❷ ________ ________ ________ ________.

M Ship? But it'll take a long time.

W I know, but I really want ❸ ________ ________ ________ ________. It'll be very exciting!

12 이유 파악

대화를 듣고, 여자가 주황색 옷을 즐겨 입는 이유로 가장 적절한 것을 고르시오.

① 주황색 옷이 많아서
② 주황색이 날씬해 보여서
③ 주황색이 따뜻해 보여서
④ 주황색을 입으면 행복해져서
⑤ 다른 사람들이 주황색이 어울린다고 해서

M The orange-colored dress ❶ ________ ________ ________ ________.

W Thanks.

M You often wear orange-colored clothes, don't you?

W Yeah. I feel happy ❷ ________ ________ ________.

M That's true. You look happy today.

13 관계 추론 영국식 발음 녹음

대화를 듣고, 두 사람의 관계로 가장 적절한 것을 고르시오.

① 교사 – 학생 ② 식당 점원 – 손님
③ 승무원 – 승객 ④ 전화 상담원 – 고객
⑤ 수의사 – 강아지 주인

원인 묻기
What's the matter with ~?는 불만족, 실망 등의 원인을 물을 때 사용하며, 유사한 표현으로는 What's wrong with ~? / What's the problem? 등이 있다.

M Hello. What's the matter with your puppy?

W My puppy, Ben, won't eat anything.

M How long ❶ ________ ________ ________ ________?

W For two days.

M Hmm. Did he drink water?

W Yes, a little.

M I'll give you this medicine. Mix the medicine with his water. It'll ❷ ________ ________ ________.

W Yes, thanks.

Words 11 **excited** 신이 난, 흥분한 **take a trip** 여행하다 **fly** (비행기를) 타다 **exciting** 신나는, 흥미진진한 12 **look good on** ~에게 잘 어울리다 **clothes** 옷, 의류 **true** 사실인, 맞는 13 **puppy** 애완동물 **medicine** 약 **mix** 섞다 **get well** 병이 나아지다

Dictation Test

14 그림 정보 파악 – 길 찾기

대화를 듣고, 여자가 가려고 하는 서점의 위치로 가장 알맞은 곳을 고르시오.

W Excuse me. Is there a bookstore near here?

M Yes. There's one on Park Avenue.

W How can I get there?

M ❶ ________ ________ ________ Park Avenue, and turn left.

W Go straight and ❷ ________ ________. And then?

M You can see a hospital on your left. The bookstore is ❸ ________ ________ ________.

W Oh, I see. Thank you.

15 부탁한 일 파악

대화를 듣고, 여자가 남자에게 부탁한 일로 가장 적절한 것을 고르시오.

① 청소하기 ② 전화하기
③ 일찍 돌아오기 ④ 숙제 마치기
⑤ 문단속하기

soon의 발음
soon처럼 o가 연달아 나올 때 길게 [u:] 발음이 나는 단어들이 있다. noon, cool이 같은 경우이다.

W Son, I'm going out. Keep the house safe.

M But, Mom, I'm going out soon, too.

W Really? For what?

M I'll ❶ ________ ________ ________ for our team project. But I'll come back by 5 p.m.

W Oh, okay. Then, remember to ❷ ________ ________ ________.

M Okay, don't worry.

16 제안한 일 파악

대화를 듣고, 남자가 여자에게 제안한 것으로 가장 적절한 것을 고르시오.

① 과학박물관 가기 ② 과학책 읽기
③ 공상 과학 영화 보기 ④ 인터넷 활용하기
⑤ 언니에게 의견 묻기

제안하고 답하기
상대방에게 무언가를 함께 하자고 제안할 때는 Why don't we ~? / Let's ~라고 말하고, 이 제안을 승낙할 때는 Okay. / Great! / Sounds good., 제안을 거절할 때는 Sorry, but I can't. / Maybe next time. 등으로 답한다.

M What are we going to make for ❶ ________ ________ ________?

W Well, I don't know. Why don't we ask your older sister? She won first prize last year.

M I already did, but I didn't like her idea.

W Oh, I see.

M Then, shall we go to the Science Museum? Maybe we could ❷ ________ ________ ________ there.

W That's a good idea.

Words 14 **Avenue** 거리, -가(街) 15 **For what?** 왜?(= Why?) **by** ~까지는 **remember** 기억하다 **lock** 잠그다 **worry** 걱정하다 16 **Science Contest** 과학 경진 대회 **already** 이미, 벌써 **idea** 생각 **maybe** 아마, 혹시

17 한 일 / 할 일 파악

대화를 듣고, 두 사람이 일요일에 할 일로 가장 적절한 것을 고르시오.

① 우비 구입하기 ② 등산 가기
③ 영화 보기 ④ 도서관에 가기
⑤ 음악 감상하기

W Do you ❶ ________ ________ ________ on Sunday?
M Yes. I will go hiking.
W The weather forecast says it will rain all weekend.
M Really? Then, what am I going to do this weekend?
W How about ❷ ________ ________ ________ ________?
M Sounds good.

18 직업 및 장래 희망 영국식 발음 녹음

대화를 듣고, 여자의 직업으로 가장 적절한 것을 고르시오.

① 팝 가수 ② 신문 기자
③ 소설 작가 ④ 무대 감독
⑤ 뮤지컬 배우

M How do you like your work?
W I really love it. I like acting, dancing and singing.
M Aren't you ❶ ________ ________ ________ ________?
W Not at all. I feel happy and excited.
M I can see it. ❷ ________ ________ ________ in *Mamma Mia*?
W I'm the Mom, Donna.

[19~20] 대화를 듣고, 여자의 마지막 말에 이어질 남자의 응답으로 가장 적절한 것을 고르시오.

19 알맞은 응답 찾기 영국식 발음 녹음

Man: ______________________________

① That's too bad.
② That's all right.
③ I can't believe it.
④ Sorry, but I can't.
⑤ Don't worry about it.

M Hey, Paula. Did you have a good weekend?
W Yes, I did. I ❶ ________ ________ with my parents.
M Wow! You can ski? That's wonderful! I went skating at the ice rink in front of City Hall.
W You did? ❷ ________ ________ ________ this weekend.

20 알맞은 응답 찾기

Man: ______________________________

① Sorry, I can't.
② The comic book was boring.
③ How about the cartoon club?
④ I'll go to the theater tonight.
⑤ I'd like to join the swimming club.

M Jenny, ❶ ________ ________ will you join?
W I'll join the cartoon club.
M Oh, do you like cartoons?
W Yes, I'm interested in drawing cartoons. What club do you ❷ ________ ________ ________?

Words 17 **go hiking** 하이킹 가다 **all through the weekend** 주말 내내 18 **nervous** 긴장하는 **part** 배역, 역할 19 **City Hall** 시청 20 **join** 가입하다 **cartoon** 만화 **draw** 그리다

04회 영어 듣기모의고사

맞은 개수 /20문항

01 다음을 듣고, 'It'이 가리키는 것으로 가장 적절한 것을 고르시오.

02 대화를 듣고, 남자가 설명하는 모자로 가장 적절한 것을 고르시오.

03 다음을 듣고, 도쿄의 오늘 오후 날씨로 가장 적절한 것을 고르시오.

04 대화를 듣고, 남자가 한 마지막 말의 의도로 가장 적절한 것을 고르시오.

① 사과 ② 거절 ③ 승낙
④ 감사 ⑤ 동정

05 다음을 듣고, 여자가 집에 대해 언급하지 않은 것을 고르시오.

① 상태 ② 층수 ③ 방의 개수
④ 거주 인원 ⑤ 정원 유무

06 대화를 듣고, 여자가 지불할 금액으로 가장 적절한 것을 고르시오.

① $4 ② $8 ③ $18
④ $24 ⑤ $48

07 대화를 듣고, 여자의 장래 희망으로 가장 적절한 것을 고르시오.

① 영화배우 ② 가수
③ 연출가 ④ 뮤지컬 배우
⑤ 공연 기획자

08 대화를 듣고, 남자의 심정으로 가장 적절한 것을 고르시오.

① 반가움 ② 행복함
③ 감사함 ④ 미안함
⑤ 걱정됨

09 대화를 듣고, 두 사람이 토요일에 할 일로 가장 적절한 것을 고르시오.

① 등산하기 ② 산책하기
③ 사진 찍기 ④ 거울 사기
⑤ 미용실 가기

10 다음을 듣고, 무엇에 관한 내용인지 가장 적절한 것을 고르시오.

① 연필 ② 지우개 ③ 자
④ 노트 ⑤ 색연필

11 대화를 듣고, 남자가 이용할 교통수단으로 가장 적절한 것을 고르시오.

① 도보 ② 버스 ③ 지하철
④ 자전거 ⑤ 택시

12 대화를 듣고, 남자가 여자에게 전화를 건 목적으로 가장 적절한 것을 고르시오.

① 남동생을 부탁하려고
② 만날 약속을 취소하려고
③ 만날 시간을 변경하려고
④ 만날 장소를 변경하려고
⑤ 숙제에 대하여 물어보려고

13 대화를 듣고, 두 사람이 대화하는 장소로 가장 적절한 곳을 고르시오.

① 상점 ② 여행사 ③ 영화관
④ 지하철 ⑤ 분실물 센터

14 대화를 듣고, 꽃 가게의 위치로 가장 알맞은 곳을 고르시오.

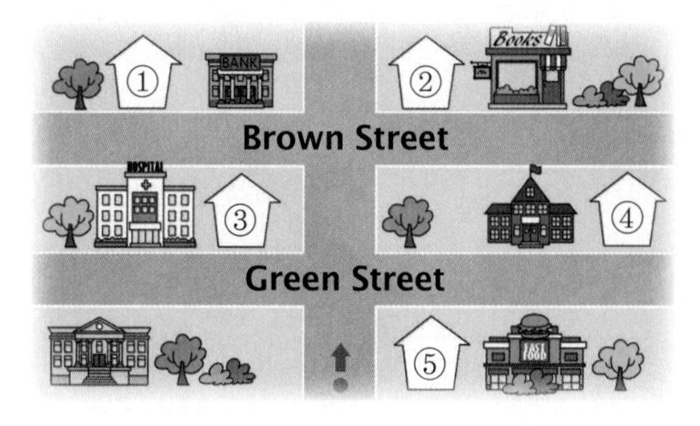

15 대화를 듣고, 여자가 남자에게 부탁한 일로 가장 적절한 것을 고르시오.

① 우쿨렐레 갖다주기 ② 우쿨렐레 사 주기
③ 우쿨렐레 찾아 주기 ④ 우쿨렐레 빌려주기
⑤ 우쿨렐레 가르쳐 주기

16 대화를 듣고, 남자가 여자에게 제안한 것으로 가장 적절한 것을 고르시오.

① 재킷 구입하기 ② 가격 확인하기
③ 할인 제공하기 ④ 환불 요청하기
⑤ 할인 쿠폰 이용하기

17 대화를 듣고, 두 사람이 토요일에 할 일로 가장 적절한 것을 고르시오.

① 집에 있기 ② 축구 연습하기
③ 경기 관람하기 ④ 조부모님 방문하기
⑤ 경기 티켓 구입하기

18 대화를 듣고, 남자의 직업으로 가장 적절한 것을 고르시오.

① 교사 ② 요리사 ③ 제빵사
④ 기술자 ⑤ 과학자

[19~20] 대화를 듣고, 여자의 마지막 말에 이어질 남자의 응답으로 가장 적절한 것을 고르시오.

19 Man: ______________________

① I'm a doctor, too.
② I'm reading a novel.
③ I want to be a lawyer.
④ I'll have a good time.
⑤ I'd like to play the piano.

20 Man: ______________________

① I think so, too.
② I'll check it out.
③ I don't agree with you.
④ I think you should think twice.
⑤ It's because the color is too dark.

Dictation Test 04회 영어 듣기모의고사

01 그림 정보 파악 – 동물

다음을 듣고, 'It'이 가리키는 것으로 가장 적절한 것을 고르시오.

① ② ③ ④ ⑤

W It is a tall animal. It has a long neck and two strong legs. It has a big body with a pair of wings, but ❶ ________ ________ ________. But it can ❷ ________ ________ ________ a horse. What is it?

02 그림 정보 파악 – 사물

대화를 듣고, 남자가 설명하는 모자로 가장 적절한 것을 고르시오.

M Mom, did you see my cap?

W You ❶ ________ ________ ________ ________?

M No, the black one.

W It has your name on the side, right?

M Yes, and it has a few ❷ ________ ________ ________ ________ ________.

W I don't know where it is. Let's look for it together.

03 그림 정보 파악 – 날씨

다음을 듣고, 도쿄의 오늘 오후 날씨로 가장 적절한 것을 고르시오.

M Good morning! This is Michael with the Asian weather report. Today, it will ❶ ________ ________ ________ in Hong Kong, Singapore and Manila. In Beijing, it'll not rain, but it'll be cloudy and windy. In Tokyo, it's cloudy now, but the sun will ❷ ________ ________ ________. So it'll be sunny in the afternoon.

04 의도 파악

대화를 듣고, 남자가 한 마지막 말의 의도로 가장 적절한 것을 고르시오.

① 사과 ② 거절 ③ 승낙
④ 감사 ⑤ 동정

허락 요청하기
Let me ~.는 '제가 ~하게 해 주세요.'라는 의미로 허락을 요청하는 표현이다. May[Can] I ~? / Do you mind if ~?로 바꿔 쓸 수 있다.

W ❶ ________ ________ ________ ________ this afternoon?

M I'm sorry, I can't. I have a cold.

W That's too bad. Did you see a doctor?

M Yes, I did.

W Then, let's watch a movie at home.

M ❷ ________ ________? Let me get some cookies.

Words 01 **neck** 목 **wing** 날개 **horse** 말 02 **cap** 모자 **mean** 의미하다 **gray** 회색 **stripe** 줄무늬 03 **come out** 나오다 04 **have a cold** 감기에 걸리다 **see a doctor** 진찰 받다

05 언급하지 않은 것

다음을 듣고, 여자가 집에 대해 언급하지 않은 것을 고르시오.

① 상태 ② 층수 ③ 방의 개수
④ 거주 인원 ⑤ 정원 유무

W I live in a beautiful house. It is 50 years old, but it's still ❶ ________ ________. It is by a small lake, and has ❷ ________ ________. There are four bedrooms, a living room, a kitchen, and two bathrooms. I live with my grandparents, parents and my brother in this house.

06 숫자 정보 파악 – 금액

대화를 듣고, 여자가 지불할 금액으로 가장 적절한 것을 고르시오.

① $4 ② $8 ③ $18
④ $24 ⑤ $48

M May I help you?
W Hi, how much are these melons?
M Ten dollars for four.
W How about the watermelons?
M They're ❶ ________ ________ ________.
W Then, I want to buy ❷ ________ ________ ________ ________ ________.
M Here you are.

07 직업 및 장래 희망 영국식 발음 녹음

대화를 듣고, 여자의 장래 희망으로 가장 적절한 것을 고르시오.

① 영화배우 ② 가수
③ 연출가 ④ 뮤지컬 배우
⑤ 공연 기획자

W Wow! The musical was great!
M I agree!
W You know what? My uncle ❶ ________ ________ ________ this musical.
M Really?
W Yes! I want ❷ ________ ________ ________ ________. I want to plan and produce performances.

08 심정 파악

대화를 듣고, 남자의 심정으로 가장 적절한 것을 고르시오.

① 반가움 ② 행복함
③ 감사함 ④ 미안함
⑤ 걱정됨

W James, ❶ ________ ________ ________ ________?
M I'm going to the gift shop.
W Why? What will you buy?
M I think I ❷ ________ ________ ________ in the shop. So I'm going there to find it. But I'm not sure.
W Take it easy. You can find it in the shop.

Words **05** **still** 아직 **in good condition** 상태가 좋은 **lake** 호수 **story** (건물의) 층 **06** **watermelon** 수박 **07** **produce** 제작하다 **performance** 공연

Dictation Test

09 한 일 / 할 일 파악

대화를 듣고, 두 사람이 토요일에 할 일로 가장 적절한 것을 고르시오.

① 등산하기 ② 산책하기
③ 사진 찍기 ④ 거울 사기
⑤ 미용실 가기

계획 말하기
I'm going to ~.는 '나는 ~할 예정[계획]이다'라는 뜻으로 I have a plan to ~. / I'm planning to ~. 등으로 바꾸어 쓸 수 있다.

M What are you looking at ❶ ________ ________ ________?
W My hair. I'm going to cut my hair short.
M Really? When?
W This Saturday. Will you ❷ ________ ________ ________?
M Well, I don't know.
W Come on. It won't take long to get my hair cut. You just sit and wait for a while.
M Okay, ❸ ________ ________ ________.

10 주제 파악

다음을 듣고, 무엇에 관한 내용인지 가장 적절한 것을 고르시오.

① 연필 ② 지우개 ③ 자
④ 노트 ⑤ 색연필

M This is usually ❶ ________ ________ ________. It is long, but there are some short ones, too. Some students have it in their pencil cases. It ❷ ________ ________ in centimeters and millimeters. We often use this to ❸ ________ ________ ________.

11 특정 정보 파악 영국식 발음 녹음

대화를 듣고, 남자가 이용할 교통수단으로 가장 적절한 것을 고르시오.

① 도보 ② 버스 ③ 지하철
④ 자전거 ⑤ 택시

M Are you going out now?
W Yes, I'm going to Star Department Store.
M Oh, are you? I'm going to the city library.
W Will you take the subway?
M No, I'll ❶ ________ ________ ________. How about you?
W I'll ❷ ________ ________ ________ ________. It's just five blocks away.

Words 09 **mirror** 거울 **take** (시간이) ~ 걸리다 **for a while** 잠시 동안 10 **plastic** 플라스틱 **centimeter** 센티미터 **millimeter** 밀리미터
11 **go out** 외출하다

12 목적 파악

대화를 듣고, 남자가 여자에게 전화를 건 목적으로 가장 적절한 것을 고르시오.

① 남동생을 부탁하려고
② 만날 약속을 취소하려고
③ 만날 시간을 변경하려고
④ 만날 장소를 변경하려고
⑤ 숙제에 대하여 물어보려고

전화 대화하기
전화 대화에서 Hello?는 '여보세요?'라는 의미이다. 또한 전화상에서 자신의 이름을 말할 때는 This is ~.라고 한다.

[Cellphone rings.]
W Hello?
M Hi, Yumin. This is Tom.
W Oh, hi. ❶ ________ ________, Tom?
M I can't see you at 4 p.m. My mom is not home yet. I can't leave my younger brother alone.
W Oh, do you want to change the time?
M No, I think I ❷ ________ ________ ________ today. Sorry.
W Don't worry. No problem.

13 장소 추론

대화를 듣고, 두 사람이 대화하는 장소로 가장 적절한 곳을 고르시오.

① 상점 ② 여행사 ③ 영화관
④ 지하철 ⑤ 분실물 센터

외양 묻고 묘사하기
What does it look like?는 사물의 외관이나 상태가 어떤지를 묻는 말이다. 이에 답할 때는 보통 be동사 또는 have 동사 다음에 모양이나, 색깔, 상태 등을 묘사하는 형용사를 이용하여 답한다.

M Excuse me. I ❶ ________ ________ ________. Can you help me?
W Of course. Where did you lose it?
M I left it on the line No. 1 subway at City Hall Station. It happened one hour ago.
W I see. What does it look like?
M It's a small brown bag.
W I'll ❷ ________ ________ ________.

14 그림 정보 파악 – 길 찾기

대화를 듣고, 꽃 가게의 위치로 가장 알맞은 곳을 고르시오.

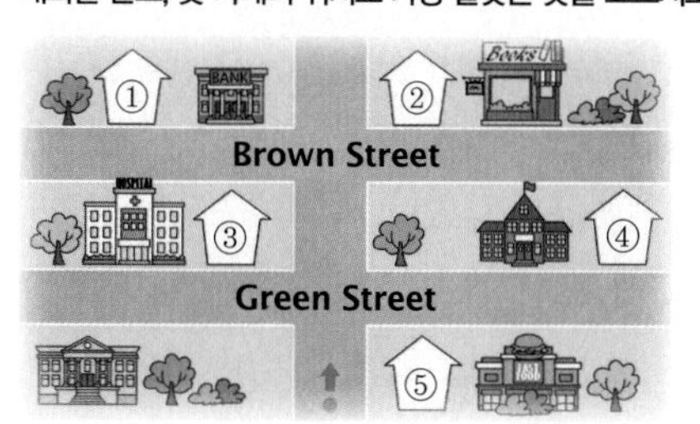

W Excuse me, I need to buy some flowers. Is there ❶ ________ ________ ________ around here?
M Yes, there's one on Brown Street.
W Where is Brown Street?
M ❷ ________ ________ ________ ________ from here, and then turn right.
W I will be on Brown Street when I turn right?
M Yeah. You'll find a flower shop ❸ ________ ________ ________.

Words 12 **yet** 아직 **leave** ~을 두고 가다 **find** 찾다 13 **subway** 지하철 **happen** (일, 사건 등이) 일어나다 14 **flower shop** 꽃집 **turn right** 우회전하다

Dictation Test

15 부탁한 일 파악

대화를 듣고, 여자가 남자에게 부탁한 일로 가장 적절한 것을 고르시오.

① 우쿨렐레 갖다주기 ② 우쿨렐레 사 주기
③ 우쿨렐레 찾아 주기 ④ 우쿨렐레 빌려주기
⑤ 우쿨렐레 가르쳐 주기

요청하기
Can you ~?는 '~해도 되나요?'라는 뜻으로, 상대방에게 무언가를 요청할 때 쓰는 표현으로 Could I ask you to ~? / Do(Would) you mind ~?로도 쓸 수 있다.

W You have nice ukuleles!
M I got them as presents. I like to play the ukulele.
W I want to ❶ ________ ________ ________ ________, too!
M Let me help you learn it.
W Thanks a lot! Can you ❷ ________ ________ ________ ________ for a few days?
M Sure. Use this one.
W Thank you so much! I'll buy one soon!

16 제안한 일 파악

대화를 듣고, 남자가 여자에게 제안한 것으로 가장 적절한 것을 고르시오.

① 재킷 구입하기 ② 가격 확인하기
③ 할인 제공하기 ④ 환불 요청하기
⑤ 할인 쿠폰 이용하기

W Look at this jacket.
M Why don't you ❶ ________ ________ ________?
W Okay. How do I look?
M It ❷ ________ ________ ________ you! You should buy this one.
W Oh, it is more expensive than I thought.
M I have a 10% discount coupon. How about ❸ ________ ________?
W Thanks! I'll get this then.

17 한 일 / 할 일 파악 영국식 발음 녹음

대화를 듣고, 두 사람이 토요일에 할 일로 가장 적절한 것을 고르시오.

① 집에 있기 ② 축구 연습하기
③ 경기 관람하기 ④ 조부모님 방문하기
⑤ 경기 티켓 구입하기

visit의 발음
[v]는 아랫입술을 윗니와 아랫니 사이에 살짝 물듯이 넣고 발음한다.

W What are you going to do this weekend?
M I will visit my grandparents on Sunday.
W ❶ ________ ________ ________ on Saturday?
M Yes, I don't have any plans on Saturday.
W ❷ ________ ________ ________ a soccer game?
M Sounds good! What time does the game begin?
W At 3:00 p.m.

Words 15 **ukulele** 우쿨렐레 **play** 연주하다 **learn** 배우다 **lend** 빌려주다 16 **expensive** (값이) 비싼 17 **visit** 방문하다 **free** 한가한

18 직업 및 장래 희망 영국식 발음 녹음

대화를 듣고, 남자의 직업으로 가장 적절한 것을 고르시오.

① 교사 ② 요리사 ③ 제빵사
④ 기술자 ⑤ 과학자

M Today, we're going to read a *Cinderella* story in English. We'll read it by group. Each group will ❶ ________ ________ ________ ________. So now let's make groups of four. Then, I'll give you a worksheet. *(pause)* Sumin, did you ❷ ________ ________ ________?

W Yes, I did.

M Good. Sumin, would you please give each group a worksheet?

W Sure, I will.

[19~20] 대화를 듣고, 여자의 마지막 말에 이어질 남자의 응답으로 가장 적절한 것을 고르시오.

19 알맞은 응답 찾기

Man: ________________________

① I'm a doctor, too.
② I'm reading a novel.
③ I want to be a lawyer.
④ I'll have a good time.
⑤ I'd like to play the piano.

M What are you doing?

W ❶ ________ ________ a book. It's about Heo Jun.

M Heo Jun? I know him. He's a great man.

W Yeah, I agree. Like Heo Jun, I want ❷ ________ ________ ________ ________ and help the sick people.

M Good for you.

W How about you? What do you want to be ❸ ________ ________ ________?

20 알맞은 응답 찾기

Man: ________________________

① I think so, too.
② I'll check it out.
③ I don't agree with you.
④ I think you should think twice.
⑤ It's because the color is too dark.

Ⓟ 의문문 억양
의문사가 없는 의문문은 끝을 올려서(↗) 읽고, 의문사가 있는 의문문은 끝을 내려서(↘) 읽는다.

W Wow, Ⓟ is it your school uniform?

M Yes, it is. I bought it yesterday.

W It's good. I like it.

M Really? But I'm ❶ ________ ________ ________ ________.

W Why? It ❷ ________ ________ ________ ________.

M It's out of style.

W Ⓟ Why ❸ ________ ________ ________ ________?

Words 18 worksheet 활동지 19 sick 아픈 future 미래 20 school uniform 교복 out of style 유행이 지난 think 생각하다

05회 영어 듣기모의고사

맞은 개수 /20문항

01 다음을 듣고, 'I'가 무엇인지 가장 적절한 것을 고르시오.

①  ②  ③ 

④  ⑤ 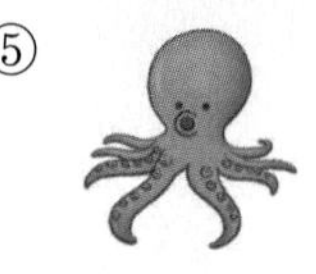

02 대화를 듣고, 남자가 구입할 기념품으로 가장 적절한 것을 고르시오.

①     

④  ⑤ 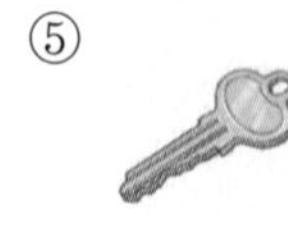

03 다음을 듣고, 토요일의 날씨로 가장 적절한 것을 고르시오.

①  ②   

④   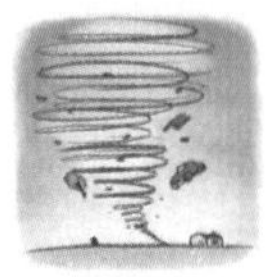

04 대화를 듣고, 여자가 한 마지막 말의 의도로 가장 적절한 것을 고르시오.

① 칭찬 ② 거절 ③ 사과
④ 불평 ⑤ 제안

05 다음을 듣고, 여자가 자신에 대해 언급하지 않은 것을 고르시오.

① 이름 ② 가족 관계 ③ 나이
④ 출신 지역 ⑤ 장래 희망

06 대화를 듣고, 두 사람이 좋아하는 TV 프로그램이 시작되는 시각을 고르시오.

① 4:10 ② 4:50 ③ 5:00
④ 5:10 ⑤ 5:20

07 대화를 듣고, 남자의 장래 희망으로 가장 적절한 것을 고르시오.

① 배우 ② 댄서 ③ 가수
④ 교사 ⑤ 여행가

08 다음을 듣고, 여자가 마지막에 느낀 심정으로 가장 적절한 것을 고르시오.

① 미안함 ② 부러움 ③ 지루함
④ 걱정됨 ⑤ 반가움

09 대화를 듣고, 두 사람이 이번 주말에 할 일로 가장 적절한 것을 고르시오.

① 청소하기 ② 수영하기
③ 영화 보기 ④ TV 시청하기
⑤ 수상 스키 타기

10 대화를 듣고, 무엇에 관한 내용인지 가장 적절한 것을 고르시오.

① 진료 예약 ② 야구 경기
③ 감기 증상 ④ 봉사 활동
⑤ 컴퓨터 게임

11 대화를 듣고, 두 사람이 함께 이용할 교통수단으로 가장 적절한 것을 고르시오.

① 택시 ② 자전거 ③ 기차
④ 버스 ⑤ 지하철

12 대화를 듣고, 여자가 새로 운동화를 산 이유로 가장 적절한 것을 고르시오.

① 조깅을 하기 위해서
② 운동화가 너무 낡아서
③ 새로 산 옷과 어울려서
④ 백화점 세일에 현혹되어서
⑤ 친구들이 모두 가지고 있어서

13 대화를 듣고, 두 사람의 관계로 가장 적절한 것을 고르시오.

① 작가 – 독자 ② 경찰관 – 시민
③ 서점 직원 – 고객 ④ 영어 교사 – 학생
⑤ 여행사 직원 – 고객

14 대화를 듣고, 남자가 가려고 하는 장소로 가장 알맞은 곳을 고르시오.

15 대화를 듣고, 여자가 남자에게 부탁한 일로 가장 적절한 것을 고르시오.

① 호텔 안내하기 ② 컴퓨터 게임하기
③ 식당 데려다주기 ④ 로비 위치 알려 주기
⑤ 안내 책자 가져다주기

16 대화를 듣고, 여자가 남자에게 제안한 것으로 가장 적절한 것을 고르시오.

① 콘서트 관람 취소하기
② 콘서트 이후에 식사하기
③ 다른 교통 수단 이용하기
④ 콘서트 장에 일찍 도착하기
⑤ 콘서트 장에 도착하면 문자하기

17 대화를 듣고, 여자가 구입할 물건을 고르시오.

① 교복 ② 노트북 컴퓨터
③ 데스크톱 컴퓨터 ④ 컴퓨터 책상
⑤ 노트북 컴퓨터 가방

18 대화를 듣고, 남자의 직업으로 가장 적절한 것을 고르시오.

① 소방관 ② 경찰관
③ 운전기사 ④ 사진작가
⑤ 영화감독

[19~20] 대화를 듣고, 남자의 마지막 말에 이어질 여자의 응답으로 가장 적절한 것을 고르시오.

19 Woman: ______________________

① I'm full, thanks.
② Sorry to hear that.
③ That sounds good.
④ Not really, but I like it.
⑤ Because I can look for it.

20 Woman: ______________________

① That's right.
② Okay. I'll make it.
③ You did a good job.
④ Thank you. I will.
⑤ I'm happy to meet you.

Dictation Test 05회 영어 듣기모의고사

01 그림 정보 파악 – 동물

다음을 듣고, 'I'가 무엇인지 가장 적절한 것을 고르시오.

① ② ③ ④ ⑤

M I am the smartest animal on earth. I ❶ ________ ________ ________ on my body and my skin is very smooth. I am an excellent swimmer. I ❷ ________ ________ ________ ________. You can see me at an aquarium. Who am I?

02 그림 정보 파악 – 사물

대화를 듣고, 남자가 구입할 기념품으로 가장 적절한 것을 고르시오.

① ② ③ ④ ⑤

M What will be a good gift for me, Mom?

W What about a key ring, Dave? There are some pretty ❶ ________ ________ in this gift shop.

M No, Mom. I already have many.

W Hmm.... How about T-shirts? Lots of people are ❷ ________ ________.

M Good idea.

03 그림 정보 파악 – 날씨

다음을 듣고, 토요일의 날씨로 가장 적절한 것을 고르시오.

① ② ③ ④ ⑤

W Good morning. Here is the weather report. It will be warm and sunny from today ❶ ________ ________. On Friday, it will be cloudy and somewhat rainy. On Saturday, it will be ❷ ________ ________ ________. But on Sunday, we will be able to see clear skies. Thank you.

04 의도 파악

대화를 듣고, 여자가 한 마지막 말의 의도로 가장 적절한 것을 고르시오.

① 칭찬 ② 거절 ③ 사과
④ 불평 ⑤ 제안

W How was your meal, Brian?

M It was excellent, Mom. But I'm ❶ ________ ________.

W Shall we order some more steak?

M No, I want ❷ ________ ________ ________ ________.

W What do you want to have?

M I didn't decide yet. I want to eat something cold and sweet.

W ❸ ________ ________ ________ ________ ice cream?

Words 01 skin 피부 smooth 부드러운 excellent 훌륭한 aquarium 수족관, 아쿠아리움 02 gift 선물 key ring 열쇠고리 03 somewhat 약간 clear 맑은 04 meal 식사 dessert 디저트, 후식 decide 결정하다

05 언급하지 않은 것

다음을 듣고, 여자가 자신에 대해 언급하지 않은 것을 고르시오.

① 이름 ② 가족 관계 ③ 나이
④ 출신 지역 ⑤ 장래 희망

의견 표현하기
I think ~.는 자신의 의견을 말할 때 쓰는 표현으로, In my opinion, ~.과 유사하다.

W Let me introduce myself. My name is Julia. My family ❶ ________ ________ ________: my father, mother, brother and me. I'm ❷ ________ ________ ________. I like movies. I'm also interested in making a film. In the future, I ❸ ________ ________ ________ a movie director. I think it's a great job.

06 숫자 정보 파악 – 시각

대화를 듣고, 두 사람이 좋아하는 TV 프로그램이 시작되는 시각을 고르시오.

① 4:10 ② 4:50 ③ 5:00
④ 5:10 ⑤ 5:20

M Mary. It's already five o'clock. We'd better go home now.
W What's happening? Why are you ❶ ________ ________ ________?
M My favorite TV show starts ❷ ________ ________ ________.
W Oh, you mean *Running Guy*? I like it, too.
M Okay. Let's run!

07 직업 및 장래 희망 영국식 발음 녹음

대화를 듣고, 남자의 장래 희망으로 가장 적절한 것을 고르시오.

① 배우 ② 댄서 ③ 가수
④ 교사 ⑤ 여행가

확인하기
평서문의 끝에 ~, right?을 쓰면 사실을 확인하는 표현이 되며, 부가의문문 대신 사용할 수도 있다.

M What do you want to be in the future?
W When I was young, I wanted to ❶ ________ ________ ________. But now I want to be an actress or a singer. What about you?
M Well, I want to ❷ ________ ________ ________ ________.
W Oh, I see. You want to ❸ ________ ________ ________, right?
M Yes, that's right.

08 심정 파악

다음을 듣고, 여자가 마지막에 느낀 심정으로 가장 적절한 것을 고르시오.

① 미안함 ② 부러움 ③ 지루함
④ 걱정됨 ⑤ 반가움

W It's ❶ ________ ________.
M Oh, no. Do we have to be at home all day?
W I'm afraid so. I really want to ❷ ________ ________ ________ ________ today.
M Wow, Mary! Look outside! It has stopped raining.
W Are you sure? We can go there.

Words 05 **introduce** 소개하다 **be interested in** ~에 관심이 있다 **film** 영화(= movie) **movie director** 영화감독 06 **had better** ~하는 게 낫다 **in a hurry** 서둘러 **mean** 의미하다 07 **actress** 여배우 **traveler** 여행가 08 **outside** 밖에

Dictation Test

09 한 일 / 할 일 파악

대화를 듣고, 두 사람이 이번 주말에 할 일로 가장 적절한 것을 고르시오.

① 청소하기 ② 수영하기
③ 영화 보기 ④ TV 시청하기
⑤ 수상 스키 타기

M What did you do last weekend?
W I watched TV and cleaned my room. How about you?
M I ❶ ________ ________ Grouse River. I went water skiing.
W Really? Sounds interesting. I'd like to ride water skiing, too.
M I will go there this weekend again. ❷ ________ ________ ________ me?
W I'd love to.

10 주제 파악

대화를 듣고, 무엇에 관한 내용인지 가장 적절한 것을 고르시오.

① 진료 예약 ② 야구 경기
③ 감기 증상 ④ 봉사 활동
⑤ 컴퓨터 게임

아픈 증상 말하기
아픈 증상에 대해 말할 때에는 동사 have를 사용하여 I have a fever[a runny nose / a sore throat].(나는 열[콧물 / 목통증]이 있다.)와 같이 표현할 수 있다.

W You look really sick. What's the matter?
M I have a ❶ ________ ________ and a fever.
W Do you have a sore throat?
M Yes, a little. I have a cough, too.
W Let me have a look.... Hmm, I think you've ❷ ________ ________ ________. I'll give you a shot.

11 특정 정보 파악 영국식 발음 녹음

대화를 듣고, 두 사람이 함께 이용할 교통수단으로 가장 적절한 것을 고르시오.

① 택시 ② 자전거 ③ 기차
④ 버스 ⑤ 지하철

W We have to take a taxi to the movie theater.
M It's expensive. How about ❶ ________ ________ ________?
W But we ❷ ________ ________ ________ ________ the movie. We have only 30 minutes.
M Hmm.... Why don't we ❸ ________ ________ ________? There is a subway stop near the theater. We can arrive there within 30 minutes.
W That's good.

Words 09 ride 타다(-rode) water skiing 수상 스키 10 fever 열 sore 아픈 throat 목 have a look ~을 보다 shot 주사 11 theater 극장 stop 정류장 within ~ 안에, ~ 이내에

12 이유 파악

대화를 듣고, 여자가 새로 운동화를 산 이유로 가장 적절한 것을 고르시오.

① 조깅을 하기 위해서
② 운동화가 너무 낡아서
③ 새로 산 옷과 어울려서
④ 백화점 세일에 현혹되어서
⑤ 친구들이 모두 가지고 있어서

weight의 발음
weight처럼 gh가 묵음으로 소리 나는 단어들이 있다. 예를 들어 thought, daughter 등도 마찬가지로 gh가 소리 나지 않는다.

M Those are ❶ ________ ________! They look nice.
W Thanks, James.
M Where did you get them?
W I bought them at the department store.
M ❷ ________ ________ ________ ________ these new shoes?
W I'm planning to go jogging to lose weight.

13 관계 추론

대화를 듣고, 두 사람의 관계로 가장 적절한 것을 고르시오.

① 작가 – 독자
② 경찰관 – 시민
③ 서점 직원 – 고객
④ 영어 교사 – 학생
⑤ 여행사 직원 – 고객

W Good afternoon. How may I help you?
M I'm ❶ ________ ________ ________ ________ about English conversation. But I don't remember the title.
W Do you know ❷ ________ ________ ________?
M No, I don't know.
W Then you ❸ ________ ________ ________ in section C. It's the section for English books.
M I'm grateful for your help.

14 그림 정보 파악 – 길 찾기 영국식 발음 녹음

대화를 듣고, 남자가 가려고 하는 장소로 가장 알맞은 곳을 고르시오.

길 찾기
길 찾기에는 다음과 같은 표현들이 자주 등장한다. Go straight. (곧장 가세요.) / Walk two blocks. (두 블록을 걸으세요.) / Turn right(left) at the first corner. (첫 번째 모퉁이에서 오른쪽(왼쪽)으로 도세요.) / It's next to ~. (그것은 ~ 옆에 있어요.)

M Excuse me, could you tell me the way to the history museum?
W Sure. Go straight two blocks and ❶ ________ ________.
M Go straight and turn left?
W That's right. The museum is the second building ❷ ________ ________ ________. You can't miss it.
M I see. Thanks a lot.

12 **sneakers** 운동화 **lose weight** 살을 빼다 13 **conversation** 회화, 대화 **title** 제목 **grateful** 고마운 14 **miss** 놓치다

Dictation Test

15 부탁한 일 파악

대화를 듣고, 여자가 남자에게 부탁한 일로 가장 적절한 것을 고르시오.

① 호텔 안내하기 ② 컴퓨터 게임하기
③ 식당 데려다주기 ④ 로비 위치 알려 주기
⑤ 안내 책자 가져다주기

M Oh, it is a nice hotel! Mom, can I ❶ ________ ________ ________ ________?

W Of course. But we're going to have dinner in the hotel restaurant at 6.

M I will go there before 6.

W Okay. Can you bring ❷ ________ ________ ________ in the lobby then?

M No problem.

16 제안한 일 파악

대화를 듣고, 여자가 남자에게 제안한 것으로 가장 적절한 것을 고르시오.

① 콘서트 관람 취소하기
② 콘서트 이후에 식사하기
③ 다른 교통 수단 이용하기
④ 콘서트 장에 일찍 도착하기
⑤ 콘서트 장에 도착하면 문자하기

[Cellphone rings.]

W Hello?

M Hello, Jessica. This is Peter. I'm going to ❶ ________ ________ ________.

W Oh, really? It's 5:45. The concert starts at 6.

M I know. But the traffic ❷ ________ ________ ________ now.

W Well, I will be in the concert hall after 6. When you arrive here, why don't you ❸ ________ ________?

M Okay, I will.

17 특정 정보 파악 영국식 발음 녹음

대화를 듣고, 여자가 구입할 물건을 고르시오.

① 교복 ② 노트북 컴퓨터
③ 데스크톱 컴퓨터 ④ 컴퓨터 책상
⑤ 노트북 컴퓨터 가방

동의하기
(That's a) Good idea!는 상대방의 의견에 동의할 때 사용하며, Me, too. / Same here. / I think so, too.로 바꿔 쓸 수 있다.

W My brother graduates from high school next week. What should I ❶ ________ ________ ________?

M Does he have a laptop computer?

W Yes, he has one.

M Then, how about ❷ ________ ________ ________?

W Good idea! I think it'll be a good graduation gift for him.

15 **look around** 둘러보다 **lobby** 로비 16 **traffic** 교통 **terrible** 극심한 **text** 문자를 보내다 17 **graduate from** ~을 졸업하다 **laptop computer** 노트북 컴퓨터

18 직업 및 장래 희망

대화를 듣고, 남자의 직업으로 가장 적절한 것을 고르시오.

① 소방관 ② 경찰관
③ 운전기사 ④ 사진작가
⑤ 영화감독

dangerous의 발음
g는 [ㄱ]와 [ㅈ]의 두 가지로 발음된다. dangerous의 경우에는 [ㅈ]로 발음하며, gentle과 engine 등도 [ㅈ]로 발음한다.

W I think your job is very cool, Dad.
M Many people think that. But it isn't that good.
W I understand. It comes ❶ ________ ________ ________.
M Right. I should protect people from bad people. Usually, I ❷ ________ ________ ________. It means my job is dangerous.
W I know. Anyway, I'm proud of you.

[19~20] 대화를 듣고, 남자의 마지막 말에 이어질 여자의 응답으로 가장 적절한 것을 고르시오.

19 알맞은 응답 찾기

Woman: ________________________

① I'm full, thanks.
② Sorry to hear that.
③ That sounds good.
④ Not really, but I like it.
⑤ Because I can look for it.

common의 발음
common의 경우 미국식 영어와 영국식 영어에서 약간의 발음 차이가 있다. 미국식 영어에서는 [카:먼]으로, 영국식 영어에서는 [커먼]으로 발음한다.

W I have ❶ ________ ________ ________. Can you help me?
M Sure. What are you going to write about?
W I don't know.
M How about writing about your family?
W Good idea, but I think it's too common.
M Then ❷ ________ ________ ________ ________ for some information online?

20 알맞은 응답 찾기

Woman: ________________________

① That's right.
② Okay. I'll make it.
③ You did a good job.
④ Thank you. I will.
⑤ I'm happy to meet you.

유감 표현하기
That's too bad.는 상대방에게 좋지 않은 소식을 들었거나 상대방을 위로해 줄 때 사용하는 표현으로, I'm sorry to hear that.과 바꿔 쓸 수 있다.

W How was ❶ ________ ________ ________?
M We lost the game. We lost 20 to 12.
W Oh, that's too bad.
M Yes, but I ❷ ________ ________ ________.

Words 18 cool 멋진 responsibility 책임(감) protect 보호하다 gun 총 anyway 그건 그렇고 be proud of ~을 자랑스러워하다 19 common 흔한 search 찾다 20 lose (경기, 시합에서) 지다 score a point 득점하다

06회 영어 듣기모의고사

맞은 개수 /20문항

01 다음을 듣고, ‘they’가 가리키는 것으로 가장 적절한 것을 고르시오.

① 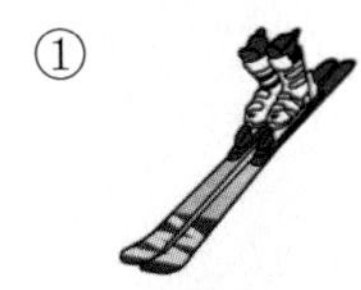 ②  ③ 
④  ⑤ 

02 대화를 듣고, 남자의 모습으로 가장 적절한 것을 고르시오.

①  ②  ③ 
④  ⑤ 

03 다음을 듣고, 샌프란시스코의 날씨로 가장 적절한 것을 고르시오.

①  ②  ③ 
④  ⑤ 

04 대화를 듣고, 여자가 한 마지막 말의 의도로 가장 적절한 것을 고르시오.

① 비난 ② 동정 ③ 감사
④ 격려 ⑤ 제안

05 다음을 듣고, 남자가 미용실에 대해 언급하지 않은 것을 고르시오.

① 주인 ②개점 연도 ③ 개점 시간
④ 일일 손님 수 ⑤ 쉬는 날

06 대화를 듣고, 두 사람이 조부모님 댁에 도착할 시각을 고르시오.

① 5:00 p.m. ② 5:10 p.m. ③ 5:20 p.m.
④ 5:30 p.m. ⑤ 6:00 p.m.

07 대화를 듣고, 남자의 장래 희망으로 가장 적절한 것을 고르시오.

① 선생님 ② 영화배우 ③ 시인
④ 영화감독 ⑤ 과학자

08 대화를 듣고, 여자의 심정으로 가장 적절한 것을 고르시오.

① 기쁨 ② 부러움 ③ 당황함
④ 그리움 ⑤ 부끄러움

09 대화를 듣고, 여자가 대화 직후에 할 일로 가장 적절한 것을 고르시오.

① 말하기 연습하기 ② 대회 날짜 메모하기
③ 이메일 확인하기 ④ 대회 참가 신청하기
⑤ 대회 장소 가기

10 다음을 듣고, 무엇에 관한 내용인지 가장 적절한 것을 고르시오.

① 오븐 ② 싱크대
③ 냉장고 ④ 전자레인지
⑤ 가스레인지

11 대화를 듣고, 여자가 이용할 교통수단으로 가장 적절한 것을 고르시오.

① 도보 ② 지하철 ③ 자동차
④ 버스 ⑤ 자전거

12 대화를 듣고, 남자가 TV를 시청할 수 없는 이유로 가장 적절한 것을 고르시오.

① 책을 읽어야 해서 ② TV가 고장 나서
③ 숙제를 해야 해서 ④ 친구와 약속이 있어서
⑤ 시험공부를 해야 해서

13 대화를 듣고, 두 사람의 관계로 가장 적절한 것을 고르시오.

① 동료 – 동료 ② 목사 – 신도
③ 은행원 – 고객 ④ 동창 – 동창
⑤ 제빵사 – 손님

14 대화를 듣고, 레스토랑의 위치로 가장 알맞은 곳을 고르시오.

15 대화를 듣고, 남자가 여자에게 부탁한 일로 가장 적절한 것을 고르시오.

① 장갑 사 주기
② 쇼핑 같이 가기
③ 장갑 빌려주기
④ 온라인 주문 방법 알려 주기
⑤ 주문품 대신 받아 주기

16 대화를 듣고, 여자가 남자에게 제안한 것으로 가장 적절한 것을 고르시오.

① 바닷가 가기
② 수영장 가기
③ 수영 배우기
④ 여행 예약하기
⑤ 여름 방학 계획 세우기

17 대화를 듣고, 두 사람이 크리스마스이브에 할 일로 가장 적절한 것을 고르시오.

① 바자회 열기 ② 동아리방 청소하기
③ 자선기금 내기 ④ 파티 준비하기
⑤ 노숙자를 위한 봉사하기

18 대화를 듣고, 남자의 직업으로 가장 적절한 것을 고르시오.

① 화가 ② 요리사
③ 웹디자이너 ④ 식당 주인
⑤ 웹툰 작가

[19~20] 대화를 듣고, 남자의 마지막 말에 이어질 여자의 응답으로 가장 적절한 것을 고르시오.

19 Woman: ______________________

① That's great.
② That's too bad.
③ I enjoy animations.
④ I'm happy to meet you.
⑤ I like to read comic books.

20 Woman: ______________________

① The hotel was terrible.
② I'd like to visit many places.
③ I'm visiting L.A. on business.
④ I'm staying here for two weeks.
⑤ I'm staying at my uncle's house.

Dictation Test 06회 영어 듣기모의고사

01 그림 정보 파악 – 사물

다음을 듣고, 'they'가 가리키는 것으로 가장 적절한 것을 고르시오.

① ② ③ ④ ⑤

제안하기
상대방에게 제안할 때 사용하는 표현으로는 Why don't you ~? / Let's ~. / Shall we ~? / How about -ing ~? 등을 사용한다.

W Do you want to ❶ ________ ________? Why don't you wear these? They will help you jump and have fun. They are fun for ❷ ________ ________ ________ ________. They are easy to wear. Do you have leg and back issues? They will ❸ ________ ________ ________ less pain.

02 그림 정보 파악 – 인물

대화를 듣고, 남자의 모습으로 가장 적절한 것을 고르시오.

① ② ③ ④ ⑤

get it의 발음
모음 사이에 t가 위치할 경우 [t] 대신 [r]로 발음된다. 따라서 get it은 [게릿]으로 발음한다.

W What a hot day it is!
M Because of strong sunlight, I ❶ ________ ________ ________ ________.
W Good for you. By the way, where did you get that ❷ ________ ________ ________?
M I got this sunflower-shaped painting at the school festival.
W Really? I want to get it, too.

03 그림 정보 파악 – 날씨

다음을 듣고, 샌프란시스코의 날씨로 가장 적절한 것을 고르시오.

① ② ③ ④ ⑤

W Good morning! This is Jennifer with Nice Weather. It's been rainy for the past few days. However, there ❶ ________ ________ ________ ________ in the weather today. Los Angeles and San Francisco will be sunny. However, New York will be ❷ ________ ________ this afternoon. Washington will have strong winds all day long.

04 의도 파악 영국식 발음 녹음

대화를 듣고, 여자가 한 마지막 말의 의도로 가장 적절한 것을 고르시오.

① 비난 ② 동정 ③ 감사
④ 격려 ⑤ 제안

M Hello, Ms. Parker.
W Hi, Peter. You're here now, too. Only Daniel still isn't here.
M He really wanted to go on this field trip. But ❶ ________ ________ ________ ________.
W Why? What's wrong with him?
M He has a stomachache.
W What a pity! I hope he'll ❷ ________ ________ ________.

Words 01 **fun** 재미; 재미있는 **adult** 성인 **back** 등, 허리 **issue** 문제 **less** 더 적은 **pain** 통증 02 **by the way** 그런데 **festival** 축제 03 **past** 지난 **strong** 강한 04 **field trip** 현장 학습, 견학 여행 **What a pity!** 안타까운 일이다! **get well** 회복하다

05 언급하지 않은 것

다음을 듣고, 남자가 미용실에 대해 언급하지 않은 것을 고르시오.

① 주인 ② 개점 연도 ③ 개점 시간
④ 일일 손님 수 ⑤ 쉬는 날

M My mother is a hairdresser. She has ❶ ________ ________ ________ ________. My mother says about 50 customers ❷ ________ ________ ________ every day. She opens it at 10:00 a.m. and closes at 7:00 p.m. It is closed on Mondays.

06 숫자 정보 파악 – 시각

대화를 듣고, 두 사람이 조부모님 댁에 도착할 시각을 고르시오.

① 5:00 p.m. ② 5:10 p.m. ③ 5:20 p.m.
④ 5:30 p.m. ⑤ 6:00 p.m.

시간 묻기
What time is it?은 시간을 묻는 표현으로, 유사 표현으로는 Do you have the time? / What's the time? / What time do you have? 등이 있다.

W What time can we arrive at our grandparents' house?
M I think it should take 30 more minutes ❶ ________ ________ ________.
W What time is it? I will call them to talk about our arriving time.
M It's 5:30 p.m. We can get there ❷ ________ ________ ________.
W All right.

07 직업 및 장래 희망

대화를 듣고, 남자의 장래 희망으로 가장 적절한 것을 고르시오.

① 선생님 ② 영화배우 ③ 시인
④ 영화감독 ⑤ 과학자

W What do you want to be in the future?
M I'd like to be ❶ ________ ________ ________ like John Keating.
W John Keating? Who is he?
M I saw the movie *Dead Poets Society*. His class in the movie was ❷ ________ ________.
W Great, but you have to study hard to be like him.

08 심정 파악

대화를 듣고, 여자의 심정으로 가장 적절한 것을 고르시오.

① 기쁨 ② 부러움 ③ 당황함
④ 그리움 ⑤ 부끄러움

충고 구하기
What should I do?는 조언이나 충고를 구할 때 사용하며, Do you think I should ~? / Can I get your advice on ~? 등으로도 표현할 수 있다.

W Oh, no! I'm in trouble!
M What's wrong, Susan?
W I borrowed a book from the library, but I ❶ ________ ________ ________.
M Where did you see it last?
W I don't know. What should I do?
M Let's ❷ ________ ________ ________ ________.

Words 05 **hairdresser** 미용사, 헤어 디자이너 **hair salon** 미용실 **visit** 방문하다 06 **arrive** 도착하다 **call** 전화하다 07 **poet** 시인 **society** 사회 **impressive** 인상적인 08 **be in trouble** 곤경에 빠지다 **borrow** 빌리다

Dictation Test

09 한 일 / 할 일 파악 영국식 발음 녹음

대화를 듣고, 여자가 대화 직후에 할 일로 가장 적절한 것을 고르시오.

① 말하기 연습하기 ② 대회 날짜 메모하기
③ 이메일 확인하기 ④ 대회 참가 신청하기
⑤ 대회 장소 가기

M When is ❶ ________ ________ ________?
W It's next Thursday. I'm nervous.
M Don't worry. You'll do well. What time does the contest begin?
W At 3 o'clock in the afternoon.
M What time should you get there?
W I'm not quite sure. I ❷ ________ ________ ________.
M Why don't you check it now?
W Okay, I will.

10 주제 파악

다음을 듣고, 무엇에 관한 내용인지 가장 적절한 것을 고르시오.

① 오븐 ② 싱크대
③ 냉장고 ④ 전자레인지
⑤ 가스레인지

M This is ❶ ________ ________ ________. It's very big. We open the door and put food in it. It keeps the food ❷ ________ ________ ________. Without it, our food will ❸ ________ ________ ________. It is a very important machine in our kitchen. What is it?

11 특정 정보 파악

대화를 듣고, 여자가 이용할 교통수단으로 가장 적절한 것을 고르시오.

① 도보 ② 지하철 ③ 자동차
④ 버스 ⑤ 자전거

M Hey, Stella, what's the matter? You look upset.
W I just ❶ ________ ________ ________. I'm worried I'll be late for the train.
M How about ❷ ________ ________ ________? I'm on the way to the subway station.
W ❸ ________ ________ ________ ________ the train station before 2 o'clock?
M Sure. It only takes 20 minutes.
W Okay. Let's go.

Words 09 **nervous** 긴장한, 초조한 **worry** 걱정하다 **check** 확인하다 10 **without** ~ 없이 **go bad** 상하다 11 **upset** 속상한 **on the way** ~하는 중에 **take** (시간이) 걸리다

12 이유 파악

대화를 듣고, 남자가 TV를 시청할 수 없는 이유로 가장 적절한 것을 고르시오.

① 책을 읽어야 해서　② TV가 고장 나서
③ 숙제를 해야 해서　④ 친구와 약속이 있어서
⑤ 시험공부를 해야 해서

의무 말하기
I have to ~.는 '나는 ~해야 한다'의 의미로 필요성과 의무를 말할 때 사용하며, 유사 표현으로 I must ~.가 있다.

[Cellphone rings.]

M Hello, Sejin. What's up?

W Hi, Leo. Turn on the TV now. Your favorite actor is on a TV show.

M Oh, no. I'm afraid ❶ ________ ________ ________ the show now.

W Why? Are you busy now?

M Yes. I have to ❷ ________ ________ ________ by tonight.

W Okay. I will tell you about that show.

13 관계 추론

대화를 듣고, 두 사람의 관계로 가장 적절한 것을 고르시오.

① 동료 – 동료　② 목사 – 신도
③ 은행원 – 고객　④ 동창 – 동창
⑤ 제빵사 – 손님

aren't you의 발음
부가의문문 aren't you의 경우, 의문문의 형태이지만 오히려 끝을 내려 말하는 억양이라는 사실에 유의하도록 한다.

M Excuse me, do I know you? I think I have seen you before.

W Wow, you are James, aren't you? I'm Angela. We went to ❶ ________ ________ ________ ________.

M Right. Long time no see. How have you been?

W I'm great. It's good to see you again.

M I'm ❷ ________ ________ ________ ________, too.

14 그림 정보 파악 – 길 찾기 　영국식 발음 녹음

대화를 듣고, 레스토랑의 위치로 가장 알맞은 곳을 고르시오.

M Is there an Italian restaurant ❶ ________ ________?

W Yes.

M How can I get there from here?

W Go straight, and you will get to a big square.

M Is the restaurant ❷ ________ ________ ________ the square?

W No. Go through the square onto Maple Street.

M Okay.

W You will see a bank on your right. The restaurant is ❸ ________ ________ ________ ________.

M Thanks.

12 turn on ~을 켜다 actor 배우 tonight 오늘밤에 13 elementary school 초등학교 14 Italian 이탈리아의 square 광장 through ~을 통과하여 bank 은행 next to ~의 옆에

Dictation Test

15 부탁한 일 파악

대화를 듣고, 남자가 여자에게 부탁한 일로 가장 적절한 것을 고르시오.

① 장갑 사 주기
② 쇼핑 같이 가기
③ 장갑 빌려주기
④ 온라인 주문 방법 알려 주기
⑤ 주문품 대신 받아 주기

요청하기
Can you ~?는 '~해줄 수 있나요?'라는 의미로 상대방에게 요청할 때 쓰는 표현으로, Could I ask you to ~?나 Would you mind ~? 등으로도 나타낼 수 있다.

W What are you doing?
M I'm ❶ ________ ________ ________ ________.
W You've never bought things online?
M No, but I want to buy these gloves.
W Oh, they look nice.
M Can you show me ❷ ________ ________ ________ ________?
W Sure.

16 제안한 일 파악

대화를 듣고, 여자가 남자에게 제안한 것으로 가장 적절한 것을 고르시오.

① 바닷가 가기
② 수영장 가기
③ 수영 배우기
④ 여행 예약하기
⑤ 여름 방학 계획 세우기

W What will you do during summer vacation?
M I don't know. Do you have a good idea?
W How about learning ❶ ________ ________ ________?
M Oh, I'm afraid of being in water.
W Come on! That's why you should ❷ ________ ________ ________.
M Can you swim?
W No, I'll learn to swim this summer. ❸ ________ ________ ________ together.
M Okay... I'll try.

17 한 일 / 할 일 파악

대화를 듣고, 두 사람이 크리스마스이브에 할 일로 가장 적절한 것을 고르시오.

① 바자회 열기 ② 동아리방 청소하기
③ 자선기금 내기 ④ 파티 준비하기
⑤ 노숙자를 위한 봉사하기

M Diane, do you ❶ ________ ________ ________ on Christmas Eve?
W Nothing special. Why?
M My club will have a bazaar. We'll collect some money and help the homeless.
W Can I ❷ ________ ________ ________?
M Sure. Let's go to my club room together.

Words 15 **gloves** 장갑 **order** 주문하다 16 **during** ~ 동안에 **be afraid of** ~을 두려워하다 **That's why** ~. 그게 ~하는 이유야. 17 **bazaar** 바자회 **collect** 모으다, 모금하다 **join** 함께하다

18 직업 및 장래 희망

대화를 듣고, 남자의 직업으로 가장 적절한 것을 고르시오.

① 화가 ② 요리사
③ 웹디자이너 ④ 식당 주인
⑤ 웹툰 작가

W Oh, you are busy on the computer.
M Yes, I ❶ _________ _________ _________ this webcomic page.
W Do you ❷ _________ _________ _________ it today?
M Yes, I should upload it before 2 p.m.
W Are you going to have lunch after that?
M Yes, after 2 o'clock.

[19~20] 대화를 듣고, 남자의 마지막 말에 이어질 여자의 응답으로 가장 적절한 것을 고르시오.

19 알맞은 응답 찾기 영국식 발음 녹음

Woman: ______________________________

① That's great.
② That's too bad.
③ I enjoy animations.
④ I'm happy to meet you.
⑤ I like to read comic books.

관심 말하기
I like ~.는 좋아하는 것을 말할 때 사용하는 표현으로, 유사한 표현으로는 I enjoy ~.가 있다.

W What would you like to do this Saturday?
M Um.... I'd like to ❶ _________ _________ _________.
W A movie? That's good. ❷ _________ _________ _________ _________ do you like?
M I like mystery movies. How about you?

20 알맞은 응답 찾기

Woman: ______________________________

① The hotel was terrible.
② I'd like to visit many places.
③ I'm visiting L.A. on business.
④ I'm staying here for two weeks.
⑤ I'm staying at my uncle's house.

공항에서 흔히 쓰이는 표현
Can I see your passport? (여권을 보여 주시겠어요?)
What's the purpose of your trip?
(여행 목적이 무엇입니까?)
How long are you going to stay ~?
(체류 기간은 얼마동안입니까?)

M Can I see your passport, please?
W Yes. Here it is.
M ❶ _________ _________ are you going to stay in the United States?
W For two weeks.
M ❷ _________ _________ _________ be staying?

Words 18 **draw** 그리다 **webcomic** 웹툰, 웹 만화 **upload** 올리다, 업로드하다 19 **mystery** 미스터리, 추리 20 **passport** 여권

07회 영어 듣기모의고사

맞은 개수 /20문항

01 다음을 듣고, 'I'가 무엇인지 가장 적절한 것을 고르시오.

① 
② 
③ 
④ 
⑤ 

02 대화를 듣고, 두 사람이 보고 있는 표지판으로 가장 적절한 것을 고르시오.

① 
② 

③ 
④ 

⑤ 

03 대화를 듣고, 오늘 오후 제주도의 날씨로 가장 적절한 것을 고르시오.

① 
② 
③ 
④ 
⑤ 

04 대화를 듣고, 여자가 한 마지막 말의 의도로 가장 적절한 것을 고르시오.

① 수정하기
② 보고하기
③ 이의 제기하기
④ 상기시켜 주기
⑤ 이해 점검하기

05 다음을 듣고, 여자가 자신의 일상생활에 대해 언급하지 <u>않은</u> 것을 고르시오.

① 기상 시간
② 등하교 방법
③ 점심시간
④ 방과 후 활동
⑤ TV 시청 시간

06 대화를 듣고, 두 사람이 만날 시각을 고르시오.

① 5:00 p.m.
② 5:30 p.m.
③ 6:00 p.m.
④ 6:30 p.m.
⑤ 7:00 p.m.

07 대화를 듣고, 남자의 장래 희망으로 가장 적절한 것을 고르시오.

① 정비사
② 카레이서
③ 버스 운전사
④ 교통 경찰
⑤ 사이클 경주 선수

08 대화를 듣고, 남자의 심정으로 가장 적절한 것을 고르시오.

① 놀람
② 불안함
③ 신이 남
④ 화가 남
⑤ 걱정스러움

09 대화를 듣고, 두 사람이 대화 직후에 할 일로 가장 적절한 것을 고르시오.

① 한식당에 가기
② 장을 보러 가기
③ 피자를 먹으러 가기
④ 중국 음식점에 가기
⑤ 주방에서 음식을 만들기

10 다음을 듣고, 무엇에 관한 내용인지 가장 적절한 것을 고르시오.

① 길 안내
② 카메라 사용법
③ 사진 인화 과정
④ 그림 그리는 과정
⑤ 도형 그리는 방법

11 대화를 듣고, 여자가 타고 온 교통수단으로 가장 적절한 것을 고르시오.

① 지하철 ② 도보
③ 버스 ④ 자전거
⑤ 택시

12 대화를 듣고, 여자가 주문한 신발을 받지 못한 이유로 가장 적절한 것을 고르시오.

① 배송이 잘못되어서
② 주문한 색상이 없어서
③ 주문한 사이즈가 없어서
④ 신제품이 입고되지 않아서
⑤ 인터넷 사이트에 문제가 생겨서

13 대화를 듣고, 두 사람이 대화하는 장소로 가장 적절한 곳을 고르시오.

① 문구점 ② 공항 ③ 우체국
④ 백화점 ⑤ 기차역

14 대화를 듣고, 두 사람이 먼저 가려고 하는 장소로 가장 알맞은 곳을 고르시오.

15 대화를 듣고, 여자가 남자에게 부탁한 일로 가장 적절한 것을 고르시오.

① 거실 청소하기 ② 문 열어놓기
③ 상자 가져오기 ④ 물건 정리하기
⑤ 문 옆에 상자 갖다놓기

16 대화를 듣고, 여자가 남자에게 제안한 것으로 가장 적절한 것을 고르시오.

① 탁구 배우기 ② 탁구 가르쳐 주기
③ 동아리 검색하기 ④ 탁구 동아리 가입하기
⑤ 주말에 탁구 치기

17 대화를 듣고, 두 사람이 토요일에 할 일로 가장 적절한 것을 고르시오.

① 선물 구입하기 ② 쿠키 굽기
③ 케이크 만들기 ④ 재료 구입하기
⑤ 카드 작성하기

18 대화를 듣고, 여자의 직업으로 가장 적절한 것을 고르시오.

① 경찰관 ② 요리사
③ 체육 선생님 ④ 양호 선생님
⑤ 버스 운전사

[19~20] 대화를 듣고, 남자의 마지막 말에 이어질 여자의 응답으로 가장 적절한 것을 고르시오.

19 Woman: ______________________

① Here it is.
② Sure, I will.
③ That's too bad.
④ This violin is expensive.
⑤ I like to listen to music.

20 Woman: ______________________

① I broke my leg.
② That's a great idea.
③ Good luck to you!
④ No, thanks. I'm full.
⑤ Do you really think so?

Dictation Test 07회 영어 듣기모의고사

01 그림 정보 파악 – 동물 영국식 발음 녹음

다음을 듣고, 'I'가 무엇인지 가장 적절한 것을 고르시오.

① ② ③ ④ ⑤

M You can find me in ❶ ________ ________ ________. I race with a turtle in a story. I work on the moon in another story. I ❷ ________ ________ ________ ________. I have large, powerful hind legs. I have long ears and a short tail. What am I?

02 그림 정보 파악 – 사물

대화를 듣고, 두 사람이 보고 있는 표지판으로 가장 적절한 것을 고르시오.

① ② ③ ④ ⑤

W Dad, why are you driving slowly?

M I saw that sign.

W You saw a picture of ❶ ________ ________ ________ ________? What does the sign mean?

M It means we're near a school. We ❷ ________ ________ ________ ________ 30km per hour.

W Oh, I see.

03 그림 정보 파악 – 날씨

대화를 듣고, 오늘 오후 제주도의 날씨로 가장 적절한 것을 고르시오.

① ② ③ ④ ⑤

W Finally, we are going to Jeju-do.

M We will ❶ ________ ________ ________ ________ there.

W I think so. Oh, it's raining outside. Do you know the weather in Jeju-do?

M Yes. I called the weather station. It's ❷ ________ ________ ________ now. But in the afternoon, it ❸ ________ ________ ________.

W Okay.

04 의도 파악 영국식 발음 녹음

대화를 듣고, 여자가 한 마지막 말의 의도로 가장 적절한 것을 고르시오.

① 수정하기 ② 보고하기
③ 이의 제기하기 ④ 상기시켜 주기
⑤ 이해 점검하기

허락 요청하기
Let me ~.를 써서 상대방에게 허락을 요청하는 표현을 쓸 수 있다. Do you mind if ~?를 쓰면 더욱 정중한 표현이 된다.

W Are you struggling with something?

M Yes, these math problems aren't easy.

W Let me ❶ ________ ________ ________ ________ those problems.

M Okay. Here you are.

W Well, it's a piece of cake.

M Really?

W Here's how to solve them.... Do you know ❷ ________ ________ ________?

Words 01 traditional 전통적인 race 경주하다 turtle 거북 carrot 당근 hind leg 뒷다리 02 sign 표지판 03 outside 밖에 weather station 기상청 04 struggle with ~로 고심하다 It's a piece of cake. 그건 식은 죽 먹기이다. solve (문제 등을) 풀다

05 언급하지 않은 것

다음을 듣고, 여자가 자신의 일상생활에 대해 언급하지 않은 것을 고르시오.

① 기상 시간 ② 등하교 방법 ③ 점심시간
④ 방과 후 활동 ⑤ TV 시청 시간

W This is ❶ ________ ________ ________. I usually get up at 6:30 in the morning to go to school. School begins at 8:50. We have lunch at 12:10. After school, I play badminton. I have dinner at 6:30 with my family. Then, I watch TV for an hour ❷ ________ ________ ________ ________ ________.

06 숫자 정보 파악 – 시각

대화를 듣고, 두 사람이 만날 시각을 고르시오.

① 5:00 p.m. ② 5:30 p.m. ③ 6:00 p.m.
④ 6:30 p.m. ⑤ 7:00 p.m.

W Hello, David.
M Hello, Ellen. We were going to ❶ ________ ________ ________ for dinner.
W Yes, we were. Is there a problem?
M Well, can we meet ❷ ________ ________ ________? I already feel hungry.
W At six thirty? No problem. Actually, that's ❸ ________ ________ ________, too.
M See you then.

07 직업 및 장래 희망

대화를 듣고, 남자의 장래 희망으로 가장 적절한 것을 고르시오.

① 정비사 ② 카레이서
③ 버스 운전사 ④ 교통 경찰
⑤ 사이클 경주 선수

M Look! Your bike has a flat tire.
W Oh, really?
M I can fix it.
W You're ❶ ________ ________ ________ ________, aren't you?
M I think so.
W Do you want to be a mechanic?
M No, I want to ❷ ________ ________ ________ ________.
W Being a car racer is a dangerous job. You should think twice.

08 심정 파악

대화를 듣고, 남자의 심정으로 가장 적절한 것을 고르시오.

① 놀람 ② 불안함 ③ 신이 남
④ 화가 남 ⑤ 걱정스러움

기대 표현하기
I can't wait for it.은 '난 몹시 기대가 돼.'라는 의미로, 기대를 표현할 때 쓰며 I'm looking forward to it.으로도 나타낼 수 있다.

W What are you going to do after your final exam?
M I will go to the soccer game ❶ ________ ________ ________ ________.
W That's great. Is this ❷ ________ ________ ________ to see a soccer match?
M Yes, I can't wait for it.
W I'm sure you'll like it.

Words 05 daily life 일상생활 usually 대개, 보통 do one's homework 숙제를 하다 07 flat 바람이 빠진, 펑크 난 fix 고치다, 수리하다 mechanic 정비공 racing driver 카레이서 think twice 심사숙고하다, 재고하다 08 final exam 기말고사

Dictation Test

09 한 일 / 할 일 파악

대화를 듣고, 두 사람이 대화 직후에 할 일로 가장 적절한 것을 고르시오.

① 장을 보러 간다.
② 한식당에 간다.
③ 피자를 먹으러 간다.
④ 중국 음식점에 간다.
⑤ 주방에서 음식을 만든다.

P don't의 발음
단어가 nt 혹은 nd로 끝날 경우 끝소리 [t]와 [d]는 탈락되거나 약하게 발음되므로 don't는 [도운]으로 발음한다.

M Daisy, is there ❶ ________ ________ ________ in the kitchen?
W Not really. Why? Are you hungry?
M Yes, I am. I didn't have lunch.
W Hmm.... Then let's ❷ ________ ________ ________ ________. Do you want to go to a Chinese restaurant?
M (P) I don't want that. How about some pizza?
W Great. Let's go.

10 주제 파악

다음을 듣고, 무엇에 관한 내용인지 가장 적절한 것을 고르시오.

① 길 안내
② 카메라 사용법
③ 사진 인화 과정
④ 그림 그리는 과정
⑤ 도형 그리는 방법

M First, choose the thing or people you want to ❶ ________ ________ ________ of. Press the button on the upper right part. Then, you'll get the picture. The button on the left is a zoom lens. With it, you can ❷ ________ ________ ________ of images. If you want to see the pictures again, ❸ ________ ________ ________ ________ at the center.

11 특정 정보 파악

대화를 듣고, 여자가 타고 온 교통수단으로 가장 적절한 것을 고르시오.

① 지하철
② 도보
③ 버스
④ 자전거
⑤ 택시

P did you의 발음
단어의 마지막 d가 [ju] 발음으로 시작하는 단어와 만나면 [d] 대신 [z]로 발음되므로 did you는 [디쥬]로 발음한다.

M Why are you so late?
W The traffic was very heavy near City Hall.
M Oh, I see. How (P) did you get to the theater?
W By bus. It took almost an hour.
M Next time, you ❶ ________ ________ ________ ________. It'll be faster.
W I'll follow your advice. It took a very long time ❷ ________ ________ ________ ________.

Words 09 kitchen 주방 restaurant 식당 10 press 누르다 upper 위의, 상단의 zoom lens 줌 렌즈 11 traffic 교통(량) heavy 많은, 심한 follow 따르다 advice 충고, 조언

12 이유 파악

대화를 듣고, 여자가 주문한 신발을 받지 못한 이유로 가장 적절한 것을 고르시오.

① 배송이 잘못되어서
② 주문한 색상이 없어서
③ 주문한 사이즈가 없어서
④ 신제품이 입고되지 않아서
⑤ 인터넷 사이트에 문제가 생겨서

유감이나 동정 표현하기
That's too bad.는 '참 안됐다.'라는 의미로 유감이나 동정을 나타내는 표현이다. I'm (so) sorry to hear ~. / That's a pity.로 바꿔 쓸 수 있다.

M Amy, are these ❶ ________ ________ ________ you talked me about?
W No, I didn't get them yet.
M Not yet? You ordered them online a week ago.
W They ❷ ________ ________ ________ ________. I have to wait for another week.
M Oh, that's too bad.

13 장소 추론

대화를 듣고, 두 사람이 대화하는 장소로 가장 적절한 곳을 고르시오.

① 문구점 ② 공항 ③ 우체국
④ 백화점 ⑤ 기차역

send this의 발음
단어의 마지막 d가 th 발음을 만나면 [d] 발음을 거의 하지 않으므로 send this는 [샌드디스]가 아니라 [샌디스]로 발음한다.

W Can I help you?
M Yes. I'd like to send this letter by airmail.
W To where?
M To Los Angeles. How much ❶ ________ ________ ________?
W It's 10 dollars.
M How long does it take?
W It ❷ ________ ________ ________.

14 그림 정보 파악 – 길 찾기

대화를 듣고, 두 사람이 먼저 가려고 하는 장소로 가장 알맞은 곳을 고르시오.

M This Kent Village is very big.
W Where ❶ ________ ________ ________ ________?
M How about Farm House?
W Where is it?
M Look at this map. We ❷ ________ ________ ________ the gift shop to Wagon Store.
W Okay. Then we should turn left at the corner.
M It's ❸ ________ ________ ________ ________.

Words 12 yet 아직 13 airmail 항공 우편 cost (가격이) ~이다 14 village 마을 first 우선, 먼저 map 지도 across from ~의 바로 맞은편에 castle 성

Dictation Test

15 부탁한 일 파악

대화를 듣고, 여자가 남자에게 부탁한 일로 가장 적절한 것을 고르시오.

① 거실 청소하기 ② 문 열어놓기
③ 상자 가져오기 ④ 물건 정리하기
⑤ 문 옆에 상자 갖다놓기

충고하기
(I think) You should ~.를 써서 상대방에게 충고하는 표현을 쓸 수 있는데, You'd better ~. / Why don't you ~?로도 나타낼 수 있다.

W Oh, your room is ❶ ________ ________ ________!
M That's okay. I know where everything is.
W No, no. You should ❷ ________ ________ ________ on the floor.
M Can I do it later?
W ❸ ________ ________ ________ now.
M Okay....
W There's a box next to the door. Can you bring it?
M Yes.

16 제안한 일 파악

대화를 듣고, 여자가 남자에게 제안한 것으로 가장 적절한 것을 고르시오.

① 탁구 배우기 ② 탁구 가르쳐 주기
③ 동아리 검색하기 ④ 탁구 동아리 가입하기
⑤ 주말에 탁구 치기

능력 여부 묻기
Are you good at ~?으로 능력 여부를 묻는 표현을 쓸 수 있는데, Can you ~?나 Do you know how to ~?로도 쓸 수 있다.

W Are you going to join a school club, Ted?
M Yes, I like sports. I want to join ❶ ________ ________ ________ ________ ________. How about you?
W I'm ❷ ________ ________ ________ the table tennis club.
M Are you good at table tennis?
W No, I'm not. But I want to learn to play it. ❸ ________ ________ the club together.
M That sounds like a good idea.

17 한 일 / 할 일 파악 영국식 발음 녹음

대화를 듣고, 두 사람이 토요일에 할 일로 가장 적절한 것을 고르시오.

① 선물 구입하기 ② 쿠키 굽기
③ 케이크 만들기 ④ 재료 구입하기
⑤ 카드 작성하기

M You know, this Sunday is Mother's Day.
W What ❶ ________ ________ ________?
M How about making a cake?
W Do you know ❷ ________ ________ ________?
M Yes. I'm learning to bake bread, cakes and cookies.
W Okay. ❸ ________ ________ ________ this Saturday.

Words 15 **mess** 엉망인 상태 **put away** ~을 치우다 **floor** 바닥, 마루 **later** 나중에 16 **join** 가입하다 **table tennis** 탁구 **be good at** ~을 잘하다 17 **Mother's Day** 어머니의 날 **bake** 굽다

18 직업 및 장래 희망

대화를 듣고, 여자의 직업으로 가장 적절한 것을 고르시오.

① 경찰관 ② 요리사
③ 체육 선생님 ④ 양호 선생님
⑤ 버스 운전사

W I work for students. I ❶ ________ ________ ________. Every morning, I take students to their school. When they see me, ❷ ________ ________ ________. In the afternoon, I take them home. I try to drive safely all the time. I like my job.

[19~20] 대화를 듣고, 남자의 마지막 말에 이어질 여자의 응답으로 가장 적절한 것을 고르시오.

19 알맞은 응답 찾기

Woman: ______________________________

① Here it is.
② Sure, I will.
③ That's too bad.
④ This violin is expensive.
⑤ I like to listen to music.

M Wow! What a nice violin!
W Thanks. My father ❶ ________ ________ ________ ________ on my birthday.
M Can you play the violin? I didn't know that.
W Yes, I ❷ ________ ________ ________ my mother. How about you?
M I don't know how to play. Will you teach me?

20 알맞은 응답 찾기 영국식 발음 녹음

Woman: ______________________________

① I broke my leg.
② That's a great idea.
③ Good luck to you!
④ No, thanks. I'm full.
⑤ Do you really think so?

M Hey, Sumi! Give me some water.
W Okay. Here it is. Oh, this mountain is really high.
M Right. We ❶ ________ ________ two hours ago and we're still far from the top.
W I'm really tired.
M Then, shall we ❷ ________ ________ ________ for a while?

Words 18 **safely** 안전하게 **all the time** 항상 19 **teach** 가르치다 20 **high** 높은 **far from** ~에서 먼 **top** 정상, 꼭대기 **for a while** 잠시 동안

08회 영어 듣기모의고사

맞은 개수 /20문항

01 다음을 듣고, 'I'가 무엇인지 가장 적절한 것을 고르시오.

①  ②  ③ 

④  ⑤ 

02 다음을 듣고, 여자가 설명하는 도형으로 가장 적절한 것을 고르시오.

① ○ 13 ② 13 ○ ③ △ 13
④ 30 ○ ⑤ ○ 13

03 다음을 듣고, 뉴욕의 오늘 오후 날씨로 가장 적절한 것을 고르시오.

①  ② 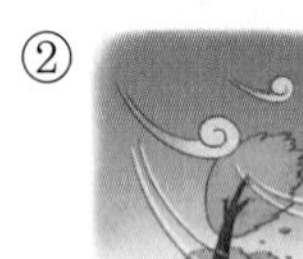 ③ 

④ 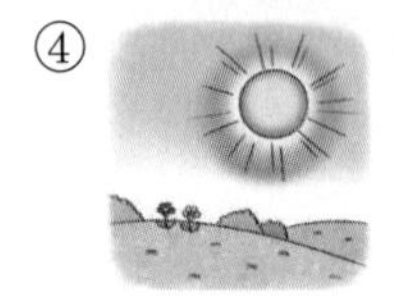 ⑤ 

04 대화를 듣고, 여자가 한 마지막 말의 의도로 가장 적절한 것을 고르시오.

① 위로 ② 질책 ③ 항의
④ 실망 ⑤ 소망

05 다음을 듣고, 여자가 봉사 활동에 대해 언급하지 <u>않은</u> 것을 고르시오.

① 행사 이름 ② 필요한 자원봉사자 수
③ 행사 날짜 ④ 행사 장소
⑤ 활동 내용

06 대화를 듣고, 현재 시각으로 가장 적절한 것을 고르시오.

① 5:20 p.m. ② 5:30 p.m. ③ 5:40 p.m.
④ 5:50 p.m. ⑤ 6:00 p.m.

07 대화를 듣고, 남자의 장래 희망으로 가장 적절한 것을 고르시오.

① 교사 ② 수리 기사
③ 연예인 ④ 연출가
⑤ 드라마 작가

08 대화를 듣고, 남자의 심정으로 가장 적절한 것으로 고르시오.

① shy ② proud ③ angry
④ happy ⑤ worried

09 대화를 듣고, 남자가 할 일로 가장 적절한 것을 고르시오.

① 설거지하기 ② 가방 사다 주기
③ 방 청소하기 ④ 쓰레기 버리기
⑤ 쓰레기봉투 사다 주기

10 다음을 듣고, 무엇에 관한 내용인지 가장 적절한 것을 고르시오.

① 참외 ② 포도 ③ 수박
④ 딸기 ⑤ 키위

11 대화를 듣고, 두 사람이 이용할 교통수단으로 가장 적절한 것을 고르시오.

① 버스 ② 자전거 ③ 지하철
④ 택시 ⑤ 도보

12 대화를 듣고, 여자가 남자에게 전화를 건 목적으로 가장 적절한 것을 고르시오.

① 숙제에 대해 물어보려고
② 휴대 전화를 빌려 쓰려고
③ 컴퓨터 수리를 부탁하려고
④ 가게에 같이 가자고 부탁하려고
⑤ 학교 사물함을 고쳐 달라고 부탁하려고

13 대화를 듣고, 두 사람의 관계로 가장 적절한 것을 고르시오.

① 점원 – 손님 ② 코치 – 선수
③ 엄마 – 아들 ④ 사장 – 직원
⑤ 의사 – 환자

14 대화를 듣고, 미술관의 위치로 가장 알맞은 곳을 고르시오.

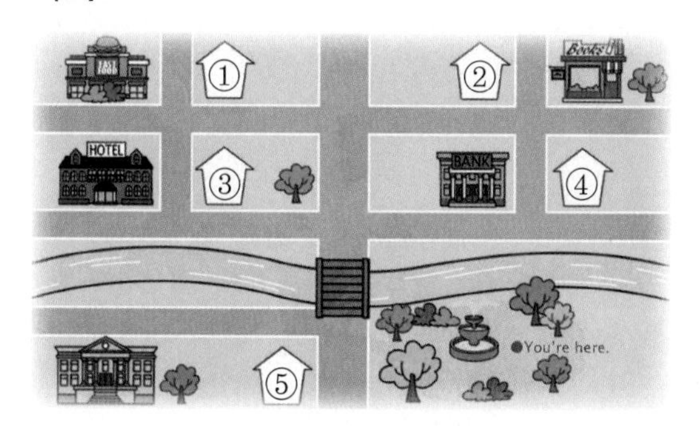

15 대화를 듣고, 여자가 남자에게 부탁한 일로 가장 적절한 것을 고르시오.

① 책 찾아 주기 ② 책 읽어 주기
③ 책 선물 포장하기 ④ 책 꺼내 주기
⑤ 선반에 책 갖다 놓기

16 대화를 듣고, 남자가 여자에게 제안한 것으로 가장 적절한 것을 고르시오.

① 사진 찍기 ② 동영상 찍기
③ 사진 보내기 ④ 사진 보여주기
⑤ 앱 사용하기

17 대화를 듣고, 두 사람이 일요일에 할 일로 가장 적절한 것을 고르시오.

① 방 청소하기 ② 앞뜰 정리하기
③ 수영하러 가기 ④ 쇼핑하기
⑤ 여행 계획 세우기

18 대화를 듣고, 남자의 직업으로 가장 적절한 것을 고르시오.

① 가수 ② 작가 ③ 학부모
④ 학생 ⑤ 화가

[19~20] 대화를 듣고, 남자의 마지막 말에 이어질 여자의 응답으로 가장 적절한 것을 고르시오.

19 Woman: ____________________

① See you again.
② That's too bad.
③ Sure, don't worry.
④ I'm good at studying.
⑤ You'll do better next time.

20 Woman: ____________________

① No problem.
② Sure. I can't wait.
③ You must be kidding.
④ Thank you very much.
⑤ You can be a good doctor.

Dictation Test 08회 영어 듣기모의고사

01 그림 정보 파악 – 사물

다음을 듣고, 'I'가 무엇인지 가장 적절한 것을 고르시오.

① ② ③ ④ ⑤

방향에 대한 표현
right 오른쪽(의) / left 왼쪽(의) / front 앞쪽(의) / back 뒤쪽(의)

W I am ❶ ________ ________ ________. Look at me, and you will ❷ ________ ________. My right leg points to your left leg, and my right hand points to your left hand. People usually ❸ ________ ________ ________ before they go out. Who am I?

02 그림 정보 파악 – 사물 영국식 발음 녹음

다음을 듣고, 여자가 설명하는 도형으로 가장 적절한 것을 고르시오.

① ○ 13 ② 13 ○ ③ △ 13
④ 30 ○ ⑤ ○ 13

W Listen carefully, everyone. First draw two squares on your paper. And then, write the number thirteen ❶ ________ ________ ________ ________. And ❷ ________ ________ ________ in the right square. Are you finished?

03 그림 정보 파악 – 날씨

다음을 듣고, 뉴욕의 오늘 오후 날씨로 가장 적절한 것을 고르시오.

① ② ③ ④ ⑤

M Good morning! This is Matt George with the world weather report. Today, it will be ❶ ________ ________ ________, U.K. It will be rainy in the morning in New York, U.S., but, in the afternoon, it will ❷ ________ ________. In Seoul, Korea, it will be snowy all day long.

04 의도 파악

대화를 듣고, 여자가 한 마지막 말의 의도로 가장 적절한 것을 고르시오.

① 위로 ② 질책 ③ 항의
④ 실망 ⑤ 소망

기원하기
I hope ~.는 기원하는 표현으로 I wish ~.로도 나타낼 수 있다.

W You ❶ ________ ________. What's wrong?
M My mother is very sick, and she is in hospital now.
W Oh, I'm sorry to hear that.
M I should take care of my little brother.
W Oh, that's too bad. I hope things will ❷ ________ ________ ________.

Words 01 point to ~를 가리키다 02 carefully 주의 깊게 square 정사각형 draw 그리다 03 report 보고 rainy 비 오는 snowy 눈 내리는 all day long 하루 종일 04 be in hospital 입원해 있다

05 언급하지 않은 것

다음을 듣고, 여자가 봉사 활동에 대해 언급하지 않은 것을 고르시오.

① 행사 이름 ② 필요한 자원봉사자 수
③ 행사 날짜 ④ 행사 장소
⑤ 활동 내용

W We are looking for volunteers for the Disabled Run and Picnic. We need 30 volunteers. The event will ❶ ________ ________ ________ ________, May 10. Volunteers will help packing picnic bags. They will also ❷ ________ ________ ________.

06 숫자 정보 파악 – 시각

대화를 듣고, 현재 시각으로 가장 적절한 것을 고르시오.

① 5:20 p.m. ② 5:30 p.m. ③ 5:40 p.m.
④ 5:50 p.m. ⑤ 6:00 p.m.

M Sumi, I got two free concert tickets. Would you like to go with me?
W That sounds fun! Whose concert?
M It's the Idol Jelly's concert. We ❶ ________ ________ ________ ________ by 5:50.
W What time does the concert start?
M It starts at six o'clock.
W We have just ❷ ________ ________ ________. We had better hurry up!

07 직업 및 장래 희망

대화를 듣고, 남자의 장래 희망으로 가장 적절한 것을 고르시오.

① 교사 ② 수리 기사
③ 연예인 ④ 연출가
⑤ 드라마 작가

W You're watching TV again! Did you finish your homework yet?
M No, Mom. I'll do it ❶ ________ ________ ________.
W How many hours do you watch TV every day?
M ❷ ________ ________ ________ every day, I think.
W That's too much.
M Mom, I really like watching entertainment shows and dramas. I want to ❸ ________ ________ ________.

08 심정 파악

대화를 듣고, 남자의 심정으로 가장 적절한 것으로 고르시오.

① shy ② proud ③ angry
④ happy ⑤ worried

W Hey, Jason. Are you ❶ ________ ________ ________?
M My dog just disappeared!
W What does it ❷ ________ ________?
M He has long ears. He is black and white.
W Okay. Let's try to ❸ ________ ________ ________.
M Thank you, Ann.

Words 05 **volunteer** 자원봉사자 **the disabled** 장애인 **take place** 개최되다 **pack** 포장하다 **award** (상 등을) 주다 07 **entertainment show** 오락 프로그램 **director** 연출가, 감독 08 **disappear** 사라지다 **look like** ~처럼 보이다

Dictation Test

09 한 일 / 할 일 파악

대화를 듣고, 남자가 할 일로 가장 적절한 것을 고르시오.

① 설거지하기 ② 가방 사다 주기
③ 방 청소하기 ④ 쓰레기 버리기
⑤ 쓰레기봉투 사다 주기

W Sam, are you still playing with your brother?
M Yes, Mom. But I ❶ ________ ________ my homework.
W Good. You have one more thing to do.
M Okay. What is it, Mom?
W Can you ❷ ________ ________ ________ while I'm doing the dishes?
M Yes, I will. Don't worry, Mom.

10 주제 파악

다음을 듣고, 무엇에 관한 내용인지 가장 적절한 것을 고르시오.

① 참외 ② 포도 ③ 수박
④ 딸기 ⑤ 키위

eat it의 발음
미국식 발음에서 t와 t 사이에 모음이 위치할 경우, 앞의 t는 [t] 대신 [r]로 발음하므로 eat it은 [이맅]이 된다.

M This fruit is ❶ ________ ________ ________ ________, but white on the inside. We usually cut it into pieces before we eat it. It has many seeds in it. We enjoy it ❷ ________ ________ ________. What is it?

11 특정 정보 파악 영국식 발음 녹음

대화를 듣고, 두 사람이 이용할 교통수단으로 가장 적절한 것을 고르시오.

① 버스 ② 자전거 ③ 지하철
④ 택시 ⑤ 도보

M Let's go for a movie today.
W Sure. Shall we ❶ ________ ________ ________ ________ in the DH Mall?
M Okay. Let's go to the subway station.
W How about going there by bike? We ❷ ________ ________ ________.
M That's a good idea.

Words 09 **still** 여전히 **while** ~하는 동안에 **do the dishes** 설거지하다 10 **piece** 조각 **seed** 씨앗 11 **theater** 극장 **by bike** 자전거로 **exercise** 운동

12 목적 파악

대화를 듣고, 여자가 남자에게 전화를 건 목적으로 가장 적절한 것을 고르시오.

① 숙제에 대해 물어보려고
② 휴대 전화를 빌려 쓰려고
③ 컴퓨터 수리를 부탁하려고
④ 가게에 같이 가자고 부탁하려고
⑤ 학교 사물함을 고쳐 달라고 부탁하려고

전화 받기
전화를 받을 때 전화를 건 사람이 누구인지 물을 때에는 Who's calling, please?로, 전화 받는 사람이 자신임을 밝힐 때에는 This is ~ (speaking).을 쓴다.

[*Telephone rings.*]
M Hello?
W Hello, can I speak to Mike, please?
M Speaking. Who's calling, please?
W Mike, this is Mina. You were at home. Why didn't you ❶ ________ ________ ________?
M Sorry for that. I think I left it in the school locker. Anyway, what's the matter?
W I have a problem with my computer. It ❷ ________ ________. Can you help me?
M Sure. I'll be right there.

13 관계 추론 영국식 발음 녹음

대화를 듣고, 두 사람의 관계로 가장 적절한 것을 고르시오.

① 점원 – 손님 ② 코치 – 선수
③ 엄마 – 아들 ④ 사장 – 직원
⑤ 의사 – 환자

M I'm really happy ❶ ________ ________ ________ ________.
W You did a great job today!
M Thanks, Mrs. Ellen. All of the players of our team did very well.
W Your goal saved our team. It was amazing!
M Thanks. Your training was ❷ ________ ________.
W I'm very proud of you!

14 그림 정보 파악 – 길 찾기

대화를 듣고, 미술관의 위치로 가장 알맞은 곳을 고르시오.

길 묻기
How can I get to ~?는 위치를 물을 때 사용하며 Where is ~?로 간단히 물을 수도 있다.

W Excuse me. How can I get to Sophie Art Gallery?
M Can you see the bridge over there?
W Yes.
M ❶ ________ ________ ________ and turn right.
W Okay. Then?
M Go straight one block and turn left. The gallery is ❷ ________ ________ ________.
W I see. Thank you.

Words 12 **locker** 사물함 **work** 작동하다 13 **save** 구하다 **amazing** 놀라운 **helpful** 도움이 되는 **be proud of** ~을 자랑스러워하다 14 **art gallery** 미술관 **bridge** 다리 **cross** 건너다, 가로지르다

Dictation Test

15 부탁한 일 파악

대화를 듣고, 여자가 남자에게 부탁한 일로 가장 적절한 것을 고르시오.

① 책 찾아 주기 ② 책 읽어 주기
③ 책 선물 포장하기 ④ 책 꺼내 주기
⑤ 선반에 책 갖다 놓기

요청하기
Can you ~(, please)?는 상대방에게 무언가를 요청할 때 사용하는 표현으로 간단히 명령문을 써서 나타내기도 한다.

W Excuse me. I'm looking for *Little House in the Big Woods.*
M That book is ❶ ________ ________ ________ up there.
W I can't reach to the top shelf. Can you ❷ ________ ________ ________ from there for me, please?
M Sure. Here you are.
W Thank you.

16 제안한 일 파악 영국식 발음 녹음

대화를 듣고, 남자가 여자에게 제안한 것으로 가장 적절한 것을 고르시오.

① 사진 찍기 ② 동영상 찍기
③ 사진 보내기 ④ 사진 보여주기
⑤ 앱 사용하기

W Look at these photos.
M Wow! How wonderful!
W I'd like to ❶ ________ ________ ________ my friends.
M All of these?
W Yeah, but there are too many to send.
M Why don't you ❷ ________ ________ ________? You can make a video with photos and music with it.
W That's a good idea.

17 한 일 / 할 일 파악

대화를 듣고, 두 사람이 일요일에 할 일로 가장 적절한 것을 고르시오.

① 방 청소하기 ② 앞뜰 정리하기
③ 수영하러 가기 ④ 쇼핑하기
⑤ 여행 계획 세우기

좋아하는 것 묻기
상대방이 좋아하는 것을 물을 때는 What's your favorite ~? / What do you like? 등으로 표현한다.

M What's your favorite day of the week?
W I love Saturday.
M Why do you like it?
W I go to ❶ ________ ________ ________. It's my favorite thing. Can you join me this Saturday?
M Sorry. I have to clean my room and the front yard this Saturday. But I'm free on Sunday.
W Okay. Then let's ❷ ________ ________ this Sunday.
M That sounds great.

Words 15 **woods** 숲 **shelf** 선반 **reach** (손이) 닿다 **take out** ~을 꺼내다 16 **wonderful** 훌륭한, 멋진 **app** 앱(= application) 17 **favorite** 가장 좋아하는 **front yard** 앞뜰, 앞마당 **free** 한가한

18 직업 및 장래 희망

대화를 듣고, 남자의 직업으로 가장 적절한 것을 고르시오.

① 가수 ② 작가 ③ 학부모
④ 학생 ⑤ 화가

의견 묻기
How do you like ~?는 의견을 물을 때 사용하며, What do you think about ~?과 유사한 표현이다.

W How do you like ❶ ________ ________ ________ ________?
M She tells us many funny stories in class.
W Oh! Does she?
M Yes. Many students like her.
W I'm ❷ ________ ________ ________ ________.

[19~20] 대화를 듣고, 남자의 마지막 말에 이어질 여자의 응답으로 가장 적절한 것을 고르시오.

19 알맞은 응답 찾기

Woman: ______________________________

① See you again.
② That's too bad.
③ Sure, don't worry.
④ I'm good at studying.
⑤ You'll do better next time.

W Ryan, it's ❶ ________ ________ ________ to bed. It's already eleven o'clock.
M Mom, I have to finish my homework.
W It's late. You can do it early tomorrow morning.
M Hmm.... Then, ❷ ________ ________ ________ ________ ________ at six o'clock in the morning?

20 알맞은 응답 찾기

Woman: ______________________________

① No problem.
② Sure. I can't wait.
③ You must be kidding.
④ Thank you very much.
⑤ You can be a good doctor.

W Excuse me. How can I get to the post office?
M Let me see. ❶ ________ ________ ________ ________ to Rose Street.
W And then?
M Then turn right. You can see it ❷ ________ ________ ________. It's next to the hospital.

Words 18 **funny** 재미있는 **glad** 기쁜, 반가운 19 **early** 일찍 **wake up** ~을 깨우다 20 **post office** 우체국 **kid** 농담하다

09회 영어 듣기모의고사

맞은 개수 /20문항

01 다음을 듣고, 'it'이 가리키는 것으로 가장 적절한 것을 고르시오.

①  ② 

 ③ 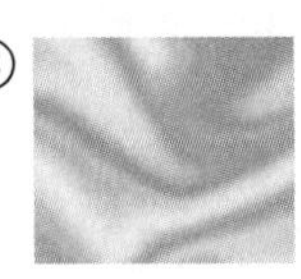

④  ⑤ 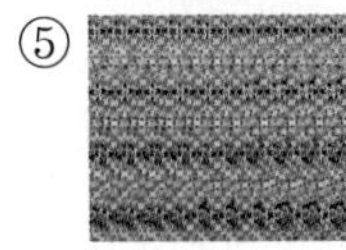

02 대화를 듣고, 남자의 여동생으로 가장 적절한 것을 고르시오.

03 다음을 듣고, 내일 서울의 날씨로 가장 적절한 것을 고르시오.

①  ②  ③ 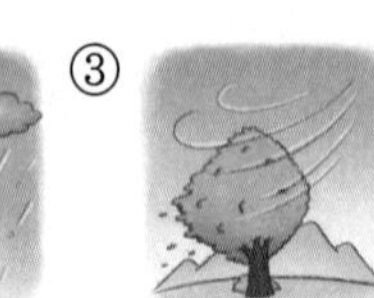

④ ⑤ 

04 대화를 듣고, 여자가 한 마지막 말의 의도로 가장 적절한 것을 고르시오.

① 감사 ② 사과 ③ 거절
④ 제안 ⑤ 승낙

05 다음을 듣고, 남자가 여자에 대해 언급하지 않은 것을 고르시오.

① 직업 ② 출신지 ③ 가족 관계
④ 나이 ⑤ 취미

06 대화를 듣고, 여자가 지불해야 하는 금액으로 가장 적절한 것을 고르시오.

① $3 ② $5 ③ $15
④ $20 ⑤ $50

07 대화를 듣고, 여자의 장래 희망으로 가장 적절한 것을 고르시오.

① 작가 ② 교사 ③ 과학자
④ 예술가 ⑤ 운동선수

08 대화를 듣고, 남자의 심정으로 가장 적절한 것을 고르시오.

① 기쁨 ② 두려움
③ 지루함 ④ 걱정됨
⑤ 기대됨

09 대화를 듣고, 두 사람이 대화 직후에 할 일로 가장 적절한 것을 고르시오.

① 놀이 기구 탑승 ② 잠시 휴식하기
③ 벤치 옮기기 ④ 퍼레이드 보러 가기
⑤ 간식 사 먹기

10 다음을 듣고, 무엇에 관한 내용인지 가장 적절한 것을 고르시오.

① 빨대 ② 컵 ③ 컵 받침
④ 숟가락 ⑤ 젓가락

11 대화를 듣고, 두 사람이 이용할 교통수단으로 가장 적절한 것을 고르시오.

① 택시 ② 버스 ③ 지하철
④ 자전거 ⑤ 자동차

12 대화를 듣고, 남자가 동아리 모임에 참석하지 못한 이유로 가장 적절한 것을 고르시오.

① 집에 급히 가야 해서
② 전화를 잃어버려서
③ 교실을 청소해야 해서
④ 선생님의 심부름을 해야 해서
⑤ 교실에 남아서 공부를 해야 해서

13 대화를 듣고, 두 사람이 대화하는 장소로 가장 적절한 곳을 고르시오.

① 서점 ② 병원
③ 슈퍼마켓 ④ 도서관
⑤ 선물 가게

14 대화를 듣고, 남자가 가려고 하는 장소를 고르시오.

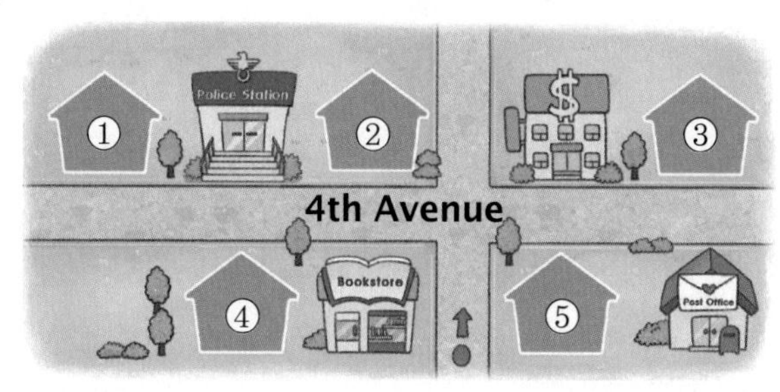

15 대화를 듣고, 남자가 여자에게 부탁한 일로 가장 적절한 것을 고르시오.

① 수영 가르쳐 주기
② 수영장 같이 가기
③ 알람 시계 사 주기
④ 아침에 모닝콜 해 주기
⑤ 알람 시간 맞춰 주기

16 대화를 듣고, 여자가 남자에게 제안한 것으로 가장 적절한 것을 고르시오.

① 종이책 보기 ② 전자책 보기
③ 안과에 가기 ④ 안경 맞추기
⑤ 스마트폰 구입하기

17 대화를 듣고, 남자가 대화 직후에 할 일로 가장 적절한 것을 고르시오.

① 숙제하기 ② 장보기
③ 통닭 먹기 ④ 손 씻기
⑤ 식탁 치우기

18 대화를 듣고, 남자의 직업으로 가장 적절한 것을 고르시오.

① 의사 ② 소방관
③ 운전사 ④ 마술사
⑤ 경찰관

[19~20] 대화를 듣고, 남자의 마지막 말에 이어질 여자의 응답으로 가장 적절한 것을 고르시오.

19 Woman: ______________________

① Yes, I'm feeling good.
② Yes, I'm pretty good at it.
③ How about buying a new one?
④ Why don't you fix the computer?
⑤ No, I don't want to use your computer.

20 Woman: ______________________

① That's too bad.
② Congratulations!
③ I'm glad to see you.
④ You did a good job!
⑤ I'm sorry about that.

Dictation Test 09회 영어 듣기모의고사

01 그림 정보 파악 – 사물

다음을 듣고, 'it'이 가리키는 것으로 가장 적절한 것을 고르시오.

① ② ③ ④ ⑤

W We can see it on many different products. It can ❶ ________ ________ for a picture, music sound or website. We can scan it on a smartphone. We need a reader of this to scan one. It ❷ ________ ________ ________. It usually has black and white squares.

02 그림 정보 파악 – 사람

대화를 듣고, 남자의 여동생으로 가장 적절한 것을 고르시오.

W Hi, Mike. Did you come alone to this party?
M No, I'm ❶ ________ ________ ________.
W Who is your sister?
M The girl over there. She's ❷ ________ ________ ________.
W You mean the girl with long straight hair?
M No, she is next to that woman. She's ❸ ________ ________ ________.

03 그림 정보 파악 – 날씨

다음을 듣고, 내일 서울의 날씨로 가장 적절한 것을 고르시오.

① ② ③ ④ ⑤

W Good evening! We had a very sunny day today, but it'll be different tomorrow. In Busan, it'll rain from tomorrow morning. And in Gwangju and Daejeon, ❶ ________ ________ ________ in the morning and start raining in the late afternoon. In Seoul, there will be no rain, but it'll be very ❷ ________ ________ ________ ________ ________. Thank you.

04 의도 파악 영국식 발음 녹음

대화를 듣고, 여자가 한 마지막 말의 의도로 가장 적절한 것을 고르시오.

① 감사 ② 사과 ③ 거절
④ 제안 ⑤ 승낙

감사하기
Thank you. / I appreciate it. 등으로 감사 표현을 할 수 있는데, 이에 대한 대답은 Sure. / You're welcome. / My pleasure. 등으로 한다.

M Hey, Sally. Look at this poster.
W Okay. Let me see. Where are my glasses? I ❶ ________ ________ ________ without them.
M Where did you put them?
W I thought I put them here, but I can't find them.
M Oh, here are a pair of glasses ❷ ________ ________ ________ ________.
W Oh, you found them! I appreciate it.

Words
01 product 제품 provide 제공하다 information 정보 scan 스캔하다 response 반응 02 mean 의미하다 straight hair 생머리 03 late 늦은 04 glasses 안경 without ~없이 put 놓다, 두다 appreciate 고마워하다

05 언급하지 않은 것

다음을 듣고, 남자가 여자에 대해 언급하지 않은 것을 고르시오.

① 직업 ② 출신지 ③ 가족 관계
④ 나이 ⑤ 취미

M Do you see the lady over there? She's sitting on the bench. She's my English teacher. She's from Scotland. She ❶ ________ ________ ________ ________ in Seoul. She has a husband and a son. She ❷ ________ ________ ________ ________. She often goes to the concerts.

06 숫자 정보 파악 – 금액

대화를 듣고, 여자가 지불해야 하는 금액으로 가장 적절한 것을 고르시오.

① $3 ② $5 ③ $15
④ $20 ⑤ $50

M How may I help you?
W I want to ❶ ________ ________ ________ ________ Tokyo. How much is the postage on this?
M It ❷ ________ ________ ________ ________.
W What if I send it by express mail?
M It will cost $20.
W Well, I'll just send it ❸ ________ ________ ________.

07 직업 및 장래 희망

대화를 듣고, 여자의 장래 희망으로 가장 적절한 것을 고르시오.

① 작가 ② 교사 ③ 과학자
④ 예술가 ⑤ 운동선수

관심에 대해 묻기
Are you interested in ~? / What are you interested in ~? / Do you find ~ interesting? 등으로 관심에 대해 묻는 표현을 쓸 수 있다.

M Hi, Lucy.
W Hi, Mike.
M What are you doing?
W I'm reading about Top 10 ❶ ________ ________ in the world.
M Are you interested in inventing things?
W Yes, I want to ❷ ________ ________ ________. I want to be a good scientist.

08 심정 파악 영국식 발음 녹음

대화를 듣고, 남자의 심정으로 가장 적절한 것을 고르시오.

① 기쁨 ② 두려움
③ 지루함 ④ 걱정됨
⑤ 기대됨

축하, 칭찬하기
Congratulations!는 '축하해!'라는 뜻으로, 상대방에게 기쁜 일이 생겼을 때 축하해 주는 표현이다. Congratulation!이 아니라 Congratulations!로 쓴다는 것을 명심한다.

M Mom, I ❶ ________ ________ ________!
W Really? For what?
M I read the most books in my class this month.
W Wow, congratulations! How many books did you read?
M I read 20 books this month.
W Oh, you read so many books. I'm ❷ ________ ________ ________ ________.

Words 05 **husband** 남편 **son** 아들 **listen to** ~을 듣다 **concert** 콘서트 06 **postage** 우편 요금 **express mail** 빠른우편 **regular mail** 일반 우편 07 **invention** 발명(품) **be interested in** ~에 관심 있다 **invent** 발명하다 08 **get a prize** 상을 타다

Dictation Test

09 한 일 / 할 일 파악

대화를 듣고, 두 사람이 대화 직후 할 일로 가장 적절한 것을 고르시오.

① 놀이 기구 탑승 ② 잠시 휴식하기
③ 벤치 옮기기 ④ 퍼레이드 보러 가기
⑤ 간식 사 먹기

M Wow! This ride was really exciting!
W Yeah, it was!
M Let's ❶ ________ ________ ________ for a moment on this bench.
W Okay. What do you want to do next?
M It's almost time ❷ ________ ________ ________ ________.
W Okay. Let's go there.

10 주제 파악

다음을 듣고, 무엇에 관한 내용인지 가장 적절한 것을 고르시오.

① 빨대 ② 컵 ③ 컵 받침
④ 숟가락 ⑤ 젓가락

M This is usually made of plastic. This is a long, thin and empty tube. You use this ❶ ________ ________ ________ ________. Children may need this when they drink juice, milk or even water. If you have this, you ❷ ________ ________ something on your clothes.

11 특정 정보 파악 영국식 발음 녹음

대화를 듣고, 두 사람이 이용할 교통수단으로 가장 적절한 것을 고르시오.

① 택시 ② 버스 ③ 지하철
④ 자전거 ⑤ 자동차

M Did you book a table for dinner?
W Of course, I did. Let's go.
M How shall we go there?
W Let's ❶ ________ ________ ________.
M Oh, it's rush hour now. How about ❷ ________ ________ ________?
W That's a good idea.

Words 09 **ride** 놀이 기구 **take a break** 쉬다 **for a moment** 잠시 **parade** 퍼레이드 10 **be made of** ~으로 만들어지다 **empty** 빈 **tube** 관 **spill** 흘리다, 쏟다 **clothes** 옷, 의류 11 **book** 예약하다 **rush hour** (출퇴근) 혼잡 시간대

12 이유 파악

대화를 듣고, 남자가 동아리 모임에 참석하지 못한 이유로 가장 적절한 것을 고르시오.

① 집에 급히 가야 해서
② 전화를 잃어버려서
③ 교실을 청소해야 해서
④ 선생님의 심부름을 해야 해서
⑤ 교실에 남아서 공부를 해야 해서

W Hey, Kevin. Why didn't you come to the club meeting?
M Oh, I'm so sorry. I had to stay in the classroom and study.
W What for?
M Well, I ❶ ________ ________ ________ ________. So my teacher didn't let me leave the classroom until 4:30.
W Oh, then why didn't you answer the phone?
M I ❷ ________ ________ ________ at home.

13 장소 추론

대화를 듣고, 두 사람이 대화하는 장소로 가장 적절한 곳을 고르시오.

① 서점 ② 병원
③ 슈퍼마켓 ④ 도서관
⑤ 선물 가게

허가 여부 묻고 답하기
May I ~?는 '제가 ~해도 될까요?'라는 뜻으로, 상대방에게 허가를 요청할 때 사용하는 표현이다. 허락할 때는 Sure. / No problem. / Yes, you may.라고 답한다.

W Excuse me. I'll take this hairpin. Can you ❶ ________ ________ ________?
M Sure. Do you want me to put it in a box? Or should I wrap it in wrapping paper?
W Oh, may I see ❷ ________ ________ ________ ________ ________?
M Sure. No problem.

14 그림 정보 파악 – 길 찾기

대화를 듣고, 남자가 가려고 하는 장소를 고르시오.

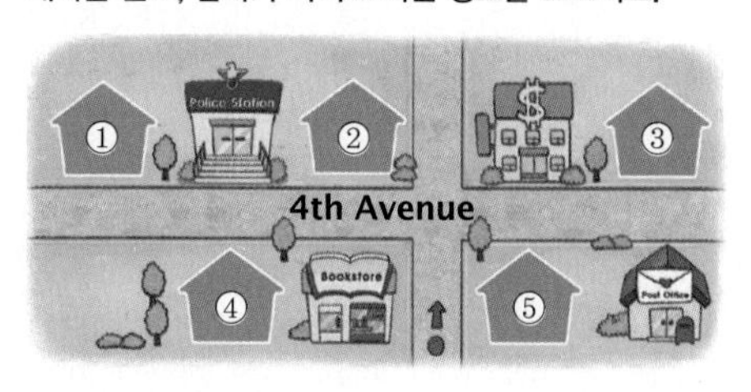

길 묻기
Can you tell me how to ~?는 '~에 가는 방법을 알려 줄 수 있나요?'라는 뜻으로, 길을 묻는 표현이다. How can I get to ~? / Where can I find ~?로 쓸 수도 있다.

M Excuse me. Is there a flower shop near here?
W Yes, there is one on 4th Avenue.
M Can you tell me how to get there?
W Of course. ❶ ________ ________ ________ ________ and turn left. You can see a bookstore on your left.
M Okay, go straight one block and turn left, and I'll find the ❷ ________ ________ ________ ________.
W Yes. The flower shop is ❸ ________ ________ ________ ________.
M Thank you very much.

Words 12 **what for?** 왜?(= why?) **until** ~까지 **answer the phone** 전화를 받다 13 **hairpin** 머리핀 **wrap** 포장하다 **wrapping paper** 포장지 14 **near here** 이 근처에

Dictation Test

15 부탁한 일 파악

대화를 듣고, 남자가 여자에게 부탁한 일로 가장 적절한 것을 고르시오.

① 수영 가르쳐 주기
② 수영장 같이 가기
③ 알람 시계 사 주기
④ 아침에 모닝콜 해 주기
⑤ 알람 시간 맞춰 주기

유감이나 동정 표현하기
That's too bad.는 '그거 안됐다.'라는 뜻으로, 상대방의 상황이나 말을 듣고 동정이나 유감을 표현하는 말이다. I'm sorry to hear that.으로 나타낼 수 있다.

W Sam, why didn't you come to the swimming class this morning?
M I woke up late.
W Did you ❶ ________ ________ ________ ________?
M Yes, I did. It rang at 6 o'clock. But I stopped it and kept sleeping.
W Oh, poor Sam. That's too bad.
M Will you give me ❷ ________ ________ ________ tomorrow?
W Okay. What time shall I call you?
M At 6 o'clock. Thanks.

16 제안한 일 파악

대화를 듣고, 여자가 남자에게 제안한 것으로 가장 적절한 것을 고르시오.

① 종이책 보기 ② 전자책 보기
③ 안과에 가기 ④ 안경 맞추기
⑤ 스마트폰 구입하기

W You look tired.
M Yeah, I do. My eyes ❶ ________ ________ ________.
W You often read e-books on your smartphone, don't you?
M Yes. I like reading.
W Why don't you ❷ ________ ________ ________ ________ ________ e-books?
M Paper books?
W Yes. They will make your eyes ❸ ________ ________ ________.

17 한 일 / 할 일 파악

대화를 듣고, 대화가 끝난 직후에 남자가 할 일로 가장 적절한 것을 고르시오.

① 숙제하기 ② 장보기
③ 통닭 먹기 ④ 손 씻기
⑤ 식탁 치우기

의무 표현하기
You should ~.는 '너는 ~해야 한다'라는 뜻으로 의무를 나타내는 표현이다. 명령문으로 말하거나, You must ~. / You ought to ~.로 나타낼 수 있다.

W Andy, what are you doing?
M I'm doing my math homework.
W Come to the table. I ❶ ________ ________ ________ for you.
M Really? I want to eat it.
W But, you should ❷ ________ ________ ________ first before eating it.
M All right, I will.

15 **keep -ing** ~을 계속하다 **wake** 깨다; 깨우다(-woke) **wake-up call** 모닝콜 16 **tired** 피곤한 **e-book** 전자책 **paper book** 종이책 **rather than** ~보다는 17 **before** ~하기 전에

정답과 해설 p. 30

18 직업 및 장래 희망

대화를 듣고, 남자의 직업으로 가장 적절한 것을 고르시오.

① 의사 ② 소방관
③ 운전사 ④ 마술사
⑤ 경찰관

try의 발음
단어 속 [tr]의 경우 [t] 소리가 [r] 소리에 영향을 받아 [t] 소리가 아닌 [ㅊ] 소리로 발음된다. 따라서 try는 [츄라이]로 발음한다.

W Do you like your job?
M Yes, I do. I like helping people ❶ ________ ________.
W But don't you hurt yourself when you ❷ ________ ________ ________?
M Yes, sometimes. So I always try to be careful.
W What's the best thing about this job?
M I feel so good when I save ❸ ________ ________ ________ ________.
W Oh, I see. You're such a great man.

[19~20] 대화를 듣고, 남자의 마지막 말에 이어질 여자의 응답으로 가장 적절한 것을 고르시오.

19 알맞은 응답 찾기

Woman: ______________________

① Yes, I'm feeling good.
② Yes, I'm pretty good at it.
③ How about buying a new one?
④ Why don't you fix the computer?
⑤ No, I don't want to use your computer.

W James, can I use your computer?
M No. It ❶ ________ ________. I can't turn on the computer.
W Let me see. I think I ❷ ________ ________ something. But I have to look inside the computer.
M Are you ❸ ________ ________ ________ computers?

20 알맞은 응답 찾기 영국식 발음 녹음

Woman: ______________________

① That's too bad.
② Congratulations!
③ I'm glad to see you.
④ You did a good job!
⑤ I'm sorry about that.

W David, I saw you walk to school this morning. You usually take a bus to school, don't you?
M Yeah, but I ❶ ________ ________ ________ someone this morning.
W What do you mean?
M An old lady ❷ ________ ________ about the way to the hospital.
W The hospital near our school?
M Yeah, so I ❸ ________ ________ to the hospital.

Words 18 **hurt oneself** 다치다, 부상당하다 **careful** 조심하는 **life** 생명(*pl.* lives) 19 **turn on** ~을 켜다 **fix** 고치다, 수리하다 20 **need to** ~해야 하다

10회 영어 듣기모의고사

맞은 개수 /20문항

01 다음을 듣고, 'it'이 가리키는 것으로 가장 적절한 것을 고르시오.

02 대화를 듣고, 남자가 구입할 티셔츠로 가장 적절한 것을 고르시오.

03 대화를 듣고, 오늘 서울의 날씨로 가장 적절한 것을 고르시오.

04 대화를 듣고, 여자가 한 마지막 말의 의도로 가장 적절한 것을 고르시오.

① 축하 ② 충고 ③ 금지
④ 격려 ⑤ 사과

05 다음을 듣고, 남자가 할아버지에 대해 언급하지 않은 것을 고르시오.

① 사는 곳 ② 직업
③ 좋아하는 과일 ④ 여가 활동
⑤ 좋아하는 음식

06 대화를 듣고, 두 사람이 만날 시각을 고르시오.

① 5:00 p.m. ② 5:20 p.m. ③ 5:30 p.m.
④ 5:40 p.m. ⑤ 6:00 p.m.

07 대화를 듣고, 여자의 장래 희망으로 가장 적절한 것을 고르시오.

① 배우 ② 가수 ③ 아나운서
④ 기자 ⑤ 코미디언

08 대화를 듣고, 여자가 마지막에 느낀 심정으로 가장 적절한 것을 고르시오.

① 행복함 ② 안심함 ③ 화가 남
④ 지루함 ⑤ 걱정스러움

09 대화를 듣고, 여자가 대화 직후에 할 일로 가장 적절한 것을 고르시오.

① 제과점 위치 찾기 ② 케이크 구입하기
③ 파티 열기 ④ 시간 확인하기
⑤ 전화하기

10 대화를 듣고, 무엇에 관한 내용인지 가장 적절한 것을 고르시오.

① 빵 굽기 ② 장보기
③ 메뉴 선택 ④ 좋아하는 과일
⑤ 생일 파티 준비

11 대화를 듣고, 두 사람이 함께 이용할 교통수단으로 가장 적절한 것을 고르시오.

① 택시 ② 지하철 ③ 버스
④ 도보 ⑤ 자동차

12 대화를 듣고, 여자가 집에 일찍 가려고 하는 이유로 가장 적절한 것을 고르시오.

① 배가 아파서 ② 감기에 걸려서
③ 숙제를 해야 해서 ④ 잠을 자고 싶어서
⑤ 동생을 돌봐야 해서

13 대화를 듣고, 두 사람의 관계로 가장 적절한 것을 고르시오.

① 택시 기사 – 승객 ② 교통 경찰관 – 시민
③ 호텔 직원 – 손님 ④ 자동차 판매원 – 고객
⑤ 여행 가이드 – 여행객

14 대화를 듣고, 우체국의 위치로 가장 알맞은 곳을 고르시오.

15 대화를 듣고, 남자가 여자에게 부탁한 일로 가장 적절한 것을 고르시오.

① 축구공 사 주기 ② 병원에 데려다주기
③ 부축해 주기 ④ 소포 부치기
⑤ 소포 갖다주기

16 대화를 듣고, 남자가 여자에게 제안한 것으로 가장 적절한 것을 고르시오.

① 감사 카드 쓰기 ② 꽃다발 사기
③ 생일 카드 만들기 ④ 선생님 방문하기
⑤ 다른 학교 축제에 가기

17 대화를 듣고, 두 사람이 일요일에 할 일로 가장 적절한 것을 고르시오.

① 수영하러 가기 ② 집안일 하기
③ 개 산책시키기 ④ 엄마와 쇼핑하기
⑤ 시험 공부하기

18 대화를 듣고, 남자의 직업으로 가장 적절한 것을 고르시오.

① 학생 ② 기자
③ 서점 직원 ④ 택시 기사
⑤ 수학 선생님

[19~20] 대화를 듣고, 여자의 마지막 말에 이어질 남자의 응답으로 가장 적절한 것을 고르시오.

19 Man: ______________________________

① I do, too.
② I'd like to be a pilot.
③ I had a good dream last night.
④ I like listening to band music.
⑤ I am saving a lot of money, too.

20 Man: ______________________________

① That's too bad.
② Well-done, please.
③ Let's do this together.
④ No, thanks. I'm full.
⑤ Don't worry about it.

Dictation Test 10회 영어 듣기모의고사

01 그림 정보 파악 – 사물

다음을 듣고, 'it'이 가리키는 것으로 가장 적절한 것을 고르시오.

① ② ③ ④ ⑤

M It has 88 keys. These keys are ❶ ________ ________ ________. People use their fingers and press these keys to play music. You can use only one or two fingers to play a simple song. But mostly, you have to ❷ ________ ________ ________ ________ to play a song.

02 그림 정보 파악 – 사물

대화를 듣고, 남자가 구입할 티셔츠로 가장 적절한 것을 고르시오.

① ② ③ TIGER ④ TIGER ⑤

M I'm looking for a T-shirt.

W We have ❶ ________ ________ ________ ________ T-shirts.

M Can I have a look at that gray one?

W Sure. Here you are.

M It ❷ ________ ________ ________ on it. I don't like it.

W How about this one? This is also gray, and it has the word "TIGER" ❸ ________ ________ ________.

M Okay. I'll take it.

03 그림 정보 파악 – 날씨 영국식 발음 녹음

대화를 듣고, 오늘 서울의 날씨로 가장 적절한 것을 고르시오.

① ② ③ ④ ⑤

안부 묻기에 답하기

I'm fine.은 '잘 지내고 있다.'고 답하는 표현으로, I'm doing well. 등으로도 나타낼 수 있다.

[Telephone rings.]

W Hello?

M Hi, Bora. This is Steve. I just called to say hello.

W Oh, hi, Steve. How's it going?

M I'm fine. It's warm in Busan today and I'll ❶ ________ ________ this afternoon. How's the weather in Seoul?

W It's ❷ ________ ________ ________ and I'm staying at home.

M What are you doing at home?

W I'm ❸ ________ ________ ________, *A Walk in the Clouds.*

04 의도 파악

대화를 듣고, 여자가 한 마지막 말의 의도로 가장 적절한 것을 고르시오.

① 축하 ② 충고 ③ 금지
④ 격려 ⑤ 사과

M What is my record now?

W It's 11.98 seconds.

M I don't think I can win the race.

W No, your record is ❶ ________ ________.

M But the race is this Sunday.

W Come on! You can do it. Don't ❷ ________ ________!

Words 01 **key** 건반 **simple** 단순한 **mostly** 대개, 일반적으로 02 **different** 다른, 다양한 **gray** 회색의 **shape** 모양 03 **stay** 머무르다 04 **record** 기록 **race** 경주 **give up** 포기하다

05 언급하지 않은 것

다음을 듣고, 남자가 할아버지에 대해 언급하지 않은 것을 고르시오.

① 사는 곳 ② 직업
③ 좋아하는 과일 ④ 여가 활동
⑤ 좋아하는 음식

farmer와 fruit의 발음
f는 양니 사이에 아랫입술을 살짝 물고 세게 바람을 내보내면서 발음한다.

M My grandpa doesn't live with me. He ❶ ________ ________ in a countryside. He is a farmer. He grows fruit trees. He also ❷ ________ ________ ________ like pigs. He likes fishing, so he goes fishing every Sunday. He likes to eat fish.

06 숫자 정보 파악 – 시각

대화를 듣고, 두 사람이 만날 시각을 고르시오.

① 5:00 p.m. ② 5:20 p.m. ③ 5:30 p.m.
④ 5:40 p.m. ⑤ 6:00 p.m.

동의하기 / 반대하기
I agree.는 상대방의 의견에 동의할 때 사용하는 표현이고, 반대할 때에는 I disagree.라고 하면 된다.

W You remember our plan for this Saturday, don't you?
M Sure. The concert ❶ ________ ________ ________ ________. What time shall we meet?
W Twenty minutes before the concert starts.
M How about ❷ ________ ________ ________ than that? The traffic is heavy at that time.
W I agree. See you at ❸ ________ ________ ________.

07 직업 및 장래 희망 영국식 발음 녹음

대화를 듣고, 여자의 장래 희망으로 가장 적절한 것을 고르시오.

① 배우 ② 가수 ③ 아나운서
④ 기자 ⑤ 코미디언

좋아하는 것 표현하기
I like[love] (to) ~.를 써서 좋아하는 것을 표현할 수 있는데, I enjoy ~.또는 ~ is good[pleasant].으로 쓸 수도 있다.

W What is your dream, Allen?
M My dream is to be a famous actor. How about you?
W I want to ❶ ________ ________ ________.
M Why do you want to be a reporter?
W You know, ❷ ________ ________ ________. And I like to meet and talk with people.
M I see.

08 심정 파악

대화를 듣고, 여자가 마지막에 느낀 심정으로 가장 적절한 것을 고르시오.

① 행복함 ② 안심함 ③ 화가 남
④ 지루함 ⑤ 걱정스러움

turn it off의 발음
자음으로 끝나는 단어의 마지막 자음은 다음 모음에 연결되어 발음되며, 모음 사이의 t는 [ㄹ]로 발음된다. 그러므로 turn it off는 [터ㄹ니로ㅍ]로 발음된다.

[Cellphone rings.]
W Hello, James. Where are you?
M I'm home. What's the matter, Mom?
W I forgot to ❶ ________ ________ ________ ________. Go to the kitchen and turn it off right now, please.
M Don't worry, Mom. I already did.
W Really? ________ ________!

Words 05 **alone** 혼자서, 홀로 **countryside** 시골 **farmer** 농부 **domestic animal** 가축 **fishing** 낚시 06 **plan** 계획 **traffic** 교통 07 **dream** 꿈 **actor** 배우 **reporter** 기자 **curious** 호기심이 많은, 궁금한 08 **matter** 문제, 일 **turn off** 끄다

Dictation Test

09 한 일 / 할 일 파악

대화를 듣고, 여자가 대화 직후에 할 일로 가장 적절한 것을 고르시오.

① 제과점 위치 찾기 ② 케이크 구입하기
③ 파티 열기 ④ 시간 확인하기
⑤ 전화하기

M Look! There's a bakery ❶ ________ ________.
W Let's buy a cake there.
M Okay. We should cross the street here.
W The party begins at 5 o'clock, doesn't it?
M Yes. It's already 4:30. I'm afraid we'll be late.
W ❷ ________ ________ ________ John now. I'll tell him we'll be about 30 minutes late.

10 주제 파악

대화를 듣고, 무엇에 관한 내용인지 가장 적절한 것을 고르시오.

① 빵 굽기 ② 장보기
③ 메뉴 선택 ④ 좋아하는 과일
⑤ 생일 파티 준비

M Susan, smells so good. What is it?
W I'm baking a strawberry cake for Yujin.
M Is this for ❶ ________ ________ ________ ________?
W Yes. But I forgot to buy some juice. Would you buy some juice at the supermarket for the party?
M Sure. I will ❷ ________ ________ ________ ________.
W Okay. It is her favorite juice.

11 특정 정보 파악 영국식 발음 녹음

대화를 듣고, 두 사람이 함께 이용할 교통수단으로 가장 적절한 것을 고르시오.

① 택시 ② 지하철 ③ 버스
④ 도보 ⑤ 자동차

M What time does the baseball game begin?
W It begins at 7:05 p.m.
M How shall we ❶ ________ ________ ________ ________?
W Let's go by taxi.
M No, there will be ❷ ________ ________ ________.
W How about by bus? We can see outside on the bus.
M There are no buses going there.
W Then, let's go ❸ ________ ________.
M Sounds good.

Words 09 **bakery** 빵집, 제과점 **party** 파티 **already** 이미, 벌써 10 **smell** 냄새가 나다 **bake** 굽다 **grape** 포도 11 **stadium** 경기장, 스타디움

정답과 해설 p. 33

12 이유 파악

대화를 듣고, 여자가 집에 일찍 가려고 하는 이유로 가장 적절한 것을 고르시오.

① 배가 아파서 ② 감기에 걸려서
③ 숙제를 해야 해서 ④ 잠을 자고 싶어서
⑤ 동생을 돌봐야 해서

Ⓟ have a와 stayed up의 발음
have a에서 a는 기능어로 앞 단어의 발음과 축약되어 [해버]로 들린다. stayed up은 [스테이덥]처럼 발음된다.

W Justin, I'm sorry I won't be able to meet you after school. I want to ❶ ________ ________ ________ today.
M What's wrong with you?
W Ⓟ I have a headache.
M You look pale. Did you catch a cold?
W No. I Ⓟ stayed up late doing my homework last night. I think I ❷ ________ ________ ________.
M I see. Go home and get some rest.

13 관계 추론

대화를 듣고, 두 사람의 관계로 가장 적절한 것을 고르시오.

① 택시 기사 – 승객 ② 교통 경찰관 – 시민
③ 호텔 직원 – 손님 ④ 자동차 판매원 – 고객
⑤ 여행 가이드 – 여행객

M Where to?
W Royal Hotel, please.
M Yes, ma'am.
W ❶ ________ ________ will it take?
M About 15 minutes. But there are ❷ ________ ________ ________ on the road.
W Don't worry. There is ❸ ________ ________ ________ ________. I'm not busy.

14 그림 정보 파악 – 길 찾기

대화를 듣고, 우체국의 위치로 가장 알맞은 곳을 고르시오.

M Excuse me. I've lost my way.
W Where do you want to go?
M I want to go to the nearest post office.
W Well, ❶ ________ ________ one block and turn left at the corner.
M Go straight and ❷ ________ ________?
W Right. You can see it on your right. It is ❸ ________ ________ the bookstore.
M Thank you very much. Have a nice day.

Words 12 **pale** 창백한 **catch a cold** 감기에 걸리다 13 **There is no need to ~** ~할 필요가 없다 **hurry** 서두르다 14 **post office** 우체국 **corner** 코너, 모퉁이

15 부탁한 일 파악

대화를 듣고, 남자가 여자에게 부탁한 일로 가장 적절한 것을 고르시오.

① 축구공 사 주기 ② 병원에 데려다주기
③ 부축해 주기 ④ 소포 부치기
⑤ 소포 갖다주기

[*Cellphone rings.*]

M Hi, Maria. Are you at home?

W Yes. Are you coming home now?

M No, I'm in the hospital. I ❶ ________ ________ ________ while playing soccer.

W Oh, no! Are you okay?

M Yeah, I'm okay. Maria, can I ask you a favor?

W Sure. What is it?

M Please ❷ ________ ________ ________ at the post office. It's on my desk.

16 제안한 일 파악

대화를 듣고, 남자가 여자에게 제안한 것으로 가장 적절한 것을 고르시오.

① 감사 카드 쓰기 ② 꽃다발 사기
③ 생일 카드 만들기 ④ 선생님 방문하기
⑤ 다른 학교 축제에 가기

M Ms. Parker will ❶ ________ ________ ________ ________ next month.

W Really? I didn't know that.

M It's true.

W What shall we do for her?

M How about ❷ ________ ________ ________ ________?

W That's a good idea. And let's give her some flowers, too.

M Okay.

17 한 일 / 할 일 파악

대화를 듣고, 두 사람이 일요일에 할 일로 가장 적절한 것을 고르시오.

① 수영하러 가기 ② 집안일 하기
③ 개 산책시키기 ④ 엄마와 쇼핑하기
⑤ 시험 공부하기

W Mike, ❶ ________ ________ ________ our dogs in the park on Friday night?

M I'd like to, but I take a swimming class every Friday. How about Saturday?

W My mom wants me to help her with the housework on Saturdays. But I'm free on Sunday.

M Then, let's ❷ ________ ________ ________ on Sunday.

W Okay.

15 **break** 부러지다(-broke) **leg** 다리 **favor** 부탁 **package** 소포 16 **thank-you card** 감사 카드 17 **walk** ~을 산책시키다 **housework** 집안일

18 직업 및 장래 희망

대화를 듣고, 남자의 직업으로 가장 적절한 것을 고르시오.

① 학생 ② 기자
③ 서점 직원 ④ 택시 기사
⑤ 수학 선생님

이해 점검하기
Do you get it?은 상대방이 이해했는지 확인하는 표현으로, get 대신에 understand를 쓰기도 한다.

W Hello, Mr. Brown. I couldn't understand this math question you explained last class. Could you explain it again?
M Of course, let me see. This mark means that you need to add up ❶ ________ ________ ________ together. Do you get it?
W Oh, I understand. Thank you for explaining easily.
M If you ❷ ________ ________ ________, ask me.

[19~20] 대화를 듣고, 여자의 마지막 말에 이어질 남자의 응답으로 가장 적절한 것을 고르시오.

19 알맞은 응답 찾기

Man: ______________________________

① I do, too.
② I'd like to be a pilot.
③ I had a good dream last night.
④ I like listening to band music.
⑤ I am saving a lot of money, too.

M Jane, why are you trying ❶ ________ ________ ________?
W I will buy a good guitar. I want to be a singer. It's my dream.
M Are you serious?
W Yes. Singing in a band is my dream.
M Wow, it's ❷ ________ ________ ________ ________. I hope your dream will come true.
W Thanks. How about you?

20 알맞은 응답 찾기 영국식 발음 녹음

Man: ______________________________

① That's too bad.
② Well-done, please.
③ Let's do this together.
④ No, thanks. I'm full.
⑤ Don't worry about it.

감사에 답하기
Don't mention it.은 Thank you.에 대한 대답으로, 유사 표현으로는 My pleasure. 등이 있다.

M Thank you for ❶ ________ ________ to your son's party.
W Don't mention it. Thank you for coming. ❷ ________ ________ ________ ________ about your daughter from Andy.
M Gina talks about your son a lot, too. By the way, the food is so delicious.
W Thanks. ❸ ________ ________ ________ some more pizza?

Words 18 **understand** 이해하다 **explain** 설명하다 **mark** (수학) 부호, 기호 **add up** 더하다 19 **save** (돈을) 모으다, 저축하다 **come true** 실현되다 20 **mention** 언급하다 **by the way** 그런데 **delicious** 맛있는

11회 영어 듣기모의고사

맞은 개수 /20문항

01 다음을 듣고, 'it'이 가리키는 것으로 가장 적절한 것을 고르시오.

02 대화를 듣고, 마라톤 대회가 있는 날을 고르시오.

① 4월 4일
② 4월 5일
③ 4월 19일
④ 4월 26일
⑤ 4월 30일

03 다음을 듣고, 오늘 오후의 날씨로 가장 적절한 것을 고르시오.

04 대화를 듣고, 남자가 한 마지막 말의 의도로 가장 적절한 것을 고르시오.

① 환영 ② 권유 ③ 요청
④ 칭찬 ⑤ 경고

05 다음을 듣고, 남자가 자기 자신에 대해 언급하지 <u>않은</u> 것을 고르시오.

① 이름 ② 나이
③ 가족 관계 ④ 취미
⑤ 한국어 말하기 실력

06 대화를 듣고, 두 사람이 만나기로 한 시각을 고르시오.

① 4:00 p.m. ② 4:30 p.m. ③ 5:00 p.m.
④ 6:00 p.m. ⑤ 6:30 p.m.

07 대화를 듣고, 여자의 장래 희망으로 가장 적절한 것을 고르시오.

① 영화배우 ② 영화감독
③ 매니저 ④ 홍보 담당자
⑤ 제작자

08 대화를 듣고, 여자가 마지막에 느낀 심정으로 가장 적절한 것을 고르시오.

① happy ② sorry ③ tired
④ angry ⑤ relaxed

09 대화를 듣고, 두 사람이 대화 직후에 할 일로 가장 적절한 것을 고르시오.

① 다른 상점에 간다.
② 옷값을 지불한다.
③ 옷을 교환한다.
④ 옷을 직접 입어 본다.
⑤ 큰 사이즈를 주문한다.

10 대화를 듣고, 무엇에 관한 내용인지 가장 적절한 것을 고르시오.

① 애완동물 ② 동물 보호
③ 건강 유지 ④ 학교생활
⑤ 여행지 관광

11 대화를 듣고, 두 사람이 함께 이용할 교통수단으로 가장 적절한 것을 고르시오.

① 버스 ② 지하철 ③ 자가용
④ 택시 ⑤ 도보

12 대화를 듣고, 남자가 물건을 교환하려는 이유로 가장 적절한 것을 고르시오.

① 해상도가 낮아서
② 전지 수명이 짧아서
③ 작동이 잘 안 되어서
④ 최신 모델을 구입하고 싶어서
⑤ 더 저렴한 물건을 구입하고 싶어서

13 대화를 듣고, 두 사람이 대화하고 있는 장소로 가장 적절한 곳을 고르시오.

① 은행 ② 병원 ③ 학교
④ 도서관 ⑤ 공항

14 대화를 듣고, 미술관의 위치로 가장 알맞은 곳을 고르시오.

15 대화를 듣고, 남자가 여자에게 부탁한 일로 가장 적절한 것을 고르시오.

① 프린터 빌려주기
② 과제 인쇄해 주기
③ 과학 숙제 도와주기
④ 이메일 주소 알려주기
⑤ 프린터 사러 같이 가기

16 대화를 듣고, 여자가 남자에게 제안한 것으로 가장 적절한 것을 고르시오.

① 엄마와 산책하기
② 애완견 산책시키기
③ 애완동물 키우기
④ 애완견 목욕시키기
⑤ 동물 병원에 가 보기

17 대화를 듣고, 남자가 이번 주말에 할 일로 가장 적절한 것을 고르시오.

① 시험공부하기 ② 조깅하기
③ 조부모님 방문하기 ④ 일본 여행 가기
⑤ 달리기 대회 참가하기

18 다음을 듣고, 남자의 직업으로 가장 적절한 것을 고르시오.

① 기자 ② 뉴스 앵커
③ 회사 사장 ④ 상점 매니저
⑤ 신문 판매원

[19~20] 대화를 듣고, 남자의 마지막 말에 이어질 여자의 응답으로 가장 적절한 것을 고르시오.

19 Woman: ______________________

① Don't worry.
② Don't be sad.
③ I'm good at memorizing.
④ You don't have to remember that.
⑤ Don't forget to study English hard.

20 Woman: ______________________

① Don't give up.
② That's too bad.
③ That's all right.
④ I think so, too.
⑤ I'm glad to hear that.

Dictation Test 11회 영어 듣기모의고사

01 그림 정보 파악 – 동물

다음을 듣고, 'it'이 가리키는 것으로 가장 적절한 것을 고르시오.

① ② ③ ④ ⑤

W It is not a fish, but it is ❶ ________ ________ ________ in the ocean. It spends most of its life in the water. It leaves the ocean only when it lays eggs. It ❷ ________ ________ ________ ________, and it looks very heavy. Here's another amazing fact. It can ❸ ________ ________ ________ 150 years or more.

02 그림 정보 파악 – 날짜

대화를 듣고, 마라톤 대회가 있는 날을 고르시오.

① 4월 4일
② 4월 5일
③ 4월 19일
④ 4월 26일
⑤ 4월 30일

M It's April! Do you have ❶ ________ ________ ________ this month?

W Yes, I'm going to go to a concert on April 19th. How about you?

M I'll take part in Seoul Teen's Marathon.

W Marathon? When is it?

M It's ❷ ________ ________ ________ ________ of this month. Will you join me?

W It's April 26th? No, I ❸ ________ ________ ________ on that day.

03 그림 정보 파악 – 날씨

다음을 듣고, 오늘 오후의 날씨로 가장 적절한 것을 고르시오.

① ② ③ ④ ⑤

W Good morning. Today is Children's Day. Are you planning ❶ ________ ________ ________? Then, don't worry about the weather. It is raining a little now, but it'll stop soon. In the afternoon, it will be ❷ ________ ________ ________. It's the perfect day for a picnic!

04 의도 파악

대화를 듣고, 남자가 한 마지막 말의 의도로 가장 적절한 것을 고르시오.

① 환영 ② 권유 ③ 요청
④ 칭찬 ⑤ 경고

M The race will start soon.

W Yeah, I hope John ❶ ________ ________ ________ this time!

M I'm sure he will! He practiced a lot.

(Bang!)

W They're off.

M Look! ❷ ________ ________ he is!

Words 01 **spend** (시간을) 보내다 **ocean** 바다 **lay** (알을) 낳다 **amazing** 놀라운 **up to** ~까지 02 **concert** 음악회, 콘서트 **teen** 십 대 **marathon** 마라톤 03 **soon** 곧 **perfect** 완벽한 04 **hope** 바라다 **sure** 확신하는 **practice** 연습하다

05 언급하지 않은 것

다음을 듣고, 남자가 자기 자신에 대해 언급하지 않은 것을 고르시오.

① 이름 ② 나이
③ 가족 관계 ④ 취미
⑤ 한국어 말하기 실력

M Glad to meet you, everyone. I'm ❶ ________ ________ as an exchange student for a month. My name is Dan. I'm from Canada. I came to Korea with my mother last week. My father and my younger brother are in Canada. I like ❷ ________ ________ ________. I can't speak Korean very well. So I hope you can ❸ ________ ________ ________ ________.

06 숫자 정보 파악 – 시각

대화를 듣고, 두 사람이 만나기로 한 시각을 고르시오.

① 4:00 p.m. ② 4:30 p.m. ③ 5:00 p.m.
④ 6:00 p.m. ⑤ 6:30 p.m.

의견 표현하기
동사 think, feel, believe 등을 사용하여 의견을 표현할 수 있다. It seems to me ~.나 In my opinion, ~.으로 나타낼 수도 있다.

M What time does the basketball game begin?
W At 6:30 p.m.
M Then, ❶ ________ ________ ________ at 5 o'clock?
W I think we should leave two hours ❷ ________ ________ ________ ________.
M Okay. Let's meet at the bus stop then.
W All right. See you later.

07 직업 및 장래 희망 영국식 발음 녹음

대화를 듣고, 여자의 장래 희망으로 가장 적절한 것을 고르시오.

① 영화배우 ② 영화감독
③ 매니저 ④ 홍보 담당자
⑤ 제작자

W Let's go to the movies this weekend.
M Again? We already watched two last weekend.
W You know, I really like to watch movies.
M Do you want to ❶ ________ ________ in the future?
W No, I want to ❷ ________ ________ ________ ________.
M You mean you want to be an actress in the future?
W Yes, I do.

08 심정 파악

대화를 듣고, 여자가 마지막에 느낀 심정으로 가장 적절한 것을 고르시오.

① happy ② sorry ③ tired
④ angry ⑤ relaxed

상기시켜 주기
Don't forget to ~는 '~할 것을 잊지 마라'라는 뜻으로 상대방에게 해야 할 일을 상기시킬 때 쓰는 표현이다. 유사한 표현으로는 Remember to ~가 있다.

W Hi, David. Did you get home well yesterday?
M Yes, thanks to you.
W Good. Did you ❶ ________ ________ ________?
M Oh, I'm terribly sorry, but I ❷ ________ ________ on the bus.
W What? Oh, my .... That's ❸ ________ ________ ________! I told you several times, "Don't forget to bring it back."
M Calm down. I'm really sorry.

Words 05 **exchange student** 교환 학생 **hockey** 하키 07 **go to the movies** 영화 보러 가다 **life** 삶, 인생 (*pl.* lives) **actor** 배우 **actress** 여배우 08 **get home** 집에 도착하다 **bring ~ back** ~을 돌려주다 **calm down** 진정하다

Dictation Test

09 한 일 / 할 일 파악

대화를 듣고, 두 사람이 대화 직후에 할 일로 가장 적절한 것을 고르시오.

① 다른 상점에 간다.
② 옷값을 지불한다.
③ 옷을 교환한다.
④ 옷을 직접 입어 본다.
⑤ 큰 사이즈를 주문한다.

M I'm thinking of buying ❶ ________ ________ ________ ________.
W How do you like these black ones?
M Well, I don't like the dark color. I like light colors.
W How about these light blue jeans? But there are only jeans ❷ ________ ________ ________ ________ here.
M Really? I like this color.
W Then, let's go to another shop to ❸ ________ ________ ________ ________ ________.
M Okay, let's go.

10 주제 파악

대화를 듣고, 무엇에 관한 내용인지 가장 적절한 것을 고르시오.

① 애완동물 ② 동물 보호
③ 건강 유지 ④ 학교생활
⑤ 여행지 관광

관심 표현하기
I get interested in ~.은 '나는 ~에 관심을 갖게 되다'라는 뜻으로 어떤 소재나 일에 관심을 표현할 때 쓴다. 유사한 표현으로는 ~ interests me. / I have an interest in ~. 등이 있다.

M What are you drawing?
W I'm drawing a poster about ❶ ________ ________.
M For what?
W Oh, it's part of ❷ ________ ________ to save poor animals. You know what? One kind of animal is disappearing every 60 seconds on the earth.
M Really? That's surprising.
W I didn't know about it, either. With the campaign, I got interested in ❸ ________ ________.

11 특정 정보 파악 영국식 발음 녹음

대화를 듣고, 두 사람이 함께 이용할 교통수단으로 가장 적절한 것을 고르시오.

① 버스 ② 지하철 ③ 자가용
④ 택시 ⑤ 도보

Isn't there의 발음
[t] 발음이 중복되므로 isn't의 [t]를 발음하지 않고 두 단어를 연이어서 발음한다.

M Mom, we're going to visit Grandpa today, aren't we?
W Yes, we are. Let's go after lunch.
M Are we going by subway?
W No, ❶ ________ ________ ________.
M Isn't there a lot of traffic?
W It's Sunday, so the traffic ❷ ________ ________ ________.

Words 09 **light** (색깔이) 연한 **check** 확인하다 10 **poster** 포스터 **poor** 불쌍한, 가엾은 **disappear** 사라지다, 없어지다 11 **heavy** 교통량이 많은

12 이유 파악

대화를 듣고, 남자가 물건을 교환하려는 이유로 가장 적절한 것을 고르시오.

① 해상도가 낮아서
② 전지 수명이 짧아서
③ 작동이 잘 안 되어서
④ 최신 모델을 구입하고 싶어서
⑤ 더 저렴한 물건을 구입하고 싶어서

M Excuse me, I ❶ ________ ________ ________ this tablet PC.
W What's wrong with it? You bought it two days ago.
M Yes, but I heard ❷ ________ ________ ________ came in today. Is it true?
W Yes. We knew that yesterday. The company kept it secret.
M Then, can I ❸ ________ ________ for the new model?
W Sure. But you have to pay extra money.
M Sure, I'll pay it.

13 장소 추론

대화를 듣고, 두 사람이 대화하고 있는 장소로 가장 적절한 곳을 고르시오.

① 은행 ② 병원 ③ 학교
④ 도서관 ⑤ 공항

W Hello. What's the problem?
M I ❶ ________ ________ ________. I think I have a bad cold.
W I see. Is this your first visit to this place?
M Yes.
W Then, ❷ ________ ________ this form. I'll call your name later.
M How long do I have to wait?
W You ❸ ________ ________ ________ about 30 minutes.

14 그림 정보 파악 – 길 찾기 영국식 발음 녹음

대화를 듣고, 미술관의 위치로 가장 알맞은 곳을 고르시오.

W Excuse me. Where is the Picasso Art Gallery?
M It's about 10 minutes ❶ ________ ________.
W How can I get there?
M ❷ ________ ________ ________ ________ from here, and turn right.
W Go straight two blocks, and turn right....
M Go straight again about 5 minutes. It's ❸ ________ ________ ________ ________ that street.

Words 12 **exchange** 교환하다 **company** 회사 **keep ~ secret** ~을 비밀로 하다 **extra** 여분의, 추가의 13 **fever** 열 **bad cold** 심한 감기, 독감 **form** 서류 14 **art gallery** 미술관 **get** 도착하다

Dictation Test

15 부탁한 일 파악

대화를 듣고, 남자가 여자에게 부탁한 일로 가장 적절한 것을 고르시오.

① 프린터 빌려주기
② 과제 인쇄해 주기
③ 과학 숙제 도와주기
④ 이메일 주소 알려주기
⑤ 프린터 사러 같이 가기

M We should ❶ ________ ________ the science report tomorrow, right?
W Yes, that's right. Is there something wrong?
M My printer ❷ ________ ________, and I can't get it fixed until tomorrow.
W So you didn't print it out yet?
M No, I didn't. Can you please ❸ ________ ________ ________ ________ ________?
W No problem. Email it to me when you get home.
M Thanks a lot, Ann!

16 제안한 일 파악

대화를 듣고, 여자가 남자에게 제안한 것으로 가장 적절한 것을 고르시오.

① 엄마와 산책하기
② 애완견 산책시키기
③ 애완동물 키우기
④ 애완견 목욕시키기
⑤ 동물 병원에 가 보기

M Is this your pet?
W Yes, I'm ❶ ________ ________.
M She is very cute!
W Yes, she is! Do you like dogs?
M Yes, I do.
W How about ❷ ________ ________ ________?
M I'd like to, but I should ask my mom about it first.

17 한 일 / 할 일 파악

대화를 듣고, 남자가 이번 주말에 할 일로 가장 적절한 것을 고르시오.

① 시험공부하기 ② 조깅하기
③ 조부모님 방문하기 ④ 일본 여행 가기
⑤ 달리기 대회 참가하기

계획 묻기
What are you going to do ~?는 앞으로 할 일을 물을 때 사용하며, 유사한 표현으로는 What do you plan to do ~? / What will you do ~? / What is your plan for ~? 등이 있다.

M What are you going to do this weekend?
W I'm going to ❶ ________ ________ ________ a running contest this Saturday.
M Really? That's great. I like running, too.
W Do you want to ❷ ________ ________?
M Maybe next time. I will go on a family ❸ ________ ________ ________ over the weekend.
W Wow, that's cool.

Words 15 **hand in** 제출하다 **work** 작동하다 **fix** 수리하다 **print out** ~을 출력하다 16 **pet** 애완동물 **walk** 산책시키다 **cute** 귀여운 **lovely** 사랑스러운 17 **take part in** ~에 참가하다 **cool** 멋진

18 직업 및 장래 희망

다음을 듣고, 남자의 직업으로 가장 적절한 것을 고르시오.

① 기자
② 뉴스 앵커
③ 회사 사장
④ 상점 매니저
⑤ 신문 판매원

M My job is to ❶ ________ ________ ________ ________ and take pictures of them. I ask them many questions about their life, job and family. Then, I ❷ ________ ________ ________ in a newspaper. People read the newspaper and get to know more about the famous people. I like my job.

[19~20] 대화를 듣고, 남자의 마지막 말에 이어질 여자의 응답으로 가장 적절한 것을 고르시오.

19 알맞은 응답 찾기

Woman: ______________________

① Don't worry.
② Don't be sad.
③ I'm good at memorizing.
④ You don't have to remember that.
⑤ Don't forget to study English hard.

W You look unhappy. What's wrong with you?
M Tomorrow I will ❶ ________ ________ ________ ________ in English class.
W Is it an English play?
M Yes. It's a group play and my part is a teacher.
W Have you ❷ ________ ________ ________?
M Sure, but I may forget them when I'm too nervous.

20 알맞은 응답 찾기 영국식 발음 녹음

Woman: ______________________

① Don't give up.
② That's too bad.
③ That's all right.
④ I think so, too.
⑤ I'm glad to hear that.

W Oh, my goodness! I forgot to ❶ ________ ________ ________ ________ for our group presentation!
M You mean the PowerPoint file?
W Yes, what should I do?
M Don't worry. You sent me an email with the file yesterday. So we ❷ ________ ________ ________.

Words 18 interview 인터뷰를 하다 famous 유명한 get to ~하게 되다 know 알다 19 act (연극이나 영화에서) 연기하다 part 역할 memorize 암기하다 line 대사 20 presentation 발표, 프레젠테이션 download 내려받다

12회 영어 듣기모의고사

맞은 개수 /20문항

01 다음을 듣고, 'this'가 가리키는 것으로 가장 적절한 것을 고르시오.

① 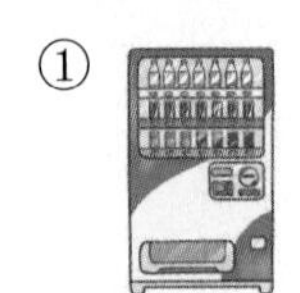
② 
③ 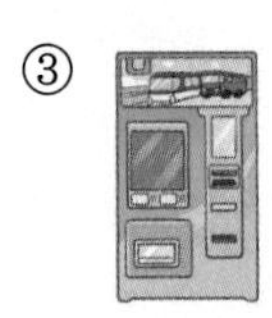
④ 
⑤ 

02 대화를 듣고, 수학 시험 날짜로 가장 적절한 것을 고르시오.

① 7월 2일 ② 7월 4일 ③ 7월 9일
④ 7월 11일 ⑤ 7월 16일

03 다음을 듣고, 내일 오전 날씨로 가장 적절한 것을 고르시오.

① 
② 
③ 
④ 
⑤ 

04 대화를 듣고, 남자가 한 마지막 말의 의도로 가장 적절한 것을 고르시오.

① 놀람 ② 칭찬 ③ 거절
④ 감사 ⑤ 허락

05 대화를 듣고, 진료 내용으로 언급되지 않은 것을 고르시오.

① 아픈 증상 ② 아픈 원인
③ 약 먹는 횟수 ④ 음식 먹는 법
⑤ 치료 기간

06 대화를 듣고, 두 사람이 만날 시각을 고르시오.

① 5:00 p.m. ② 5:30 p.m. ③ 6:00 p.m.
④ 6:30 p.m. ⑤ 7:00 p.m.

07 대화를 듣고, 남자의 장래 희망으로 가장 적절한 것을 고르시오.

① 자동차 잡지 기자 ② 패션 디자이너
③ 자동차 디자이너 ④ 자동차 엔지니어
⑤ 자동차 경주 선수

08 대화를 듣고, 남자의 심정으로 가장 적절한 것을 고르시오.

① happy ② worried
③ excited ④ pleasant
⑤ disappointed

09 대화를 듣고, 두 사람이 대화 직후에 할 일로 가장 적절한 것을 고르시오.

① 영화 고르기 ② 영화 보러 가기
③ 영화표 예매하기 ④ 영화표 취소하기
⑤ 상영 시간표 확인하기

10 대화를 듣고, 무엇에 관한 내용인지 가장 적절한 것을 고르시오.

① 수질 오염 ② 자연 보호
③ 용돈 절약 ④ 봉사 정신
⑤ 대기 오염

11 대화를 듣고, 여자가 이용할 교통수단으로 가장 적절한 것을 고르시오.

① 자동차 ② 버스 ③ 자전거
④ 택시 ⑤ 지하철

12 대화를 듣고, 남자가 여자에게 전화를 건 목적으로 가장 적절한 것을 고르시오.

① 약속을 미루려고
② 약속 시간을 정하려고
③ 약속 장소를 물어보려고
④ 자신의 집에 초대하려고
⑤ Ann의 집 위치를 물어보려고

13 대화를 듣고, 두 사람의 관계로 가장 적절한 것을 고르시오.

① 경찰관 – 운전자 ② 식당 주인 – 손님
③ 선생님 – 학생 ④ 택시 기사 – 승객
⑤ 매표소 직원 – 손님

14 대화를 듣고, 백화점의 위치로 가장 알맞은 곳을 고르시오.

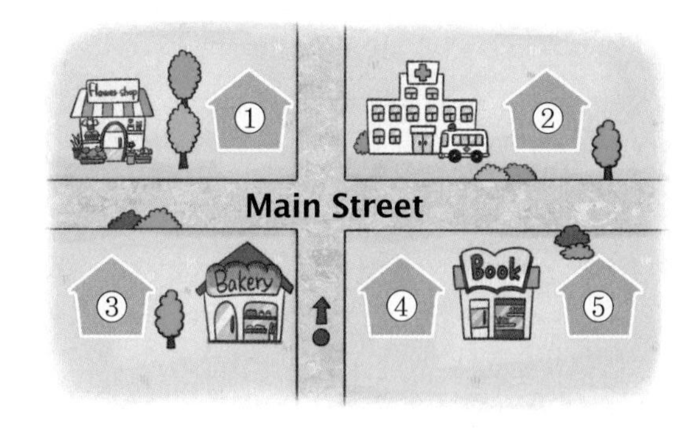

15 대화를 듣고, 여자가 남자에게 부탁한 일로 가장 적절한 것을 고르시오.

① 화초에 물 주기 ② 화초 옮기기
③ 여행 정보 주기 ④ 나무 심기
⑤ 비행기 표 예약하기

16 대화를 듣고, 남자가 여자에게 제안한 것으로 가장 적절한 것을 고르시오.

① 수업 중 노트 필기를 하기
② 친구들의 얘기를 들어 주기
③ 수업 시간에 집중해서 듣기
④ 친구들에게 먼저 다가가 이야기하기
⑤ 친구들과 마음을 터놓고 이야기하기

17 대화를 듣고, 대화가 끝난 후 남자가 할 일로 가장 적절한 것을 고르시오.

① 숙제하기 ② 서점 방문하기
③ 도서관 가기 ④ 시험 공부하기
⑤ 피아노 연주하기

18 대화를 듣고, 남자의 직업으로 가장 적절한 것을 고르시오.

① 미용사 ② 모델
③ 패션 디자이너 ④ 옷 가게 주인
⑤ 장난감 가게 점원

[19~20] 대화를 듣고, 남자의 마지막 말에 이어질 여자의 응답으로 가장 적절한 것을 고르시오.

19 Woman: ______________________

① Yeah, I can't wait.
② No, I'll call again later.
③ Of course. I don't mind.
④ No, thanks. I've had enough.
⑤ Yes. I will go shopping with her.

20 Woman: ______________________

① Sounds good.
② Congratulations!
③ That's good for you.
④ I'm sorry to hear that.
⑤ You can do better next time.

Dictation Test 12회 영어 듣기모의고사

01 그림 정보 파악 – 사물

다음을 듣고, 'this'가 가리키는 것으로 가장 적절한 것을 고르시오.

①　②　③

④　⑤

M Let me tell you how to use this. First, ❶ ________ ________ ________ into the machine. Then, choose a drink and press the button. Then, a drink will ❷ ________ ________ ________ ________ ________. You just take it out.

02 그림 정보 파악 – 날짜

대화를 듣고, 수학 시험 날짜로 가장 적절한 것을 고르시오.

SUN	MON	TUE	WED	THU	FRI	SAT
	1	2	3	4	5	6
7	8	9	10	11	12	13
14	15	16	17	18	19	20
21	22	23	24	25	26	27
28	29	30	31			

① 7월 2일　② 7월 4일　③ 7월 9일
④ 7월 11일　⑤ 7월 16일

M Bora, when is our math test?
W I think it's ❶ ________ ________ ________ ________ of the month.
M Today is July 2nd. Am I right?
W Yes. So we ❷ ________ ________ ________ ________ to study.
M Shall we go to the library together after school today?
W That sounds good.

03 그림 정보 파악 – 날씨

다음을 듣고, 내일 오전 날씨로 가장 적절한 것을 고르시오.

①　②　③

④　⑤

W Hello, everyone. Finally, tomorrow is our sports day. It's raining now. So you must be worried about tomorrow's weather. I checked the weather on the Internet. Tomorrow will be ❶ ________ ________ ________ in the morning. It is likely to ❷ ________ ________ ________ ________ in the afternoon. So forget about the weather, and don't forget to wear a jogging suit.

04 의도 파악

대화를 듣고, 남자가 한 마지막 말의 의도로 가장 적절한 것을 고르시오.

① 놀람　② 칭찬　③ 거절
④ 감사　⑤ 허락

음식 권하기 및 사양하기
Would you like some more?는 음식을 더 먹어 보라고 권할 때 사용하는 표현이고, 그 권유에 대해 사양할 때는 No, thanks. I've had enough. / No, thank you. I'm not hungry. 등으로 표현한다.

M This cake ❶ ________ ________ ________.
W Thank you. I made it last night.
M Really? Wow, I can't believe it. These cookies are good, too. Did you ❷ ________ ________ ________, too?
W No. My mom made those cookies. Would you like some more?
M No, thank you. I'm full.

Words　01 **machine** 기계 **press** 누르다 **take out** ~을 꺼내다　02 **math** 수학 **library** 도서관　03 **be likely to** ~할 것 같다 **jogging suit** 운동복　04 **taste** ~한 맛이 나다 **full** 배가 부른

05 언급되지 않은 것 영국식 발음 녹음

대화를 듣고, 진료 내용으로 언급되지 않은 것을 고르시오.

① 아픈 증상 ② 아픈 원인
③ 약 먹는 횟수 ④ 음식 먹는 법
⑤ 치료 기간

아픈 증상 묻고 답하기
What's wrong?은 어디가 아픈지 물을 때 사용하며, 비슷한 표현으로 What's the matter with you?가 있다. 아픈 곳을 말할 때는 「I have+(아픈 증상)」의 형태로 나타낸다.

W What's wrong with you?
M I ❶ ________ ________ ________.
W Is it something you ate?
M I drank a glass of milk this morning. I think it went bad.
W It's possible. ❷ ________ ________ ________ three times a day after meals. And eat boiled water and cooked food.
M Okay, I will.

06 숫자 정보 파악 – 시각

대화를 듣고, 두 사람이 만날 시각을 고르시오.

① 5:00 p.m. ② 5:30 p.m. ③ 6:00 p.m.
④ 6:30 p.m. ⑤ 7:00 p.m.

M Jane, do you have any plans for tonight?
W Yes. I need a new pair of running shoes. So I'm going to ❶ ________ ________.
M Then, can I go with you? I also have ❷ ________ ________ ________.
W Sure. Let's meet in front of the shopping mall at 6:30.
M Why don't we meet at 6 and have dinner together ❸ ________ ________ ________?
W Oh, that's a good idea. See you then.

07 직업 및 장래 희망 영국식 발음 녹음

대화를 듣고, 남자의 장래 희망으로 가장 적절한 것을 고르시오.

① 자동차 잡지 기자 ② 패션 디자이너
③ 자동차 디자이너 ④ 자동차 엔지니어
⑤ 자동차 경주 선수

동작 묻고 묘사하기
What is(are) ~ doing?은 특정 대상이 현재 무엇을 하고 있는지 묻는 표현이며, 대답은 「be동사+-ing」의 형태를 사용하여 한다.

W What are you reading?
M I'm reading an auto magazine.
W Are you interested in cars?
M Very much. I want to ❶ ________ ________ ________ ________ when I grow up.
W That sounds cool. What kind of cars are you interested in?
M I like sports cars. I want to ❷ ________ ________ ________ nicely.

Words 05 **go bad** 상하다 **boiled** 끓인 **cooked** 익힌 06 **a pair of** 한 쌍의 **running shoes** 운동화 **in front of** ~ 앞에서 07 **auto** 자동차 **grow up** 성장하다

Dictation Test

08 심정 파악

대화를 듣고, 남자의 심정으로 가장 적절한 것을 고르시오.

① happy ② worried
③ excited ④ pleasant
⑤ disappointed

충고 구하기
What should I do?는 '저는 어떻게 해야 하지요?'라는 의미로 상대방에게 충고를 구할 때 사용하며, 유사한 표현으로 What do you think I should do?가 있다.

W Mr. Brown, I saw the result of your physical checkup. You are ❶ ________ ________ ________.
M What should I do?
W You don't exercise, do you?
M Yes, I do. But only a little.
W Exercise for 30 minutes every day, or you'll ❷ ________ ________ ________.
M Okay, I will.

09 한 일 / 할 일 파악

대화를 듣고, 두 사람이 대화 직후에 할 일로 가장 적절한 것을 고르시오.

① 영화 고르기 ② 영화 보러 가기
③ 영화표 예매하기 ④ 영화표 취소하기
⑤ 상영 시간표 확인하기

M Lisa, I have ❶ ________ ________ ________ ________.
W What is it?
M I'm sorry I ❷ ________ ________ ________ ________ ________ this Sunday. I forgot I have a test on that day.
W Well, that's all right. But we should ❸ ________ ________ ________.
M We can do it online, can't we?
W Yes. Let's do it now.

10 주제 파악 영국식 발음 녹음

대화를 듣고, 무엇에 관한 내용인지 가장 적절한 것을 고르시오.

① 수질 오염 ② 자연 보호
③ 용돈 절약 ④ 봉사 정신
⑤ 대기 오염

M Susan, can I borrow your cup?
W There are some paper cups over there. You can use them.
M I know. But I ❶ ________ ________ ________ ________ a paper cup.
W Why not?
M People cut down too many trees to make paper cups. I ❷ ________ ________ ________ ________. So I will not use them.
W For our nature? Then you ❸ ________ ________ ________ ________.

11 특정 정보 파악

대화를 듣고, 여자가 이용할 교통수단으로 가장 적절한 것을 고르시오.

① 자동차 ② 버스 ③ 자전거
④ 택시 ⑤ 지하철

W Oh, it's snowing heavily.
M Did you ❶ ________ ________ ________ today?
W Yes, I did.
M It's ❷ ________ ________ ________ ________ today.
W I agree. How will you go home?
M I usually go by bus, but today, I'll ❸ ________ ________ ________.
W Okay. I'll go by subway, too.

Words 08 **result** 결과 **physical checkup** 건강 검진 09 **forget** 잊어버리다 **take a test** 시험을 치르다 **cancel** 취소하다 10 **borrow** 빌리다 **nature** 자연 11 **drive to work** 운전해서 출근하다

12 목적 파악

대화를 듣고, 남자가 여자에게 전화를 건 목적으로 가장 적절한 것을 고르시오.

① 약속을 미루려고
② 약속 시간을 정하려고
③ 약속 장소를 물어보려고
④ 자신의 집에 초대하려고
⑤ Ann의 집 위치를 물어보려고

확인 요청하기
Wasn't it ~?처럼 자신이 알고 있는 사실을 다시 확인하기 위해서 부정의문문으로 표현하기도 한다. Did you say ~? / Do you mean ~?으로 확인 요청을 할 수도 있다.

[*Telephone rings.*]
W Hello, Jack?
M Hello, Ann? Can I ❶ ________ ________ ________ now?
W Sure. What's up?
M I ❷ ________ ________ ________ ________ of tomorrow's group meeting. Where are we going to meet?
W Wasn't it at my place at 3 p.m.?
M Oh, I see. Thanks. See you then.

13 관계 추론

대화를 듣고, 두 사람의 관계로 가장 적절한 것을 고르시오.

① 경찰관 – 운전자 ② 식당 주인 – 손님
③ 선생님 – 학생 ④ 택시 기사 – 승객
⑤ 매표소 직원 – 손님

M Excuse me, can I see your driver's license?
W Why? Did I do anything wrong?
M You ❶ ________ ________ ________, over the speed limit.
W Oh, I didn't know that. I'm so sorry.
M Please ❷ ________ ________ ________ ________. I have to give you a ticket.
W All right, then.

14 그림 정보 파악 – 길 찾기

대화를 듣고, 백화점의 위치로 가장 알맞은 곳을 고르시오.

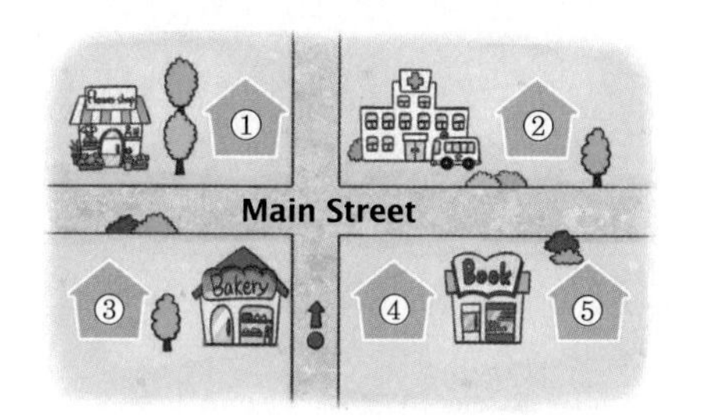

W Excuse me. Can you show me the way to the department store in this area?
M Let me see. Go straight on Main Street and turn left at the corner.
W Go straight and turn..., where?
M Turn left. You can see it ❶ ________ ________ ________.
W Oh, I see.
M It's ❷ ________ ________ the flower shop. It's ❸ ________ ________ ________.
W Thank you for helping me.

Words 12 **one's place** 집 13 **driver's license** 운전면허증 **speed limit** 제한 속도 **give ~ a ticket** ~에게 딱지를 건네다 14 **department store** 백화점

Dictation Test

15 부탁한 일 파악

대화를 듣고, 여자가 남자에게 부탁한 일로 가장 적절한 것을 고르시오.

① 화초에 물 주기 ② 화초 옮기기
③ 여행 정보 주기 ④ 나무 심기
⑤ 비행기 표 예약하기

M When are you going to Taiwan?

W We're leaving on Monday.

M How long are you going on vacation?

W For a week. Tony, can you ❶ ________ ________ ________ ________ for me next week?

M No problem.

W Thank you so much! I'll ❷ ________ ________ ________ to your house on Sunday.

M Okay.

16 제안한 일 파악

대화를 듣고, 남자가 여자에게 제안한 것으로 가장 적절한 것을 고르시오.

① 수업 중 노트 필기를 하기
② 친구들의 얘기를 들어 주기
③ 수업 시간에 집중해서 듣기
④ 친구들에게 먼저 다가가 이야기하기
⑤ 친구들과 마음을 터놓고 이야기하기

Ⓟ don't you의 발음
[t] 다음에 [ju]가 오면, [ju] 소리에 영향을 받아 [즈] 소리와 유사하게 되어 [던츄우]처럼 발음한다.

M Mina, what's the matter? You look serious.

W I want to make many friends, but my classmates don't listen to me.

M Why Ⓟdon't you ❶ ________ ________ ________ ________?

W Do you think it will work?

M Yes. ❷ ________ ________ ________ ________ is important to make friends.

W Okay. I will try. Thank you for your advice.

17 한 일 / 할 일 파악

대화를 듣고, 대화가 끝난 후 남자가 할 일로 가장 적절한 것을 고르시오.

① 숙제하기 ② 서점 방문하기
③ 도서관 가기 ④ 시험 공부하기
⑤ 피아노 연주하기

Ⓟ right away의 발음
모음 사이에 t가 위치할 경우 무성의 [t] 대신 유성의 [r]로 발음되므로 right away는 [롸이러웨이]로 발음한다.

M Hi, Sumi. I'm ❶ ________ ________ ________. Have you seen her?

W She said she would study for the science test in the city library.

M Is she still there? I have some questions about my science test.

W Oh, really? She went there after her piano lesson. Maybe she ❷ ________ ________ ________ in the library.

M Okay, I will ❸ ________ ________ Ⓟright away. Thank you.

Words 15 **go on vacation** 휴가를 가다 **water** 물을 주다 **plant** 식물, 화초 **bring** 가져오다 16 **serious** 심각한 **make friends** 친구를 사귀다 **work** 효과가 있다 17 **look for** ~을 찾다 **right away** 바로, 당장

18 직업 및 장래 희망

대화를 듣고, 남자의 직업으로 가장 적절한 것을 고르시오.

① 미용사 ② 모델
③ 패션 디자이너 ④ 옷 가게 주인
⑤ 장난감 가게 점원

M Amy, try this on.
W Wow! What a lovely skirt! ❶ ________ ________ ________ ________, Dad?
M Yes, I designed it for you.
W I love it! When is your next fashion show?
M It's on Saturday.
W Dad, can I ❷ ________ ________ ________ this time?
M Of course, you can. It's a children's clothes fashion show.

[19~20] 대화를 듣고, 남자의 마지막 말에 이어질 여자의 응답으로 가장 적절한 것을 고르시오.

19 알맞은 응답 찾기 영국식 발음 녹음

Woman: ____________________

① Yeah, I can't wait.
② No, I'll call again later.
③ Of course. I don't mind.
④ No, thanks. I've had enough.
⑤ Yes. I will go shopping with her.

전화 대화하기

May I take a message?는 '메시지를 남기시겠어요?'라는 의미로 Will you leave a message?와 바꾸어 쓸 수 있다. 메시지를 남기고 싶을 때는 Can I leave a message? (메시지를 남겨도 될까요?)라고 표현한다.

[Telephone rings.]
M Hello?
W Hello. This is Christine. May I speak to Mrs. Baker, please?
M She's not at home right now. She went to the supermarket. Why don't you call her on her cellphone?
W Oh, I did, but ❶ ________ ________ ________.
M Wait a minute. Oh, she ❷ ________ ________ ________ ________ ________. May I take a message?

20 알맞은 응답 찾기

Woman: ____________________

① Sounds good.
② Congratulations!
③ That's good for you.
④ I'm sorry to hear that.
⑤ You can do better next time.

W You ❶ ________ ________ ________, Mike. What's the matter?
M I don't know what to do. I've ❷ ________ ________ ________ in the library. I think someone took it already.
W Oh, no. Is your wallet in it?
M Yes, it is. And my cellphone and ❸ ________ ________ ________ ________ ________, too.

Words 18 **try on** ~을 입어 보다 **lovely** 훌륭한, 멋진 **skirt** 치마 **design** 디자인하다 **fashion show** 패션쇼 19 **supermarket** 슈퍼마켓 20 **lose** 잃어버리다(-lost) **wallet** 지갑

13회 영어 듣기모의고사

맞은 개수 /20문항

01 다음을 듣고, 'it'이 무엇인지 가장 적절한 것을 고르시오.

① 
② 
③ 
④ 
⑤ 

02 대화를 듣고, 남자의 남동생을 고르시오.

03 대화를 듣고, 오늘 오후의 날씨로 가장 적절한 것을 고르시오.

① 
② 

③ 
④ 

⑤ 

04 대화를 듣고, 여자가 한 마지막 말의 의도로 가장 적절한 것을 고르시오.

① 충고 ② 칭찬 ③ 허락
④ 칭찬 ⑤ 사과

05 다음을 듣고, 남자가 자기 자신에 대해 언급하지 <u>않은</u> 것을 고르시오.

① 이름 ② 현 거주지
③ 좋아하는 과목 ④ 취미
⑤ 좋아하는 음식

06 대화를 듣고, 남자가 학교로 돌아오는 시각을 고르시오.

① 1:30 p.m. ② 3:00 p.m. ③ 3:30 p.m.
④ 4:00 p.m. ⑤ 4:30 p.m.

07 대화를 듣고, 여자의 장래 희망으로 가장 적절한 것을 고르시오.

① 작가 ② 기자 ③ 교수
④ 연설가 ⑤ 정치가

08 대화를 듣고, 여자의 심정으로 가장 적절한 것을 고르시오.

① 화남 ② 부러움 ③ 미안함
④ 지루함 ⑤ 당황함

09 대화를 듣고, 남자가 대화 직후에 할 일로 가장 적절한 것을 고르시오.

① 샤워하기 ② 농구 하기
③ 상 차리기 ④ 설거지하기
⑤ 피자 먹기

10 다음을 듣고, 무엇에 관한 내용인지 가장 적절한 것을 고르시오.

① 일기 예보 ② 비행기 착륙 안내
③ 출국 안내 ④ 공항 이용 안내
⑤ 비행기 연착 안내

11 대화를 듣고, 두 사람이 함께 이용할 교통수단으로 가장 적절한 것을 고르시오.

① 지하철 ② 버스 ③ 택시
④ 도보 ⑤ 자전거

12 대화를 듣고, 여자가 남자의 제안을 거절한 이유로 가장 적절한 것을 고르시오.

① 맛이 없어서
② 배가 아파서
③ 약속이 있어서
④ 배가 고프지 않아서
⑤ 다른 음식을 먹고 싶어서

13 대화를 듣고, 두 사람이 대화하는 장소로 가장 적절한 곳을 고르시오.

① 식당 ② 기차역
③ 도서관 ④ 영화관
⑤ 음료수 자판기 앞

14 대화를 듣고, 축구장의 위치로 가장 알맞은 곳을 고르시오.

15 대화를 듣고, 여자가 남자에게 부탁한 일로 가장 적절한 것을 고르시오.

① 방 청소하기 ② 상 차리기
③ 음식 만들기 ④ 쓰레기 버리기
⑤ 책장 정리하기

16 대화를 듣고, 남자가 여자에게 제안한 것으로 가장 적절한 것을 고르시오.

① 침대 놓기 ② 방 청소하기
③ 장난감 정리하기 ④ 장난감 기부하기
⑤ 장난감 선물 사기

17 대화를 듣고, 두 사람이 오늘 오후에 할 일로 가장 적절한 것을 고르시오.

① 치과 가기 ② 공포 영화 보기
③ 운전 연습하기 ④ 동물 병원 가기
⑤ 정기 검진 받기

18 대화를 듣고, 여자가 남자에게 전화를 건 목적으로 가장 적절한 것을 고르시오.

① 가방을 구입하려고
② 기차표를 예매하려고
③ 잃어버린 책가방을 찾으려고
④ 지하철 노선을 물어보려고
⑤ 지하철 운행 시간을 알아보려고

[19~20] 대화를 듣고, 남자의 마지막 말에 이어질 여자의 응답으로 가장 적절한 것을 고르시오.

19 Woman: ______________________

① Me too. I like Italian food most.
② I like the classical music concert.
③ That's a good idea. Let's buy two tickets.
④ Well, I want to eat dinner before the concert.
⑤ Sounds good. Let's go to the Italian Restaurant nearby.

20 Woman: ______________________

① Yes, I do. ② Take it easy.
③ Don't mention it. ④ It's too expensive.
⑤ That sounds good.

Dictation Test 13회 영어 듣기모의고사

01 그림 정보 파악 – 동물

다음을 듣고, 'it'이 무엇인지 가장 적절한 것을 고르시오.

① ② ③ ④ ⑤

W It has four legs and a long tail. It ❶ ________ ________ ________ with its back legs. It can balance with its tail. And it ❷ ________ ________ ________ on its stomach. It ❸ ________ ________ ________ in the pocket. In this pocket, it keeps its baby warm and comfortable. Its baby loves to sit in the pocket.

02 그림 정보 파악 – 사람

대화를 듣고, 남자의 남동생을 고르시오.

W Did you come here with your brother?
M Yes, I did. He's standing ❶ ________ ________ ________.
W You mean the man with glasses?
M No, he isn't wearing glasses. He is ❷ ________ ________ ________ ________.

03 그림 정보 파악 – 날씨

대화를 듣고, 오늘 오후의 날씨로 가장 적절한 것을 고르시오.

①  ②   ③ 
④  ⑤ 

W James, the weather is ❶ ________ ________ ________ ________.
M Then, shall we go to the park?
W Sounds good. We have to take a big umbrella.
M Why? Will it rain in the afternoon?
W No, it will ❷ ________ ________. But, we need it ❸ ________ ________ ________ ________.

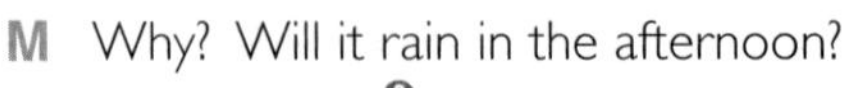

M That's a good idea.

Words 01 **tail** 꼬리 **balance** 균형을 맞추다 **stomach** 배 **comfortable** 편안한 02 **near** 근처에, 가까이에 **glasses** 안경 03 **umbrella** 우산 **shade** 그늘

04 의도 파악

대화를 듣고, 여자가 한 마지막 말의 의도로 가장 적절한 것을 고르시오.

① 충고 ② 칭찬 ③ 허락
④ 칭찬 ⑤ 사과

충고하기
상대방에게 충고할 때에는 I think you should ~. / You'd better ~. / Why don't you ~? 등의 표현을 사용한다.

W What's wrong, Sam?
M I'm very upset because Paul ❶ ________ ________ ________ ________.
W Oh, I'm sorry. But Paul is your dog, isn't he?
M Yes, he broke my cellphone before. I ❷ ________ ________ ________.
W I think you should keep your things in safe places.

05 언급하지 않은 것

다음을 듣고, 남자가 자기 자신에 대해 언급하지 않은 것을 고르시오.

① 이름 ② 현 거주지
③ 좋아하는 과목 ④ 취미
⑤ 좋아하는 음식

M Hi, everyone. I'm Junho. I'm happy to meet you. Today is my first day at this school. I've ❶ ________ ________ ________ Gwangju with my family. My favorite subject is art. I ❷ ________ ________ a picture. And I like *bulgogi* very much. I hope we can be good friends.

06 숫자 정보 파악 – 시각

대화를 듣고, 남자가 학교로 돌아오는 시각을 고르시오.

① 1:30 p.m. ② 3:00 p.m. ③ 3:30 p.m.
④ 4:00 p.m. ⑤ 4:30 p.m.

half의 발음
half의 [l]은 소리가 나지 않는 묵음으로 [하:프]로 발음한다.

W Mike, today is your field trip!
M Yes, Mom. I'm ❶ ________ ________ to go to the Dinosaur Museum.
W I'm happy to hear that. By the way, ❷ ________ ________ ________ ________ ________?
M Um, we'll leave the museum at 3 p.m.
W How long does it take to get back to school?
M It ❸ ________ ________ ________ and a half by bus.
W I see. Have a good trip!

07 직업 및 장래 희망 영국식 발음 녹음

대화를 듣고, 여자의 장래 희망으로 가장 적절한 것을 고르시오.

① 작가 ② 기자 ③ 교수
④ 연설가 ⑤ 정치가

걱정, 두려움 표현하기
I'm worried (about) ~.으로 걱정을 나타내는 표현을 쓸 수 있는데, worried 대신 scared, anxious, frightened의 단어를 쓸 수 있다.

M You are reading again.
W Yes. You know, I really ❶ ________ ________ ________.
M Do you want to be a writer?
W No, I want ❷ ________ ________ ________ ________. But I'm worried about my dream.
M Why?
W Because I'm very shy, and I'm afraid to speak ❸ ________ ________ ________ ________.
M Come on! You can do it. Be confident!

Words 04 **upset** 화가 난 **safe** 안전한 05 **move** 이사하다 **art** 미술; 예술 **draw** 그리다 06 **field trip** 체험 학습 **dinosaur** 공룡 **get back** 돌아오다 **trip** 여행 07 **professor** 교수 **shy** 수줍음을 많이 타는 **in front of** ~ 앞에서 **confident** 자신감 있는

Dictation Test

08 심정 파악

대화를 듣고, 여자의 심정으로 가장 적절한 것을 고르시오.

① 화남 ② 부러움 ③ 미안함
④ 지루함 ⑤ 당황함

설명 요청하기
What do you mean?은 상대방에게 보충 설명을 요구할 때 쓰는 표현이다.

M Jenny, you brought your science report, didn't you?
W Of course. Oh, I think ❶ ________ ________ ________.
M What do you mean?
W My report isn't in my bag. I thought I put it in my bag. Oh, no. I ❷ ________ ________ ________ ________ ________ at home.
M Take it easy. Call your mom and ask her to bring it to you.
W I'm afraid I can't. Mom is traveling to Japan. Nobody is at home.
M There's no way to get it. You'd better tell the truth to your science teacher.
W Oh, this is the second time. I don't want to ❸ ________ ________ ________.

09 한 일 / 할 일 파악

대화를 듣고, 남자가 대화 직후에 할 일로 가장 적절한 것을 고르시오.

① 샤워하기 ② 농구 하기
③ 상 차리기 ④ 설거지하기
⑤ 피자 먹기

의무 표현하기
You have to ~.는 상대방에게 '~해야 한다'라고 말할 때 사용하며, You must ~.로 표현할 수도 있다.

M Mom, I'm home. Something smells good. Is it pizza?
W Yes, it is. It's for dinner. Oh, Mike, why are your clothes so dirty?
M I played basketball with Sam. Mom, I'm so hungry now.
W Okay. I'll set the table while you are taking a shower.
M Mom, I'm so hungry. Can I eat ❶ ________ ________ ________ ________ right now?
W No, you have to ❷ ________ ________ ________ first.
M All right. I'll do it right now.

10 주제 파악

다음을 듣고, 무엇에 관한 내용인지 가장 적절한 것을 고르시오.

① 일기 예보 ② 비행기 착륙 안내
③ 출국 안내 ④ 공항 이용 안내
⑤ 비행기 연착 안내

M May I have your attention, please? This is Captain Kim speaking. We are about to ❶ ________ ________ Incheon Airport in 10 minutes. The local time is 4:15 p.m. now. It is sunny now. The temperature is 25 degrees. I hope you ❷ ________ ________ ________. Please use our flight for your next trip, too.

Words 08 **nobody** 아무도 ~ 없다 **tell the truth** 사실대로 말하다 **get in trouble** 곤란에 처하다 09 **set the table** 상을 차리다 **take a shower** 샤워를 하다 10 **attention** 주의, 집중 **captain** 기장 **local** 현지의 **temperature** 온도

11 특정 정보 파악 영국식 발음 녹음

대화를 듣고, 두 사람이 함께 이용할 교통수단으로 가장 적절한 것을 고르시오.

① 지하철 ② 버스 ③ 택시
④ 도보 ⑤ 자전거

M Chris invited us to his home ❶ ________ ________ ________.
W That's good.
M How shall we go?
W Let's ❷ ________ ________ ________.
M We should walk more than 20 minutes from the subway station.
W Is there a bus going to his house?
M Yes. Bus No. 20 stops right in front of his house.
W Okay. let's ❸ ________ ________ ________.

12 이유 파악

대화를 듣고, 여자가 남자의 제안을 거절한 이유로 가장 적절한 것을 고르시오.

① 맛이 없어서
② 배가 아파서
③ 약속이 있어서
④ 배가 고프지 않아서
⑤ 다른 음식을 먹고 싶어서

made it의 발음
made의 [d]가 [ㄹ]로 발음되어 made it은 [메이릿]으로 발음한다.

M Would you like to try this cake? I made it.
W Yes, please. It looks delicious. (*pause*) Wow! It ❶ ________ ________, too.
M Would you like some more?
W No, thanks. I'm ❷ ________ ________.
M Did you have dinner already?
W No. I ❸ ________ ________ ________ before I came here.

13 장소 추론

대화를 듣고, 두 사람이 대화하는 장소로 가장 적절한 곳을 고르시오.

① 식당 ② 기차역
③ 도서관 ④ 영화관
⑤ 음료수 자판기 앞

M Excuse me, can you show me ❶ ________ ________ ________ this ticket machine?
W Sure. Did you ❷ ________ ________ ________ and the show time?
M Yes. It's *The Life of Van Gogh* at 5 p.m.
W Then, check the movie and the show time. And enter the number of tickets you want to buy.
M Okay.
W Finally, insert your money and you'll ❸ ________ ________ ________.
M Thanks for your help.

Words
11 **invite** 초대하다 **more than** ~ 이상 **right** 바로 12 **try** 시도하다 **delicious** 맛있는 **already** 이미, 벌써 13 **machine** 기계 **show time** 상영 시간 **insert** 넣다

Dictation Test

14 그림 정보 파악 – 길 찾기

대화를 듣고, 축구장의 위치로 가장 알맞은 곳을 고르시오.

P and의 발음
두 문장을 연결한 접속사로, 빠르게 발음할 때 끝의 [d]는 거의 소리 내지 않고 [앤]처럼 발음한다.

M Excuse me. ❶ ________ ________ the stadium?
W It's over there.
M How can I get there?
W ❷ ________ ________ ________, and turn left. Go straight one block and turn right.
M After I go one block from there, I should turn right.
W That's right. Go one block again, and you'll see the stadium ❸ ________ ________ ________.
M Thank you.

15 부탁한 일 파악

대화를 듣고, 여자가 남자에게 부탁한 일로 가장 적절한 것을 고르시오.

① 방 청소하기
② 상 차리기
③ 음식 만들기
④ 쓰레기 버리기
⑤ 책장 정리하기

P you, our의 발음
모음 ou는 [au]나 [u]로 발음될 수 있다. our처럼 ou가 [au]로 발음되는 경우가 많지만, you 같은 경우는 [u]로 발음한다.

M Mom, you look so busy.
W We are going to ❶ ________ ________ ________ ________ ________ this evening.
M A lot of guests? What do you mean?
W Your father invited his friends to our house.
M I got it. So you are cooking ❷ ________ ________ ________. Shall I clean the house?
W No, your sister is going to do that. Oh, can you ❸ ________ ________ ________ ________?
M No problem.

16 제안한 일 파악

대화를 듣고, 남자가 여자에게 제안한 것으로 가장 적절한 것을 고르시오.

① 침대 놓기
② 방 청소하기
③ 장난감 정리하기
④ 장난감 기부하기
⑤ 장난감 선물 사기

M I'm going to buy you a bed, Jimin.
W Thank you, Dad!
M But there are ❶ ________ ________ ________ in your room.
W Oh, Dad, I need all of them.
M You don't need those toys anymore. Why don't you ❷ ________ ________ ________ ________?
W That sounds great, Dad.

Words 14 **stadium** 경기장 **over there** 저쪽에 15 **guest** 손님 **mean** 의미하다 **garbage** 쓰레기 16 **need** 필요하다 **toy** 장난감 **anymore** 더 이상 **charity** 자선 단체

17 한 일 / 할 일 파악 영국식 발음 녹음

대화를 듣고, 두 사람이 오늘 오후에 할 일로 가장 적절한 것을 고르시오.

① 치과 가기 ② 공포 영화 보기
③ 운전 연습하기 ④ 동물 병원 가기
⑤ 정기 검진 받기

W Dad, I ❶ ________ ________ ________ ________. It's so painful.
M Oh, I'm sorry. Did you go to the dentist?
W Not yet. I ❷ ________ ________ ________ for the dentist this afternoon. But I'm really scared.
M Come on, don't worry. It's going to be all right.
W Are you sure? ❸ ________ ________ ________ with me? I'm still scared.
M Okay, I will.

18 목적 파악

대화를 듣고, 여자가 남자에게 전화를 건 목적으로 가장 적절한 것을 고르시오.

① 가방을 구입하려고
② 기차표를 예매하려고
③ 잃어버린 책가방을 찾으려고
④ 지하철 노선을 물어보려고
⑤ 지하철 운행 시간을 알아보려고

[Telephone rings.]
M Hello. This is the Metro Subway Office. How can I help you?
W Yes. I'm calling to ❶ ________ ________ ________. I left it on a subway train an hour ago.
M What does it look like?
W It's big and black.
M Can you tell me the subway line number?
W It was line No. 4 ❷ ________ ________ Seoul Station.

[19~20] 대화를 듣고, 남자의 마지막 말에 이어질 여자의 응답으로 가장 적절한 것을 고르시오.

19 알맞은 응답 찾기

Woman: ______________________________

① Me too. I like Italian food most.
② I like the classical music concert.
③ That's a good idea. Let's buy two tickets.
④ Well, I want to eat dinner before the concert.
⑤ Sounds good. Let's go to the Italian Restaurant nearby.

M We have about one hour before the concert. Let's have dinner.
W Okay. I'm hungry. What do you ❶ ________ ________ ________?
M I'd like to eat Chinese food. ❷ ________ ________ you?
W Well, actually I don't like Chinese food that much.
M How about Italian food?

20 알맞은 응답 찾기

Woman: ______________________________

① Yes, I do. ② Take it easy.
③ Don't mention it. ④ It's too expensive.
⑤ That sounds good.

이해 점검하기
Do you get it?은 상대방이 이해했는지 확인할 때 사용하며, 유사한 표현으로 Do you understand? / Are you with me? / Are you following me? 등이 있다.

W Wow, is that a cleaning robot?
M Yes. it is. Here, take a look.
W Can you tell me ❶ ________ ________ ________ ________?
M Sure. It's very easy. First, insert batteries in the battery pack. Next, ❷ ________ ________ ________. And then, tell the robot to clean the house. That's all. Do you get it?

Words
17 **toothache** 치통 **painful** 아픈, 고통스러운 **dentist** 치과 **scared** 두려운 18 **schoolbag** 책가방 **head for** ~으로 향하다
19 **have dinner** 저녁을 먹다 20 **take a look** 살펴보다 **battery** 배터리 **get it** 이해하다

14회 영어 듣기모의고사

맞은 개수 /20문항

01 다음을 듣고, 'I'가 무엇인지 가장 적절한 것을 고르시오.

①  ②  ③ 

④  ⑤ 

02 대화를 듣고, 여자가 엄마에게 받은 선물로 가장 적절한 것을 고르시오.

①  ②  ③  

④  ⑤ 

03 대화를 듣고, 여자의 여행 중 영국의 날씨로 가장 적절한 것을 고르시오.

①  ②  ③ 

④  ⑤ 

04 대화를 듣고, 남자가 한 마지막 말의 의도로 가장 적절한 것을 고르시오.

① 허락 ② 거절 ③ 사과
④ 꾸중 ⑤ 충고

05 다음을 듣고, 남자에 대해 언급되지 않은 것을 고르시오.

① 이름 ② 나이 ③ 사는 곳
④ 관심사 ⑤ 장래 희망

06 대화를 듣고, 여자가 연설을 시작할 시각을 고르시오.

① 3:50 p.m. ② 4:00 p.m. ③ 4:10 p.m.
④ 4:50 p.m. ⑤ 5:00 p.m.

07 대화를 듣고, 남자의 장래 희망으로 가장 적절한 것을 고르시오.

① 교수 ② 수의사
③ TV 제작자 ④ 동물학자
⑤ 돌고래 조련사

08 대화를 듣고, 여자의 심정으로 가장 적절한 것을 고르시오.

① 지루함 ② 반가움 ③ 기쁨
④ 부러움 ⑤ 걱정스러움

09 대화를 듣고, 두 사람이 오늘 오후에 할 일로 가장 적절한 것을 고르시오.

① 기차 타기 ② 학교 가기
③ 병문안 가기 ④ 쇼핑하기
⑤ 친구 집 방문하기

10 대화를 듣고, 무엇에 관한 내용인지 가장 적절한 것을 고르시오.

① 봉사 활동 ② 장래 희망
③ 가족 외식 ④ 경시 대회
⑤ 요리 실습

11 대화를 듣고, 두 사람이 함께 이용할 교통수단으로 가장 적절한 것을 고르시오.

① 버스　② 택시　③ 기차
④ 지하철　⑤ 자전거

12 대화를 듣고, 여자가 TV를 유익하다고 생각하는 이유로 가장 적절한 것을 고르시오.

① 영화를 볼 수 있어서
② 세계의 소식을 알 수 있어서
③ 대화 시간을 아낄 수 있어서
④ 많은 유명인들을 볼 수 있어서
⑤ 좋은 프로그램에서 배울 것이 많아서

13 대화를 듣고, 두 사람의 관계로 가장 적절한 것을 고르시오.

① 친구 – 친구　② 사장 – 점원
③ 교사 – 학생　④ 판매원 – 손님
⑤ 수리 기사 – 고객

14 대화를 듣고, 남자가 가려고 하는 서점의 위치로 가장 알맞은 곳을 고르시오.

15 대화를 듣고, 여자가 남자에게 부탁한 일로 가장 적절한 것을 고르시오.

① 영화표 받기　② 영화표 예약하기
③ 시간 알려주기　④ 화장실 청소하기
⑤ 영화관 앞에서 기다리기

16 대화를 듣고, 남자가 여자에게 제안한 것으로 가장 적절한 것을 고르시오.

① 음식점 예약하기
② 스파게티 요리 부탁하기
③ 저녁 식사에 친구들 초대하기
④ 저녁 식사로 비빔밥 요리해 드리기
⑤ 저녁 식사로 스파게티 요리해 드리기

17 대화를 듣고, 여자에 대한 설명으로 가장 적절한 것을 고르시오.

① 가족이 시드니에 있다.
② 저녁 비행기를 예매했다.
③ 크리스마스 파티를 계획한다.
④ 12월 24일행 비행기를 예매했다.
⑤ 크리스마스에 친구들을 초대할 계획이다.

18 대화를 듣고, 남자의 직업으로 가장 적절한 것을 고르시오.

① 배달원　② 은행원
③ 연예인　④ 판매원
⑤ 여행 가이드

[19~20] 대화를 듣고, 여자의 마지막 말에 이어질 남자의 응답으로 가장 적절한 것을 고르시오.

19 Man: ______________________

① I'd love to.
② I'll take them.
③ Please go ahead.
④ Nice to meet you.
⑤ Really? Good to see you again.

20 Man: ______________________

① I'm okay.
② Cheer up!
③ Help yourself.
④ That's too bad.
⑤ I can't wait to see him.

Dictation Test 14회 영어 듣기모의고사

01 그림 정보 파악 – 동물

다음을 듣고, 'I'가 무엇인지 가장 적절한 것을 고르시오.

① ② ③ ④ ⑤

M I am a ❶ ________ ________ ________ ________. I have no arms and legs. I can eat insects and frogs. I am a cold-blooded animal. I sleep deeply in winter. Many people ❷ ________ ________ ________ ________ because of my poison. But some people like me as a pet. Who am I?

02 그림 정보 파악 – 사물

대화를 듣고, 여자가 엄마에게 받은 선물로 가장 적절한 것을 고르시오.

① ② ③ ④ ⑤

M Wow! You got a lot of ❶ ________ ________!

W Yes, I'm so happy. The bag is from my dad, and the book is from my friend, Jina.

M Is ❷ ________ ________ ________ from your mom?

W No, this skirt is from my sister. Mom ❸ ________ ________ ________ ________.

M Everything is so wonderful. I envy you.

03 그림 정보 파악 – 날씨

대화를 듣고, 여자의 여행 중 영국의 날씨로 가장 적절한 것을 고르시오.

① ② ③ ④ ⑤

날씨 묻기

How's the weather?는 날씨를 묻는 표현으로, What's the weather like?라고도 할 수 있다.

M Susie, you came back. I heard that you went to U.K. during your vacation.

W Yes, I did. It was so great. I went sightseeing ❶ ________ ________ ________ ________.

M Last year I went there, too. ❷ ________ ________ ________ because of rain. How was the weather there?

W ❸ ________ ________ ________ during my trip.

M You were lucky.

Words 01 insect 곤충 frog 개구리 cold-blooded 냉혈의 poison 독 02 wonderful 아주 멋진 envy 부러워하다 03 go sightseeing 관광하다 terrible 끔찍한 lucky 운이 좋은

04 의도 파악 영국식 발음 녹음

대화를 듣고, 남자가 한 마지막 말의 의도로 가장 적절한 것을 고르시오.

① 허락 ② 거절 ③ 사과
④ 꾸중 ⑤ 충고

제안에 답하기
상대방의 제안에 거절할 때는 Sorry, but ~.으로 표현할 수 있는데 but 다음에는 거절하는 이유를 말하면 된다.

[*Cellphone rings.*]
M Hi, Julie.
W Hello, Peter. What are you doing?
M I'm just watching TV at home.
W Do you ❶ ________ ________ ________ later?
M Actually, I have no plans. I guess I'll stay at home.
W Then, shall we watch *Star Trek* at 4 p.m.? It's my favorite movie.
M Sorry, but I'm ❷ ________ ________ ________. Maybe next time.

05 언급되지 않은 것

다음을 듣고, 남자에 대해 언급되지 않은 것을 고르시오.

① 이름 ② 나이 ③ 사는 곳
④ 관심사 ⑤ 장래 희망

M Hello, everyone. I am Leo. ❶ ________ ________ ________ ________ because my father was working there. Then I moved here two weeks ago. Now, I live in Mullae-dong in Seoul. ❷ ________ ________ ________ dinosaurs. I want to be a doctor like my father. I am also ❸ ________ ________ ________ ________. Let's play games together later.

06 숫자 정보 파악 – 시각

대화를 듣고, 여자가 연설을 시작할 시각을 고르시오.

① 3:50 p.m. ② 4:00 p.m. ③ 4:10 p.m.
④ 4:50 p.m. ⑤ 5:00 p.m.

breathe의 발음
동사 breathe는 '숨 쉬다'라는 뜻으로 th를 [ð] 소리 내어 [브리드]처럼 발음하며, 명사 breath는 '숨'이라는 뜻으로 th를 [θ] 소리 내 [브레쓰]처럼 발음한다.

M Are you okay? You ❶ ________ ________ ________.
W I'm going to make a speech in front of many people soon. What time is it now?
M It's 4 o'clock.
W My turn will come ❷ ________ ________ ________.
M Breathe deeply, and you'll be okay.
W Okay, I will.

Words 04 **stay** 머무르다 05 **move** 이사하다 **dinosaur** 공룡 **be good at** ~을 잘하다 **later** 나중에 06 **make a speech** 연설하다 **in front of** ~ 앞에 **turn** 차례, 순서 **breathe** 숨 쉬다

Dictation Test

07 직업 및 장래 희망

대화를 듣고, 남자의 장래 희망으로 가장 적절한 것을 고르시오.

① 교수 ② 수의사
③ TV 제작자 ④ 동물학자
⑤ 돌고래 조련사

W Look! The dolphins are ❶ ________ ________ ________!
M Yes. They are very smart.
W Do you know dolphins well?
M Of course. Dolphins are my favorite animals. I'm ❷ ________ ________ ________ ________, too.
W Oh, really? That's so surprising.
M I will do ❸ ________ ________ ________ ________ in the future.

08 심정 파악

대화를 듣고, 여자의 심정으로 가장 적절한 것을 고르시오.

① 지루함 ② 반가움 ③ 기쁨
④ 부러움 ⑤ 걱정스러움

외양에 대해 묻기
What does ~ look like?는 누군가의 외양이나 생김새를 묻는 표현이다.

W Can you help me? I ❶ ________ ________ ________ ________.
M Oh, I'm sorry. Where did you see him last?
W Umm.... I told him to wait in front of that big tree. Then I went to buy some ice cream. But ❷ ________ ________ ________ when I came back.
M What does he look like?
W He is wearing yellow pants, and he ❸ ________ ________ ________. Find him, please!

09 한 일 / 할 일 파악 영국식 발음 녹음

대화를 듣고, 두 사람이 오늘 오후에 할 일로 가장 적절한 것을 고르시오.

① 기차 타기 ② 학교 가기
③ 병문안 가기 ④ 쇼핑하기
⑤ 친구 집 방문하기

M What are you going to do this afternoon?
W I'm going to see Jane ❶ ________ ________ ________.
M Hospital? What happened?
W Oh, don't you know that? She ❷ ________ ________ ________ ________ and broke her arm.
M Oh, I'm ❸ ________ ________ ________ that. May I join you?
W Okay. Let's go to see her together.

10 주제 파악

대화를 듣고, 무엇에 관한 내용인지 가장 적절한 것을 고르시오.

① 봉사 활동 ② 장래 희망
③ 가족 외식 ④ 경시 대회
⑤ 요리 실습

행동 묘사하기
What are you doing?은 상대방이 무엇을 하고 있는지를 묻는 표현이며, 이에 대한 대답은 「be동사+-ing」 형태를 이용한다.

W What are you doing, Tom?
M I'm ❶ ________ ________, Mom. I learned it in class.
W What kind of soup are you making?
M It's chicken soup. Can ❷ ________ ________ ________?
W Okay. (*pause*) It's wonderful. I like it.
M Thank you very much.

Words 07 **dolphin** 돌고래 **hoop** (재주 넘기에 쓰는) 둥근 테 **smart** 영리한 08 **last** 마지막으로 **come back** 돌아오다 09 **break** 부러지다 **join** 함께하다, 참여하다 10 **taste** 맛보다

11 특정 정보 파악

대화를 듣고, 두 사람이 함께 이용할 교통수단으로 가장 적절한 것을 고르시오.

① 버스 ② 택시 ③ 기차
④ 지하철 ⑤ 자전거

M Do you want to take a bus to Seoul Park?
W No. Let's take a taxi. It will be ❶ ________ ________ ________ ________.
M Right, but we don't have to hurry. How about the subway?
W Is it close to ❷ ________ ________ ________ from here?
M Yes, it is. It's just around the corner.
W That's good.

12 이유 파악

대화를 듣고, 여자가 TV를 유익하다고 생각하는 이유로 가장 적절한 것을 고르시오.

① 영화를 볼 수 있어서
② 세계의 소식을 알 수 있어서
③ 대화 시간을 아낄 수 있어서
④ 많은 유명인들을 볼 수 있어서
⑤ 좋은 프로그램에서 배울 것이 많아서

반대하기
I don't think so.는 상대방의 의견을 반대할 때 사용하는 표현으로 I disagree.라고 할 수도 있다.

W I like TV. I think TV is ❶ ________ ________ ________.
M Why do you think so, Mary?
W That's because we can ❷ ________ ________ ________ ________ many good programs on TV. What do you think about that?
M I don't think so. People don't talk to each other because of TV.

13 관계 추론 영국식 발음 녹음

대화를 듣고, 두 사람의 관계로 가장 적절한 것을 고르시오.

① 친구 – 친구 ② 사장 – 점원
③ 교사 – 학생 ④ 판매원 – 손님
⑤ 수리 기사 – 고객

W I like this phone. How much is it?
M You have to pay $50 monthly for two years. It is a ❶ ________ ________.
W It looks nice, but it's ❷ ________ ________ ________. Can you show me another one?
M Yes, please ❸ ________ ________. We have more phones over there.
W Okay.

14 그림 정보 파악 – 길 찾기

대화를 듣고, 남자가 가려고 하는 서점의 위치로 가장 알맞은 곳을 고르시오.

M Is there a bookstore around here?
W Umm.... Go straight ahead. It's ❶ ________ ________ ________. It's between a bakery and a coffee shop. The name of the bookstore is K Book.
M Just go straight?
W Right. It takes five minutes ❷ ________ ________ ________.
M I got it. Thank you very much.

Words 11 **hurry** 서두르다 **corner** 모퉁이 12 **talk to each other** 서로 이야기를 나누다 13 **brand-new** 신상품의 **monthly** 한 달에 한 번, 매달 14 **ahead** 앞으로 **bakery** 제과점

Dictation Test

15 부탁한 일 파악

대화를 듣고, 여자가 남자에게 부탁한 일로 가장 적절한 것을 고르시오.

① 영화표 받기
② 영화표 예약하기
③ 시간 알려주기
④ 화장실 청소하기
⑤ 영화관 앞에서 기다리기

M Here we are. We ❶ ________ ________ ________ ________.
W No, the movie will begin in 10 minutes.
M We should get the tickets at the ticket office first.
W Can you do that yourself? I need to ❷ ________ ________ ________ ________ first.
M Okay, I will get the tickets.

16 제안한 일 파악 영국식 발음 녹음

대화를 듣고, 남자가 여자에게 제안한 것으로 가장 적절한 것을 고르시오.

① 음식점 예약하기
② 스파게티 요리 부탁하기
③ 저녁 식사에 친구들 초대하기
④ 저녁 식사로 비빔밥 요리해 드리기
⑤ 저녁 식사로 스파게티 요리해 드리기

M What is for dinner, Mom?
W ❶ ________ ________ ________ ________ spaghetti. I think you will like it.
M Oh, no. Actually, I ate spaghetti for lunch with my friends.
W Really? I didn't know that.
M Instead, ❷ ________ ________ ________ *bibimbap* for dinner? I can make delicious *bibimbap*.
W Oh, that's a good idea.

17 특정 정보 파악

대화를 듣고, 여자에 대한 설명으로 가장 적절한 것을 고르시오.

① 가족이 시드니에 있다.
② 저녁 비행기를 예매했다.
③ 크리스마스 파티를 계획한다.
④ 12월 24일행 비행기를 예매했다.
⑤ 크리스마스에 친구들을 초대할 계획이다.

W I finally ❶ ________ ________ ________ to Sydney.
M Great! Now you can visit your family during Christmas.
W Right! I am very happy about that.
M When do you leave?
W I leave on December 23. I ❷ ________ ________ ________ Christmas Eve with my family.
M Is that a morning flight?
W Yes. ❸ ________ ________ ________ at 6 a.m.

Words 15 **Here we are.** 자, 도착했어. **enough** 충분한 **ticket office** 매표소 **restroom** 화장실 16 **actually** 사실은, 실제로 **instead** 대신에 17 **finally** 마침내 **book** 예매하다 **flight** 항공편

정답과 해설 p. 43

18 직업 및 장래 희망

대화를 듣고, 남자의 직업으로 가장 적절한 것을 고르시오.

① 배달원　② 은행원
③ 연예인　④ 판매원
⑤ 여행 가이드

도움 제안하기
What can I do for you?는 상대방에게 도움을 제안할 때 사용하며, 유사한 표현으로는 Can I help you? / May I help you? 등이 있다.

[Ding-dong!]

M Good afternoon, ma'am. Are you Kim Miri?

W No, I'm not. She's not home right now. I'm her sister. What can I do for you?

M ❶ _______ _______ _______ from San Francisco. Would you take this and give it to her?

W No problem.

M Thank you. Please ❷ _______ _______.

W Okay.

[19~20] 대화를 듣고, 여자의 마지막 말에 이어질 남자의 응답으로 가장 적절한 것을 고르시오.

19 알맞은 응답 찾기

Man: ______________________

① I'd love to.
② I'll take them.
③ Please go ahead.
④ Nice to meet you.
⑤ Really? Good to see you again.

M I heard you ❶ _______ _______ a new apartment.

W Yes, I did. I moved near here.

M When did you move?

W Last Sunday. I will have a party in my new apartment this Saturday. ❷ _______ _______ _______ to my new place for the party?

20 알맞은 응답 찾기

Man: ______________________

① I'm okay.
② Cheer up!
③ Help yourself.
④ That's too bad.
⑤ I can't wait to see him.

M Wow, Mom. Why is there ❶ _______ _______ _______ on the table?

W We're having a special dinner this evening.

M A special dinner? For what?

W Oh, your uncle came from L.A. You ❷ _______ _______.

Words 18 **package** 소포　19 **apartment** 아파트　20 **special** 특별한 **uncle** 삼촌 **miss** 그리워하다

15회 영어 듣기모의고사

맞은 개수 /20문항

01 다음을 듣고, ‘it’이 무엇인지 가장 적절한 것을 고르시오.

①  ②  ③ 

④ ⑤ 

02 대화를 듣고, 여자가 찾고 있는 장갑으로 가장 적절한 것을 고르시오.

①  ② 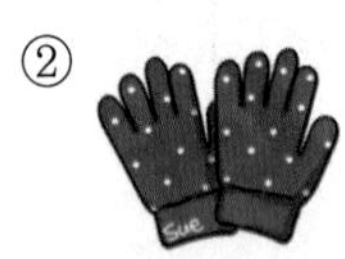 ③ 

④ 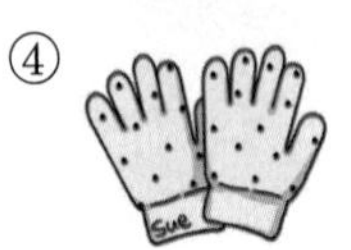 ⑤ 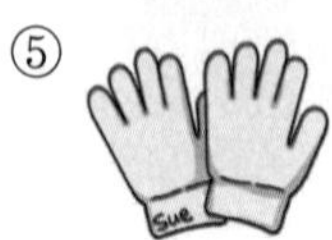

03 다음을 듣고, 내일의 날씨로 가장 적절한 것을 고르시오.

①  ②  ③ 

④  ⑤ 

04 대화를 듣고, 여자가 한 마지막 말의 의도로 가장 적절한 것을 고르시오.

① 칭찬 ② 승낙 ③ 축하
④ 충고 ⑤ 거절

05 다음을 듣고, 남자가 엄마의 친구에 대해 언급하지 않은 것을 고르시오.

① 사는 곳 ② 성격 ③ 직업
④ 출신지 ⑤ 학력

06 대화를 듣고, 현재 시각을 고르시오.

① 5:00 p.m. ② 5:30 p.m. ③ 5:50 p.m.
④ 6:00 p.m. ⑤ 6:50 p.m.

07 대화를 듣고, 여자의 장래 희망으로 가장 적절한 것을 고르시오.

① 영화배우 ② 영화감독
③ 영화 평론가 ④ 촬영 감독
⑤ 시나리오 작가

08 대화를 듣고, 여자의 심정으로 가장 적절한 것을 고르시오.

① 즐거움 ② 속상함
③ 지루함 ④ 미안함
⑤ 부러움

09 대화를 듣고, 남자가 대화 직후에 할 일로 가장 적절한 것을 고르시오.

① 시험공부하기 ② 친구에게 전화하기
③ TV 시청하기 ④ 동물원 가기
⑤ 동물 잡지 보기

10 대화를 듣고, 무엇에 관한 내용인지 가장 적절한 것을 고르시오.

① 자원봉사 ② 행사 홍보
③ 집안 대청소 ④ 주말여행
⑤ 기금 모금

11 대화를 듣고, 남자가 이용할 교통수단으로 가장 적절한 것을 고르시오.

① 버스 ② 자전거 ③ 지하철
④ 도보 ⑤ 택시

12 대화를 듣고, 남자가 여자에게 전화를 건 목적으로 가장 적절한 것을 고르시오.

① 구직 문의 ② 운영 시간 문의
③ 소포 발송 문의 ④ 우편 반송 문의
⑤ 봉사 활동 문의

13 대화를 듣고, 두 사람의 관계로 가장 적절한 것을 고르시오.

① 기사 – 승객 ② 교사 – 학생
③ 환자 – 의사 ④ 점원 – 손님
⑤ 식당 종업원 – 손님

14 대화를 듣고, 숙소의 위치로 가장 알맞은 곳을 고르시오.

15 대화를 듣고, 대화가 이루어지는 장소로 가장 적절한 곳을 고르시오.

① 서점 ② 박물관
③ 미술관 ④ 옷 가게
⑤ 장난감 가게

16 대화를 듣고, 여자가 남자에게 제안한 것으로 가장 적절한 것을 고르시오.

① 엄마에게 전화 걸기
② 새 휴대 전화 구입하기
③ 휴대 전화 수리하기
④ 휴대 전화 빌려주기
⑤ 휴대 전화 기능 익히기

17 대화를 듣고, 두 사람이 할 일로 가장 적절한 것을 고르시오.

① 탁구 치기 ② 농구 하기
③ 식당 가기 ④ 테니스 하기
⑤ 영화 보기

18 대화를 듣고, 남자의 직업으로 가장 적절한 것을 고르시오.

① 관광 가이드 ② 식당 주인
③ 항해사 ④ 버스 기사
⑤ 박물관 직원

[19~20] 대화를 듣고, 여자의 마지막 말에 이어질 남자의 응답으로 가장 적절한 것을 고르시오.

19 Man: ______________________

① I'm glad.
② Okay. Thanks.
③ That's surprising!
④ You did a good job.
⑤ Sounds interesting!

20 Man: ______________________

① Don't worry!
② Thanks a lot.
③ Yes, he does.
④ I'm not happy with it.
⑤ Yeah, I can't wait, either.

Dictation Test 15회 영어 듣기모의고사

01 그림 정보 파악 – 사물

다음을 듣고, 'it'이 무엇인지 가장 적절한 것을 고르시오.

① ② ③ ④ ⑤

M It can ❶ ________ ________ ________ ________ anytime and anywhere. You can ❷ ________ ________ ________ on it. For example, there are an hour hand, a minute hand and a second hand. But there is also a digital one with no hands on it. Instead, the digital one shows the time ❸ ________ ________ ________.

02 그림 정보 파악 – 사물

대화를 듣고, 여자가 찾고 있는 장갑으로 가장 적절한 것을 고르시오.

① ② ③ ④ ⑤

허락 요청하기
상대방에게 허락을 요청하는 표현은 Let me ~. / May[Can] I ~? / Do you mind if ~? 등을 사용하여 말한다.

W I'm afraid I lost my gloves.

M What color are they?

W They're ❶ ________ ________ ________ ________ ________.

M Do the gloves have anything else on them?

W 'Sue', my name is ❷ ________ ________ ________ ________.

M Okay. Let me check for them.

03 그림 정보 파악 – 날씨

다음을 듣고, 내일의 날씨로 가장 적절한 것을 고르시오.

① ② ③ ④ ⑤

W Hello. I'm weather reporter Jessica Kim. We ❶ ________ ________ ________ ________ in the sky this morning. But now we're seeing sunshine in most places. Tomorrow, heavy rain will come. So, when you go out, carry an umbrella and ❷ ________ ________ ________.

Words 01 **anytime** 언제든지 **anywhere** 어디서든지 **hand** (시계) 바늘 **digital** 디지털 02 **glove** 장갑 (대개 복수형) **dot** 점 03 **sunshine** 햇빛 **heavy rain** 폭우

04 의도 파악

대화를 듣고, 여자가 한 마지막 말의 의도로 가장 적절한 것을 고르시오.

① 칭찬 ② 승낙 ③ 축하
④ 충고 ⑤ 거절

확인 요청하기
~, don't you?는 상대방에게 어떤 사실을 확인하기 위한 부가적인 질문으로, ~, right?으로 바꾸어 쓸 수 있다.

W How was your weekend, Peter?
M It was great, Jenny. I went to K Mall.
W Really? What did you do there?
M I ❶ ________ ________ ________ ________ and a T-shirt.
W Wow, you had a good time. You like to play soccer, don't you?
M Right. I'm going to play soccer this Saturday. ❷ ________ ________ ________ with me?
W No problem.

05 언급하지 않은 것

다음을 듣고, 남자가 엄마의 친구에 대해 언급하지 않은 것을 고르시오.

① 사는 곳 ② 성격 ③ 직업
④ 출신지 ⑤ 학력

M Ms. Brown ❶ ________ ________ ________ ________ ________. She is my mother's best friend. She meets my mother every weekend. She is very kind. She is a nurse. She's from Canada. Her husband lives in Japan ❷ ________ ________ ________ ________. She has two children, and they live with her.

06 숫자 정보 파악 – 시각

대화를 듣고, 현재 시각을 고르시오.

① 5:00 p.m. ② 5:30 p.m. ③ 5:50 p.m.
④ 6:00 p.m. ⑤ 6:50 p.m.

right의 발음
'옳은'이라는 뜻의 right과 '가벼운'이라는 뜻의 light의 발음을 구별할 수 있어야 하는데, right은 [롸이트]로, light은 [라이트]에 가깝게 발음한다.

W Hey, Harry! You look busy. Where are you going?
M I have to go and meet my English teacher.
W You mean Mr. Han? I heard he usually ❶ ________ ________ ________ until 6 o'clock.
M I think it's too late. I ❷ ________ ________ ________ ________.
W Right. But if you run fast, you can meet him. Hurry up!
M Okay. Thanks.

07 직업 및 장래 희망 영국식 발음 녹음

대화를 듣고, 여자의 장래 희망으로 가장 적절한 것을 고르시오.

① 영화배우 ② 영화감독
③ 영화 평론가 ④ 촬영 감독
⑤ 시나리오 작가

little의 발음
미국식 발음은 [tt]가 [d]처럼 발음되어 [리들]처럼 들린다. 영국식 발음은 [t]로 발음되어 [리틀]처럼 들린다.

M How was the movie?
W The acting was excellent.
M How about the storyline?
W It was a little boring.
M Will you ❶ ________ ________ ________ about this movie, too?
W Of course. Actually I enjoy writing a review for my dream.
M Do you want to ❷ ________ ________ ________ ________?
W Yes, I do.

Words
04 **have a good time** 즐거운 시간을 보내다 05 **every weekend** 주말마다 **husband** 남편 06 **mean** 의미하다 **until** ~까지 **hurry up** 서두르다 07 **acting** 연기 **excellent** 훌륭한 **storyline** 줄거리 **review** 비평, 평론

Dictation Test

08 심정 파악

대화를 듣고, 여자의 심정으로 가장 적절한 것을 고르시오.

① 즐거움 ② 속상함
③ 지루함 ④ 미안함
⑤ 부러움

M Susan, what's the matter?
W I feel really upset.
M Is there a problem?
W My computer is ❶ ________ ________. This is the third time.
M I'm sorry to hear that.
W I have some homework to do on the computer. I don't know ❷ ________ ________ ________.

09 한 일 / 할 일 파악 영국식 발음 녹음

대화를 듣고, 남자가 대화 직후에 할 일로 가장 적절한 것을 고르시오.

① 시험공부하기 ② 친구에게 전화하기
③ TV 시청하기 ④ 동물원 가기
⑤ 동물 잡지 보기

M Tomorrow is Saturday. Let's ❶ ________ ________ ________ ________.
W I'd like to, but I can't. I have a test next Monday. So I should study for the test.
M Everyone is busy. I think I'll ❷ ________ ________ ________ ________.
W How about asking Mary? She really likes animals.
M Really? ❸ ________ ________ ________ right now.

10 주제 파악

대화를 듣고, 무엇에 관한 내용인지 가장 적절한 것을 고르시오.

① 자원봉사 ② 행사 홍보
③ 집안 대청소 ④ 주말여행
⑤ 기금 모금

P read의 발음
read는 불규칙 변화하는 동사로, 과거형의 형태가 현재형과 철자는 같지만 [레드]로 발음한다.

M Hi, Jenny. Did you have a good weekend?
W Yes. I did ❶ ________ ________ ________ at the "Happy Children's House."
M What did you do there?
W I helped children do their homework, (P) read books to them and cleaned their rooms.
M Wow, you did a good job.
W I felt really great to ❷ ________ ________ ________ a lot. Why don't you join me next week?
M That's fine with me. I want to help ❸ ________ ________ ________, too.

Words 08 **upset** 화가 난 **down** (컴퓨터가) 작동이 안 되는 09 **everyone** 모든 사람 10 **in need** 어려움에 처한

11 특정 정보 파악

대화를 듣고, 남자가 이용할 교통수단으로 가장 적절한 것을 고르시오.

① 버스 ② 자전거 ③ 지하철
④ 도보 ⑤ 택시

의무 부인하기
I don't have to ~.나 I don't need to ~.를 써서 의무를 부인하는 표현을 쓸 수 있다.

M It's ❶ ________ ________ ________ to the basketball stadium.
W Should we take a bus or the subway?
M We don't have to take either. It's ❷ ________ ________ ________ ________.
W Can we go on foot, then?
M Yes, we can. Let's go.

12 목적 파악

대화를 듣고, 남자가 여자에게 전화를 건 목적으로 가장 적절한 것을 고르시오.

① 구직 문의 ② 운영 시간 문의
③ 소포 발송 문의 ④ 우편 반송 문의
⑤ 봉사 활동 문의

이해 점검하기
자신이 한 말을 상대방이 이해했는지 이해 여부를 물을 때는 Do you understand? / Are you with me? / Are you following me? / Do you know what I mean? 등의 표현을 사용한다.

[Telephone rings.]
W Post office. How may I help you?
M I would like to ❶ ________ ________ ________ at the post office. What do I need to do?
W You must ❷ ________ ________ ________ ________ with your student ID. When do you want to work?
M I'd like to volunteer this Friday afternoon.
W Then you have to ❸ ________ ________ before Friday. Do you understand?
M Yes, I got it. Thank you.

13 관계 추론

대화를 듣고, 두 사람의 관계로 가장 적절한 것을 고르시오.

① 기사 – 승객 ② 교사 – 학생
③ 환자 – 의사 ④ 점원 – 손님
⑤ 식당 종업원 – 손님

W May I help you, sir?
M Yes, please. I'm ❶ ________ ________ ________ ________.
W Here are some nice ones. What color do you like?
M I like brown. ❷ ________ ________ ________ ________ that brown one?
W Sure. (*pause*) It looks great on you.

Words 11 **It's time to ~** ~할 시간이다 **don't have to** ~할 필요가 없다 **on foot** 도보로, 걸어서 12 **post office** 우체국 **student ID** 학생증 **sign up** 등록하다 13 **look for** ~을 찾다 **tie** 넥타이

Dictation Test

14 그림 정보 파악 – 길 찾기 영국식 발음 녹음

대화를 듣고, 숙소의 위치로 가장 알맞은 곳을 고르시오.

M Excuse me. I'm looking for Mali B&B House.

W Look ❶ ________ ________ ________ ________.

M Yes.

W There are three small streets. Do you see the restaurant ❷ ________ ________ ________ ________?

M Yes, I do.

W Take the first street. Go straight and turn right at the corner. It's ❸ ________ ________ ________.

M Thank you.

15 장소 추론

대화를 듣고, 대화가 이루어지는 장소로 가장 적절한 곳을 고르시오.

① 서점 ② 박물관
③ 미술관 ④ 옷 가게
⑤ 장난감 가게

W What can I do for you?

M I'm looking for an ❶ ________ ________ ________ ________ ________.

W Do you have something in mind?

M No, I don't. But I want ❷ ________ ________ ________ ________.

W How about this book? It is easy and ❸ ________ ________ ________. Also, it is one of the bestsellers among teens.

M Perfect! I will take it.

16 제안한 일 파악

대화를 듣고, 여자가 남자에게 제안한 것으로 가장 적절한 것을 고르시오.

① 엄마에게 전화 걸기
② 새 휴대 전화 구입하기
③ 휴대 전화 수리하기
④ 휴대 전화 빌려주기
⑤ 휴대 전화 기능 익히기

M Oh, no! My phone ❶ ________ ________ ________.

W Do you need to call someone?

M Yes, I should call my mom.

W Use my smartphone.

M Thank you.

W Why don't you ❷ ________ ________ ________ ________?

M Yes, I'm thinking of getting a new one. This one is very old.

Words 14 **front** 앞쪽 15 **have ~ in mind** ~을 마음에 두다 **among** (셋 이상) ~ 사이에서 **perfect** 완벽한 16 **stop -ing** ~하는 것을 멈추다 [중단하다] **work** 작동하다 **think of** ~을 생각하다

17 한 일 / 할 일 파악

대화를 듣고, 두 사람이 할 일로 가장 적절한 것을 고르시오.

① 탁구 치기 ② 농구 하기
③ 식당 가기 ④ 테니스 하기
⑤ 영화 보기

능력 부인하기
I don't know how to ~.는 '나는 ~하는 방법을 모른다.'라는 의미의 표현으로 I can't ~.와 유사한 표현이다.

[Telephone rings.]
W Hello?
M Hello, Jenny. It's me, Tim. ❶ ________ ________ ________today. How about playing table tennis with me?
W No. I don't know how to play. ❷ ________ ________ ________?
M Hmm... okay. What time shall we meet?
W Let's meet at three in front of the park.
M Good. See you then.

18 직업 및 장래 희망

대화를 듣고, 남자의 직업으로 가장 적절한 것을 고르시오.

① 관광 가이드 ② 식당 주인
③ 항해사 ④ 버스 기사
⑤ 박물관 직원

W Where are we visiting this morning?
M We'll visit science museum first. Then we'll have lunch at a French restaurant.
W Are we ❶ ________ ________ ________ today?
M Yes, we'll take a boat on the river after lunch.
W Great.
M Is everybody on the bus now? First, I am going to ❷ ________ ________ ________ our plans for today.

[19~20] 대화를 듣고, 여자의 마지막 말에 이어질 남자의 응답으로 가장 적절한 것을 고르시오.

19 알맞은 응답 찾기 영국식 발음 녹음

Man: ____________________________

① I'm glad.
② Okay. Thanks.
③ That's surprising!
④ You did a good job.
⑤ Sounds interesting!

M What time is it now, Mom?
W It's already 8, Peter. Hurry up! You will ❶ ________ ________ ________ school.
M Yes, I'm going now.
W Don't forget to ❷ ________ ________ ________ ________.

20 알맞은 응답 찾기

Man: ____________________________

① Don't worry!
② Thanks a lot.
③ Yes, he does.
④ I'm not happy with it.
⑤ Yeah, I can't wait, either.

기대 표현하기
I'm looking forward to ~.는 기대하고 있음을 말할 때 사용하며, I can't wait ~.과 유사한 표현이다.

M Hi, Dina. Are you ❶ ________ ________ ________ ________?
W Yes, I'm going to Australia with my family. I want to go to the Opera House. How about you?
M I'm going to Busan. My uncle lives there.
W What are you ❷ ________ ________ ________ there?
M We'll go swimming at Haeundae beach.
W Good for you. I'm looking forward to the vacation.

Words 17 **bored** 지루한 **table tennis** 탁구 18 **visit** 방문하다 **science** 과학 **French** 프랑스의 **take a boat** 보트를 타다 19 **bring** 가져오다 20 **vacation** 방학 **look forward to** ~을 기대하다

16회 영어 듣기모의고사

맞은 개수 /20문항

01 다음을 듣고, 'it'이 가리키는 것으로 가장 적절한 것을 고르시오.

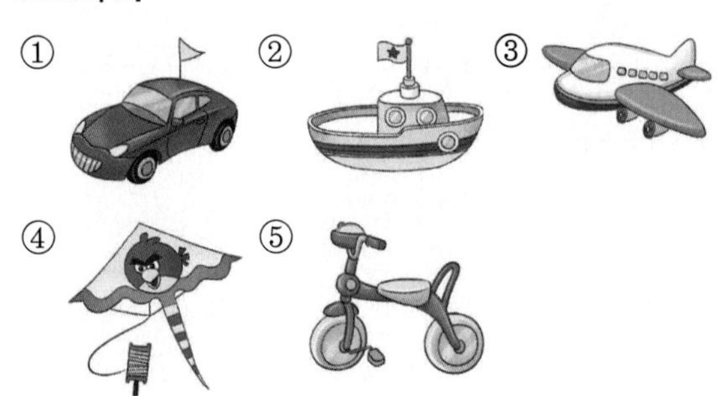

02 대화를 듣고, 여자가 입고 있는 옷으로 가장 적절한 것을 고르시오.

03 다음을 듣고, 서울의 오늘 날씨로 가장 적절한 것을 고르시오.

04 대화를 듣고, 여자가 한 마지막 말의 의도로 가장 적절한 것을 고르시오.

① 명령 ② 약속 ③ 안부
④ 충고 ⑤ 후회

05 대화를 듣고, 여자가 여행에 가져갈 물건으로 언급하지 않은 것을 고르시오.

① 선글라스 ② 모자 ③ 재킷
④ 비옷 ⑤ 우산

06 대화를 듣고, 두 사람이 볼 영화의 시작 시각을 고르시오.

① 6:10 p.m. ② 6:30 p.m. ③ 6:40 p.m.
④ 7:00 p.m. ⑤ 7:10 p.m.

07 대화를 듣고, David의 장래 희망으로 가장 적절한 것을 고르시오.

① pilot ② driver
③ painter ④ car repairman
⑤ car designer

08 대화를 듣고, 여자의 심정으로 가장 적절한 것을 고르시오.

① 기쁨 ② 걱정됨
③ 불만 ④ 실망함
⑤ 놀라움

09 대화를 듣고, 여자가 대화 직후에 할 일로 가장 적절한 것을 고르시오.

① 약국 가기
② 퇴원 절차 밟기
③ 책상 구입하기
④ 아들을 침대에 눕히기
⑤ 아들을 병원에 데려가기

10 다음을 듣고, 무엇에 관한 내용인지 가장 적절한 것을 고르시오.

① 패션쇼 안내 ② 분실물 습득 안내
③ 미아 찾기 안내 ④ 어린이 놀이방 안내
⑤ 상품 세일 안내

11 대화를 듣고, 여자에 대한 설명으로 가장 적절한 것을 고르시오.

① 기말고사를 준비 중이다.
② 친구를 기다리고 있다.
③ 친구에게 공책을 빌려 주기로 했다.
④ 어제 복통으로 결석했다.
⑤ 도서관에서 책을 찾고 있다.

12 대화를 듣고, 남자가 요리 수업을 들을 수 없는 이유로 가장 적절한 것을 고르시오.

① 독서 모임이 있어서
② 축구 연습이 있어서
③ 미술 수업이 있어서
④ 댄스 연습이 있어서
⑤ 스포츠 수업이 있어서

13 대화를 듣고, 두 사람의 관계로 가장 적절한 것을 고르시오.

① 감독 – 배우 ② 엄마 – 아들
③ 의사 – 환자 ④ 교사 – 학생
⑤ 점원 – 손님

14 대화를 듣고, 주차장의 위치로 가장 알맞은 곳을 고르시오.

15 대화를 듣고, 여자가 남자에게 부탁한 일로 가장 적절한 것을 고르시오.

① 화초에 물 주기
② 거실 청소하기
③ 욕실 청소하기
④ 2주에 한 번 들러 집 점검하기
⑤ 화초를 화분에 심기

16 대화를 듣고, 여자가 남자에게 제안한 것으로 가장 적절한 것을 고르시오.

① 병문안 가기
② 휴식 취하기
③ 병원에 입원하기
④ 비타민 복용하기
⑤ 독감 예방주사 맞기

17 대화를 듣고, 남자가 주말에 한 일로 가장 적절한 것을 고르시오.

① 쇼핑 ② 캠핑
③ 하이킹 ④ 영화 시청
⑤ 친구 집 방문

18 대화를 듣고, 남자의 직업으로 가장 적절한 것을 고르시오.

① 방송 진행자 ② 수학자
③ 우주 비행사 ④ 작가
⑤ 천문학자

[19~20] 대화를 듣고, 남자의 마지막 말에 이어질 여자의 응답으로 가장 적절한 것을 고르시오.

19 Woman: ______________________

① It's not your fault.
② I'd love to, but I can't.
③ I'm sorry to hear that.
④ Come on. Don't say that.
⑤ I didn't know that. Thanks.

20 Woman: ______________________

① I envy you.
② It's too dangerous.
③ I'm glad to hear that.
④ I had a great time, too.
⑤ Really? That's surprising.

Dictation Test 16회 영어 듣기모의고사

01 그림 정보 파악 – 사물

다음을 듣고, 'it'이 가리키는 것으로 가장 적절한 것을 고르시오.

① ② ③
④ ⑤

W It is a kind of toy. You can ❶ ________ ________ ________ ________ ________. It doesn't have wings. To fly it, you only need wind. ❷ ________ ________ ________ ________, it is great fun to fly it. In Korea, children fly it on special holidays. What is this?

02 그림 정보 파악 – 사물

대화를 듣고, 여자가 입고 있는 옷으로 가장 적절한 것을 고르시오.

① ② ③
④ ⑤

M What a nice shirt!
W Thank you. My uncle ❶ ________ ________ ________ ________.
M Where did he buy it? Do you know?
W Yes. He bought this in New York. He went there on a business trip last month.
M That's why it ❷ ________ ________ ________ ________.
W Right. It is a symbol of New York City.

03 그림 정보 파악 – 날씨

다음을 듣고, 서울의 오늘 날씨로 가장 적절한 것을 고르시오.

① ② ③
④ ⑤

M Good morning. This is today's weather forecast. In most parts of the country, we are going to have a ❶ ________ ________ ________ ________. In Seoul, it will be sunny. In Busan, it will be hot and wet. But in Gangneung, it will be ❷ ________ ________ ________. In Jeju-do, it will be sunny but windy.

04 의도 파악 영국식 발음 녹음

대화를 듣고, 여자가 한 마지막 말의 의도로 가장 적절한 것을 고르시오.

① 명령 ② 약속 ③ 안부
④ 충고 ⑤ 후회

W Thanks for coming to visit.
M It was my pleasure. It was ❶ ________ ________ ________ ________ again.
W When can we see each other again?
M I'll call you and let you know.
W Okay. You'd better go or you'll ❷ ________ ________ ________.

Words 01 **toy** 장난감 **wing** 날개 **fly** 날(리)다 **flight** 항공편 02 **business trip** 출장 **symbol** 상징 03 **wet** 습한 04 **pleasure** 기쁨 **miss** 놓치다

05 언급하지 않은 것

대화를 듣고, 여자가 여행에 가져갈 물건으로 언급하지 않은 것을 고르시오.

① 선글라스 ② 모자 ③ 재킷
④ 비옷 ⑤ 우산

M Hi, Amy. Are you ready for the trip?
W Not yet. I'm still packing. I don't know what to pack.
M Did you ❶ ________ ________ and a cap? It is sunny and hot in Jeju-do.
W Yes, I did. Do I ❷ ________ ________ ________?
M Sure. It will be windy and cool at night. How about a raincoat?
W Is it going to rain?
M The weather changes a lot there. You'd better bring it.
W Okay, I will.

06 숫자 정보 파악 – 시각

대화를 듣고, 두 사람이 볼 영화의 시작 시각을 고르시오.

① 6:10 p.m. ② 6:30 p.m. ③ 6:40 p.m.
④ 7:00 p.m. ⑤ 7:10 p.m.

시간 말하기
시간 앞에 전치사 in이 오면 '~ 후에'라는 의미로 사용된다.
ex) in an hour (한 시간 후에)

M ❶ ________ ________ ________ ________ now?
W It's 6:40.
M Do we have time to eat something?
W Sure, we do. ❷ ________ ________ ________ in 30 minutes.
M Then let's have some snacks. There's a doughnut shop around the corner.
W Sounds good. In fact, I'm ❸ ________ ________ ________, too.

07 직업 및 장래 희망

대화를 듣고, David의 장래 희망으로 가장 적절한 것을 고르시오.

① pilot ② driver
③ painter ④ car repairman
⑤ car designer

확인 요청하기
David likes drawing cars, doesn't he?와 같이 부가의문문을 이용하여 확인이나 동의를 구할 수 있는데, 이때의 대답은 일반의문문과 같이 대답한다. 즉, 대답의 내용이 긍정문이면 Yes.로, 부정문이면 No.로 한다.

M You know what, Jane?
W What?
M David ❶ ________ ________ ________ in the Future Car Design Contest.
W That's great. David likes drawing cars, doesn't he?
M Yes, he does. There are many different model cars in his room. He said that he wanted to ❷ ________ ________ ________ ________.
W Oh, that's why he collects model cars.
M Right! I'm sure his dream ❸ ________ ________ ________ someday.

Words
05 **be ready for** ~할 준비가 되다 **pack** 꾸리다, 싸다 **cap** 챙이 있는 모자 **raincoat** 비옷 **06** **snack** 간식, 가벼운 식사 **around the corner** 길모퉁이에 **07** **win first prize** 우승하다 **draw** 그리다 **model** 모형 **someday** 언젠가

08 심정 파악

대화를 듣고, 여자의 심정으로 가장 적절한 것을 고르시오.

① 기쁨 ② 걱정됨
③ 불만 ④ 실망함
⑤ 놀라움

칭찬, 축하하기
Congratulations!는 상대방의 좋은 일을 축하할 때 사용하는 표현으로 뒤에 on을 써서 축하하는 대상을 나타낼 수도 있다.
ex) Congratulations on your graduation.
(졸업을 축하해.)

M How was your school today?
W I ❶ ________ ________ ________ ________, Dad.
M Oh, is there any good news?
W Last time, I got a bad grade on the math test.
M Yes, I remember. You were very disappointed.
W But guess what? I got an A on the test today.
M Wow, congratulations! I am very ❷ ________ ________ ________.

09 한 일 / 할 일 파악

대화를 듣고, 여자가 대화 직후에 할 일로 가장 적절한 것을 고르시오.

① 약국 가기
② 퇴원 절차 밟기
③ 책상 구입하기
④ 아들을 침대에 눕히기
⑤ 아들을 병원에 데려가기

충고하기
You should ~.는 '(당신은) ~해야 합니다.'라는 뜻으로 충고할 때 사용하는 표현으로, You'd better ~.로 바꾸어 쓸 수 있다.

[*Telephone rings.*]
M Hello, Dr. Brown's Office. How may I help you?
W Yes, I'd like to ❶ ________ ________ ________ ________ the doctor, please.
M What is the appointment for?
W This morning my son was jumping on his bed when he fell off and hit his head on his desk.
M Is your child ❷ ________ ________ ________ ________?
W Yes, he does.
M Oh, it might be serious. You should ❸ ________ ________ ________ ________.
W Okay, thank you.

10 주제 파악 영국식 발음 녹음

다음을 듣고, 무엇에 관한 내용인지 가장 적절한 것을 고르시오.

① 패션쇼 안내 ② 분실물 습득 안내
③ 미아 찾기 안내 ④ 어린이 놀이방 안내
⑤ 상품 세일 안내

M Ladies and gentlemen, ❶ ________ ________ ________ ________ a 5-year-old boy. His name is Paul. He's wearing a blue shirt and white pants. If you see him, ❷ ________ ________ ________ to the information desk. Thank you.

11 특정 정보 파악

대화를 듣고, 여자에 대한 설명으로 가장 적절한 것을 고르시오.

① 기말고사를 준비 중이다.
② 친구를 기다리고 있다.
③ 친구에게 공책을 빌려 주기로 했다.
④ 어제 복통으로 결석했다.
⑤ 도서관에서 책을 찾고 있다.

W Hey, Greg! What brings you to the library?
M I am studying for the final test. And what are you doing here?
W I am ❶ ________ ________ ________ ________, Sally. I need to copy her notebook.
M Why? Did you miss a class?
W I ❷ ________ ________ ________ yesterday and couldn't come to school.
M Oh, that's too bad.

Words 08 **get a grade** 성적을 받다 **disappointed** 실망한 09 **make an appointment with** ~와 약속을 하다 **fall off** ~에서 떨어지다 **complain of** (몸 어디가) 아프다고 하다 **serious** 심각한 **right away** 즉시, 곧바로 11 **copy** 복사하다

12 이유 파악

대화를 듣고, 남자가 요리 수업을 들을 수 없는 이유로 가장 적절한 것을 고르시오.

① 독서 모임이 있어서
② 축구 연습이 있어서
③ 미술 수업이 있어서
④ 댄스 연습이 있어서
⑤ 스포츠 수업이 있어서

제안에 답하기
어떤 제안을 승낙할 때는 (That's a) Good idea! / (That) Sounds good. 등으로 표현한다.

W Why don't we take after-school classes?

M Good idea! ❶ ________ ________ ________ ________ are there?

W There are cooking, dancing, art and sports classes.

M Let's take a dancing class together. It's on Tuesdays.

W I'd love to, but I have a book club meeting every Tuesday. How about a cooking class?

M It's on Wednesdays. I ❷ ________ ________ ________ on Wednesdays.

W Well, we'd better take different classes this time.

13 관계 추론

대화를 듣고, 두 사람의 관계로 가장 적절한 것을 고르시오.

① 감독 – 배우
② 엄마 – 아들
③ 의사 – 환자
④ 교사 – 학생
⑤ 점원 – 손님

칭찬하기
You did a good job!은 주어진 일을 잘 완수했음을 칭찬하는 표현으로 You did a great work! / Good job!과 바꾸어 쓸 수 있다.

M Excuse me, Mrs. Roberts. I ❶ ________ ________ ________ ________. It's very late, sorry.

W Okay. Let me take a look. (*pause*) Did you enjoy the book?

M Yes, I especially liked the main character. He was brave and never gave up.

W I just looked over your report. You did a good job! But, don't forget ❷ ________ ________ ________ ________ your report next time.

M Okay. Thank you, Mrs. Roberts.

14 그림 정보 파악 – 길 찾기 영국식 발음 녹음

대화를 듣고, 주차장의 위치로 가장 알맞은 곳을 고르시오.

M Excuse me, I'm new here. Where is the parking lot?

W Well... first, you have to find the bookstore. It's ❶ ________ ________ ________ ________ Western Avenue and Fifth Street. Do you see it?

M Yes, I do.

W There is ❷ ________ ________ ________ between the bookstore and the hospital.

M Oh, I see. Thank you very much.

W My pleasure.

Words 12 **after-school** 방과 후의 **had better** ~하는 편이 낫다 **different** 다른 13 **take a look** (한번) 보다 **especially** 특히 **main character** 주인공 **brave** 용감한 **look over** ~을 대충 훑어보다 14 **parking lot** 주차장

15 부탁한 일 파악

대화를 듣고, 여자가 남자에게 부탁한 일로 가장 적절한 것을 고르시오.

① 화초에 물 주기
② 거실 청소하기
③ 욕실 청소하기
④ 2주에 한 번 들러 집 점검하기
⑤ 화초를 화분에 심기

W Can you water my plants ❶ ________ ________ ________?
M Sure, just tell me what to do.
W These in the kitchen, you can ❷ ________ ________ ________ ________ ________.
M Okay.
W And most of these in the living room, you can ❸ ________ ________ ________ ________ ________.
M All right. I'll take care of them for you.

16 제안한 일 파악

대화를 듣고, 여자가 남자에게 제안한 것으로 가장 적절한 것을 고르시오.

① 병문안 가기
② 휴식 취하기
③ 병원에 입원하기
④ 비타민 복용하기
⑤ 독감 예방주사 맞기

don't you의 발음
don't you와 같이 [y] 발음 앞에 [t] 발음이 오면 [tʃ]로 발음된다. 마치 우리말의 구개음화 현상과 같다.

W You don't look well, Jeff. Are you feeling okay?
M I'm not ❶ ________ ________ these few days.
W Maybe you should go see a doctor. I heard there's a flu going around.
M I don't think I have the flu. I think I'm just very tired. That's all.
W Then, why don't you ❷ ________ ________ ________?
M That's a good idea.

17 한 일 / 할 일 파악

대화를 듣고, 남자가 주말에 한 일로 가장 적절한 것을 고르시오.

① 쇼핑 ② 캠핑
③ 하이킹 ④ 영화 시청
⑤ 친구 집 방문

과거에 한 일 묻고 답하기
What did you do ~?는 상대방에게 과거에 한 일을 물을 때 사용하는 표현으로, do 뒤에는 보통 과거를 나타내는 부사구를 쓴다.

M What did you do last Saturday?
W I went shopping to buy my mom's birthday present. What did you do?
M I wanted to go camping with my friends. But it started raining, and we couldn't go.
W Then, did you just stay home and watch TV?
M No, I didn't. I ❶ ________ ________ ________ to my house instead.
W That sounds better.
M Yeah, we ❷ ________ ________ ________. It was fun.

Words 15 **be away** 부재중이다 **once** 한 번 16 **flu** 독감 **get some rest** 휴식을 취하다 17 **present** 선물 **instead** 대신에

18 직업 및 장래 희망

대화를 듣고, 남자의 직업으로 가장 적절한 것을 고르시오.

① 방송 진행자 ② 수학자
③ 우주 비행사 ④ 작가
⑤ 천문학자

W How many times ❶ ________ ________ ________ ________ ________?
M Three times. The last time was a year ago.
W Did you ever leave the spacecraft?
M Yes. I ❷ ________ ________ ________ ________.
W Really? When did you do that?
M In 2014, on a mission to the space station.
W What was it like?
M It was ❸ ________ ________ ________!

[19~20] 대화를 듣고, 남자의 마지막 말에 이어질 여자의 응답으로 가장 적절한 것을 고르시오.

19 알맞은 응답 찾기

Woman: ______________________

① It's not your fault.
② I'd love to, but I can't.
③ I'm sorry to hear that.
④ Come on. Don't say that.
⑤ I didn't know that. Thanks.

W Hi, Minsu. What are you doing?
M I'm packing my bag. I need to go home, now.
W What's the matter with you? You ❶ ________ ________ ________.
M I have a cough and a headache. My teacher ❷ ________ ________ ________ ________ ________.

20 알맞은 응답 찾기 영국식 발음 녹음

Woman: ______________________

① I envy you.
② It's too dangerous.
③ I'm glad to hear that.
④ I had a great time, too.
⑤ Really? That's surprising.

W Where did you go during winter vacation?
M I traveled to Australia with my family.
W Wow! How was your trip? Did you have a great time there?
M It was great. And ❶ ________ ________ ________ in Australia.
W What is it? Please tell me.
M It is hot in December there, and people ❷ ________ ________ ________ ________ ________.

Words 18 **spacecraft** 우주선 **spacewalk** 우주 유영 **mission** 임무 **space station** 우주 정거장 19 **cough** 기침 20 **during** ~ 동안

17회 영어 듣기모의고사

맞은 개수 /20문항

01 다음을 듣고, 'this'가 가리키는 것으로 가장 적절한 것을 고르시오.

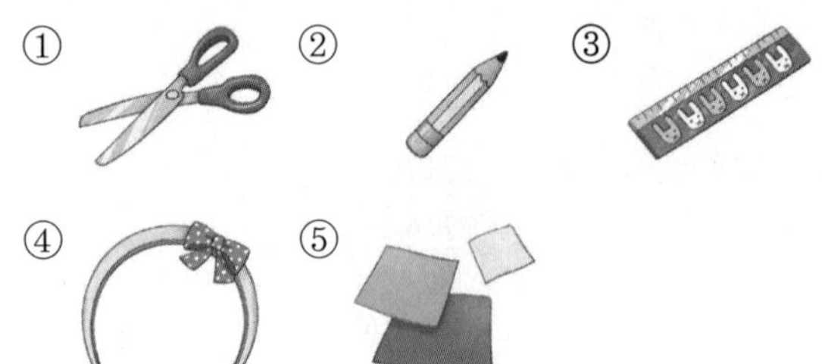

02 다음을 듣고, 그림에 대한 설명으로 가장 적절한 것을 고르시오.

① ② ③ ④ ⑤

03 다음을 듣고, 오늘 오후의 날씨로 가장 적절한 것을 고르시오.

04 대화를 듣고, 남자가 한 마지막 말의 의도로 가장 적절한 것을 고르시오.

① 슬픔 ② 안도 ③ 유감
④ 즐거움 ⑤ 후회

05 대화를 듣고, 여자가 Frank에 대해 언급하지 않은 것을 고르시오.

① 이주한 곳 ② 이주한 이유
③ 새로 구한 집 ④ 일하는 장소
⑤ 현지 언어 구사 능력

06 대화를 듣고, 두 사람이 만나기로 한 시각을 고르시오.

① 7:30 a.m. ② 8:00 a.m.
③ 8:30 a.m. ④ 8:00 p.m.
⑤ 8:30 p.m.

07 대화를 듣고, 여자의 장래 희망으로 가장 적절한 것을 고르시오.

① 수학자 ② 수학 교사 ③ 가정 교사
④ 교육학자 ⑤ 상담 교사

08 대화를 듣고, 남자의 심정으로 가장 적절한 것을 고르시오.

① 기쁨 ② 슬픔 ③ 상쾌함
④ 부러움 ⑤ 안도감

09 대화를 듣고, 두 사람이 대화 직후에 할 일로 가장 적절한 것을 고르시오.

① 식사하기 ② 카레 만들기
③ 카레 시식하기 ④ 음식 주문하기
⑤ 음식값 계산하기

10 다음을 듣고, 무엇에 관한 설명인지 가장 적절한 것을 고르시오.

① 딸기 ② 사과 ③ 곶감
④ 호두 ⑤ 건포도

11 대화를 듣고, 남자가 이용할 교통수단으로 가장 적절한 것을 고르시오.

① 버스 ② 택시 ③ 승용차
④ 기차 ⑤ 비행기

12 대화를 듣고, 남자가 여자에게 전화를 건 목적으로 가장 적절한 것을 고르시오.

① 방과 후 만나려고
② 숙제를 물어보려고
③ 수업을 함께 들으려고
④ 약속 시간을 정하려고
⑤ 모임 취소를 알리려고

13 대화를 듣고, 대화하는 장소로 가장 적절한 곳을 고르시오.

① 상점 ② 도서관
③ 주차장 ④ 놀이 공원
⑤ 고속도로

14 대화를 듣고, 호텔의 위치로 가장 알맞은 곳을 고르시오.

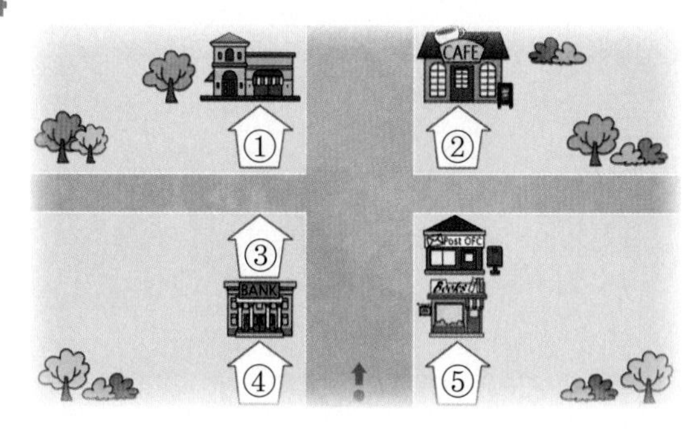

15 대화를 듣고, 여자가 남자에게 부탁한 일로 가장 적절한 것을 고르시오.

① 회의 참석하기
② 회의 시간 변경하기
③ 회의 일찍 끝내기
④ 회의 안건 변경하기
⑤ 회의 일정 연기하기

16 대화를 듣고, 남자가 여자에게 제안한 것으로 가장 적절한 것을 고르시오.

① 상점 구경하기 ② 공항 돌아다니기
③ 잡지 읽기 ④ 앉아서 기다리기
⑤ 음료 마시러 가기

17 대화를 듣고, 남자가 크리스마스 시즌에 한 일로 가장 적절한 것을 고르시오.

① skiing ② cooking
③ dining out ④ watching TV
⑤ snowboarding

18 대화를 듣고, 여자의 직업으로 가장 적절한 것을 고르시오.

① 의사 ② 간호사 ③ 연구원
④ 영양사 ⑤ 조리사

[19~20] 대화를 듣고, 여자의 마지막 말에 이어질 남자의 응답으로 가장 적절한 것을 고르시오.

19 Man: ______________________

① I had no time.
② That's too bad.
③ Sorry, I can't wait.
④ That sounds good.
⑤ You should study more.

20 Man: ______________________

① Be careful!
② Slow down!
③ What a relief!
④ Don't worry.
⑤ You'd better hurry!

Dictation Test 17회 영어 듣기모의고사

01 그림 정보 파악 – 사물

다음을 듣고, 'this'가 가리키는 것으로 가장 적절한 것을 고르시오.

① ② ③ ④ ⑤

W Usually it is ❶ ________ ________ ________ ________ ________.
People use this when they want to ❷ ________ ________ ________ ________ or make things short. Also, hair designers use this when they cut hair. What is this?

02 그림 정보 파악 – 그림 영국식 발음 녹음

다음을 듣고, 그림에 대한 설명으로 가장 적절한 것을 고르시오.

① ② ③ ④ ⑤

W ① The cat is under the chair.
② There is ❶ ________ ________ ________ ________ ________.
③ The cake is in the refrigerator.
④ There is a telephone on the wall.
⑤ There are two spoons ❷ ________ ________ ________ ________.

03 그림 정보 파악 – 날씨

다음을 듣고, 오늘 오후의 날씨로 가장 적절한 것을 고르시오.

① ② ③ ④ ⑤

M Good morning, everyone! This is Carter Brown with the Weather Report. Today we will start the day with ❶ ________ ________. ❷ ________ ________ ________ in the afternoon and it will clear up late tonight. Tomorrow we'll be able to ❸ ________ ________.

04 의도 파악

대화를 듣고, 남자가 한 마지막 말의 의도로 가장 적절한 것을 고르시오.

① 슬픔 ② 안도 ③ 유감
④ 즐거움 ⑤ 후회

M Excuse me.
W What can I do for you?
M What happened to my father, Mike Wilson?
W Your father ❶ ________ ________ ________ ________.
M Oh, my God! Is he okay?
W He's ❷ ________ ________ ________ now, but he's going to make it.
M Thank goodness!

Words 01 plastic 플라스틱 metal 금속 02 refrigerator 냉장고 spoon 숟가락 03 clear up 날씨가 개다 04 heart attack 심근 경색, 심장마비 intensive care 집중 치료 make it 해내다, 이겨내다

05 언급하지 않은 것

대화를 듣고, 여자가 Frank에 대해 언급하지 않은 것을 고르시오.

① 이주한 곳 ② 이주한 이유
③ 새로 구한 집 ④ 일하는 장소
⑤ 현지 언어 구사 능력

M I heard Frank moved to Capri in Italy. How did that happen?
W He ❶ ________ ________ ________ ________ and really liked it. He lives there now and works in a hotel.
M How lucky!
W Hmm... I'm not sure. I think it's hard for him to live in another country.
M Why do you think so?
W Well, he doesn't ❷ ________ ________ ________ ________.
M That's true.
W Also, he's ❸ ________ ________ ________ ________ his family and friends.
M Maybe you're right.

06 숫자 정보 파악 – 시각

대화를 듣고, 두 사람이 만나기로 한 시각을 고르시오.

① 7:30 a.m. ② 8:00 a.m.
③ 8:30 a.m. ④ 8:00 p.m.
⑤ 8:30 p.m.

제안에 동의하기
상대방의 제안에 대해 동의할 때는 That's a good idea. / That sounds good. / That sounds fun (interesting). / Why not? 등의 표현을 사용한다.

W There is a rose festival at the park. Why don't we go there this Saturday?
M That's a good idea.
W What time shall we meet?
M ❶ ________ ________ ________ at 8 a.m. There will be many people in the afternoon.
W That's too early for me. Give me ❷ ________ ________ ________.
M All right. Please don't be late.

07 직업 및 장래 희망

대화를 듣고, 여자의 장래 희망으로 가장 적절한 것을 고르시오.

① 수학자 ② 수학 교사 ③ 가정 교사
④ 교육학자 ⑤ 상담 교사

M Hi, Kelly. What do you want to be in the future?
W I want to ❶ ________ ________ at a middle school or high school.
M Why?
W I love math, and I like to ❷ ________ ________.
M But the salary isn't so great. It's also a stressful job.
W That's okay. As long as students are excited about learning, I'll be happy.

05 **on vacation** 휴가로 **another** 다른 **language** 언어 06 **rose** 장미 **festival** 축제 07 **salary** 월급 **stressful** 스트레스가 많은 **as long as** ~하는 한

08 심정 파악

대화를 듣고, 남자의 심정으로 가장 적절한 것을 고르시오.

① 기쁨 ② 슬픔 ③ 상쾌함
④ 부러움 ⑤ 안도감

불만족, 실망 등의 원인에 대해 묻기
What's wrong with you?는 상대방에게 안 좋은 일이 있어 보일 때 묻는 표현으로, What's the matter with you? / What happened? 등의 유사 표현이 있다.

W What's wrong with you? You look terrible.
M I ❶ ________ ________ ________, Charlie.
W When and where did you lose him?
M I took him to the park yesterday, and we ❷ ________ ________ ________ ________.
W Then what happened?
M I threw the ball and he followed it. But he ❸ ________ ________ ________.
W Oh, no. I am sorry to hear that.

09 한 일 / 할 일 파악

대화를 듣고, 두 사람이 대화 직후에 할 일로 가장 적절한 것을 고르시오.

① 식사하기 ② 카페 만들기
③ 카페 시식하기 ④ 음식 주문하기
⑤ 음식값 계산하기

M This is ❶ ________ ________ ________. I come here almost every week.
W Why is it your favorite place?
M The food is wonderful. Try the chicken curry.
W Okay, I'll try it.
M The service here is good, too. The waiters ❷ ________ ________ ________.
W Well, here comes the waiter now. Let's order.

10 주제 파악

다음을 듣고, 무엇에 관한 설명인지 가장 적절한 것을 고르시오.

① 딸기 ② 사과 ③ 곶감
④ 호두 ⑤ 건포도

W This is a ❶ ________ ________. The original fruit is juicy and soft, but this is dry and hard. It may not look tasty. The color is ❷ ________ ________ rather than purple. However, it is very ❸ ________ ________ ________. It has vitamins and minerals. What is it?

11 특정 정보 파악

대화를 듣고, 남자가 이용할 교통수단으로 가장 적절한 것을 고르시오.

① 버스 ② 택시 ③ 승용차
④ 기차 ⑤ 비행기

제안 · 권유하기
How(What) about ~? 형태로 상대방에게 무언가를 제안이나 권유하는 표현을 쓸 수 있는데, Let's ~. 또는 Why don't you ~?로 바꿔 쓸 수 있다.

W Hey, Jinsu. What are you going to do this holiday?
M I'm visiting my old friend in Ulsan.
W How are you getting there?
M I'm going to ❶ ________ ________ ________.
W That's not a good idea. How about taking a train? It's ❷ ________ ________ ________ ________.
M I got it. I follow your advice.

Words 08 **terrible** 기분이 안 좋은 **throw** 던지다(-threw) **follow** 따라가다 09 **friendly** 친절한 **order** (음식 등을) 주문하다 10 **original** 원래의 **juicy** 과즙이 많은 **dry** 건조한 **rather than** ~라기보다는 **mineral** 미네랄

12 목적 파악 영국식 발음 녹음

대화를 듣고, 남자가 여자에게 전화를 건 목적으로 가장 적절한 것을 고르시오.

① 방과 후 만나려고
② 숙제를 물어보려고
③ 수업을 함께 들으려고
④ 약속 시간을 정하려고
⑤ 모임 취소를 알리려고

전화하기와 전화 받기
- May I speak to Mina? (미나와 통화할 수 있나요?)
  = Is Mina there?
- Can I take a message? (메시지 전해 드릴까요?)
- Can(May) I leave a message? (메시지를 남겨도 될까요?)

[Telephone rings.]

M Hello, this is James. May I speak to Mina, please?
W Hi, James. I think she is ❶ ________ ________ ________. She is taking an after-school class today.
M Oh, I see. That's why she was ❷ ________ ________ ________ ________.
W Is there a problem? Can I take a message?
M Well, could you tell her that tomorrow's meeting ❸ ________ ________?
W The meeting is canceled? Okay. I will tell her.

13 장소 추론

대화를 듣고, 대화하는 장소로 가장 적절한 곳을 고르시오.

① 상점 ② 도서관
③ 주차장 ④ 놀이 공원
⑤ 고속도로

M Wow! There are ❶ ________ ________ ________ already.
W Maybe so. Because this store has a big sale today.
M I can't find ❷ ________ ________ ________.
W Why don't we drive down to the lower floor?
M Okay. I hope there's ❸ ________ ________ ________ ________ ________.

14 그림 정보 파악 – 길 찾기

대화를 듣고, 호텔의 위치로 가장 알맞은 곳을 고르시오.

감사에 답하기
(It was) My pleasure.는 감사에 답하는 표현으로, You're welcome. / Don't mention it. / No problem.으로도 쓸 수 있다.

W Excuse me. I want to go to ❶ ________ ________ ________.
M Go straight one block and turn right at the corner.
W Go straight one block and turn right?
M That's right. You can see it on your left. It is ❷ ________ ________ the post office.
W Thank you so much.
M My pleasure.

Words 12 message 메시지 13 parking space 주차 공간 lower floor 아래층 14 nearest 가장 가까운 straight 똑바로, 곧장 across from ~의 맞은편에

Dictation Test

15 부탁한 일 파악 영국식 발음 녹음

대화를 듣고, 여자가 남자에게 부탁한 일로 가장 적절한 것을 고르시오.

① 회의 참석하기
② 회의 시간 변경하기
③ 회의 일찍 끝내기
④ 회의 안건 변경하기
⑤ 회의 일정 연기하기

M Hello?
W Hi, John, this is Maria. ❶ ________ ________ ________ ________ at home.
M No problem. What can I do for you?
W Would you ❷ ________ ________ ________ a staff meeting tomorrow at 12:00?
M Let me see. Yes, 12:00 would be okay. Would we be finished by 3:00?
W Yes, definitely. The meeting ❸ ________ ________ an hour at most.
M Okay, then. I'll see you tomorrow at 12:00.
W Thanks. Bye.

16 제안한 일 파악

대화를 듣고, 남자가 여자에게 제안한 것으로 가장 적절한 것을 고르시오.

① 상점 구경하기 ② 공항 돌아다니기
③ 잡지 읽기 ④ 앉아서 기다리기
⑤ 음료 마시러 가기

W What time does our plane leave?
M At 12:30.
W So we have an hour and a half to wait.
M Yes. Why don't we go and ❶ ________ ________ ________ ________ the stores?
W I'll stay here and read this magazine.
M Okay. ❷ ________ ________ ________ in a half an hour.

17 특정 정보 파악

대화를 듣고, 남자가 크리스마스 시즌에 한 일로 가장 적절한 것을 고르시오.

① skiing ② cooking
③ dining out ④ watching TV
⑤ snowboarding

Ⓟ can과 can't의 발음
can의 경우는 a를 약하게 [컨]으로 발음하고, can't의 경우는 a를 강하게 [캔트]로 발음한다.

M Ⓟ I can't believe that Christmas season is over.
W Me, too. That ❶ ________ ________ ________.
M I know. Time really flies. What did you do during the holiday?
W I had family time. My family and I prepared food, ❷ ________ ________ ________ and watched TV together. How about you?
M I went to the ski resort. I tried to ❸ ________ ________ ________ this time.
W Wow, did you ride it for the first time? How did you like it?
M Yes. It's my first time. It was fun. I liked it a lot.

Words 15 **staff meeting** 직원회의 **last** 계속되다 **at most** 기껏해야 16 **magazine** 잡지 **be back** 돌아오다 17 **fly** (시간이) 아주 빨리 가다 **meal** 식사 **ski resort** 스키장

18 직업 및 장래 희망

대화를 듣고, 여자의 직업으로 가장 적절한 것을 고르시오.

① 의사 ② 간호사 ③ 연구원
④ 영양사 ⑤ 조리사

주제 바꾸기
By the way ~.는 '그건 그렇고'라는 뜻으로 화제를 전환하거나 주제를 바꿀 때 쓰는 표현이다. Let's move on to ~.로도 쓸 수 있다.

W Hi, Junho. Check your weight, first. ❶ ________ ________ ________ ________, please.
M Okay. How much do I weigh?
W Emm.... You weigh about 45 kilograms. Did you ❷ ________ ________ ________ before you came here?
M Yes, I took some aspirin last night. By the way, how long should I wait?
W Please wait just a couple of minutes. The doctor will ❸ ________ ________ ________ soon.
M Okay. I see.

[19~20] 대화를 듣고, 여자의 마지막 말에 이어질 남자의 응답으로 가장 적절한 것을 고르시오.

19 알맞은 응답 찾기

Man: ________________________

① I had no time.
② That's too bad.
③ Sorry, I can't wait.
④ That sounds good.
⑤ You should study more.

확인 요청하기
부가의문문을 사용하여 자신의 의견이 맞는지 상대방에게 확인할 수 있다.
ex) Yuna doesn't want to go fishing, does she?
(유나는 낚시하러 가길 원하지 않아, 그렇지?)

M Judy, how was the math test? It was ❶ ________ ________ ________ me.
W I don't think so. It wasn't all that hard.
M What about the English test? The listening part was easy, wasn't it?
W Yes, it was. But the reading part was difficult for me.
M I agree. I still ❷ ________ ________ the last question.
W ❸ ________ ________ ________ go to the teacher and ask the question?

20 알맞은 응답 찾기 영국식 발음 녹음

Man: ________________________

① Be careful!
② Slow down!
③ What a relief!
④ Don't worry.
⑤ You'd better hurry!

W Hey, Sam. Why are you in a hurry?
M We are late. The field trip bus will leave in 5 minutes.
W ❶ ________ ________ ________ to the school broadcast?
M No, I didn't. What was it about?
W It said the bus will leave 30 minutes ❷ ________ ________ ________.

Words 18 **weigh** 체중이 ~ 나가다 **by the way** 그런데 **a couple of** 몇 개의 19 **hard** 어려운 20 **broadcast** 방송 **expect** 예상하다

18회 영어 듣기모의고사

맞은 개수 /20문항

01 다음을 듣고, 'this'가 가리키는 것으로 가장 적절한 것을 고르시오.

①  ②  ③ 
④  ⑤ 

02 대화를 듣고, 여자의 가방으로 가장 적절한 것을 고르시오.

①  ②   ③ 
④  ⑤ 

03 다음을 듣고, 밴쿠버의 오후 날씨로 가장 적절한 것을 고르시오.

①  ②  ③ 
④  ⑤ 

04 대화를 듣고 여자가 한 마지막 말의 의도로 가장 적절한 것을 고르시오.

① 낙담 ② 지시 ③ 제안
④ 수락 ⑤ 거절

05 대화를 듣고, 남자에 대해 언급되지 <u>않은</u> 것을 고르시오.

① 이름 ② 출신지 ③ 아버지 직업
④ 나이 ⑤ 형제 관계

06 대화를 듣고, 축구 경기가 시작되는 시각을 고르시오.

① 5:30 ② 6:00 ③ 6:30
④ 7:00 ⑤ 7:30

07 대화를 듣고, 남자의 장래 희망으로 가장 적절한 것을 고르시오.

① 경찰관 ② 기자 ③ 사진가
④ 소방관 ⑤ 의사

08 다음을 듣고, 남자의 심정으로 가장 적절한 것을 고르시오.

① 부러움 ② 슬픔 ③ 만족
④ 그리움 ⑤ 미안함

09 대화를 듣고, 여자가 일요일에 할 일로 가장 적절한 것을 고르시오.

① 쇼핑하기 ② 시험 공부하기
③ 경기장 청소하기 ④ 잠실에 놀러 가기
⑤ 야구 경기 보러 가기

10 다음을 듣고, 무엇에 관한 내용인지 가장 적절한 것을 고르시오.

① call taxi ② police car
③ fire truck ④ ambulance
⑤ express bus

11 대화를 듣고, 두 사람이 대화하는 장소로 가장 적절한 곳을 고르시오.

① 학교 ② 공항 ③ 음식점
④ 기차역 ⑤ 버스 정류장

12 대화를 듣고, 여자가 남자에게 전화를 건 목적으로 가장 적절한 것을 고르시오.

① 자녀의 결석을 알리려고
② 선생님 안부를 물어보려고
③ 병원 진료 소견을 물어보려고
④ 친구의 건강 상태를 알려주려고
⑤ 학부모 면담에 참석하지 못한다고 말하려고

13 대화를 듣고, 두 사람의 관계로 가장 적절한 것을 고르시오.

① 아빠 – 딸 ② 점원 – 손님
③ 사장 – 직원 ④ 교사 – 학생
⑤ 엄마 – 아빠

14 대화를 듣고, 세탁소의 위치로 가장 알맞은 곳을 고르시오.

15 대화를 듣고, 남자가 여자에게 부탁한 일로 가장 적절한 것을 고르시오.

① 식사비 빌려주기
② 저녁 식사 함께하기
③ 팁 대신 내 주기
④ 저녁 메뉴 정하기
⑤ 저녁 초대 날짜 변경하기

16 대화를 듣고, 남자가 여자에게 제안한 것으로 가장 적절한 것을 고르시오.

① 안약 사서 넣기
② 눈 수술하기
③ 약 복용하기
④ 한동안 눈 감고 쉬기
⑤ 안대 착용하기

17 대화를 듣고, 두 사람이 부모님께 드릴 선물을 고르시오.

① 신발 ② 책 ③ 사진
④ 액자 ⑤ 티셔츠

18 대화를 듣고, 남자의 직업으로 가장 적절한 것을 고르시오.

① 교사 ② 운전기사
③ 치과 의사 ④ 영업 사원
⑤ 자동차 정비사

[19~20] 대화를 듣고, 남자의 마지막 말에 이어질 여자의 응답으로 가장 적절한 것을 고르시오.

19 Woman: ______________________

① That's too bad.
② Good luck to you.
③ Really? I will try it.
④ I'm sorry to hear that.
⑤ Come on. You can do it.

20 Woman: ______________________

① Me, neither.
② I appreciate it.
③ Sure. I can't wait.
④ I'm glad you like it.
⑤ Oh, I have never seen that before.

Dictation Test 18회 영어 듣기모의고사

01 그림 정보 파악 – 동물

다음을 듣고, 'this'가 가리키는 것으로 가장 적절한 것을 고르시오.

① ② ③ ④ ⑤

M This is a small animal with ❶ ________ ________ ________. This animal is usually famous for its long ears and eats grass, roots and leaves. Many people like this animal because it is very cute. It can ❷ ________ ________ ________ ________. Bunny is a pet name for this animal.

02 그림 정보 파악 – 사물

대화를 듣고, 여자의 가방으로 가장 적절한 것을 고르시오.

① ② ③ ④ ⑤

W Gee, I can't find my bag.
M Let me help you. What does it look like it?
W It is red, ❶ ________ ________ ________.
M Does it have straps?
W Yes, ❷ ________ ________ ________ so that I can carry it on my shoulder.
M Okay. I will help you find it.
W Thanks a lot.

03 그림 정보 파악 – 날씨

다음을 듣고, 밴쿠버의 오후 날씨로 가장 적절한 것을 고르시오.

① ② ③ ④ ⑤

W Good morning. This is Jessica Brown with the World Weather Report. Today it ❶ ________ ________ ________ in New York. It ❷ ________ ________ ________ in Vancouver in the morning but in the afternoon it ❸ ________ ________ ________ ________. In Seoul, it will be cold and windy all day long. Thank you for joining us.

04 의도 파악 영국식 발음 녹음

대화를 듣고 여자가 한 마지막 말의 의도로 가장 적절한 것을 고르시오.

① 낙담 ② 지시 ③ 제안
④ 수락 ⑤ 거절

제안하기
Why don't we ~?는 '우리 ~하는 게 어때?'라는 뜻으로, 제안할 때 쓰는 표현이다. Let's ~.(~하자.)로 바꾸어 쓸 수 있다.

M It's perfect weather for ❶ ________ ________ ________ ________.
W Yeah. It's clear, cool, and dry.
M There is a little breeze too, and the leaves are changing colors.
W I like your hiking stick. Where did you get it?
M I ordered it ❷ ________ ________ ________.
W By the way, the sunset is so beautiful from here. Why don't we sit down and watch it?

Words 01 **be famous for** ~으로 유명하다 **grass** 풀 **root** 뿌리 **pet name** 애칭 02 **squared** 네모 모양의, 네모진 **flowered** 꽃무늬의 **strap** 끈 03 **all day long** 온 종일 **join** 함께하다 04 **breeze** 산들바람, 미풍 **stick** 지팡이 **through** ~을 통해 **sunset** 일몰

05 언급되지 않은 것

대화를 듣고, 남자에 대해 언급되지 않은 것을 고르시오.

① 이름 ② 출신지 ③ 아버지 직업
④ 나이 ⑤ 형제 관계

소개에 답하기
다른 사람을 소개 받아서 반갑다고 말할 때에는 I'm glad to meet you.라고 하며, glad 대신에 pleased 또는 happy 등이 올 수 있다.

W Hi! I'm Jinhee. You're new to our class, aren't you?
M Yes. Hi! I am David. It's nice to meet you.
W I'm glad to meet you, too. By the way, where are you from?
M I'm ❶ ________ ________. I came here because of my father's job. He is a soldier.
W Oh, I see. Do you have any brothers or sisters?
M Yes, I ❷ ________ ________ ________ ________.
W Okay. Let's be friends.

06 숫자 정보 파악 – 시각

대화를 듣고, 축구 경기가 시작되는 시각을 고르시오.

① 5:30 ② 6:00 ③ 6:30
④ 7:00 ⑤ 7:30

시간 묻기
What time is it?은 시간을 묻는 표현으로, Do you have the time?으로도 표현할 수 있다.

W Mark, why don't we ❶ ________ ________ ________ ________ together after school?
M That sounds fun.
W Can you come to my house?
M Okay. I'll get some snacks. What time is it now?
W It's 5:30.
M It ❷ ________ ________ ________ ________. I can't wait until the classes are finished.

07 직업 및 장래 희망 영국식 발음 녹음

대화를 듣고, 남자의 장래 희망으로 가장 적절한 것을 고르시오.

① 경찰관 ② 기자 ③ 사진가
④ 소방관 ⑤ 의사

W Hi, Mike. What are you going to do after graduation?
M I'll work ❶ ________ ________ ________.
W That's a dangerous job.
M I know. But it's also an important one. Firefighters are ❷ ________ ________. How about you?
W I want to study photography. As you know, I ❸ ________ ________ ________.
M That's interesting!

Words 05 because of ~ 때문에 soldier 군인 photography 사진 06 snack 스낵, 간식 07 graduation 졸업 firefighter 소방관 lifesaver 인명 구조자

Dictation Test

08 심정 파악

다음을 듣고, 남자의 심정으로 가장 적절한 것을 고르시오.

① 부러움　② 슬픔　③ 만족
④ 그리움　⑤ 미안함

M Yesterday, I forgot to meet Jenny at the library. We were going to study together for the English test. But I ❶ ________ ________ ________ ________ at that time. She waited for me for an hour. And my phone was turned off. It was ❷ ________ ________ ________.

09 한 일 / 할 일 파악

대화를 듣고, 여자가 일요일에 할 일로 가장 적절한 것을 고르시오.

① 쇼핑하기　② 시험 공부하기
③ 경기장 청소하기　④ 잠실에 놀러 가기
⑤ 야구 경기 보러 가기

M What are you ❶ ________ ________ ________ this Sunday?
W I'm going to Jamsil Stadium.
M Are you going there to see a baseball game?
W Oh, no. I will ❷ ________ ________ the stadium. It's my volunteer work.
M Good!

10 주제 파악

다음을 듣고, 무엇에 관한 내용인지 가장 적절한 것을 고르시오.

① call taxi　② police car
③ fire truck　④ ambulance
⑤ express bus

W This is a special car. Usually, its color is white. It is very useful ❶ ________ ________ ________ ________. It's a car for taking sick people to the hospital. ❷ ________ ________ ________ ________, a fire truck and this car will be there. So, in an emergency, if you call 119, ❸ ________ ________ ________ ________ to you.

11 장소 추론 영국식 발음 녹음

대화를 듣고, 두 사람이 대화하는 장소로 가장 적절한 곳을 고르시오.

① 학교　② 공항　③ 음식점
④ 기차역　⑤ 버스 정류장

M May I ❶ ________ ________ ________, please?
W Yes, here you are.
M What is the ❷ ________ ________ ________ ________?
W I'm having a vacation with my family.
M How long will you stay in the United States?
W I will stay for six days.
M Okay, ❸ ________ ________ ________!

Words 08 **turn off** 끄다 **mistake** 실수 09 **stadium** 경기장 **clean up** 청소하다 **volunteer work** 자원봉사 10 **special** 특별한 **problem** 문제 **hospital** 병원 **emergency** 비상 11 **purpose** 목적

12 목적 파악

대화를 듣고, 여자가 남자에게 전화를 건 목적으로 가장 적절한 것을 고르시오.

① 자녀의 결석을 알리려고
② 선생님 안부를 물어보려고
③ 병원 진료 소견을 물어보려고
④ 친구의 건강 상태를 알려주려고
⑤ 학부모 면담에 참석하지 못한다고 말하려고

기원하기
I hope ~.은 기원을 할 때 쓰는 표현으로, I wish ~.로 바꾸어 쓸 수 있다.

[*Cellphone rings.*]
W Hello? This is Susan's mother. Are you Mr. Han?
M Yes, I am. Hi. By the way, what happened?
W Susan won't ❶ ________ ________ ________ today.
M What's the matter with her?
W She broke her leg while inline skating.
M Oh, that's too bad. I hope she gets better soon. Please tell her that I'll give her a summary about the ❷ ________ ________.
W Thank you, Mr. Han.

13 관계 추론

대화를 듣고, 두 사람의 관계로 가장 적절한 것을 고르시오.

① 아빠 – 딸　② 점원 – 손님
③ 사장 – 직원　④ 교사 – 학생
⑤ 엄마 – 아빠

present의 발음
명사 present(선물)는 [프레즌트]으로, 동사 present(주다)는 [프리젠트]로 발음한다.

W Here's your coffee.
M Thank you, Mary. Your mom and I ❶ ________ ________ ________ your birthday present.
W Really? I'd really like to have a tablet PC.
M It can take up too much of your time.
W Don't worry. I'll study hard with it. And next Parents' Day, I'll give you a ❷ ________ ________ ________ as a present.
M Okay.

14 그림 정보 파악 – 길 찾기

대화를 듣고, 세탁소의 위치로 가장 알맞은 곳을 고르시오.

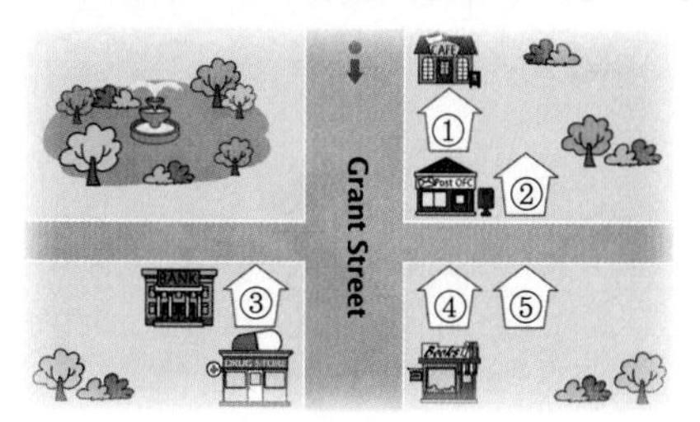

M Excuse me. Where can I ❶ ________ ________ ________ ________ quickly?
W There's a dry cleaner's in the CBA Building on Madison Avenue. It's about ❷ ________ ________ ________ ________.
M Oh, it's close. That's good. And which one is the CBA Building?
W Go down Grant Street along the park. And then ❸ ________ ________ at the post office. There's a building next to the post office. It's the CBA Building.
M Thank you so much.
W You're welcome.

Words 12 **happen** 일어나다 **matter** 문제 **break one's leg** 다리가 부러지다 **summary** 요약 13 **take up** (시간을) 쓰다 **report card** 성적표 14 **get ~ cleaned** ~을 세탁하다 **dry cleaner's** 세탁소 **block** 블록, 구역

Dictation Test

15 부탁한 일 파악

대화를 듣고, 남자가 여자에게 부탁한 일로 가장 적절한 것을 고르시오.

① 식사비 빌려주기
② 저녁 식사 함께하기
③ 팁 대신 내 주기
④ 저녁 메뉴 정하기
⑤ 저녁 초대 날짜 변경하기

M Hmm.... Can I ask you a favor?
W Sure. Is something wrong?
M I ❶________ ________ ________ ________ for the bill.
W Oh, no problem. How much do you need?
M ❷________ ________ ________ $5? I'm really embarrassed about this.
W Don't worry about it. Here you are.
M Thank you so much. I'll ❸________ ________ ________ tomorrow.
W There's no need. Thanks for inviting me to dinner.

16 제안한 일 파악

대화를 듣고, 여자가 남자에게 제안한 것으로 가장 적절한 것을 고르시오.

① 안약 사서 넣기
② 눈 수술하기
③ 약 복용하기
④ 한동안 눈 감고 쉬기
⑤ 안대 착용하기

Ⓟ little의 발음
little이나 pretty와 같은 단어는 마치 [리들], [프리디]처럼 발음되는 데 주의한다.

W Hello, Mr. Jones. How can I help you?
M Hello, doctor. I seem to ❶________ ________ ________ ________.
W Are you in pain?
M Yes, a Ⓟlittle. My right eye keeps watering all day.
W Did you ever have a problem like this before?
M No, never.
W I suggest you buy and use ❷________ ________ ________ ________ ________.

17 특정 정보 파악

대화를 듣고, 두 사람이 부모님께 드릴 선물을 고르시오.

① 신발 ② 책 ③ 사진
④ 액자 ⑤ 티셔츠

Ⓟ like them의 발음
보통 대명사는 첫소리를 생략하여 발음하므로 like them은 [라읻듬]으로 발음한다.

W Tomorrow is Parents' Day. What do you want to ❶________ ________ ________?
M Well, how about a photo album?
W No, I don't think they need one.
M Oh, I see. Then, why don't we ❷________ ________ ________? Let's buy two T-shirts of the same design.
W Sounds great. I'm sure they will Ⓟlike them! They ❸________ ________ ________ in the same clothes.
M Okay, let's go to buy them.

Words 15 **spare** (돈을) 내 주다 **embarrassed** 당혹한, 창피한 **pay ~ back** ~에게 빌린 돈을 갚다 16 **infection** 감염 **keep -ing** 계속 ~하다 **suggest** 제안하다 **eye drops** 안약 17 **Parents' Day** 어버이날

18 직업 및 장래 희망

대화를 듣고, 남자의 직업으로 가장 적절한 것을 고르시오.

① 교사 ② 운전기사
③ 치과 의사 ④ 영업 사원
⑤ 자동차 정비사

W Excuse me. I have some problems with my car. Can you check it?
M Sure. Oh, your car ❶ ________ ________ ________ ________.
W Really? Which one?
M The right front tire is flat. It can be very serious.
W Oh, I didn't know that. Change the tire, please. How long will it take?
M It may take about 30 minutes ❷ ________ ________ ________.
W Okay. I will wait.

[19~20] 대화를 듣고, 남자의 마지막 말에 이어질 여자의 응답으로 가장 적절한 것을 고르시오.

19 알맞은 응답 찾기

Woman: ______________________

① That's too bad.
② Good luck to you.
③ Really? I will try it.
④ I'm sorry to hear that.
⑤ Come on. You can do it.

이유 말하기
이유를 말할 때에는 because를 이용하여 말하는데, 이때 because 뒤에는 절이 온다. because of 뒤에는 명사구를 쓴다.

M Amy, what are you looking at?
W I'm just ❶ ________ ________ ________ ________.
M What is it about the poster?
W It's about a singing contest.
M Oh, are you going to try out?
W No. ❷ ________ ________, but I think that I can't do it.
M Oh, come on! I think you'll be a good singer. Because you're ❸ ________ ________ ________.

20 알맞은 응답 찾기 영국식 발음 녹음

Woman: ______________________

① Me, neither.
② I appreciate it.
③ Sure. I can't wait.
④ I'm glad you like it.
⑤ Oh, I have never seen that before.

확인 요청하기
평서문 뒤에 부가의문문을 써서 확인을 요청하는 표현을 할 수 있다. 부가의문문 대신 ~, right?을 쓸 수 있다.

M That was a long movie, wasn't it?
W Yes, it was too long. In fact, ❶ ________ ________ ________ ________. How about you? Did you like it?
M Not really. I heard too much about the movie.
W I did, too. That was the problem.
M Next time, I ❷ ________ ________ ________ ________ ________ before I see a movie.

Words 18 **flat** 바람이 빠진 **serious** 심각한 19 **poster** 포스터, 화보 **try out** (대회 등에) 참가하다 20 **boring** 재미없는, 지루한

19회 영어 듣기모의고사

맞은 개수 /20문항

01 다음을 듣고, 'this'가 가리키는 것으로 가장 적절한 것을 고르시오.

① 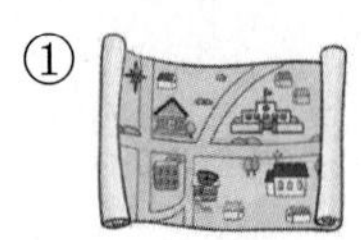    

④ 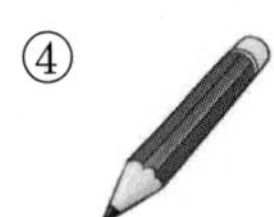  

02 대화를 듣고, 여자가 설명하는 소녀로 가장 적절한 것을 고르시오.

03 다음을 듣고, 내일의 날씨로 가장 적절한 것을 고르시오.

①     

④   

04 대화를 듣고 여자가 한 마지막 말의 의도로 가장 적절한 것을 고르시오.

① 감탄 ② 걱정 ③ 칭찬
④ 불평 ⑤ 소개

05 다음을 듣고, 남자가 애완동물에 대해 언급하지 <u>않은</u> 것을 고르시오.

① 이름 ② 나이 ③ 특기
④ 별명 ⑤ 좋아하는 음식

06 대화를 듣고, 남자가 숙제를 시작할 시각을 고르시오.

① 7:00 p.m. ② 7:30 p.m. ③ 8:10 p.m.
④ 8:30 p.m. ⑤ 8:40 p.m.

07 대화를 듣고, 남자의 장래 희망으로 가장 적절한 것을 고르시오.

① 가수 ② 소설가 ③ 작곡가
④ 미술가 ⑤ 피아니스트

08 대화를 듣고, 남자의 심정으로 가장 적절한 것을 고르시오.

① 놀람 ② 걱정됨 ③ 만족함
④ 실망함 ⑤ 불만스러움

09 대화를 듣고, 두 사람이 대화 직후에 할 일로 가장 적절한 것을 고르시오.

① 외출하기 ② 하이킹 가기
③ 자전거 타기 ④ 걸어서 산책하기
⑤ 공원에 가기

10 다음을 듣고, 무엇에 관한 내용인지 가장 적절한 것을 고르시오.

① 하루 일과
② 좋아하는 과목
③ 즐겨하는 운동
④ 동아리 활동의 좋은 점
⑤ 규칙적인 운동의 좋은 점

11 대화를 듣고, 여자가 이용할 교통수단으로 가장 적절한 곳을 고르시오.

① 버스 ② 지하철 ③ 자전거
④ 택시 ⑤ 도보

12 대화를 듣고, 여자가 조별 과제를 시작하지 못한 이유로 가장 적절한 것을 고르시오.

① 다른 과제가 있어서
② 숙제할 장소가 없어서
③ 방과 후 수업을 들어서
④ 주제를 정하지 못해서
⑤ 약속 시간을 정하지 못해서

13 대화를 듣고, 두 사람의 관계로 가장 적절한 것을 고르시오.

① 엄마 – 아들 ② 의사 – 환자
③ 교사 – 학생 ④ 사장 – 직원
⑤ 식당 종업원 – 손님

14 대화를 듣고, 시립 공원의 위치로 가장 알맞은 곳을 고르시오.

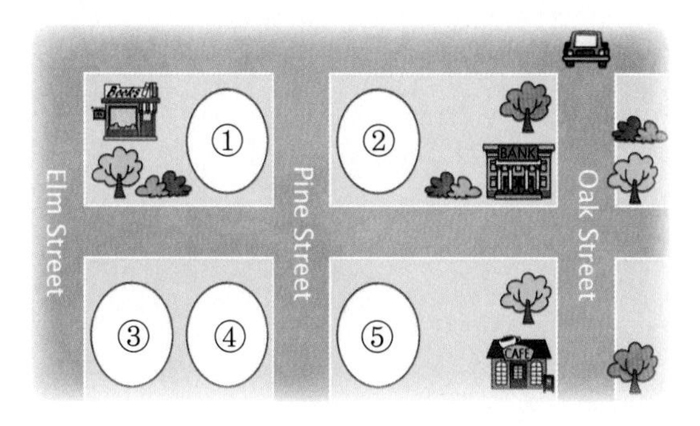

15 대화를 듣고, 여자가 남자에게 부탁한 일로 가장 적절한 것을 고르시오.

① 추천서 쓰기 ② 엔지니어 교육하기
③ 이력서 검토하기 ④ 면접 연습하기
⑤ 회사에 지원하기

16 대화를 듣고, 남자가 여자에게 제안한 것으로 가장 적절한 것을 고르시오.

① 마당 대청소 돕기
② 아이들을 봐 주기
③ 같이 쇼핑해 주기
④ 옷을 다락방으로 옮기기
⑤ 다락방 청소 대신 해 주기

17 대화를 듣고, 두 사람이 주말에 할 일로 가장 적절한 것을 고르시오.

① 외식하기 ② 피자 만들기
③ 파티 참석하기 ④ 피자 주문하기
⑤ 친구 초대하기

18 대화를 듣고, 여자의 직업으로 가장 적절한 것을 고르시오.

① 간호사 ② 교사 ③ 약사
④ 요리사 ⑤ 작곡가

[19~20] 대화를 듣고, 남자의 마지막 말에 이어질 여자의 응답으로 가장 적절한 것을 고르시오.

19 Woman: ______________________

① That's not enough.
② It is about 150km.
③ As soon as possible.
④ It was last Saturday.
⑤ Once or twice a month.

20 Woman: ______________________

① Great, you made it!
② Don't worry. I don't mind.
③ I usually play computer games.
④ Why don't you call the repair shop?
⑤ You should not ride the skateboard too much.

Dictation Test 19회 영어 듣기모의고사

01 그림 정보 파악 – 사물

다음을 듣고, 'this'가 가리키는 것으로 가장 적절한 것을 고르시오.

① ② ③ ④ ⑤

W This is a picture of a place. It ❶ ________ ________ ________ ________ from one place to another place. This also shows us ❷ ________ ________ ________ ________ ________. We can see simple symbols of buildings and places in this picture. What is it?

02 그림 정보 파악 – 사람

대화를 듣고, 여자가 설명하는 소녀로 가장 적절한 것을 고르시오.

① ② ③ ④ ⑤

M Look at this picture!

W I was 4 years old at that time. Among these children, can you guess which one was me?

M What did you ❶ ________ ________? Did you have curly hair?

W No, I ❷ ________ ________ ________ ________.

M Were you wearing a headband?

W No, I was ❸ ________ ________ ________ ________.

M Okay, I got you.

03 그림 정보 파악 – 날씨

다음을 듣고, 내일의 날씨로 가장 적절한 것을 고르시오.

① ② ③ ④ ⑤

W Good morning. This is Sarah Jeong with the Korean Weather Forecast. After two rainy days, we finally ❶ ________ ________ this morning. It will be sunny and cool all day long. But tomorrow it will start to ❷ ________ ________ ________ ________ ________. So, don't forget to wear your coat when you go out tomorrow.

04 의도 파악 영국식 발음 녹음

대화를 듣고 여자가 한 마지막 말의 의도로 가장 적절한 것을 고르시오.

① 감탄 ② 걱정 ③ 칭찬 ④ 불평 ⑤ 소개

자기소개하기

I'm from ~.은 '난 ~ 출신이야.'라는 뜻으로 출신지를 말할 때 쓰는 표현인데, I'm originally from ~.이라고 하면 '난 원래 ~ 출신이야.'라는 뜻이 된다.

W It's a beautiful day for a picnic.

M Yes, it is. Do you live around here?

W Yes, I do, but I'm originally from Switzerland.

M Oh, do you ❶ ________ ________ ________ ________?

W I speak German.

M By the way, my name's John.

W ❷ ________ ________ ________ ________, John. My name's Anna.

Words 01 **place** 장소 **symbol** 기호 02 **guess** 추측하다 **curly** 곱슬곱슬한 **headband** 머리띠 03 **finally** 드디어, 마침내 **go out** 밖에 나가다 04 **originally** 원래

05 언급하지 않은 것

다음을 듣고, 남자가 애완동물에 대해 언급하지 않은 것을 고르시오.

① 이름 ② 나이 ③ 특기
④ 별명 ⑤ 좋아하는 음식

능력 표현하기
'~을 잘한다'고 능력을 표현할 때는 be good at을 사용하여 나타내고, 반대로 '~을 잘 못한다'고 능력을 부인할 때는 be poor at을 사용하여 나타낸다.

M This is my pet, Bob. He is a two-year-old Shepard. He is very smart and ❶ ________ ________ ________. He is very good at ❷ ________ ________. He likes every kind of food. But his favorite food is bacon. Do you want to play with Bob? Give him ❸ ________ ________ ________ ________.

06 숫자 정보 파악 – 시각

대화를 듣고, 남자가 숙제를 시작할 시각을 고르시오.

① 7:00 p.m. ② 7:30 p.m. ③ 8:10 p.m.
④ 8:30 p.m. ⑤ 8:40 p.m.

W Are you still watching TV? It is ❶ ________ ________ ________.
M This is my favorite TV show, Mom. I will do my homework after this show.
W You have been watching TV for more than two hours.
M Just 10 more minutes, please. I promise I will turn off TV ❷ ________ ________ ________ and do my homework.
W Okay! You must keep your promise, Jason.
M Yes, ❸ ________ ________.

07 직업 및 장래 희망

대화를 듣고, 남자의 장래 희망으로 가장 적절한 것을 고르시오.

① 가수 ② 소설가 ③ 작곡가
④ 미술가 ⑤ 피아니스트

바람, 소망 말하기
바람이나 소원을 말할 때는 「want to+동사원형」으로 표현하는데, 장래 희망을 말할 때에는 동사 be를 보통 사용한다.

W Congratulations! You ❶ ________ ________ ________ in the piano contest.
M Thank you. I like playing the piano.
W Then, do you want to be a pianist in the future?
M Not really. I really want to ❷ ________ ________ ________.
W Have you written any songs?
M Only for practice. I am still learning.
W I hope your dream ❸ ________ ________ ________.

Words
05 **smart** 영리한 **understand** 이해하다 **be good at** ~을 잘하다 06 **still** 아직도 **more than** ~ 이상 **promise** 약속; 약속하다
07 **prize** 상 **songwriter** 작곡가 **practice** 연습 **come true** 이루어지다, 실현하다

08 심정 파악

대화를 듣고, 남자의 심정으로 가장 적절한 것을 고르시오.

① 놀람 ② 걱정됨 ③ 만족함
④ 실망함 ⑤ 불만스러움

감사하기
상대방의 말에 고마움을 표현할 때는 That's very nice (of you) to say so. / That's very kind (of you) to say so. / It's very sweet (of you) to say so. 등의 표현을 사용한다.

M ❶ _______ _______ _______ is coming. It's tomorrow.
W Don't worry. I know you've done your best.
M I have, but I am ❷ _______ _______. They are the best soccer team.
W Our school's team is one of the best, too. This final is going to be a great game.
M That's very nice of you to say so.
W Now go home and sleep.
M But ❸ _______ _______ _______ I can sleep well tonight.

09 한 일 / 할 일 파악 영국식 발음 녹음

대화를 듣고, 두 사람이 대화 직후에 할 일로 가장 적절한 것을 고르시오.

① 외출하기 ② 하이킹 가기
③ 자전거 타기 ④ 걸어서 산책하기
⑤ 공원에 가기

about과 around의 발음
about이나 around는 두 번째 음절에 강세가 있으므로 a는 보통 약하게 발음된다.

M What a beautiful day!
W I know. We should ❶ _______ _______ _______ _______ _______.
M You're right. How about going for a hike?
W I don't know. What about biking around town?
M Okay, ❷ _______ _______ _______.
W Great! Let's go.

10 주제 파악

다음을 듣고, 무엇에 관한 내용인지 가장 적절한 것을 고르시오.

① 하루 일과
② 좋아하는 과목
③ 즐겨하는 운동
④ 동아리 활동의 좋은 점
⑤ 규칙적인 운동의 좋은 점

W I love to exercise. I usually ❶ _______ _______ _______ _______. I get up early in the morning and go running for about an hour. Then I often ❷ _______ _______ _______ _______ and do aerobics. Sometimes I go for a walk in the afternoon. ❸ _______ _______ _______ _______, I play basketball.

11 특정 정보 파악

대화를 듣고, 여자가 이용할 교통수단으로 가장 적절한 곳을 고르시오.

① 버스 ② 지하철 ③ 자전거
④ 택시 ⑤ 도보

right의 발음
right의 gh는 소리가 나지 않는 묵음이다. 비슷한 예로 eight, fight 등의 gh도 묵음에 해당된다.

W How do I get to your office, Fred?
M We're downtown, ❶ _______ _______ _______ the post office.
W So I could take a bus or the subway there.
M Right. But the bus stop is closer to my office. ❷ _______ _______ _______ 57 and look to your right, and there's the office.
W Okay, then I'll see you this afternoon.
M Fine. See you soon.

Words 08 do one's best 최선을 다하다 09 go out 외출하다 bike 자전거를 타다 10 work out 운동하다 gym 체육관, 헬스장 go for a walk 산책하러 가다 once a week 일주일에 한 번 11 downtown 시내에 close 가까운

12 이유 파악

대화를 듣고, 여자가 조별 과제를 시작하지 못한 이유로 가장 적절한 것을 고르시오.

① 다른 과제가 있어서
② 숙제할 장소가 없어서
③ 방과 후 수업을 들어서
④ 주제를 정하지 못해서
⑤ 약속 시간을 정하지 못해서

이유 묻고 답하기
이유를 물을 때는 Why ~?로 묻고, Because를 이용하여 답한다.

W How's ❶ ________ ________ ________ doing?
M It's almost done. My group works together every day after school.
W I envy you. My group ❷ ________ ________ ________.
M Why haven't you started?
W Because we haven't ❸ ________ ________ ________ ________. Everyone has different ideas.
M It's important to decide on the topic. The group work is due on Monday.

13 관계 추론

대화를 듣고, 두 사람의 관계로 가장 적절한 것을 고르시오.

① 엄마 – 아들
② 의사 – 환자
③ 교사 – 학생
④ 사장 – 직원
⑤ 식당 종업원 – 손님

불만족 표현하기
I'm not happy with ~.는 불만족한 것을 말할 때 사용하는 표현으로, happy 대신 satisfied를 쓸 수도 있다.

M Excuse me. I'm not happy with the service.
W ❶ ________ ________ ________ ________, sir?
M Yes, I didn't order this food.
W I'm sorry. What ❷ ________ ________ ________, sir?
M I ordered a beef steak with a baked potato.
W I'm really sorry. I will be right back with ❸ ________ ________ ________.

14 그림 정보 파악 – 길 찾기

대화를 듣고, 시립 공원의 위치로 가장 알맞은 곳을 고르시오.

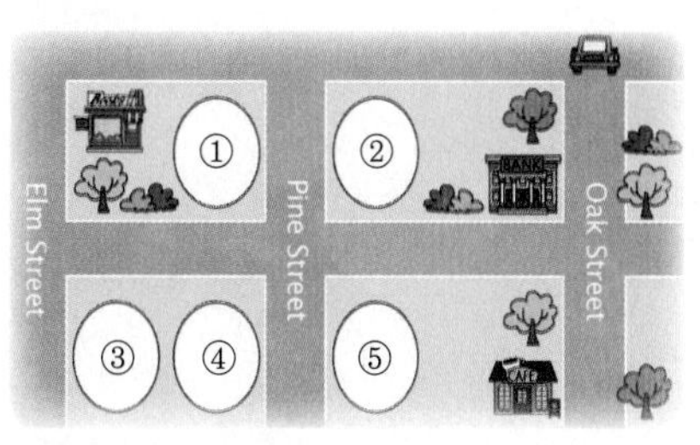

이해 점검하기
Are you with me?는 '아시겠어요?'라는 뜻으로 지금까지 한 말을 이해했는지 묻는 표현이다. Are you following me?로 바꾸어 쓸 수 있다.

M Excuse me. Could you tell me ❶ ________ ________ ________ ________ the City Park?
W Yes. First, drive to the next corner and turn right on Oak Street.
M Okay.
W Then drive one block, and ❷ ________ ________ ________ Pine Street. Are you with me?
M Yes, I understand.
W You'll see the park ❸ ________ ________ ________.
M Thanks very much.

Words 12 envy 부러워하다 decide 결정하다 topic 주제 due on ~가 기한인 13 beef 쇠고기 14 understand 이해하다

Dictation Test

15 부탁한 일 파악

대화를 듣고, 여자가 남자에게 부탁한 일로 가장 적절한 것을 고르시오.

① 추천서 쓰기 ② 엔지니어 교육하기
③ 이력서 검토하기 ④ 면접 연습하기
⑤ 회사에 지원하기

W Excuse me, sir. Could I ask you a favor?
M Certainly. What is it?
W Would you write me ❶ ________ ________ ________ __________?
M I'd be happy to. What are you applying for?
W I'm looking for an engineering job.
M It's my ❷ ________ ________ ________ a good student like you.

16 제안한 일 파악 영국식 발음 녹음

대화를 듣고, 남자가 여자에게 제안한 것으로 가장 적절한 것을 고르시오.

① 마당 대청소 돕기
② 아이들을 봐 주기
③ 같이 쇼핑해 주기
④ 옷을 다락방으로 옮기기
⑤ 다락방 청소 대신 해 주기

M Hello. What are you doing?
W I'm just doing ❶ ________ ________ ________.
M What are in those boxes?
W Some old clothes. The kids have grown too large for them.
M What are you going to do with them?
W I'm ❷ ________ ________ ________ to the attic.
M They must be heavy. Can I ❸ ________ ________ ________ ________?
W That would be great. Thanks!

17 한 일 / 할 일 파악

대화를 듣고, 두 사람이 주말에 할 일로 가장 적절한 것을 고르시오.

① 외식하기 ② 피자 만들기
③ 파티 참석하기 ④ 피자 주문하기
⑤ 친구 초대하기

M Mom and dad will be out for a party this weekend.
W Then let's ❶ ________ ________ ________ ________ for ourselves.
M What can we have for dinner?
W I want to ❷ ________ ________ ________ a special pizza.
M Do you ❸ ________ ________ ________? I want to order a pizza.
W Please, it will be fun.
M Okay, let's try.

Words 15 **ask ~ a favor** ~에게 부탁을 하다 **recommendation** 추천 **apply for** ~에 지원하다 16 **attic** 다락(방) **give you a hand** 도와주다, 거들어 주다

정답과 해설 p. 57

18 직업 및 장래 희망

대화를 듣고, 여자의 직업으로 가장 적절한 것을 고르시오.

① 간호사 ② 교사 ③ 약사
④ 요리사 ⑤ 작곡가

M Can you tell me about your day at the hospital?

W I work the morning shift from 6 a.m. to 2 p.m., so I have to get up at 4:30. At six, I start meeting ❶ ________ ________ ________.

M Is your job stressful?

W Yes, it is. I work ❷ ________ ________ ________ ________.

M Sounds like you have a tough job.

W Yeah, but I like my job.

[19~20] 대화를 듣고, 남자의 마지막 말에 이어질 여자의 응답으로 가장 적절한 것을 고르시오.

19 알맞은 응답 찾기

Woman: ______________________________

① That's not enough.
② It is about 150 km.
③ As soon as possible.
④ It was last Saturday.
⑤ Once or twice a month.

소요 시간 표현하기

「It takes+시간+to+동사원형」은 '~하는 데 (시간)이 걸린다'라는 의미의 표현이다.
ex) It took one hour to finish my homework.
(숙제를 마치는 데 한 시간이 걸렸다.)

W I'm visiting my grandmother this weekend.

M Where does she live?

W She ❶ ________ ________ ________.

M Is it far from here?

W Not that far. It takes about two hours by car.

M ❷ ________ ________ do you visit her?

20 알맞은 응답 찾기 영국식 발음 녹음

Woman: ______________________________

① Great, you made it!
② Don't worry. I don't mind.
③ I usually play computer games.
④ Why don't you call the repair shop?
⑤ You should not ride the skateboard too much.

M There's ❶ ________ ________ with my computer.

W What is the problem?

M The keyboard is not working.

W Did you ❷ ________ ________ ________?

M Yes, but nothing happened. ❸ ________ ________ ________ ________?

Words 18 **shift** 교대 근무 (시간) **emergency room** 응급실 **tough** 힘든, 거친 19 **far from** ~에서 먼 20 **nothing** 아무것도 (~아니다)

20회 영어 듣기모의고사

맞은 개수 /20문항

01 다음을 듣고, 'this'가 가리키는 것으로 가장 적절한 것을 고르시오.

①  ②  ③ 
④ 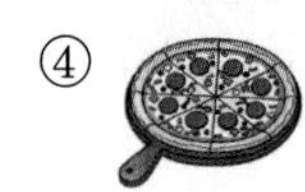 ⑤ 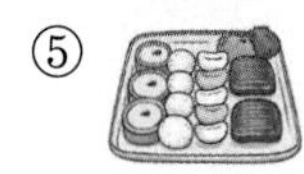

02 대화를 듣고, 두 사람이 구입할 넥타이로 가장 적절한 것을 고르시오.

①  ②  ③  
④  ⑤ 

03 다음을 듣고, 화요일의 날씨로 가장 적절한 것을 고르시오.

①  ②  ③  
④  ⑤ 

04 대화를 듣고 남자가 한 마지막 말의 의도로 가장 적절한 것을 고르시오.

① 놀람 ② 거절 ③ 제안
④ 수락 ⑤ 지시

05 대화를 듣고, 여자가 녹차를 좋아하는 이유로 언급되지 <u>않은</u> 것을 고르시오.

① 갈증 해소 ② 목 통증 완화
③ 좋은 향과 맛 ④ 졸음 퇴치
⑤ 체중 감소

06 대화를 듣고, 두 사람이 만날 시각을 고르시오.

① 5:00 ② 5:30 ③ 6:00
④ 6:30 ⑤ 7:00

07 대화를 듣고, 여자의 장래 희망으로 가장 적절한 것을 고르시오.

① 대통령 ② 회사원
③ 경영자 ④ 변호사
⑤ 컴퓨터 프로그래머

08 대화를 듣고, 여자의 심정으로 가장 적절한 것을 고르시오.

① 슬픔 ② 기쁨
③ 그리움 ④ 걱정스러움
⑤ 당황스러움

09 대화를 듣고, 두 사람이 대화 직후에 할 일로 가장 적절한 것을 고르시오.

① 집으로 돌아가기
② 중국 식당에 가기
③ 이탈리아 식당에 가기
④ 태국 음식 먹으러 가기
⑤ 태국 음식점에 배달 주문하기

10 다음을 듣고, 무엇에 관한 내용인지 가장 적절한 것을 고르시오.

① 식당 광고 ② 구인 광고
③ 의류 홍보 ④ 슈퍼마켓 홍보
⑤ 세일 행사 홍보

11 대화를 듣고, 두 사람의 관계로 가장 적절한 것을 고르시오.

① 이웃 ② 자매
③ 부부 ④ 직장 동료
⑤ 학교 친구

12 대화를 듣고, 남자가 뉴스만 보는 이유로 가장 적절한 것을 고르시오.

① 다른 프로그램들은 유치해서
② 다른 프로그램들은 폭력적이어서
③ 다른 프로그램들을 볼 시간이 없어서
④ 가족과 얘기할 시간을 갖기 위해서
⑤ 다른 프로그램들에서는 유용한 정보를 얻을 수 없어서

13 대화를 듣고, 두 사람이 대화하는 장소로 가장 적절한 곳을 고르시오.

① 문구점 ② 영화관 ③ 신발 가게
④ 음식점 ⑤ 헬스장

14 대화를 듣고, 남자의 휴대 전화가 놓인 장소로 가장 적절한 곳을 고르시오.

15 대화를 듣고, 남자가 여자에게 부탁한 일로 가장 적절한 것을 고르시오.

① 주말에 아이들 봐 주기
② 주말에 대신 일하기
③ 함께 영화 보기
④ 주말 휴가 연기하기
⑤ 스키 타러 같이 가기

16 대화를 듣고, 여자가 남자에게 제안한 것으로 가장 적절한 것을 고르시오.

① 일찍 출근하기
② 파티 참석하기
③ 야외로 꽃구경 가기
④ 공원에서 자전거 타기
⑤ 햇볕 쬐러 야외에 가기

17 다음을 듣고, 여자가 오늘 방과 후에 한 일이 <u>아닌</u> 것을 고르시오.

① 도서관 가기 ② 역사책 읽기
③ 방 청소하기 ④ 동생 돌보기
⑤ 수영하기

18 대화를 듣고, 남자의 직업으로 가장 적절한 것을 고르시오.

① 기자 ② 경찰관 ③ 디자이너
④ 상담교사 ⑤ 의사

[19~20] 대화를 듣고, 여자의 마지막 말에 이어질 남자의 응답으로 가장 적절한 것을 고르시오.

19 Man: ______________________

① That's all right!
② You are telling me.
③ I'm sorry to hear that.
④ I don't agree with you.
⑤ Wow! Congratulations!

20 Man: ______________________

① Our dad is great.
② Let's go to see a movie.
③ I don't have any plans.
④ I am going to the library.
⑤ I visited my friend in Busan.

Dictation Test 20회 영어 듣기모의고사

01 그림 정보 파악 – 사물

다음을 듣고, 'this'가 가리키는 것으로 가장 적절한 것을 고르시오.

①　②　③　④　⑤

M Let me introduce a ❶ ________ ________ ________. This is red and hot. This is made of various vegetables. This is ❷ ________ ________ ________ ________. It has many kinds of vitamins. Korean people like to ❸ ________ ________ ________ ________ and other dishes. What is this?

02 그림 정보 파악 – 사물

대화를 듣고, 두 사람이 구입할 넥타이로 가장 적절한 것을 고르시오.

①　②　③　④　⑤

M Oh, look at that tie, Amy. It's perfect for Dad.

W That gray one? I'm not sure. It's ❶ ________ ________.

M No, the orange one. It ❷ ________ ________.

W Oh, this? Hmm, orange isn't a good color for Dad.

M Well, how about that one? It's quite nice.

W Which one?

M That ❸ ________ ________ ________ ________.

W Wow, it will look good on Dad.

03 그림 정보 파악 – 날씨

다음을 듣고, 화요일의 날씨로 가장 적절한 것을 고르시오.

①　②　③　④　⑤

W Good morning. This is Sue with Monday's Weather Forecast. Now Seoul is very cloudy. Seoul ❶ ________ ________ ________ until Tuesday. But starting from Wednesday morning, we will get about 5 to 20 millimeters of snow. Drivers, ❷ ________ ________ ________ ________ ________.

04 의도 파악 영국식 발음 녹음

대화를 듣고 남자가 한 마지막 말의 의도로 가장 적절한 것을 고르시오.

① 놀람　② 거절　③ 제안
④ 수락　⑤ 지시

W Do you play tennis?

M A little. Do you play?

W Yes, but not very well. ❶ ________ ________ do you play?

M Oh, about twice a week. How about you?

W Once a week. ❷ ________ ________ ________ a game on Friday afternoon?

M Sure! I'd love to.

Words 01 **traditional** 전통적인 **vegetable** 야채, 채소 **vitamin** 비타민 **dish** 음식 02 **perfect** 완벽한 **stripe** 줄무늬 **dot** 물방울무늬 03 **driver** 운전자 **careful** 조심스러운, 주의 깊은 **icy road** 빙판길

정답과 해설 p. 59

05 언급되지 않은 것

대화를 듣고, 여자가 녹차를 좋아하는 이유로 언급되지 않은 것을 고르시오.

① 갈증 해소 ② 목 통증 완화
③ 좋은 향과 맛 ④ 졸음 퇴치
⑤ 체중 감소

tea의 발음
ea는 [i:] 또는 [e]로 발음하는데 tea의 경우 장모음 형태로 길게 [티:]로 발음한다.

M Kathy, what are you drinking?
W I'm having some green tea. I love it.
M Is there any reason you like it?
W When ❶ ________ ________ ________, it is really helpful. Also, when my throat is sore, I drink it warm.
M I didn't know that.
W It smells good and ❷ ________ ________, of course.
M You really like green tea.
W Most of all, it can ❸ ________ ________ ________ ________.
M Really? That's good.

06 숫자 정보 파악 – 시각

대화를 듣고, 두 사람이 만날 시각을 고르시오.

① 5:00 ② 5:30 ③ 6:00
④ 6:30 ⑤ 7:00

놀람 표현하기
신기하거나 놀라운 일을 들었을 때 쓰는 표현으로는 Really? That's surprising! / Wow! What a surprise! / That's unbelievable! / I can't believe that. 등이 있다.

M You know what? Psy is ❶ ________ ________ ________ ________ tomorrow evening at Cheongyecheon.
W Really? That's surprising! What time does it start?
M It starts at 7 o'clock. Do you want to watch it with me?
W Sure, that would be great. How about meeting at six thirty near the main entrance?
M Well, they don't usually have a lot of seats. So, how about ❷ ________ ________ ________?
W No problem. What about ❸ ________ ________?
M That's fine with me. See you then.

07 직업 및 장래 희망

대화를 듣고, 여자의 장래 희망으로 가장 적절한 것을 고르시오.

① 대통령 ② 회사원
③ 경영자 ④ 변호사
⑤ 컴퓨터 프로그래머

M What are you going to major in?
W I'm ❶ ________ ________ ________. How about you? Which school are you going to next year, Ben?
M I'm not really sure. So, do you want to work for a big company after college?
W No. I hope to ❷ ________ ________ ________ ________.
M Wow. You are ambitious!
W Actually, I'd like ❸ ________ ________ ________ ________.

Words 05 **green tea** 녹차 **reason** 이유 **thirsty** 목이 마른 **helpful** 도움이 되는 **throat** 목 **most of all** 무엇보다도 06 **seat** 자리, 좌석 **main entrance** 주 출입구 07 **major in** ~을 전공하다 **ambitious** 야심 있는 **President** 대통령 **someday** 언젠가

Dictation Test

08 심정 파악

대화를 듣고, 여자의 심정으로 가장 적절한 것을 고르시오.

① 슬픔 ② 기쁨
③ 그리움 ④ 걱정스러움
⑤ 당황스러움

W Mike, you know I ❶ ________ ________ ________ in the park two days ago. But I found it.

M Really? That's good news!

W Yes. I was worried that I would ❷ ________ ________ ________ ________.

M How did you find it?

W Well, I put the posters all over the park. Luckily, ❸ ________ ________ ________ ________.

M Good for you.

09 한 일 / 할 일 파악

대화를 듣고, 두 사람이 대화 직후에 할 일로 가장 적절한 것을 고르시오.

① 집으로 돌아가기
② 중국 식당에 가기
③ 이탈리아 식당에 가기
④ 태국 음식 먹으러 가기
⑤ 태국 음식점에 배달 주문하기

M Where would you like to eat?

W Oh, I don't know. How about ❶ ________ ________ ________?

M We were just there last week!

W Okay, well, then how about Chinese?

M You always want Chinese.

W Fine. You can decide ❷ ________ ________ ________.

M I want to go somewhere different. Let's see.... How about ❸ ________ ________ ________?

W That's a good idea.

10 주제 파악

다음을 듣고, 무엇에 관한 내용인지 가장 적절한 것을 고르시오.

① 식당 광고 ② 구인 광고
③ 의류 홍보 ④ 슈퍼마켓 홍보
⑤ 세일 행사 홍보

M We ❶ ________ ________ a salesperson for our supermarket. ❷ ________ ________ ________ are from 8 a.m. to 6 p.m. from Monday to Saturday. We'll pay you $2,000 per month. We'll ❸ ________ ________ ________ each day and a uniform. Call us at 333-3434.

Words 08 **lose** 잃다(-lost) **all over** 곳곳에 09 **somewhere** 어딘가로, 어딘가에 **Thai** 태국의 10 **hire** 고용하다 **salesperson** 판매인

11 관계 추론

대화를 듣고, 두 사람의 관계로 가장 적절한 것을 고르시오.

① 이웃 ② 자매
③ 부부 ④ 직장 동료
⑤ 학교 친구

M Excuse me. I have something to ask you.
W What is it?
M Could you please ❶ ________ ________ the piano after 9 p.m.? It's because I go to bed early, around 9 o'clock.
W Oh, I'm terribly sorry. I didn't know it bothered ❷ ________ ________ ________ ________. I won't play it after 9 o'clock.
M Thanks.

12 이유 파악

대화를 듣고, 남자가 뉴스만 보는 이유로 가장 적절한 것을 고르시오.

① 다른 프로그램들은 유치해서
② 다른 프로그램들은 폭력적이어서
③ 다른 프로그램들을 볼 시간이 없어서
④ 가족과 얘기할 시간을 갖기 위해서
⑤ 다른 프로그램들에서는 유용한 정보를 얻을 수 없어서

이유 묻기
이유를 물을 때는 Is there any reasons? / For what? / Why do you think so? 등을 이용한다.

W What kind of TV programs do you usually watch?
M I watch ❶ ________ ________ ________.
W Don't you watch other programs at all?
M Not at all.
W Really? That's surprising. Is there any reason for that?
M I think I can't get any ❷ ________ ________ ________ ________ from other programs. I think it is a ❸ ________ ________ ________.
W Wow, I didn't know you would think like that.

13 장소 추론

대화를 듣고, 두 사람이 대화하는 장소로 가장 적절한 곳을 고르시오.

① 문구점 ② 영화관 ③ 신발 가게
④ 음식점 ⑤ 헬스장

M What can I do for you?
W Oh, I'm looking for ❶ ________ ________. Do you have any?
M Yes. How about these? They are very light and comfortable.
W Hmm. May I try them on?
M Of course. ❷ ________ ________ do you wear?
W I wear size 8.

14 그림 정보 파악 – 물건 찾기

대화를 듣고, 남자의 휴대 전화가 놓인 장소로 가장 적절한 곳을 고르시오.

위치 말하기
사물의 위치를 물을 때는 Where is ~? 표현을 사용하며, 위치 전치사인 on(위에), next to(~ 옆에), under(~ 아래에), between A and B(A와 B 사이에), behind(~ 뒤에) 등을 사용하여 답한다.

M Mom, where is my cellphone?
W I think it's on the table.
M I've ❶ ________ ________ there, but it's not.
W Well, did you look for it on the bed?
M It's not there, either.
W Hmm.... That's strange. What about ❷ ________ ________ ________?
M Oh, Mom, I ❸ ________ ________. There it is.

Words 11 **terribly** 너무, 몹시 **bother** 괴롭히다 12 **at all** 전혀 **useful** 유용한 **waste** 낭비 13 **light** 가벼운 **comfortable** 편안한 14 **look for** ~을 찾다 **either** (부정문에서) ~도 역시 아닌 **strange** 이상한

Dictation Test

15 부탁한 일 파악 영국식 발음 녹음

대화를 듣고, 남자가 여자에게 부탁한 일로 가장 적절한 것을 고르시오.

① 주말에 아이들 봐 주기
② 주말에 대신 일하기
③ 함께 영화 보기
④ 주말 휴가 연기하기
⑤ 스키 타러 같이 가기

생각할 시간 요청하기
Let me think.는 '생각 좀 해 볼게요.'라는 뜻으로 생각할 시간을 요청할 때 쓴다. 이와 비슷한 뜻의 표현으로 Let me see.가 있다.

M Could I ask you a favor?
W Sure. What is it?
M I wonder if you could ❶ ________ ________ ________ for us over the weekend.
W Let me think for a second. (*pause*) Saturday won't be a problem, but I ❷ ________ ________ ________ ________ on Sunday with my friends.
M Oh, that's too bad. My wife really wanted us to be able to ❸ ________ ________ ________ the whole weekend.

16 제안한 일 파악

대화를 듣고, 여자가 남자에게 제안한 것으로 가장 적절한 것을 고르시오.

① 일찍 출근하기
② 파티 참석하기
③ 야외로 꽃구경 가기
④ 공원에서 자전거 타기
⑤ 햇볕 쬐러 야외에 가기

W It's getting late. I really should go home.
M So soon?
W Yeah, I have ❶ ________ ________ ________ ________ early tomorrow.
M Well, I'm glad you could come.
W Thanks ❷ ________ ________ ________ to the party. I had a great time.
M Thanks for coming.
W How about ❸ ________ ________ ________ in the park next weekend? Spring is really here.
M That sounds great. I love the sunshine.

17 특정 정보 파악

다음을 듣고, 여자가 오늘 방과 후에 한 일이 아닌 것을 고르시오.

① 도서관 가기 ② 역사책 읽기
③ 방 청소하기 ④ 동생 돌보기
⑤ 수영하기

W After school, I went to the library and borrowed a book about Korean history. But I ❶ ________ ________ ________ because I was so busy all afternoon. First, I cleaned my room. And then, I had to ❷ ________ ________ ________ my younger sister. When my mom came back home, I went to the pool ❸ ________ ________ ________ ________.

Words 15 **wonder** ~일지 모르겠다 **for a second** 잠시 **whole** 전부의, 모든 16 **have a great time** 재미있게 보내다 **go bike riding** 자전거 타러 가다 17 **borrow** 빌리다 **younger** 나이가 적은

18 직업 및 장래 희망

대화를 듣고, 남자의 직업으로 가장 적절한 것을 고르시오.

① 기자 ② 경찰관 ③ 디자이너
④ 상담교사 ⑤ 의사

M Come in please, and have a seat. Let's start with clothes. What was he wearing?

W I think it was a blue shirt.

M ❶ ________ ________ was he?

W I'm sure he was tall. I remember he was thin. And his hair was ❷ ________ ________ ________.

M Just one more question. About how old was he?

W He was a teenager. In his late teens. He looked young.

M Okay. Thank you for the information. I'm sure ❸ ________ ________ ________ ________.

[19~20] 대화를 듣고, 여자의 마지막 말에 이어질 남자의 응답으로 가장 적절한 것을 고르시오.

19 알맞은 응답 찾기

Man: ________________________

① That's all right!
② You are telling me.
③ I'm sorry to hear that.
④ I don't agree with you.
⑤ Wow! Congratulations!

Ⓟ Did you의 발음
자음 d가 you와 만날 경우, 한 단어처럼 [디쥬]로 발음한다.

M You look so happy today. What happened?

W ❶ ________ ________ happened to me. I am really excited.

M Let me guess. There was a Flying Model Airplane contest at school this afternoon. Ⓟ Did you ❷ ________ ________ ________ the contest?

W Yes, I did it for fun.

M Did you ❸ ________ ________ ________ ________?

W Yes, I won first prize!

20 알맞은 응답 찾기 영국식 발음 녹음

Man: ________________________

① Our dad is great.
② Let's go to see a movie.
③ I don't have any plans.
④ I am going to the library.
⑤ I visited my friend in Busan.

M How was ❶ ________ ________, Bella?

W It was great. I went fishing and caught a lot of fish.

M Sounds fun! I didn't know you ❷ ________ ________.

W It's fun. My father taught me how to fish. What did you do ❸ ________ ________ ________?

Words 18 **have a seat** 앉다 **thin** 마른 **late teens** 10대 후반 **information** 정보 **catch** (붙)잡다 19 **for fun** 재미로, 재미 삼아 20 **go fishing** 낚시하러 가다

21회 영어 듣기모의고사

맞은 개수 /20문항

01 다음을 듣고, 그림에 대한 설명으로 적절하지 <u>않은</u> 것을 고르시오.

① ② ③ ④ ⑤

02 대화를 듣고, 오늘의 날짜로 가장 적절한 것을 고르시오.

① 6월 9일 ② 6월 16일 ③ 6월 17일
④ 6월 20일 ⑤ 6월 23일

03 다음을 듣고, 토요일의 날씨로 가장 적절한 것을 고르시오.

①  ②   ③  

④   ⑤  

04 대화를 듣고, 남자가 한 마지막 말의 의도로 가장 적절한 것을 고르시오.

① 반대 ② 수락 ③ 허락 요청
④ 동의 ⑤ 사실 확인

05 다음을 듣고, 여자가 자신에 대해 언급하지 <u>않은</u> 것을 고르시오.

① 이름 ② 출신 국가 ③ 부모님 국적
④ 사는 곳 ⑤ 성격

06 대화를 듣고, 남자가 지불해야 할 금액으로 가장 적절한 것을 고르시오.

① $20 ② $24 ③ $26
④ $30 ⑤ $36

07 대화를 듣고, 남자의 장래 희망으로 가장 적절한 것을 고르시오.

① 설계사 ② 목수 ③ 전문 구조원
④ 농부 ⑤ 어부

08 대화를 듣고, 남자의 심정으로 가장 적절한 것을 고르시오.

① tired ② angry ③ bored
④ excited ⑤ worried

09 대화를 듣고, 남자가 대화 직후에 할 일로 가장 적절한 것을 고르시오.

① 시험 치르기
② 영화 예매하기
③ 시험공부하기
④ 집에 가서 휴식 취하기
⑤ 극장에 가서 영화 보기

10 대화를 듣고, 여자의 과제가 무엇에 관한 내용인지 가장 적절한 것을 고르시오.

① 역사적인 사건 ② 좋아하는 과목
③ 보고 싶은 유적지 ④ 좋아하는 운동선수
⑤ 존경하는 과거의 인물

11 대화를 듣고, 여자가 학교에 보내야 할 것으로 가장 적절한 것을 고르시오.

① 진통제　② 의사 진단서
③ 지각 확인서　④ 병원 영수증
⑤ 부모 확인서

12 대화를 듣고, 남자가 전화를 받지 못한 이유로 가장 적절한 것을 고르시오.

① 정전이 되어서
② 가족회의 중이어서
③ 휴대 전화를 분실해서
④ 배터리가 다 되어서
⑤ 휴대 전화가 고장 나서

13 대화를 듣고, 두 사람이 대화하는 장소로 가장 적절한 곳을 고르시오.

① school　② church
③ library　④ bookstore
⑤ movie theater

14 대화를 듣고, 역사박물관의 위치로 가장 알맞은 곳을 고르시오.

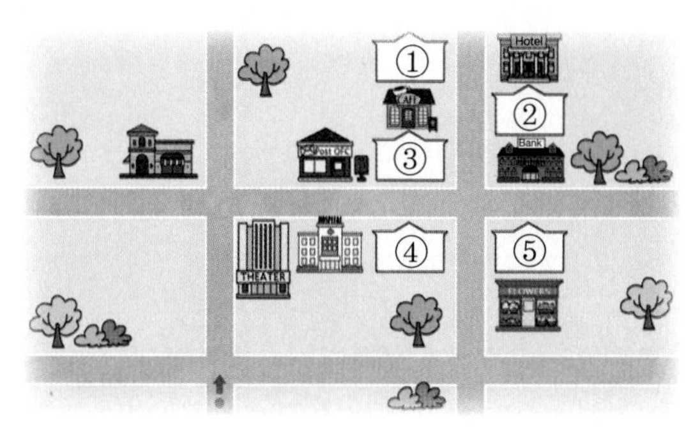

15 대화를 듣고, 여자가 남자에게 부탁한 일로 가장 적절한 것을 고르시오.

① 책 반납해 주기　② 책 빌려주기
③ 부축해 주기　④ 가방 들어 주기
⑤ 도서관에 같이 가기

16 대화를 듣고, 남자가 여자에게 제안한 것으로 가장 적절한 것을 고르시오.

① 우산 쓰기
② 공원에 가기
③ 집에서 쉬기
④ 차 마시기
⑤ 비 갤 때까지 기다리기

17 대화를 듣고, 두 사람이 오늘 오후에 할 일로 가장 적절한 것을 고르시오.

① 책 구매하기　② 독서하기
③ 집에서 쉬기　④ 책 사인회 가기
⑤ TV 시청하기

18 다음을 듣고, 남자의 직업으로 가장 적절한 것을 고르시오.

① 수의사　② 경찰관　③ 소설가
④ 사육사　⑤ 구조대원

[19～20] 대화를 듣고, 여자의 마지막 말에 이어질 남자의 응답으로 가장 적절한 것을 고르시오.

19 Man: ______________________

① It's on your right.
② Why don't you leave earlier?
③ Don't worry. You can't miss it.
④ You are right. It's close from here.
⑤ It takes about 10 minutes to go home.

20 Man: ______________________

① Don't be curious.
② I will ask Mom for Dad.
③ Wow! You must be busy.
④ I'll follow your advice.
⑤ She has a lot of things to do.

Dictation Test 21회 영어 듣기모의고사

01 그림 정보 파악 – 사물

다음을 듣고, 그림에 대한 설명으로 적절하지 않은 것을 고르시오.

① ② ③ ④ ⑤

M ① There is ❶ ________ ________ ________ next to the desk.
② There is a headphone in the drawer.
③ A cat is sleeping under the desk.
④ There is a memo board ❷ ________ ________ ________.
⑤ A book is open on the desk.

02 그림 정보 파악 – 날짜

대화를 듣고, 오늘의 날짜로 가장 적절한 것을 고르시오.

① 6월 9일 ② 6월 16일 ③ 6월 17일
④ 6월 20일 ⑤ 6월 23일

제안하기
상대방에게 제안할 때에는 표현으로 Shall we ~? / Let's ~. / Why don't you ~? / How about -ing ~? 등을 써서 한다.

W This math homework is very hard. Shall we work together?
M Yes, we should. Let's meet at the library tomorrow.
W I'm afraid, I can't. I have a piano lesson on Tuesdays. What about Wednesday?
M I have a soccer practice ❶ ________ ________ ________ ________.
W Then we have to do it today. This math homework is ❷ ________ ________ ________.
M Really? I thought it is ❸ ________ ________ .
W No, it is due June 19.

03 그림 정보 파악 – 날씨

다음을 듣고, 토요일의 날씨로 가장 적절한 것을 고르시오.

①  ②  ③ 
④ 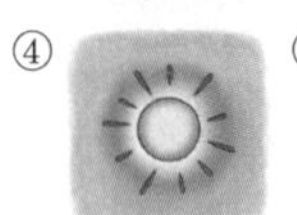 ⑤ 

W Hello, everyone! Here's the weather for this week. We will have ❶ ________ ________ and rain from Monday to Wednesday. But from Thursday, the temperature will ❷ ________ ________ ________ ________ and the rain will change into snow. It will ❸ ________ ________ until Saturday.

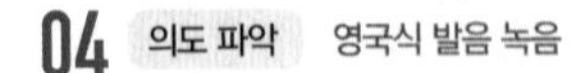

04 의도 파악 영국식 발음 녹음

대화를 듣고, 남자가 한 마지막 말의 의도로 가장 적절한 것을 고르시오.

① 반대 ② 수락 ③ 허락 요청
④ 동의 ⑤ 사실 확인

M I really ❶ ________ ________ ________ ________.
W Me, too. Why don't we exercise together?
M Really? Do you think you can keep up with me?
W Absolutely! But I don't like activities that ❷ ________ ________ ________.
M All right. What would you like to do, then?
W How about bowling?
M Bowling? ❸ ________ ________ ________ that's going to help me.

01 **headphone** 헤드폰 **drawer** 서랍 **board** 판 02 **practice** 연습, 실습 **due** ~로 예정된 03 **fall down** (기온 등이) 떨어지다 **below zero** 영하 04 **keep up with** ~에 뒤지지 않다 **tiring** 피곤한

05 언급하지 않은 것

다음을 듣고, 여자가 자신에 대해 언급하지 않은 것을 고르시오.

① 이름 ② 출신 국가 ③ 부모님 국적
④ 사는 곳 ⑤ 성격

W I'm Elena. I ❶ ________ ________ Spain. My mother is Spanish and my father is Korean. I came to Korea last year and I ❷ ________ ________ ________ now. At first, I missed my country, but now I like Korea. Korean people ❸ ________ ________ ________.

06 숫자 정보 파악 – 금액

대화를 듣고, 남자가 지불해야 할 금액으로 가장 적절한 것을 고르시오.

① $20 ② $24 ③ $26
④ $30 ⑤ $36

요청하기
상대방에게 요청할 때는 Can(Will) you ~? / Would you ~? 등의 표현을 사용하는데 Would는 Can이나 Will 보다는 좀 더 정중한 표현이다.

M Excuse me. How much is this shirt?
W It's ❶ ________ ________.
M I like this shirt, but I don't like the color. Can you find me a blue one?
W Sure. Here's one. We have blue, green and black ones. ❷ ________ ________ ________ is on 20% sale.
M Then, how much is it?
W It is $24.
M Well, I still like blue color. I'll take ❸ ________ ________ ________.

07 직업 및 장래 희망

대화를 듣고, 남자의 장래 희망으로 가장 적절한 것을 고르시오.

① 설계사 ② 목수 ③ 전문 구조원
④ 농부 ⑤ 어부

W Wow, did you ❶ ________ ________ ________ ________ yourself?
M Well, I had some help from my friend, Sam.
W Where did you learn this?
M Sometimes I helped my grandfather when I was a kid.
W Was he a carpenter or something?
M Yes, he was ❷ ________ ________ ________.
W This is really nice.
M It's really hard work, but I want to ❸ ________ ________ ________ ________ like my grandfather someday.

Words 05 **Spanish** 스페인 사람(의) **miss** ~을 그리워하다 06 **on sale** 할인 중인 07 **carpenter** 목수 **professional** 전문적인, 직업의

08 심정 파악 영국식 발음 녹음

대화를 듣고, 남자의 심정으로 가장 적절한 것을 고르시오.

① tired ② angry ③ bored
④ excited ⑤ worried

W Are you all right, John? You don't look good.
M I ❶ ________ ________ ________ ________ the English speaking test.
W You are good at speaking English. Don't worry.
M I'm nervous when I ❷ ________ ________ ________ ________ many people.
W Calm down. You'll be fine.
M Thanks, but I think I will be able to ❸ ________ ________ when the test finishes.

09 한 일 / 할 일 파악

대화를 듣고, 남자가 대화 직후에 할 일로 가장 적절한 것을 고르시오.

① 시험 치르기
② 영화 예매하기
③ 시험공부하기
④ 집에 가서 휴식 취하기
⑤ 극장에 가서 영화 보기

동의하기
상대방의 의견에 동의할 때는 Same here. / Me, too. / I agree. / I can't agree with you more. 등의 표현을 사용한다.

W I'm very happy that the exam is finally over.
M Same here. It has been ❶ ________ ________ ________.
W Why don't we go to the movies? There's a new movie at the theater.
M Well, I want to go home and ❷ ________ ________ ________.
W Come on. You can't go home and just sleep in this beautiful weather.
M I'm sorry, but I really ❸ ________ ________ ________.
W Okay, let's see a movie tomorrow.

10 주제 파악

대화를 듣고, 여자의 과제가 무엇에 관한 내용인지 가장 적절한 것을 고르시오.

① 역사적인 사건 ② 좋아하는 과목
③ 보고 싶은 유적지 ④ 좋아하는 운동선수
⑤ 존경하는 과거의 인물

W I can't start the history homework.
M What is it about?
W It's about a person ❶ ________ ________ ________. He or she should be from the past.
M Who do you respect most?
W I have no idea. I respect sport players, but they are all alive.
M Why don't you ❷ ________ ________ ________ ________ on the Internet?
W Wow, that's a great idea.

Words 08 **nervous** 초조한 **be able to** ~할 수 있다 **finish** 끝나다, 마치다 09 **be over** 끝나다 **theater** 극장 **beautiful** 아름다운 10 **respect** 존경하다 **alive** 살아 있는

11 특정 정보 파악

대화를 듣고, 여자가 학교에 보내야 할 것으로 가장 적절한 것을 고르시오.

① 진통제 ② 의사 진단서
③ 지각 확인서 ④ 병원 영수증
⑤ 부모 확인서

[Telephone rings.]

M Hello, this is Mr. Johnson speaking.

W Good morning, Mr. Johnson. This is Mina's mother.

M Good morning. Is there something wrong with Mina?

W She needs to go to ❶ ________ ________ ________ before she goes to school. She has a stomachache.

M I'm sorry to hear that. Just send ❷ ________ ________ ________ to school.

W Okay, I will.

M I hope ❸ ________ ________ ________ ________.

12 이유 파악

대화를 듣고, 남자가 전화를 받지 못한 이유로 가장 적절한 것을 고르시오.

① 정전이 되어서
② 가족회의 중이어서
③ 휴대 전화를 분실해서
④ 배터리가 다 되어서
⑤ 휴대 전화가 고장 나서

W You didn't answer the phone last night. What were you doing?

M I went camping with my family and ❶ ________ ________ ________ ________.

W Didn't you bring an extra battery?

M I totally forgot about it.

W Really? Now ❷ ________ ________.

13 장소 추론

대화를 듣고, 두 사람이 대화하는 장소로 가장 적절한 곳을 고르시오.

① school ② church
③ library ④ bookstore
⑤ movie theater

의견 묻고 답하기
상대방의 의견을 물을 때는 What do you think about [of] ~? / How do you like ~?를 사용한다.

W This is my first time to see a movie here. What do you think about seeing a movie here?

M I think it's good. It is ❶ ________ ________ ________.

W I agree. I thought that in this place we can ❷ ________ ________ ________ ________ some books. Now we don't have to go downtown to see a movie.

M You know what? You ❸ ________ ________ DVDs here, too.

W That sounds great!

Words 11 **stomachache** 복통, 위통 **doctor's note** 의사 진단서 12 **answer the phone** 전화를 받다 **dead** 다 닳은 **extra** 여분의 13 **free** 무료의 **comfortable** 편안한 **downtown** 시내, 중심가

Dictation Test

14 그림 정보 파악 – 길 찾기

대화를 듣고, 역사박물관의 위치로 가장 알맞은 곳을 고르시오.

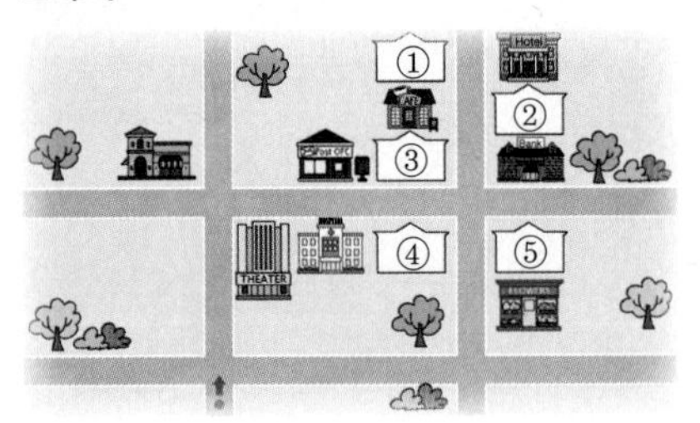

P walk의 발음
walk의 l은 소리가 나지 않는 묵음이다. talk의 l도 마찬가지로 묵음으로 소리 나지 않는다.

W Excuse me. Could you tell me how to get to the history museum?

M Yes. First, ❶ ________ ________ ________ ________ to the corner and turn right.

W Okay.

M Next, P walk one block to main street and turn left. Are you following me?

W Yes, I'm following you.

M Then ❷ ________ ________ ________ ________, and you'll see the museum on the left. The museum is ❸ ________ ________ ________ ________.

W I got it. Thank you.

15 부탁한 일 파악

대화를 듣고, 여자가 남자에게 부탁한 일로 가장 적절한 것을 고르시오.

① 책 반납해 주기
② 책 빌려주기
③ 부축해 주기
④ 가방 들어 주기
⑤ 도서관에 같이 가기

M Jane, what happened to your leg?

W I fell down the stairs and ❶ ________ ________ ________.

M I'm sorry to hear that. Does it hurt?

W It hurts, but not that much.

M Is there anything I can do for you?

W Yes, please. Can you ❷ ________ ________ ________ to the library?

M Sure. I'm on my way to the library to ❸ ________ ________ ________ for my English report.

W Thanks.

16 제안한 일 파악

대화를 듣고, 남자가 여자에게 제안한 것으로 가장 적절한 것을 고르시오.

① 우산 쓰기
② 공원에 가기
③ 집에서 쉬기
④ 차 마시기
⑤ 비 갤 때까지 기다리기

M Let's ❶ ________ ________ ________ ________.

W But it's cloudy and wet outside.

M That's okay. There won't be many people there.

W I don't want to go in this weather.

M Come on! It's not that bad.

W ❷ ________ ________ ________ ________ are for sunny days.

Words 14 **get to** ~에 이르다, ~에 닿다 15 **stair** 계단 **return** 반납하다 **borrow** 빌리다 **report** 숙제, 보고서 16 **wet** 젖은, 비가 오는 **outside** 밖에 **sunny** 화창한

17 한 일 / 할 일 파악

대화를 듣고, 두 사람이 오늘 오후에 할 일로 가장 적절한 것을 고르시오.

① 책 구매하기 ② 독서하기
③ 집에서 쉬기 ④ 책 사인회 가기
⑤ TV 시청하기

의견 되묻기
How about you?는 '너는 어때?'라는 의미로 본인이 얘기를 한 다음 상대방의 의견을 물을 때 사용하며, What about you?로도 표현할 수 있다.

M What will you do in the afternoon?
W I have no plans. I'll ❶ ________ ________ ________. How about you?
M I'm going to Dream bookstore.
W Do you want ❷ ________ ________ ________ ________?
M No, there is ❸ ________ ________ ________ ________ at the bookstore. Let's go together.
W Okay.

18 직업 및 장래 희망

다음을 듣고, 남자의 직업으로 가장 적절한 것을 고르시오.

① 수의사 ② 경찰관 ③ 소설가
④ 사육사 ⑤ 구조대원

M I am interested in animals. In fact, I like animals. I always work with animals. I take care of and ❶ ________ ________. I am good at reading how they feel. I ❷ ________ ________ when they are sick and hungry. If you are also ❸ ________ ________ ________, visit the zoo near your house and see me.

[19~20] 대화를 듣고, 여자의 마지막 말에 이어질 남자의 응답으로 가장 적절한 것을 고르시오.

19 알맞은 응답 찾기 영국식 발음 녹음

Man: ______________________

① It's on your right.
② Why don't you leave earlier?
③ Don't worry. You can't miss it.
④ You are right. It's close from here.
⑤ It takes about 10 minutes to go home.

길 묻고 답하기
길을 물을 때는 Can you show me the way to ~? / How can I get to ~? / Where is ~? 등의 표현을 이용한다.

W Can you show me the way to Jamsil Station?
M Sure. Go straight two blocks and turn left.
W ❶ ________ ________ ________, I have to turn left, right?
M Yes, then keep walking about 50 meters and you will see Jamsil Station.
W Is it easy to find it? I am ❷ ________ ________ ________.

20 알맞은 응답 찾기

Man: ______________________

① Don't be curious.
② I will ask Mom for Dad.
③ Wow! You must be busy.
④ I'll follow your advice.
⑤ She has a lot of things to do.

M I have to buy a present for my mom. Can you help me?
W What does she like to do?
M I think she likes cooking.
W I don't think ❶ ________ ________ ________.
M But she usually bake cookies and bread for us.
W Well, ❷ ________ ________ ________ your dad about what she likes.

Words 17 **bookstore** 서점 **signing event** 사인회 18 **in fact** 사실상 **take care of** ~을 돌보다 **feed** 먹이를 주다 19 **totally** 완전히 **close** 가까운 20 **iron** 다리미질을 하다 **bake** 굽다

22회 영어 듣기모의고사

맞은 개수 /20문항

01 다음을 듣고, 'it'이 가리키는 것으로 가장 적절한 것을 고르시오.

①  ② 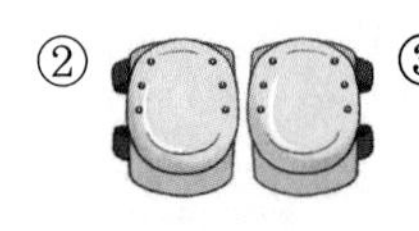 ③ 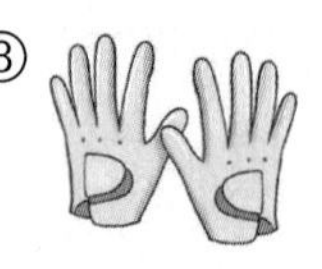
④  ⑤ 

02 대화를 듣고, 여자가 이번 토요일에 할 일로 가장 적절한 것을 고르시오.

①  ②  ③ 
④  ⑤ 

03 다음을 듣고, 오전과 오후의 날씨가 바르게 나열된 것을 고르시오.

①  ②  ③ 
④  ⑤ 

04 대화를 듣고, 남자가 한 마지막 말의 의도로 가장 적절한 것을 고르시오.

① 제안 ② 거절 ③ 칭찬
④ 수락 ⑤ 충고

05 다음을 듣고, 내용과 일치하지 않는 것을 고르시오.

① 하나는 남자의 여동생이다.
② 하나는 내년에 초등학생이 될 것이다.
③ 두리는 검은색 강아지이다.
④ 두리는 비눗방울을 가지고 논다.
⑤ 하나와 두리는 매우 귀엽다.

06 대화를 듣고, 현재 시각을 고르시오.

① 1:30 ② 1:50 ③ 2:00
④ 2:10 ⑤ 2:30

07 대화를 듣고, 남자의 장래 희망으로 가장 적절한 것을 고르시오.

① 선원 ② 화가
③ 수의사 ④ 동물 조련사
⑤ 해양 과학자

08 대화를 듣고, 여자가 마지막에 느낀 심정으로 가장 적절한 것을 고르시오.

① 놀람 ② 실망함
③ 고마움 ④ 창피함
⑤ 만족스러움

09 대화를 듣고, 두 사람이 대화 직후에 할 일로 가장 적절한 것을 고르시오.

① 선물 사기
② 휴식 취하기
③ 길 물어보기
④ 생일 파티 가기
⑤ 꽃 가게에서 꽃 사기

10 대화를 듣고, 남자가 무엇에 대해 말하는지 가장 적절한 것을 고르시오.

① 웃어른 공경 ② 시간의 소중함
③ 교통질서 준수 ④ 건강의 중요성
⑤ 농구 경기의 규칙

11 대화를 듣고, 남자가 오늘 이용한 교통수단으로 가장 적절한 것을 고르시오.

① 지하철 ② 택시 ③ 도보
④ 자전거 ⑤ 버스

12 대화를 듣고, 남자가 병원에 가는 이유로 가장 적절한 것을 고르시오.

① 병문안을 가야 해서 ② 진찰을 받아야 해서
③ 삼촌을 만나야 해서 ④ 친구를 만나야 해서
⑤ 배드민턴을 쳐야 해서

13 대화를 듣고, 두 사람의 관계로 가장 적절한 것을 고르시오.

① 영화배우 – 팬 ② 잡지 기자 – 가수
③ 영화배우 – 감독 ④ 음악 교사 – 학생
⑤ 음반 가게 점원 – 손님

14 대화를 듣고, 패스트푸드 식당의 위치로 가장 알맞은 곳을 고르시오.

15 대화를 듣고, 식물에 대해 여자가 남자에게 한 충고로 가장 적절한 것을 고르시오.

① 영양분을 주어라.
② 물을 매일 주어라.
③ 햇볕을 쬐어 주어라.
④ 창문에서 멀리 옮겨 놓아라.
⑤ 화분을 컴퓨터 책상 위에 두어라.

16 대화를 듣고, 남자가 여자에게 제안한 것으로 가장 적절한 것을 고르시오.

① 가구 재배치하기
② 새 가구 사기
③ 창문 열고 환기하기
④ 책상 정리하기
⑤ 오래된 오디오 기기 버리기

17 대화를 듣고, 남자와 여자가 이번 방학에 할 일이 바르게 짝지어진 것을 고르시오.

	남자		여자
①	여행 가기	–	독서하기
②	수영 배우기	–	독서하기
③	스키 배우기	–	독서하기
④	스키 배우기	–	컴퓨터 배우기
⑤	수영 배우기	–	컴퓨터 배우기

18 대화를 듣고, 여자의 직업으로 가장 적절한 것을 고르시오.

① 기자 ② 조종사
③ 선생님 ④ 승무원
⑤ 여행 가이드

[19~20] 대화를 듣고, 여자의 마지막 말에 이어질 남자의 응답으로 가장 적절한 것을 고르시오.

19 Man: ______________________________

① Don't worry.
② Maybe next time.
③ It's very kind of you.
④ I couldn't agree more.
⑤ I'm too busy to go with you.

20 Man: ______________________________

① He's out.
② Oh, I'm sorry.
③ I'll call you back later.
④ Can I take your message?
⑤ I'm afraid you have the wrong number.

Dictation Test 22회 영어 듣기모의고사

01 그림 정보 파악 – 사물 영국식 발음 녹음

다음을 듣고, 'it'이 가리키는 것으로 가장 적절한 것을 고르시오.

① ② ③ ④ ⑤

M Many teens enjoy riding their bicycles. But you should ride it carefully because there are lots of bicycle accidents. Among them, ❶ ________ ________ ________ is the most serious. So you must wear this. It can ❷ ________ ________ ________ ________. And it is also important to wear it the right way, so please check yours.

02 그림 정보 파악 – 그림

대화를 듣고, 여자가 이번 토요일에 할 일로 가장 적절한 것을 고르시오.

① ② ③ ④ ⑤

Ⓟ this Saturday의 발음

this의 s와 Saturday의 S가 연달아 나오는 경우 한 번만 발음하여 this Saturday는 [디쌔러데이]로 발음한다.

M I'm going to see a movie with Olivia Ⓟ this Saturday. Would you like to join us?

W I'd like to, but I can't.

M Why not?

W My mother is sick, so I have to ❶ ________ ________ ________.

M Are you going to do the dishes and ❷ ________ ________ ________ by yourself?

W Yes. My sisters are so young. They ❸ ________ ________ ________.

M That's too bad.

03 그림 정보 파악 – 날씨

다음을 듣고, 오전과 오후의 날씨가 바르게 나열된 것을 고르시오.

① ② ③ ④ ⑤

W In the morning, it was ❶ ________ ________. I took an umbrella to school. But it didn't rain until school was over. I forgot to take the umbrella after school. On the way home, it ❷ ________ ________ ________ ________. What a terrible day!

04 의도 파악

대화를 듣고, 남자가 한 마지막 말의 의도로 가장 적절한 것을 고르시오.

① 제안 ② 거절 ③ 칭찬 ④ 수락 ⑤ 충고

음식 권하기

음식을 권하는 표현으로는 Will you have some more? / Would you care for some more? / Do you want some more? 등이 있다.

M Wow. This chicken soup is really delicious. Did you ❶ ________ ________?

W Yes, I did. I learned it from my mother.

M You're ❷ ________ ________ ________.

W Thank you for saying so. Will you have some more?

M Yes, please. But ❸ ________ ________ ________.

Words 01 ride 타다 accident 사고 among ~ 사이에서 injury 부상 02 do the dishes 설거지하다 housework 집안일, 가사 03 hard 많이, 심하게 terrible 끔찍한 04 delicious 맛있는

05 내용 일치·불일치

다음을 듣고, 내용과 일치하지 않는 것을 고르시오.

① 하나는 남자의 여동생이다.
② 하나는 내년에 초등학생이 될 것이다.
③ 두리는 검은색 강아지이다.
④ 두리는 비눗방울을 가지고 논다.
⑤ 하나와 두리는 매우 귀엽다.

M Let me introduce my little sister to you. Her name is Hana. She is 7 years old. Next year she will go to elementary school. Her best friend is her dog, Duri. Duri has ❶ ________ ________ ________. Duri ❷ ________ ________ a lot. So Hana often blows bubbles. Duri plays with the bubbles. They are ❸ ________ ________. And I love them.

06 숫자 정보 파악 – 시각

대화를 듣고, 현재 시각을 고르시오.

① 1:30 ② 1:50 ③ 2:00
④ 2:10 ⑤ 2:30

M Amy, why are you in such a hurry? You have 40 minutes before your guitar lesson starts.
W No, I have to go now.
M What time does ❶ ________ ________ ________ ________?
W Usually at 2:30, but today it begins at 2 o'clock.
M Oh, you have ❷ ________ ________ ________. Hurry up!

07 직업 및 장래 희망

대화를 듣고, 남자의 장래 희망으로 가장 적절한 것을 고르시오.

① 선원 ② 화가
③ 수의사 ④ 동물 조련사
⑤ 해양 과학자

W Justin, what are you interested in?
M I really ❶ ________ ________ ________ and the sea.
W You want to be a sailor in the future, don't you?
M Not really. Actually, I want to study them.
W Do you want to ❷ ________ ________ ________?
M That's it.
W Sounds wonderful! I didn't know that.

08 심정 파악

대화를 듣고, 여자가 마지막에 느낀 심정으로 가장 적절한 것을 고르시오.

① 놀람 ② 실망함
③ 고마움 ④ 창피함
⑤ 만족스러움

M Molly, you ❶ ________ ________. What's wrong?
W Yeah, I'm really tired. I typed a book yesterday.
M Did you type a book? What for?
W Actually, I'm making a book ❷ ________ ________ ________.
M Oh, really?
W Yes. I usually type letters and sometimes read books for recording.
M Sounds great.
W Yes. It's not an easy job, but I'm ❸ ________ ________ ________.

05 **elementary school** 초등학교 **bubble** 비눗방울 **blow** (입으로) 불다 **06** **lesson** 수업, 교습 **hurry up** 서두르다 **07** **sailor** 선원
08 **type** 입력하다 **blind** 눈이 먼 **letter** 글자 **record** 녹음하다

Dictation Test

09 한 일 / 할 일 파악

대화를 듣고, 두 사람이 대화 직후에 할 일로 가장 적절한 것을 고르시오.

① 선물 사기
② 휴식 취하기
③ 길 물어보기
④ 생일 파티 가기
⑤ 꽃 가게에서 꽃 사기

M You walk too fast. Please slow down.
W I ❶ ________ ________ ________ a flower shop. I need some flowers for my mom's birthday party. And I have to go home by 4 p.m.
M All right. How about going to Wilson Street?
W Okay. Let's ask someone for directions. He or she can ❷ ________ ________ ________ it is.
M Okay. Let's do that.

10 주제 파악

대화를 듣고, 남자가 무엇에 대해 말하는지 가장 적절한 것을 고르시오.

① 웃어른 공경　② 시간의 소중함
③ 교통질서 준수　④ 건강의 중요성
⑤ 농구 경기의 규칙

W Peter, where are you going?
M I'm going to the gym to ❶ ________ ________.
W To the gym? Do you play it every day?
M No, but I try to ❷ ________ ________ ________. Don't you exercise?
W No, I don't exercise.
M I think we should exercise ❸ ________ ________ ________. Health is the most important thing. If you are sick, you can't do anything.
W I know, but it's not easy.

11 특정 정보 파악 영국식 발음 녹음

대화를 듣고, 남자가 오늘 이용한 교통수단으로 가장 적절한 것을 고르시오.

① 지하철　② 택시　③ 도보
④ 자전거　⑤ 버스

M It is ❶ ________ ________ ________ today, isn't it?
W Yes, it is. It was really hard to come to school in the morning.
M How did you come to school?
W Usually by bus, but today I took the subway. It was very crowded. How about you?
M My house is not very far from school, ❷ ________ ________ ________.
W You usually go to school by bicycle, don't you?
M Yes, I do. But today ❸ ________ ________ ________ ________.

Words 09 **slow down** (속도를) 늦추다 **direction** 길, 방향 10 **gym** 체육관 **exercise** 운동하다 **sick** 아픈 11 **hard** 힘든 **crowded** 붐비는, 혼잡한 **far from** ~에서 먼 **heavily** 아주 많이

12 이유 파악

대화를 듣고, 남자가 병원에 가는 이유로 가장 적절한 것을 고르시오.

① 병문안을 가야 해서 ② 진찰을 받아야 해서
③ 삼촌을 만나야 해서 ④ 친구를 만나야 해서
⑤ 배드민턴을 쳐야 해서

W Where are you going?
M To the hospital ❶ ________ ________ ________.
W Why? Is someone sick?
M No. I'm going to ❷ ________ ________ ________ Jennifer, in front of the hospital. She lives around there.
W Oh, I didn't know that.
M By the way, where are you going?
W I'm going to the park to ❸ ________ ________ ________ my uncle.
M Let's go together.

13 관계 추론

대화를 듣고, 두 사람의 관계로 가장 적절한 것을 고르시오.

① 영화배우 – 팬 ② 잡지 기자 – 가수
③ 영화배우 – 감독 ④ 음악 교사 – 학생
⑤ 음반 가게 점원 – 손님

동의하기
상대방의 말에 동의할 때는 Same here. / Me, too. 등의 표현을 사용한다.

W Oh, I'm really happy to see you.
M Same here.
W I love ❶ ________ ________ ________ ________. They're so beautiful.
M Thank you so much.
W When is your next concert?
M I'm ❷ ________ ________ ________ ________ ________ this October.
W Could you tell me more about the concert? I'd like to ❸ ________ ________ ________ in the magazine. Our readers will love your news.
M Okay.

14 그림 정보 파악 – 길 찾기

대화를 듣고, 패스트푸드 식당의 위치로 가장 알맞은 곳을 고르시오.

around here의 발음
단어의 끝에 있는 [d]는 뒤에 오는 자음 [h]의 영향을 받아 약하게 발음되므로 around here는 [어라운히얼]로 발음한다.

W Oh, Peter, I'm tired and hungry. Let's rest here.
M Okay. This is a good place to rest. Is there a fast-food restaurant around here?
W Yes. ❶ ________ ________ ________ and turn right. It's ❷ ________ ________ ________, next to the bank.
M ❸ ________ ________ the post office?
W That's right.
M I think I know it. Please wait here. I'll buy you something.
W Thank you.

Words 12 **hospital** 병원 **in front of** ~ 앞에 13 **October** 10월 **reader** 독자 14 **tired** 지친 **rest** 쉬다 **around here** 이 근처에 **bank** 은행

Dictation Test

15 특정 정보 파악

대화를 듣고, 식물에 대해 여자가 남자에게 한 충고로 가장 적절한 것을 고르시오.

① 영양분을 주어라.
② 물을 매일 주어라.
③ 햇볕을 쬐어 주어라.
④ 창문에서 멀리 옮겨 놓아라.
⑤ 화분을 컴퓨터 책상 위에 두어라.

슬픔, 불만족, 실망의 원인에 대해 묻기
어떤 문제가 있는지에 대해 물을 때는 What's the matter with ~? / What happened to ~? 등의 표현을 이용한다.

W What's ❶ ________ ________ on your computer desk?
M It's a present from my friend.
W What's the matter with it, though? It doesn't ❷ ________ ________ ________ ________.
M I don't know why the leaves are turning brown.
W I think it ❸ ________ ________. Try moving it in front of the window.
M That's a good idea. I'll try it.

16 제안한 일 파악 영국식 발음 녹음

대화를 듣고, 남자가 여자에게 제안한 것으로 가장 적절한 것을 고르시오.

① 가구 재배치하기
② 새 가구 사기
③ 창문 열고 환기하기
④ 책상 정리하기
⑤ 오래된 오디오 기기 버리기

should의 발음
should의 l은 소리가 나지 않는 묵음이다. could도 비슷한 예로 l이 소리 나지 않는 묵음이다.

W This place is ❶ ________ ________ ________ ________.
M Maybe we should ❷ ________ ________ ________ a bit.
W Yeah, that's a good idea.
M How about moving the sofa over there?
W Okay. And the stereo system can come over there.
M Where should the desk go, then?
W How about by the other window?
M Okay, and the lamp ❸ ________ ________ ________ ________.

17 한 일 / 할 일 파악

대화를 듣고, 남자와 여자가 이번 방학에 할 일이 바르게 짝지어진 것을 고르시오.

	남자		여자
①	여행 가기	–	독서하기
②	수영 배우기	–	독서하기
③	스키 배우기	–	독서하기
④	스키 배우기	–	컴퓨터 배우기
⑤	수영 배우기	–	컴퓨터 배우기

계획 묻기
앞으로의 계획을 물을 때는 What are you planning to do ~? / What are you going to do ~?로 표현한다.

W What are you planning to do this vacation?
M I'm planning to ❶ ________ ________ ________. I can't do it yet.
W That sounds interesting.
M Yes, I can't wait. How about you?
W Nothing much. I'm just going to stay home and ❷ ________ ________ ________.
M That's not bad.
W Yeah, I am very busy and can't find time ❸ ________ ________ these days.
M I hope you'll have a good time.

Words 15 **though** 하지만, 그렇지만 **healthy** 건강한 16 **bore** 지루하게 하다 **stereo system** 오디오 **lamp** 전기스탠드 17 **yet** 아직

18 직업 및 장래 희망

대화를 듣고, 여자의 직업으로 가장 적절한 것을 고르시오.

① 기자 ② 조종사
③ 선생님 ④ 승무원
⑤ 여행 가이드

안부 묻기
상대방의 안부를 물을 때는 How are you doing these days? / How's it going these days? / How are you getting along? 등을 사용한다.

W Hi, Jack, how are you doing these days?

M I'm very busy at my school. The children are very active and I have to ❶ ________ ________ ________. How is your new job?

W Exciting. As you know, I have really wanted to ❷ ________ ________. So I'm very happy now.

M You need to stand up for a long time. Aren't you tired?

W Yes, a little. ❸ ________ ________ ________ ________ is not easy work, but I really enjoy traveling to many countries.

[19~20] 대화를 듣고, 여자의 마지막 말에 이어질 남자의 응답으로 가장 적절한 것을 고르시오.

19 알맞은 응답 찾기 영국식 발음 녹음

Man: ______________________________

① Don't worry.
② Maybe next time.
③ It's very kind of you.
④ I couldn't agree more.
⑤ I'm too busy to go with you.

W I heard that you're going to Mt. Odae for vacation.

M Oh, ❶ ________ ________.

W I went there last year. It was a good experience.

M That's what many people say.

W I'm going to experience a temple stay next time.

M I think that ❷ ________ ________ ________.

W Well, it will ❸ ________ ________ ________ to stay in the temple.

20 알맞은 응답 찾기

Man: ______________________________

① He's out.
② Oh, I'm sorry.
③ I'll call you back later.
④ Can I take your message?
⑤ I'm afraid you have the wrong number.

[*Telephone rings.*]

M Hello?

W Hello. This is Emily. May I speak to Eric?

M Sorry. There is no one here ❶ ________ ________ ________.

W I ❷ ________ ________ ________?

Words 18 **these days** 요즘, 최근에 **active** 활동적인 **prepare** 준비하다 **abroad** 해외로 **serve** 시중을 들다 19 **experience** 경험; 경험하다 **temple** 절 **peaceful** 평화로운

2017년 1회

01 다음을 듣고, 'I'가 무엇인지 가장 적절한 것을 고르시오.

①  ②  ③ 

④  ⑤ 

2018년 1회

02 대화를 듣고, 남자가 구입할 실내화로 가장 적절한 것을 고르시오.

①  ②  ③ 

④  ⑤ 

2017년 1회

03 다음을 듣고, 내일의 날씨로 가장 적절한 것을 고르시오.

① 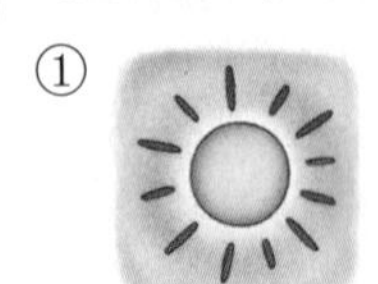 ②  ③ 

④ 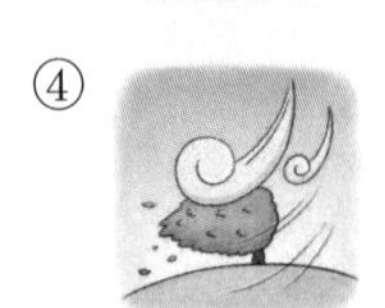 ⑤ 

2016년 1회

04 대화를 듣고, 여자의 마지막 말의 의도로 가장 적절한 것을 고르시오.

① 칭찬 ② 승낙 ③ 축하 ④ 위로 ⑤ 거절

2017년 2회

05 다음을 듣고, 남자가 동아리 활동에 대해 언급하지 <u>않은</u> 것을 고르시오.

① 다양한 책 읽기 ② 책 포스터 만들기
③ 작가에게 편지 쓰기 ④ 독서 캠페인하기
⑤ 책 읽어 주기

2016년 2회

06 대화를 듣고, 두 사람이 만날 시각을 고르시오.

① 12:00 p.m. ② 12:30 p.m. ③ 1:00 p.m.
④ 1:30 p.m. ⑤ 2:00 p.m.

2016년 2회

07 대화를 듣고, 남자의 장래 희망으로 가장 적절한 것을 고르시오.

① 가수 ② 교사 ③ 작가
④ 수의사 ⑤ 제빵사

2018년 1회

08 대화를 듣고, 남자의 심정으로 가장 적절한 것을 고르시오.

① 설렘 ② 화남 ③ 부러움
④ 수줍음 ⑤ 지루함

2017년 2회

09 대화를 듣고, 남자가 대화 직후 할 일로 가장 적절한 것을 고르시오.

① TV 시청하기 ② 축하 전화하기
③ 약속 시간 정하기 ④ 대회 일정 확인하기
⑤ 말하기 대회 참가하기

2017년 1회

10 대화를 듣고, 무엇에 관한 내용인지 가장 적절한 것을 고르시오.

① 체육 대회 ② 합창 대회 ③ 봉사 활동
④ 영어 캠프 ⑤ 박물관 방문

정답과 해설 p. 68

2018년 1회

11 대화를 듣고, 남자가 이용할 교통수단으로 가장 적절한 것을 고르시오.

① 배 ② 자동차 ③ 비행기
④ 지하철 ⑤ 고속열차

2017년 1회

12 대화를 듣고, 남자가 밤에 잠을 늦게 잔 이유로 가장 적절한 것을 고르시오.

① 축구 연습을 했기 때문에
② 수학 숙제를 했기 때문에
③ 컴퓨터 게임을 했기 때문에
④ 축구 경기를 보았기 때문에
⑤ 수학 시험이 걱정되기 때문에

2016년 2회

13 대화를 듣고, 두 사람이 대화하는 장소로 가장 적절한 곳을 고르시오.

① 식당 ② 영화관 ③ 가구점
④ 음악실 ⑤ 도서관

2018년 1회

14 대화를 듣고, 서비스 센터의 위치로 가장 알맞은 곳을 고르시오.

2017년 2회

15 대화를 듣고, 남자가 여자에게 부탁한 일로 가장 적절한 것을 고르시오.

① 블록 찾기 ② 블록 주문하기
③ 블록 교환하기 ④ 블록 설명서 가져오기
⑤ 블록 상자 가져오기

2018년 1회

16 대화를 듣고, 여자가 남자에게 제안한 것으로 가장 적절한 것을 고르시오.

① 과학 실험하기 ② 축제 참가하기
③ 배드민턴 연습하기 ④ 미술 작품 감상하기
⑤ 댄스 동아리 가입하기

2017년 2회

17 대화를 듣고, 두 사람이 토요일에 할 일로 가장 적절한 것을 고르시오.

① 분리수거 하기 ② 동물 사진 찍기
③ 클럽 가입하기 ④ 포스터 그리기
⑤ 지구에게 편지 쓰기

2018년 1회

18 대화를 듣고, 남자의 직업으로 가장 적절한 것을 고르시오.

① 화가 ② 식당 점원 ③ 방송 작가
④ 버스 기사 ⑤ 안과 의사

[19~20] 대화를 듣고, 여자의 마지막 말에 이어질 남자의 응답으로 가장 적절한 것을 고르시오.

2017년 2회

19 Man: ______________________

① It's not fair. ② It's my fault.
③ That's my book. ④ For here or to go?
⑤ That's a good idea.

2016년 2회

20 Man: ______________________

① That's a good idea.
② She is good at tennis, too.
③ Well, I couldn't find anything good.
④ The badminton game was exciting.
⑤ Yes. I saw him in the supermarket.

Dictation Test 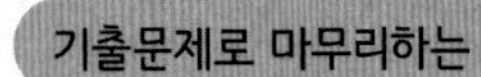 Final Test 01회

01 그림 정보 파악 – 동물

다음을 듣고, 'I'가 무엇인지 가장 적절한 것을 고르시오.

① ② ③ ④ ⑤

M You can find me in Korean traditional stories. I live deep ❶ ________ ________ ________ ________ ________. I am a large animal. I am a good hunter. I ❷ ________ ________ ________ on my body. I am a member of the cat family. What am I?

02 그림 정보 파악 – 사물

대화를 듣고, 남자가 구입할 실내화로 가장 적절한 것을 고르시오.

① ② ③ ④ ⑤

W May I help you?

M Yes. I'd like to buy a pair of slippers for my sister.

W Okay. How about ❶ ________ ________ ________ ________ on them?

M Not bad. But do you have any others?

W Hmm.... We have ❷ ________ ________ ________.

M The ones with ribbons are good. I'll take them.

03 그림 정보 파악 – 날씨 영국식 발음 녹음

다음을 듣고, 내일의 날씨로 가장 적절한 것을 고르시오.

① ② ③ ④ ⑤

W Good morning. Here's ❶ ________ ________ ________. It's raining a lot now, but it's going to stop tonight. After today's rain, it will ❷ ________ ________ ________. The sky will not be cloudy anymore. You can enjoy outdoor activities.

04 의도 파악

대화를 듣고, 여자의 마지막 말의 의도로 가장 적절한 것을 고르시오.

① 칭찬 ② 승낙 ③ 축하 ④ 위로 ⑤ 거절

M Wow. There are many people in front of the store!

W Oh. They're waiting for ❶ ________ ________ ________ ________. The new store is giving away free ice cream.

M Do you ❷ ________ ________ ________ ________? You like ice cream.

W I'd love to, but I can't. I have to go to a swimming lesson now.

Words **01** traditional story 전래 동화 deep 깊이 hunter 사냥꾼 family (동식물 분류상의) 과 **02** slipper 슬리퍼 bear 곰 **03** not ~ anymore 더 이상 ~ 않다 outdoor activity 야외 활동 **04** in front of ~ 앞에 give away 나눠 주다

05 언급하지 않은 것

다음을 듣고, 남자가 동아리 활동에 대해 언급하지 않은 것을 고르시오.

① 다양한 책 읽기 ② 책 포스터 만들기
③ 작가에게 편지 쓰기 ④ 독서 캠페인하기
⑤ 책 읽어 주기

M Let me tell you about ❶ ________ ________ ________. We read many kinds of books and talk about them. We make book posters, too. Once a month, our club has a street campaign for reading. We also ❷ ________ ________ ________ ________ ________ in hospitals twice a year.

06 숫자 정보 파악 – 시각

대화를 듣고, 두 사람이 만날 시각을 고르시오.

① 12:00 p.m. ② 12:30 p.m. ③ 1:00 p.m.
④ 1:30 p.m. ⑤ 2:00 p.m.

[Telephone rings.]
W Hi, Jungsu.
M Hello, Alice. Do you ❶ ________ ________ ________ after the final test tomorrow?
W No. What's up?
M Why don't we have Deli Tteokbokki for lunch?
W Sure. Let's go there at 1 in the afternoon.
M There are ❷ ________ ________ ________ at that time. How about meeting at 12:30?
W Okay. See you there.

07 직업 및 장래 희망

대화를 듣고, 남자의 장래 희망으로 가장 적절한 것을 고르시오.

① 가수 ② 교사 ③ 작가
④ 수의사 ⑤ 제빵사

M Hi. Ms. Baker. Did you read my homework?
W Oh, yes, Hajun. I really ❶ ________ ________ ________ about the boy and his dog.
M I'm glad you liked it. I worked really hard.
W I think you ❷ ________ ________ ________ ________ ________.
M Thank you. I want to be a writer in the future.

Words 05 **once a month** 한 달에 한 번 **campaign** 캠페인 **twice** 두 번 06 **for lunch** 점심 식사로 **at that time** 그때에 07 **hard** 열심히 **be good at** ~을 잘하다

Dictation Test

08 심정 파악

대화를 듣고, 남자의 심정으로 가장 적절한 것을 고르시오.

① 설렘 ② 화남 ③ 부러움
④ 수줍음 ⑤ 지루함

M Mom, it's ❶ ________ ________ ________ this Friday!

W Great. I know you waited a long time for it. Do you need to bring lunch?

M Yes. Can you make *gimbap* for me? I really want to have it.

W Of course.

M Wow, I ❷ ________ ________!

09 한 일 / 할 일 파악

대화를 듣고, 남자가 대화 직후 할 일로 가장 적절한 것을 고르시오.

① TV 시청하기 ② 축하 전화하기
③ 약속 시간 정하기 ④ 대회 일정 확인하기
⑤ 말하기 대회 참가하기

W Hi, Mike. How are you doing?

M I'm doing very well. Thanks.

W I'd like to tell you ❶ ________ ________ ________.

M What is it?

W Emma ❷ ________ ________ ________ ________ in the speech contest.

M Great! I will call her to congratulate her right now.

10 주제 파악

대화를 듣고, 무엇에 관한 내용인지 가장 적절한 것을 고르시오.

① 체육 대회 ② 합창 대회 ③ 봉사 활동
④ 영어 캠프 ⑤ 박물관 방문

W James, you ❶ ________ ________. What's new?

M Today my class will visit the Bike museum.

W Cool. What are you going to do there?

M We'll learn about ❷ ________ ________ ________ ________.

W Will you do anything else?

M We'll also ride special bikes. It will be fun.

11 특정 정보 파악

대화를 듣고, 남자가 이용할 교통수단으로 가장 적절한 것을 고르시오.

① 배 ② 자동차 ③ 비행기
④ 지하철 ⑤ 고속열차

M See you later, Mom. I'm going to the museum.

W How are you ❶ ________ ________, Joe?

M I'll walk there. It's not far.

W But it's raining outside. I'll ❷ ________ ________ ________ ________.

M Thanks. That will be great.

Words 08 **wait for** ~을 기다리다 **need to** ~해야 한다 09 **win the first prize** 우승하다 **right now** 당장 10 **history** 역사 **bike** 자전거 11 **museum** 박물관

12 이유 파악

대화를 듣고, 남자가 밤에 잠을 늦게 잔 이유로 가장 적절한 것을 고르시오.

① 축구 연습을 했기 때문에
② 수학 숙제를 했기 때문에
③ 컴퓨터 게임을 했기 때문에
④ 축구 경기를 보았기 때문에
⑤ 수학 시험이 걱정되기 때문에

W Sangmin, you look tired. What did you do last night?
M I ❶ ________ ________ ________ ________ on TV until 2 a.m.
W Really? Was it a big match?
M Yeah, it was the final match between Korea and Iran.
W Did Korea win?
M Yes, Korea ❷ ________ ________ ________.

13 장소 추론 영국식 발음 녹음

대화를 듣고, 두 사람이 대화하는 장소로 가장 적절한 곳을 고르시오.

① 식당 ② 영화관 ③ 가구점
④ 음악실 ⑤ 도서관

M Welcome to Brown Wood. Can I help you?
W Hi. I'm looking for a dinner table for four people.
M These are all ❶ ________ ________ ________.
W Which one is the most popular?
M This one is. People really like the design, and it's ❷ ________ ________.
W Good. I really like the color, too.

14 그림 정보 파악 – 길 찾기

대화를 듣고, 서비스 센터의 위치로 가장 알맞은 곳을 고르시오.

W Hi, Daniel. What's wrong?
M My cellphone is broken.
W Really? I know a good service center.
M Great! How can I ❶ ________ ________?
W Go straight two blocks and turn left.
M Okay.
W It'll be ❷ ________ ________ ________ between the library and the shoe store.
M Oh, I see. Thanks.

Words 12 **match** 경기, 시합 13 **popular** 인기 있는, 대중적인 **expensive** 값 비싼 14 **broken** 고장 난 **between** ~ 사이에

15 부탁한 일 파악

대화를 듣고, 남자가 여자에게 부탁한 일로 가장 적절한 것을 고르시오.

① 블록 찾기 ② 블록 주문하기
③ 블록 교환하기 ④ 블록 설명서 가져오기
⑤ 블록 상자 가져오기

W Dennis, what are you doing ❶ ________ ________ ________?
M I'm ❷ ________ ________ ________ with them.
W Wow, there are so many different sizes and colors.
M Oops. I lost one. Can you find it for me?
W Sure. What does it look like?
M It's the small, ❸ ________ ________ ________ ________ ________.
W Okay. I'll have a look.

16 제안한 일 파악

대화를 듣고, 여자가 남자에게 제안한 것으로 가장 적절한 것을 고르시오.

① 과학 실험하기 ② 축제 참가하기
③ 배드민턴 연습하기 ④ 미술 작품 감상하기
⑤ 댄스 동아리 가입하기

M Wow! Mina, you're really good at dancing.
W Thank you for saying so.
M Where did you ❶ ________ ________ ________?
W I joined a dancing club last year.
M Cool! I want to learn to dance, too.
W Then why don't you ❷ ________ ________ ________?

17 한 일 / 할 일 파악

대화를 듣고, 두 사람이 토요일에 할 일로 가장 적절한 것을 고르시오.

① 분리수거 하기 ② 동물 사진 찍기
③ 클럽 가입하기 ④ 포스터 그리기
⑤ 지구에게 편지 쓰기

M Diane, do you have any plans this weekend?
W Nothing special. Why?
M My club will have a "Clean the Earth" campaign and we ❶ ________ ________ ________.
W What can I do to help you?
M I plan to draw some posters on Saturday. Are you ❷ ________ ________ ________?
W Yes, I am. Let's do it together.

Words 15 **block** 블록 **different** 다른 **look like** ~처럼 생긴 **have a look** 살펴보다 17 **need** ~을 필요로 하다 **plan** 계획하다 **draw** 그리다

18 직업 및 장래 희망

대화를 듣고, 남자의 직업으로 가장 적절한 것을 고르시오.

① 화가 ② 식당 점원 ③ 방송 작가
④ 버스 기사 ⑤ 안과 의사

M Good evening, ma'am. How did you ❶ ________ ________ ________?
W It was delicious, thank you.
M Great. Would you like some dessert?
W Yes. Could you ❷ ________ ________ ________ ________?
M Certainly. Here you are.
W Um... I'll have the chocolate cake, please.
M Sure. I'll ❸ ________ ________ now.

[19~20] 대화를 듣고, 여자의 마지막 말에 이어질 남자의 응답으로 가장 적절한 것을 고르시오.

19 알맞은 응답 찾기 영국식 발음 녹음

Man: ______________________________

① It's not fair. ② It's my fault.
③ That's my book. ④ For here or to go?
⑤ That's a good idea.

W Are you going to join a school club, Matt?
M Yes, I want to join the drum club, but I ❶ ________ ________ ________.
W That's okay. You can learn about it in the club.
M What about you, Mina? Do you want to ❷ ________ ________ ________?
W Yeah, I'm going to join the photo club. What do you think?

20 알맞은 응답 찾기

Man: ______________________________

① That's a good idea.
② She is good at tennis, too.
③ Well, I couldn't find anything good.
④ The badminton game was exciting.
⑤ Yes. I saw him in the supermarket.

M Nina. ❶ ________ ________ ________ ________ at the school flea market today?
W Yes. I bought this badminton racket.
M Wow! It's ❷ ________ ________. How much was it?
W It was very cheap, only 1,000 won.
M That's great!
W I know! What did you buy?

Words 18 **delicious** 맛있는 **dessert** 디저트, 후식 20 **flea market** 벼룩시장 **racket** 라켓 **cheap** 값 싼

기출문제로 마무리하는 

회

맞은 개수 /20문항

2018년 1회

01 다음을 듣고, 'I'가 무엇인지 가장 적절한 것을 고르시오.

①  ②  ③ 

④  ⑤ 

2017년 2회

02 대화를 듣고, 여자가 설명하는 담요로 가장 적절한 것을 고르시오.

①  ② 

③ 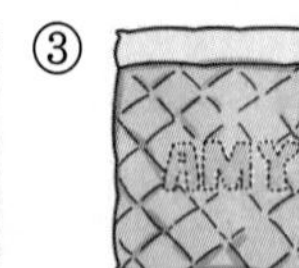

④  ⑤ 

2018년 1회

03 다음을 듣고, 방콕의 오늘 날씨로 가장 적절한 것을 고르시오.

①  ②  ③ 

④  ⑤ 

2017년 2회

04 대화를 듣고, 남자의 마지막 말의 의도로 가장 적절한 것을 고르시오.

① 제안 ② 의심 ③ 거절 ④ 부정 ⑤ 허락

2016년 2회

05 다음을 듣고, 여자가 *Jump Shoes*에 대해 언급하지 않은 것을 고르시오.

① 무게 ② 색상 ③ 치수
④ 할인율 ⑤ 가격

2017년 2회

06 대화를 듣고, 요가 수업이 시작되는 시각을 고르시오.

① 3:30 p.m. ② 4:00 p.m. ③ 4:30 p.m.
④ 5:00 p.m. ⑤ 5:30 p.m.

2017년 1회

07 대화를 듣고, 남자의 장래 희망으로 가장 적절한 것을 고르시오.

① 화가 ② 가수 ③ 정원사
④ 수의사 ⑤ 동물 조련사

2017년 2회

08 대화를 듣고, 남자의 심정으로 가장 적절한 것을 고르시오.

① sad ② angry ③ shy
④ worried ⑤ excited

2017년 1회

09 대화를 듣고, 여자가 대화 직후에 할 일로 가장 적절한 것을 고르시오.

① 양초 만들기 ② 종이접기 배우기
③ 티셔츠 만들기 ④ 페이스페인팅하기
⑤ 물풍선 터뜨리기

2016년 2회

10 대화를 듣고, 무엇에 관한 내용인지 가장 적절한 것을 고르시오.

① 음악실 청소하기 ② 학용품 구입하기
③ 컴퓨터 사용하기 ④ 음악 숙제하기
⑤ 책상 구입하기

2017년 2회

11 대화를 듣고, 두 사람이 함께 이용할 교통수단으로 가장 적절한 것을 고르시오.

① 자전거 ② 버스 ③ 비행기
④ 택시 ⑤ 지하철

2017년 2회

12 대화를 듣고, 남자가 공원에서 자전거를 탈 수 없는 이유로 가장 적절한 것을 고르시오.

① 자전거가 고장 나서
② 다리를 다쳐서
③ 자전거 도로가 아니어서
④ 공사 중이어서
⑤ 축제 기간 중이어서

2017년 1회

13 대화를 듣고, 두 사람의 관계로 가장 적절한 것을 고르시오.

① 의사 – 환자 ② 교사 – 학생
③ 요리사 – 손님 ④ 버스 운전기사 – 승객
⑤ 자동차 정비사 – 고객

2017년 2회

14 대화를 듣고, 여자가 찾고 있는 휴대 전화의 위치로 가장 적절한 것을 고르시오.

2018년 1회

15 대화를 듣고, 남자가 여자에게 부탁한 일로 가장 적절한 것을 고르시오.

① 꽃 사 오기 ② 풍선 장식하기
③ 케이크 가져오기 ④ 음료수 준비하기
⑤ 축하 노래 부르기

2017년 1회

16 대화를 듣고, 남자가 여자에게 제안한 것으로 가장 적절한 것을 고르시오.

① 설거지하기 ② 꽃다발 만들기
③ 쿠키 함께 굽기 ④ 감사 카드 쓰기
⑤ 생일 케이크 사 오기

2018년 1회

17 대화를 듣고, 두 사람이 구입할 과일을 고르시오.

① 사과 ② 포도 ③ 딸기
④ 바나나 ⑤ 파인애플

2017년 1회

18 대화를 듣고, 여자의 직업으로 가장 적절한 것을 고르시오.

① 경찰관 ② 은행원 ③ 작곡가
④ 소설가 ⑤ 도서관 사서

[19~20] 대화를 듣고, 남자의 마지막 말에 이어질 여자의 응답으로 가장 적절한 것을 고르시오.

2018년 1회

19 Woman: ______________________

① Nice to meet you.
② I'd love to, but I can't.
③ No, I don't have one.
④ Thank you for your advice.
⑤ Oh, I'm sorry to hear that.

2017년 1회

20 Woman: ______________________

① Don't worry about it.
② Sorry to hear that.
③ Three times a week.
④ I play it at the gym.
⑤ Of course. Here you are.

Dictation Test 기출문제로 마무리하는 Final Test 02회

01 그림 정보 파악 – 동물

다음을 듣고, 'I'가 무엇인지 가장 적절한 것을 고르시오.

① ② ③ ④ ⑤

W I have four legs and a long tail. I ❶ ________ ________ ________. I also have very strong and sharp teeth. I ❷ ________ ________ ________ in the water and on the ground. What am I?

02 그림 정보 파악 – 사물 영국식 발음 녹음

대화를 듣고, 여자가 설명하는 담요로 가장 적절한 것을 고르시오.

① ② ③ ④ ⑤

W Dad, did you ❶ ________ ________ ________? I can't find it.

M What does it look like, Amy?

W It ❷ ________ ________ ________ on it.

M Does it have anything else?

W It also has ❸ ________ ________ ________ ________ ________.

M Okay. Let's find it together.

03 그림 정보 파악 – 날씨

다음을 듣고, 방콕의 오늘 날씨로 가장 적절한 것을 고르시오.

① ② ③ ④ ⑤

M Good morning! Here is today's world weather forecast. In Tokyo, there will be rain all day long. In Bangkok, it'll ❶ ________ ________. Paris will be windy and very cold. London will ❷ ________ ________ ________.

04 의도 파악

대화를 듣고, 남자의 마지막 말의 의도로 가장 적절한 것을 고르시오.

① 제안 ② 의심 ③ 거절 ④ 부정 ⑤ 허락

M Jane, who is ❶ ________ ________ ________ ________?

W It's my friend. He was in a Hip-hop dance contest.

M Wow! He is a great dancer.

W Yes. He won the first prize ❷ ________ ________ ________ ________.

M Why don't we invite him to our school festival?

Words 01 thick 두꺼운 skin 피부 sharp 날카로운 ground 땅, 육지 02 blanket 담요 under 아래에 03 all day long 하루 종일 04 win the first prize 우승하다 invite 초대하다 festival 축제

05 언급하지 않은 것

다음을 듣고, 여자가 *Jump Shoes*에 대해 언급하지 않은 것을 고르시오.

① 무게 ② 색상 ③ 치수
④ 할인율 ⑤ 가격

W Hi, everyone. This is Amy from Happy Shopping. Today, I'm introducing Jump Shoes! They're only 400g. Very ❶ ________ ________ ________! The shoes ❷ ________ ________ blue and pink. Buy now and get 20% off. So, they're only $24. To order, call us at 123-4949!

06 숫자 정보 파악 – 시각

대화를 듣고, 요가 수업이 시작되는 시각을 고르시오.

① 3:30 p.m. ② 4:00 p.m. ③ 4:30 p.m.
④ 5:00 p.m. ⑤ 5:30 p.m.

M Mina, ❶ ________ ________ ________ any after-school programs?
W Sure. I'm going to take the yoga class.
M Really? Me, too. When should I ❷ ________ ________?
W Sign up starts at 4 o'clock this afternoon.
M Thanks. When does the yoga class start?
W It begins at 4:30 p.m. every Friday.

07 직업 및 장래 희망

대화를 듣고, 남자의 장래 희망으로 가장 적절한 것을 고르시오.

① 화가 ② 가수 ③ 정원사
④ 수의사 ⑤ 동물 조련사

M Look at the cute dog. ❶ ________ ________ ________ ________, Emily?
W Yes, I love dogs. What about you?
M I like dogs very much.
W Do you like cats, too?
M Yes, I love all animals. So I want to ❷ ________ ________ ________ ________.
W I'm sure you will be a good animal doctor.

Words 05 **introduce** 소개하다 **off** 할인해서 **order** 주문하다 06 **attend** 참가하다, 참여하다 **sign up** 등록하다 07 **cute** 예쁜, 귀여운

Dictation Test

08 심정 파악

대화를 듣고, 남자의 심정으로 가장 적절한 것을 고르시오.

① sad ② angry ③ shy
④ worried ⑤ excited

M I can't wait for the class field trip tomorrow!
W Me, too. Do you want to ❶ ________ ________ ________?
M Yeah, let's play *Catch the Tail*.
W Good idea. And how about *Hide and Seek*?
M Sounds great! Tomorrow ❷ ________ ________ ________.

09 한 일 / 할 일 파악 영국식 발음 녹음

대화를 듣고, 여자가 대화 직후에 할 일로 가장 적절한 것을 고르시오.

① 양초 만들기 ② 종이접기 배우기
③ 티셔츠 만들기 ④ 페이스페인팅하기
⑤ 물풍선 터뜨리기

M Wow, this school festival is really fun.
W Yes, it is.
M What do you want to do next?
W Let's ❶ ________ ________ ________ in the gym.
M But it will take too much time. Why don't we ❷ ________ ________ ________?
W Sounds good! Let's go right now.

10 주제 파악

대화를 듣고, 무엇에 관한 내용인지 가장 적절한 것을 고르시오.

① 음악실 청소하기 ② 학용품 구입하기
③ 컴퓨터 사용하기 ④ 음악 숙제하기
⑤ 책상 구입하기

M Nahee, we need to ❶ ________ ________ ________ ________ now.
W Sure, Sungjin. I'll open the windows first.
M All right. Let me erase the blackboard.
W Then, why don't we ❷ ________ ________ ________ together?
M Okay, let's finish quickly.

11 특정 정보 파악

대화를 듣고, 두 사람이 함께 이용할 교통수단으로 가장 적절한 것을 고르시오.

① 자전거 ② 버스 ③ 비행기
④ 택시 ⑤ 지하철

W Junho, what time does the concert begin?
M It begins at 7:30.
W 7:30? I think we ❶ ________ ________ ________ now.
M It's too early. It's not even 6 o'clock yet.
W But there are lots of cars on the road around this time of the day.
M Yeah, then why don't we go by subway?
W You're right. Let's ❷ ________ ________ ________.

Words 08 **field trip** 소풍 **hide and seek** 술래잡기 09 **candle** 초, 양초 **gym** 체육관 **face painting** 페이스페인팅 10 **erase** 지우다 11 **subway** 지하철

12 이유 파악

대화를 듣고, 남자가 공원에서 자전거를 탈 수 없는 이유로 가장 적절한 것을 고르시오.

① 자전거가 고장 나서
② 다리를 다쳐서
③ 자전거 도로가 아니어서
④ 공사 중이어서
⑤ 축제 기간 중이어서

W Excuse me. You ❶ ________ ________ ________ ________ in the park today.
M Really? Why not?
W We are having a Kimchi festival here.
M Oh, sorry! That's why there are so many people.
W That's right. The festival ❷ ________ ________ ________ until this Friday.
M Oh, I see. I should ❸ ________ ________ ________ then.

13 관계 추론 영국식 발음 녹음

대화를 듣고, 두 사람의 관계로 가장 적절한 것을 고르시오.

① 의사 – 환자 ② 교사 – 학생
③ 요리사 – 손님 ④ 버스 운전기사 – 승객
⑤ 자동차 정비사 –고객

M Can I help you?
W I think there is ❶ ________ ________ ________ ________ ________.
M Okay. Let me check your car.
W Is there any problem?
M Well, there is ❷ ________ ________ ________ in the tire.
W How long will it take to fix the tire?
M It'll take about one hour.

14 그림 정보 파악 – 물건 찾기

대화를 듣고, 여자가 찾고 있는 휴대 전화의 위치로 가장 적절한 것을 고르시오.

M What are you looking for, Katie?
W Uhm... I ❶ ________ ________ ________ ________.
M I think I saw it next to the computer this morning.
W But it's not there.
M Then why don't you use my cellphone to call yours?
W That's a good idea. (*pause*) [*Cellphone rings.*] Oh... It's ❷ ________ ________ ________.

Words 12 **ride** 타다 **be held** 열리다 13 **hole** 구멍 **fix** 고치다, 수리하다 14 **look for** ~을 찾다 **next to** ~ 옆에

Dictation Test

15 부탁한 일 파악

대화를 듣고, 남자가 여자에게 부탁한 일로 가장 적절한 것을 고르시오.

① 꽃 사오기 ② 풍선 장식하기
③ 케이크 가져오기 ④ 음료수 준비하기
⑤ 축하 노래 부르기

M Carol, do you remember the plans for Tina's birthday?
W You mean ❶ ________ ________ ________?
M Yes. Ben will bring a cake and I'll get some drinks.
W Then what do I ❷ ________ ________ ________?
M Can you buy some flowers for her?
W Sure. No problem.

16 제안한 일 파악

대화를 듣고, 남자가 여자에게 제안한 것으로 가장 적절한 것을 고르시오.

① 설거지하기 ② 꽃다발 만들기
③ 쿠키 함께 굽기 ④ 감사 카드 쓰기
⑤ 생일 케이크 사오기

W What will you do on Mother's Day?
M I want to ❶ ________ ________ ________ ________ ________.
W I was going to bake cookies for my mom, too.
M Really? Then let's ❷ ________ ________ ________ after school.
W Good idea. See you then.

17 특정 정보 파악

대화를 듣고, 두 사람이 구입할 과일을 고르시오.

① 사과 ② 포도 ③ 딸기
④ 바나나 ⑤ 파인애플

M Mom, look! They ❶ ________ ________ ________ over there.
W Yeah. Let's go get some.
M Hmm.... These apples look delicious.
W Yeah. But we have apples at home.
M Then how about those strawberries?
W Okay. They ❷ ________ ________. Let's buy some.

15 **remember** 기억하다 **drink** 음료 16 **bake** 굽다 17 **sell** 팔다 **delicious** 맛있는 **strawberry** 딸기

18 언급하지 않은 것

대화를 듣고, 여자의 직업으로 가장 적절한 것을 고르시오.

① 경찰관 ② 은행원 ③ 작곡가
④ 소설가 ⑤ 도서관 사서

W Can I help you?
M Yes, I'm looking for the book, The Short Stories of Sherlock Holmes.
W ❶ ________ ________ ________ the book list. [*Keyboard typing sound*] Here it is.
M Can I borrow it now?
W Yes, do you have your ID card?
M Sure. Here you are.
W Please ❷ ________ ________ ________ ________ ________ by April 17.

[19~20] 대화를 듣고, 남자의 마지막 말에 이어질 여자의 응답으로 가장 적절한 것을 고르시오.

19 알맞은 응답 찾기

Woman: ________________________________

① Nice to meet you.
② I'd love to, but I can't.
③ No, I don't have one.
④ Thank you for your advice.
⑤ Oh, I'm sorry to hear that.

W Hi, Dave. What are you doing here?
M I'm waiting for the bus to go home.
W But you left school early. Why are you ❶ ________ ________?
M The bus didn't come yet.
W Really? Why don't you just walk home?
M I want to, but I ❷ ________ ________ ________ yesterday.

20 알맞은 응답 찾기 영국식 발음 녹음

Woman: ________________________________

① Don't worry about it.
② Sorry to hear that.
③ Three times a week.
④ I play it at the gym.
⑤ Of course. Here you are.

W Hi, Minsu. What will you do after school?
M I will play badminton with my friends.
W I like badminton, too.
M Do you ❶ ________ ________ ________ ________?
W I also play table tennis.
M ❷ ________ ________ do you play table tennis?

Words 18 **list** 목록, 리스트 **borrow** 빌리다, 대출하다 **ID card** 신분증 **bring back** 반납하다 19 **still** 아직도, 여전히 **hurt** 다치다 20 **how often** 얼마나 자주 **table tennis** 탁구

최신 기출에 나온 **듣기·말하기 표현 정리**

01 안부 묻고 답하기

M **How are you doing?**
어떻게 지내니?

W Pretty good, thanks.
아주 잘 지내, 고마워.

W Hi, Mark. **How are you?**
안녕, Mark. 어떻게 지내니?

M Good, thanks.
잘 지내, 고마워.

02 좋아하는 것 묻고 표현하기

M **What's your favorite** subject?
네가 가장 좋아하는 과목은 뭐니?

W **I like** history **most**.
나는 역사를 가장 좋아해.

M **What's your favorite** sport?
네가 가장 좋아하는 스포츠는 뭐니?

W **I like** volleyball **very much**.
나는 배구를 매우 좋아해.

W **I like** all kinds of movies. **My favorite** actor **is** James Dean.
나는 모든 종류의 영화를 좋아해. 내가 가장 좋아하는 배우는 James Dean이야.

03 제안·권유하고 답하기

M **Why don't you talk** to him about that?
너는 그것에 대해 그와 얘기해 보는 게 어때?

W He doesn't even want to talk to me.
그는 나와 얘기하는 것조차 원하지 않아.

W **How about using** the Internet?
인터넷을 사용하는 게 어때?

M **That's a good idea.**
그건 좋은 생각이야.

M **Let's work** on the science homework together this afternoon.
우리 오후에 과학 숙제 같이 하자.

W **I'm sorry, but I can't.** I need to see a doctor. I have a cold.
미안하지만, 안 돼. 나는 병원에 가야 해. 감기에 걸렸어.

04 기쁨이나 슬픔 표현하기

M You did a great job today!
오늘 정말 잘했어!

W Thanks, Coach. **I'm really happy** we won the game.
감사합니다, 코치님. 우리가 시합에 이겨서 무척 행복해요.

M Your goal saved our team. It was amazing!
네 골이 우리 팀을 살렸어. 정말 놀라웠어!

W Your training was really helpful.
코치님 훈련이 정말 도움이 됐어요.

M **I'm glad to hear that.**
그 말을 들으니 기쁘구나.

M It was not good. I was sick in bed.
좋지 않았어. 나는 아파서 누워 있었어.

W Oh, **I'm sorry to hear that.**
오, 그 말을 들으니 유감이다.

05 의견 묻고 표현하기

M **What do you think of** my picture?
내 그림에 대해 어떻게 생각하니?

W Wow, you're very good at painting.
우와, 너는 그림에 매우 소질이 있구나.

W I'm looking for a present for my daughter's birthday.
제 딸의 생일 선물을 찾고 있어요.

M **How about** this teddy bear? **I think** your daughter will like it.
이 곰 인형은 어떠세요? 저는 당신의 딸이 좋아할 거라고 생각해요.

06 소개하고 답하기

M Hi, **my name is** Steve.
안녕, 내 이름은 Steve야.

W **Nice to meet you.**
만나서 반가워.

07 능력 여부 묻고 답하기

M **Can you play** the piano?
피아노를 칠 수 있니?

W Yes, **I'm** pretty **good at** it. How about you?
응, 나는 잘 칠 수 있어. 너는 어때?

M I don't know how to play it.
나는 피아노 치는 법을 몰라.

08 관심에 대해 묻고 표현하기

W Only four students **are interested in** drawing.
오직 4명의 학생만이 그리기에 관심이 있어.

M I **enjoy** mountain biking.
나는 등산에 관심이 있어.

W Sounds interesting!
재미있을 거 같아!

M Eight students **enjoy** listening to music.
8명의 학생들은 음악 감상에 관심이 있어.

09 동의하기 / 반대하기

W Tomorrow is father's birthday.
내일은 아빠 생신이야.

M Yeah, **that's right.**
응, 맞아.

10 상기시켜 주기

M Anything else?
더 필요하신 것은요?

W No. Oh, **don't forget** the straw.
없어요. 오, 빨대 잊지 마세요.

M **Remember to lock** the door.
문 잠그는 것을 기억해.

W OK, I will.
응, 그럴게.

11 불만족, 실망 등의 원인에 대해 묻고 답하기

W I'm going to the police station.
나는 경찰서에 가는 중이야.

M Why? **What's the matter?**
왜? 무슨 일이야?

W **I lost my bike.** I'm really worried about it.
나는 자전거를 잃어버렸어. 나는 그것이 정말 걱정돼.

W You don't look well. **What's up?**
너 안 좋아 보인다. 무슨 일이야?

M **I feel really tired these days.**
난 요즘 정말 피곤해.

M **What's wrong?**
무슨 일이야?

W **I have a fever and a runny nose.**
나는 열이 있고 콧물이 나.

W Okay, Jinsu. **What is the problem?**
좋아, 진수야. 무슨 일이야?

M **I have a bad headache.**
나는 두통이 있어.

12 음식 권유하고 답하기

M **Would you like** some spaghetti?
스파게티 좀 먹을래?

W **No, thanks.**
고맙지만, 괜찮아요.

13 계획 묻고 답하기

M **What are you going to do** this Sunday?
너는 이번 주 일요일에 무엇을 할 거니?

W **I'm planning to go** skating.
나는 스케이트 타러 갈 계획이야.

M **What are you planning to do** this evening?
너는 오늘 저녁에 무엇을 할 계획이니?

B **I'm going to play** badminton with my dad.
나는 아빠와 함께 배드민턴을 칠 거야.

14 의무 표현하기

W **You should take** some medicine after your meals.
식사를 한 후에 약을 복용하세요.
M OK. Thanks, Doctor.
네. 감사해요, 의사 선생님.

W **You have to take** off your shoes indoors.
실내에서는 너의 신발을 벗어야 해.
M OK, I will.
네, 그럴게요.

15 이유 묻고 답하기

M **Why are you so late?**
넌 왜 이렇게 늦었니?
W **The traffic was very heavy near City Hall.**
시청 근처에서 차가 많이 밀렸어.

16 요청하고 답하기

M **Can you wake** me up at six o'clock in the morning?
아침 6시에 나를 깨워 줄래?
W **Sure**, don't worry.
물론이죠, 걱정 마세요.

W **Can you clean** the living room for me?
나를 대신해 거실을 청소해 줄래?
M **Of course.**
물론이죠.

17 격려하기

M I didn't get a good score on my English test.
나는 영어 시험에서 좋은 점수를 받지 못했어.
W Don't feel bad. **You'll do better next time.**
낙담하지 마. 다음번에는 더 잘할 거야.

M I think I lost it at school. Mom.... I'm sorry.
전 그것을 학교에서 잃어버린 것 같아요. 엄마…. 죄송해요.
W It's all right. **Don't worry about it.**
괜찮아. 그것에 대해 걱정하지 마.

18 바람, 소원, 요망에 대해 묻고 답하기

M **What do you want to be** in the future?
너는 미래에 무엇이 되고 싶니?
W **I want to be** a movie director.
나는 영화감독이 되고 싶어.

M **What would you like to have**?
너는 무엇을 먹고 싶니?
W **I'd like** two doughnuts and an iced tea.
나는 도넛 두 개와 아이스티를 먹고 싶어.

19 놀람 표현하기

M This man eats only sugar.
이 남자는 설탕만 먹어.
W Only sugar? Is he okay?
설탕만? 그는 괜찮아?
M Yeah, he looks healthy. **I can't believe it!**
응, 그는 건강해 보여. 믿을 수 없어!

M You did a great job today!
오늘 정말 잘했어!
W Thanks, Coach. I'm really happy we won the game.
감사합니다, 코치님. 우리가 시합에 이겨서 너무 행복해요.
M Your goal saved our team. **It was amazing!**
네 골이 우리 팀을 살렸어. 정말 놀라웠어!

20 전화하기 / 전화 받기

W **Hello?**
여보세요?
M **Hello, this is Tim. May I speak to Yujin?**
여보세요, 저는 Tim입니다. 유진이랑 통화할 수 있을까요?
W **It's me, Yujin.** What's up?
나야, 유진. 무슨 일이니?

그림 암호로 통하는
화통한 이야기

재미있는 그림 암호를 풀어 볼까요?

>> 정답은 뒷면에

1

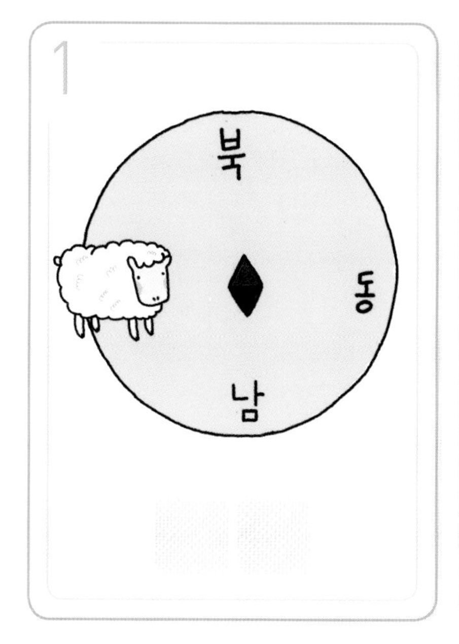

2

3

4

5

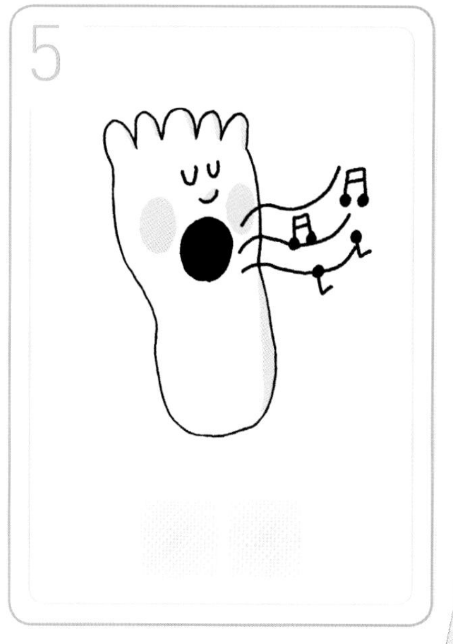

나의 성적을 올려 줄 히든카드 속 그림 암호를 풀어 볼까요?

| 그림 암호 정답 |

① 서양 ② 코너킥 ③ 회화 ④ 알파벳 ⑤ 발음 〈Hidden Card〉 **타파**

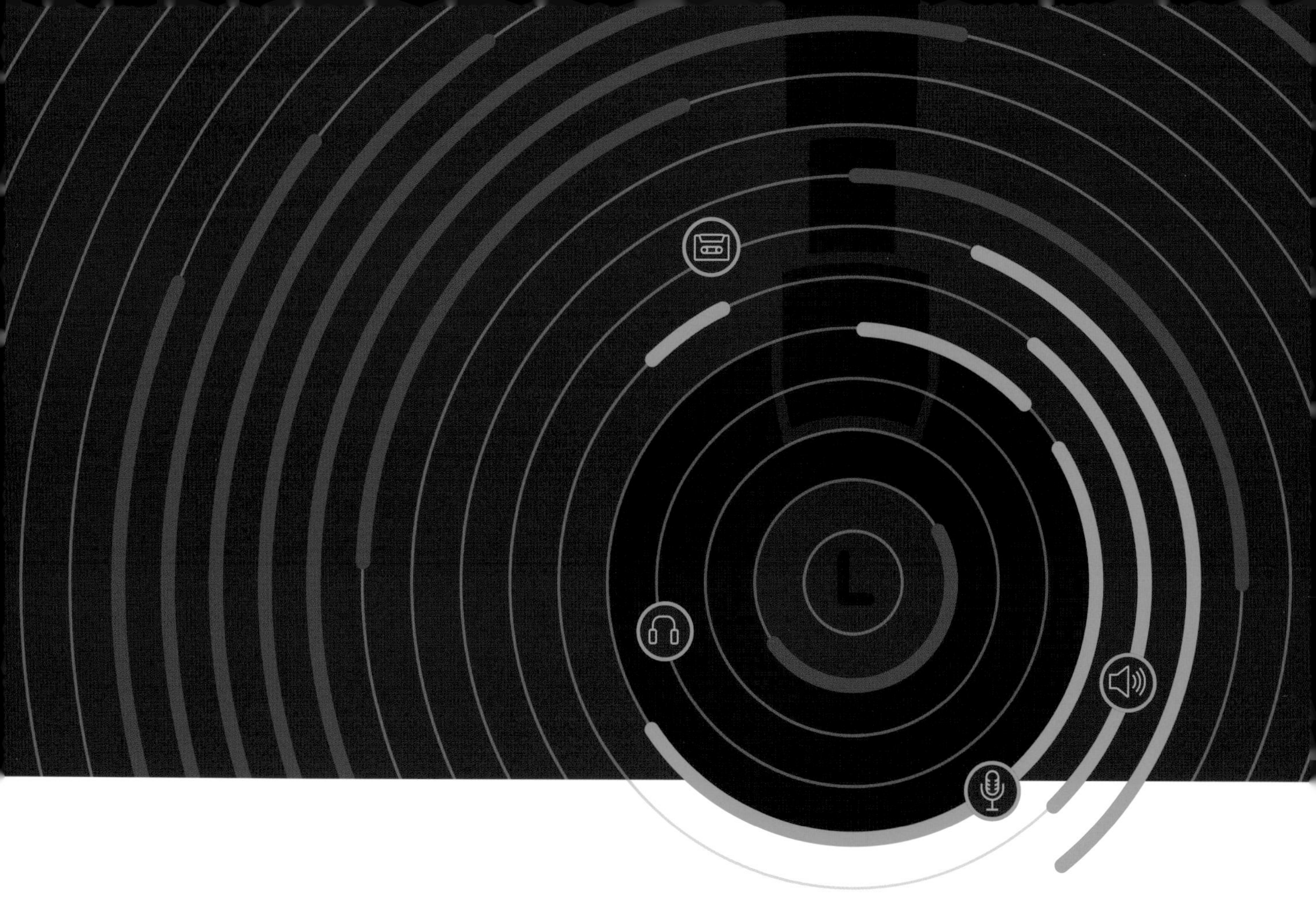

정답과 해설

중학영어

듣기모의고사 22회 1

책 속의 가접 별책 (특허 제 0557442호)
'정답과 해설'은 본책에서 쉽게 분리할 수 있도록 제작되었으므로
유통 과정에서 분리될 수 있으나 파본이 아닌 정상제품입니다.

비상교육

도전하는 네게 용기를 주는
비밀신호
하트~
뿅!
10

중학영어 **듣기모의고사** 22회

정답과 해설

1

PART 1
유형공략

01 그림 정보 파악 p. 09

01 ③ 02 ② 03 ⑤

 해석

남 나는 작은 동물입니다. 내게는 네 개의 다리와 짧은 꼬리가 있어요. 나는 또한 긴 귀가 있답니다. 나는 당근을 무척 좋아해요. 나는 빨리 달릴 수 있어요. 나는 무엇일까요?

해설 네 개의 다리와 짧은 꼬리와 긴 귀가 있고, 당근을 좋아하고 빨리 달릴 수 있는 작은 동물은 ⑤이다.

01 W Good morning. This is Cindy Adams from the weather station. It's Thursday. It'll be cloudy and windy this afternoon. It'll start to rain late tonight. And we'll have a lot of rain until tomorrow evening. But we'll have sunny skies on the weekend. Thank you.

해석

여 안녕하세요. 저는 기상청의 Cindy Adams입니다. 오늘은 목요일입니다. 오늘 오후에는 구름이 끼고 바람이 불겠습니다. 오늘 밤 늦게 비가 내리기 시작할 것입니다. 그리고 내일 저녁까지 많은 비가 내리겠습니다. 하지만 주말에는 맑은 하늘이 될 것입니다. 감사합니다.

해설 내일 저녁에는 많은 비가 내린다고 했다.

02 M I am a kind of bear. I have black and white fur. I am very big. I live in China. I can sleep for 16 hours. I have big black circles around my eyes.

해석

남 저는 곰의 한 종류입니다. 저는 검은색과 하얀색 털이 있습니다. 저는 매우 큽니다. 저는 중국에 살아요. 저는 16시간 동안 잠을 잘 수 있습니다. 제 눈 주위에 크고 검은 원이 있습니다.

해설 중국에 사는 곰의 한 종류로 눈 주위에 크고 검은 원이 있다는 것으로 보아 판다에 대한 설명이다.

03 W Excuse me. How can I get to the nearest bank from here?
M Let me see. Go straight to Main Street.
W Go straight?
M Yes. And then turn right. You can see it on your right.
W Oh, I see.
M It's next to the bookstore. You can't miss it.
W Thank you.

해석

여 실례합니다. 여기에서 가장 가까운 은행은 어떻게 가나요?
남 잠시만요. 메인 스트리트로 곧장 가세요.
여 곧장이요?
남 네. 그러고 나서 오른쪽으로 도세요. 오른쪽에서 그것을 보실 수 있을 거예요.
여 아, 알겠어요.
남 서점 옆에 있습니다. 쉽게 찾으실 수 있으실 거예요.
여 감사합니다.

해설 메인 스트리트에서 곧장 간 후 우회전하면 오른쪽 서점 옆에서 볼 수 있다고 했으므로 ⑤이다.

02 목적·의도 파악 p. 09

01 ⑤ 02 ② 03 ⑤

 해석

남 지민아, 여기 이 장미들을 봐.
여 와! 그것들은 정말 아름답네.
남 이 공원에는 아주 많은 종류의 꽃들이 있어.
여 난 저 노란 튤립들이 좋아.
남 나도 그래. 거기서 사진을 몇 장 찍자.
여 그러자. 그거 좋은 생각이야.

해설 That's a good idea.는 상대방의 말을 수락하는 표현이다.

01 M Listen! This is Mariah Carey's song.
W Is she your favorite singer?
M Yes. I like her. She sings very well.
W Yeah, I think so, too. She also writes her own songs.

해석

남 들어 봐! 이것은 Mariah Carey의 노래야.
여 네가 가장 좋아하는 가수니?
남 응, 좋아해. 그녀는 노래를 무척 잘해.
여 응, 나도 그렇게 생각해. 그녀는 자신의 노래를 직접 쓰기도 해.

해설 I think so.는 상대방의 말에 대해 동의하는 표현이다.

02 W You don't look well. Is anything wrong, James?
M I have a bad cold.
W I'm sorry to hear that. Did you get some rest?
M Yes, I did. But I still don't feel well.
W Then, you'd better see a doctor.

해석

여 너 좋아 보이지 않는데. James, 무슨 일 있니?
남 독감에 걸렸어.
여 안됐다. 좀 쉬었니?
남 응. 하지만 여전히 안 좋아.
여 그럼, 의사에게 진료를 받는 게 좋아.

해설 You'd better ~.는 '너는 ~하는 게 낫다'라는 의미로 상대방에게 충고하는 표현이다.

03 [*Telephone rings.*]

W Hello?

M Hello, this is Tim. May I speak to Yujin?

W It's me, Yujin. What's up?

M Let's work on the science homework together this afternoon.

W I'm sorry, but I can't. I need to visit my grandmother. She is very sick.

M That's too bad. Well, I hope she gets better soon.

W Thank you.

해석

[*전화벨이 울린다.*]

여 여보세요?

남 여보세요, 저는 Tim이에요. 유진이와 통화할 수 있을까요?

여 나 유진이야. 무슨 일이니?

남 오늘 오후에 과학 숙제를 함께하자.

여 미안하지만, 안 되겠어. 할머니를 방문해야 해. 그녀가 매우 편찮으셔.

남 안됐다. 음, 그녀가 빨리 나아지시길 바랄게.

여 고마워.

해설 여자는 남자에게 오후에 과학 숙제를 같이하자고 하기 위해 전화를 걸었다.

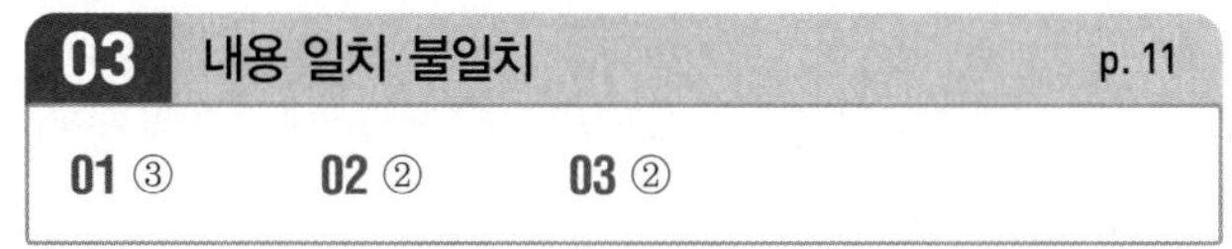

03 내용 일치·불일치 p. 11

01 ③ **02** ② **03** ②

 해석

남 안녕하세요, 여러분. 제 절친인 수미를 소개해 드리고 싶습니다. 그녀는 Brown 중학교에 다닙니다. 그녀는 곱슬머리를 가졌습니다. 그녀의 취미는 종이로 물건들을 만드는 것입니다. 그녀는 친절해서 많은 사람들이 그녀를 좋아합니다.

해설 여자는 친구의 학교, 외모, 취미, 성격은 언급하였으나, 생일은 언급하지 않았다.

01 W Hi. My name is Julie. I'm from Canada. I was born in Toronto, but now I live in Suwon with my parents and younger twin sisters. My father is a firefighter. My mother is a scientist. My twin sisters like to swim and want to be swimmers in the future. I have a dog, Lucky. We are good friends.

해석

여 안녕하세요. 제 이름은 Julie입니다. 저는 캐나다 출신입니다. 저는 토론토에서 태어났지만, 지금은 수원에서 부모님과 어린 쌍둥이 여동생들과 같이 살아요. 저의 아버지는 소방관이십니다. 저의 어머니는 과학자이십니다. 저의 쌍둥이 여동생들은 수영하는 것을 좋아하고 미래에 수영 선수가 되고 싶어해요. 제겐 Lucky라는 개가 있어요. 우리는 좋은 친구입니다.

해설 여자의 출신 국가, 부모님의 직업, 여동생들의 장래 희망, 애완동물의 이름은 언급되었으나 여자가 좋아하는 운동은 언급되지 않았다.

02 M Is this your family picture, Subin?

W Yes. Father, mother, my little twin sisters and me.

M Your father is wearing a uniform. Is he a soldier?

W No, he's a policeman.

M Your mom looks young. How old is she?

W She is 44 years old. She is a nurse.

해석

남 이것이 네 가족사진이니, 수빈아?

여 응. 아버지, 어머니, 쌍둥이 여동생들, 그리고 나야.

남 네 아버지는 제복을 입고 있으시네. 군인이시니?

여 아니, 그는 경찰이셔.

남 네 어머니는 젊어 보이신다. 연세가 어떻게 되니?

여 44세이셔. 그녀는 간호사이시지.

해설 수빈이의 아버지는 경찰관이라고 했다.

03 M Hey, Lucy. What are you doing?

W Hi, David. I'm reading a magazine.

M What's it about?

W It's about jumping rope and being healthy.

M Really? Are you planning to exercise?

W Yes, I am. I just bought a jump rope.

해석

남 안녕, Lucy. 너는 무엇을 하고 있니?

여 안녕, David. 나는 잡지를 읽고 있어.

남 무엇에 관한 거야?

여 그것은 줄넘기와 건강에 관한 거야.

남 정말? 너는 운동을 계획하고 있니?

여 응. 나는 막 줄넘기를 샀어.

해설 여자가 잡지를 읽고 있다는 것이 설명으로 일치한다.

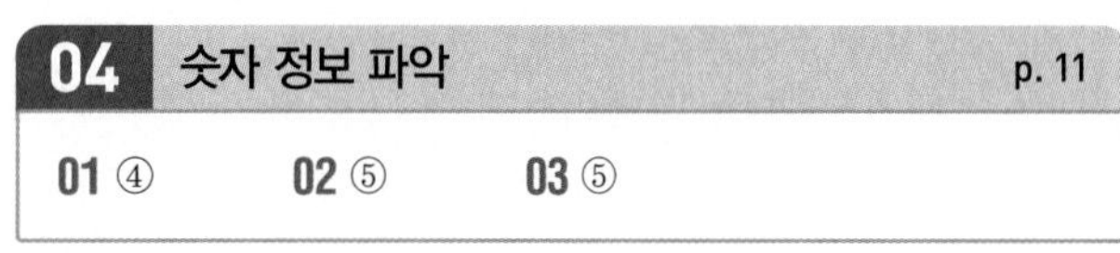

04 숫자 정보 파악 p. 11

01 ④ **02** ⑤ **03** ⑤

 해석

여 Sam, 어머니날에 드릴 선물 샀니?

남 아니. 너는?

여 아직. 같이 쇼핑하러 가는 거 어때?

남 좋아. 내일 아침 10시에 만나자.

여 음…. 그 시간은 내게 너무 이른데. 오전 10시 반에 만날래?

남 문제 없어. 내일 보자.

해설 두 사람은 오전 10시 반에 만나기로 했다.

01 W Oh, you look like you're in a hurry.

M Yeah, I'm trying to catch the 5:30 bus.

W I think you missed it. It's already 5:35.

M Oh, really? Then, I'll have to take the next bus at 6:30.

W I see. Let's walk to the subway station together.

해석

여 아, 너는 서두르는 것처럼 보여.

남 응, 나는 5시 30분 버스를 타려고 하고 있어.

여 그것을 놓친 것 같은데. 벌써 5시 35분이야.

남 어, 정말? 그럼, 나는 6시 30분 다음 버스를 타야겠다.

해설 남자는 타기로 했던 5시 30분 버스를 놓쳤으므로 6시 30분 버스를 탈 것이다.

02 M Welcome to the Metropolitan Museum of Art.

W Hi. How much is it for children and adults?

M It's 25 dollars for adults and 12 dollars for children.

W We're two adults and one child.

M Then, the total is 62 dollars.

W Okay.

해석

남 Metropolitan 미술 박물관에 오신 것을 환영합니다.

여 안녕하세요. 성인과 아이들은 얼마인가요?

남 성인은 25달러이고, 아이들은 12달러입니다.

여 우리는 성인 두 명과 아이 한 명입니다.

남 그럼, 합해서 62달러입니다.

여 알겠습니다.

해설 어른은 2명이므로 $50($25X2)이고, 어린이는 한 명이므로 $12이다. 따라서 지불할 금액은 $62이다.

03 W What is your hobby?

M I enjoy inline skating.

W Sounds interesting! How often do you go?

M I go about four to five times a week.

W Wow, that's quite often.

해석

여 너의 취미는 무엇이니?

남 나는 인라인스케이트 타는 것을 즐겨.

여 재미있겠는데! 너는 얼마나 자주 타?

남 나는 일주일에 약 네 번에서 다섯 번 정도 타.

여 와우, 꽤 자주인데.

해설 남자는 일주일에 네 번에서 다섯 번 인라인을 탄다고 했다.

05 도표 이해 p. 13

01 ② **02** ① **03** ④

기출 해석

남 무엇을 드시고 싶으세요?

여 저는 스테이크와 토마토 샐러드 주세요.

남 그 밖에 다른 것은요?

여 디저트로 애플파이를 주세요.

남 알겠습니다. 곧 가져올게요.

해설 여자는 스테이크($15)와 토마토샐러드($6)와 애플파이($3)를 산다고 했으므로, $24를 지불할 것이다.

01 W I asked my classmates about their favorite books. Only four students are interested in romance books. Four students like reading biography books and four students enjoy reading mystery books. Eleven students like reading sci-fi books and the same number of students love to read comic books in their free time.

해석

여 저는 제 급우들에게 가장 좋아하는 책에 대해 물었습니다. 단지 4명의 학생만이 로맨스 도서에 관심이 있습니다. 4명의 학생은 자서전 읽는 것을 좋아하고 4명의 학생은 추리 소설 읽는 것을 좋아해요. 11명의 학생은 공상 과학책을 좋아하고 같은 수의 학생들이 자유 시간에 만화책 읽는 것을 좋아해요.

해설 미스터리 소설을 좋아하는 학생은 4명이라고 했다.(~ four students enjoy reading mystery books.)

02 M Let's play a word game.

W How do you play it?

M Look at the chart. 1 is N, 2 is O, 3 is P and so on. When I give you a set of numbers, you guess the word.

W I don't understand. It sounds difficult.

M Here are some examples. 3-2-3 means POP, and 1-2-7 means NOT. Let's start the game. What does 7-2-3 mean?

해석

남 단어 게임을 하자.

여 어떻게 하는데?

남 표를 봐. 1은 N이고, 2는 O, 3은 P, 등등이야. 내가 네게 숫자 세트를 주면, 너는 단어를 추측하는 거야.

여 나는 이해를 못 하겠어. 어렵게 들려.

남 여기 몇 가지 예들이 있어. 3-2-3은 'POP'을 뜻하고, 1-2-7은 'NOT'을 뜻해. 게임을 시작하자. 7-2-3의 뜻이 뭐야?

해설 7은 T, 2는 O, 3은 P이므로 7-2-3은 TOP이다.

03 W Sports day is coming up.

M Do you know which day it is?

W Look at the calendar. It is on the fourth Friday of April.

M The fourth Friday? Oh, I see. I can't wait.

해석

여 체육 대회가 곧 다가온다.

남 며칠인지 아니?

여 이 달력을 봐. 그것은 4월 네 번째 금요일이야.

남 네 번째 금요일? 오, 알겠어. 너무 기다려져.

해설 체육 대회는 4월의 네 번째 금요일이라고 했으므로 4월 25일이다.

06 관계·직업 추론 p. 13

01 ④ **02** ② **03** ④

기출 해석

남 안녕하세요, 윤 박사님. 저는 ABA 뉴스의 James King입니다.
여 안녕하세요.
남 당신의 새 발명품에 대해 말씀해 주실 수 있나요?
여 저는 바쁜 사람들을 도울 수 있는 청소 로봇을 발명했습니다.
남 전 많은 사람들이 그것을 좋아할 거라 생각합니다.
여 저는 이것이 많은 시간을 절약해 주기를 바랍니다.
남 훌륭합니다. 인터뷰 감사합니다.

해설 발명가의 새로운 발명품에 대해 인터뷰하는 것으로 보아 두 사람은 기자와 발명가의 관계이다.

01 M You did a great job today!
W Thanks, sir. I'm really happy to win 1st prize in the English Speech Contest.
M Your speech was impressive. I'm proud of you.
W Your teaching is really helpful.
M I'm glad to hear that.

해석
남 너는 오늘 정말 잘했어!
여 고마워요, 선생님. 저는 영어 말하기 대회에서 1등 상을 타서 정말 행복해요.
남 너의 연설은 인상적이었어. 나는 네가 자랑스럽구나.
여 선생님의 가르침이 정말 도움이 되었어요.
남 그것을 들으니 기쁘구나.

해설 영어 말하기 대회에서 1등 상을 받은 여학생이 당신의 가르침이 도움이 됐다고 했으므로 남자의 직업은 선생님이다.

02 W It's already 8 o'clock. Please hurry up. You're late for school.
M I can't find my English textbook.
W Check the desk.
M I already did, and I even looked under the desk!
W Why don't you check your school bag?
M It's not in my bag.
W Oh, my goodness! It's on the sofa.

해석
여 벌써 8시야. 서둘러라. 너 학교에 늦겠다.
남 저는 제 영어 교과서를 찾을 수가 없어요.
여 책상을 살펴봐.
남 이미 봤어요, 그리고 책상 밑도 봤어요!
여 책가방을 살펴보는 게 어때?
남 제 가방 안에 없어요.
여 오, 이런! 그것은 소파 위에 있구나.

해설 남자는 학교 갈 준비를 하고, 여자는 이를 챙겨 주는 것으로 보아 두 사람은 엄마와 아들의 관계이다.

03 W Welcome to Bulguksa! I'm Mina from Sun Travel.
M Wow! It's beautiful. How old is it?
W It's about one thousand three hundred years old.
M Oh, that's surprising!
W We will go to Dabotap and Seokgatap. Please come this way. Soon I'll explain their history, too.

해석
여 불국사에 오신 것을 환영합니다! 저는 Sun 여행사의 미나입니다.
남 와! 아름답군요. 얼마나 오래되었나요?
여 그것은 약 천 삼백 년 되었어요.
남 오, 놀랍군요!
여 우리는 다보탑과 석가탑에 갈 거예요. 이쪽으로 오세요. 곧 제가 그것들의 역사도 얘기해 드릴게요.

해설 불국사 안내를 하고 있고, 다보탑과 석가탑을 안내하겠다고 하는 것으로 보아 여자의 직업은 관광 가이드이다.

07 심정·이유 파악 p. 15

01 ② **02** ⑤ **03** ④

해석

남 Chris, 나 좀 도와줄 수 있니?
여 뭔데, Amy?
남 점심시간에 내 수학 숙제를 좀 도와줄 수 있을까?
여 그러고 싶지만, 안 되겠어. 난 그때 미술실에서 동아리 모임이 있거든.
남 아, 알았어.
여 Betty에게 물어 보는 건 어때?
남 그래, 그럴게. 고마워.

해설 남자는 점심시간에 동아리 모임이 있어서 여자를 도와줄 수 없다고 했다.

01 M Wow! Look at the TV!
W What's that?
M This man drinks only coffee.
W Only coffee? Is he okay?
M Yeah, he looks healthy. I can't believe it!

해석
남 와! TV를 봐!
여 그게 뭔데?
남 이 남자는 커피만 마셔.
여 커피만? 그는 괜찮아?
남 응, 그는 건강해 보여. 난 그것을 믿을 수 없어!

해설 I can't believe it.은 놀라움을 나타내는 표현이다.

02 W Brian? I thought you were at Jeju-do.
M No. I couldn't go, Mina.
W Why not? You really wanted to go there.
M My mom was sick and I had to take care of my brother.

W That's too bad. Is she okay?
M Yes. She got well now.

해석
여 Brian? 나는 네가 제주도에 있을 거로 생각했어.
남 아니. 나는 갈 수 없었어, 미나야.
여 왜 못 갔는데? 너는 정말 그곳에 가고 싶어 했잖아.
남 엄마가 편찮으셔서 나는 남동생을 돌봐야 했거든.
여 안됐다. 그녀는 괜찮아?
남 응. 그녀는 지금 다 나으셨어.

해설 남자는 엄마가 편찮으셔서 남동생을 돌보느라 제주도에 못 갔다고 했다.

03 M Hello, Susan. Where are you going? That's not the way to school.
W Hi. I forgot to bring my science report. So I have to go back home.
M Oh, my! Maybe, you can be late.
W I'm really worried about it.
M I hope you will not be late.

해석
남 안녕, Susan. 너는 어디 가니? 학교 가는 길이 아니잖아.
여 안녕. 나는 과학 보고서를 가져오는 것을 잊었어. 그래서 집으로 가야 해.
남 오, 이런! 아마, 너는 지각할 수도 있어.
여 그것이 정말 걱정돼.
남 나는 네가 늦지 않길 바랄게.

해설 과학 숙제를 가지러 집에 갔다와야 해서 학교에 늦을까 봐 여자는 걱정하고 있다.

08 한 일 / 할 일 파악 p. 15

01 ① **02** ③ **03** ③

 해석
여 Eric, 지금 콘서트 보러 가자.
남 그래. (*잠시 후*) 기다려 봐.
여 뭐가 잘못됐니?
남 난 식당에 재킷을 두고 왔어.
여 확실해?
남 그런 것 같아. 티켓이 재킷 안에 있어.
여 아, 안돼! 우리 어떻게 해야 하지?
남 여기서 기다리면, 바로 식당으로 돌아갈게.

해설 남자는 재킷을 식당에 두고 와서 그것을 가지러 식당에 돌아간다고 했다.

01 M Hello, Sujin.
W Hi, Tom. What are you going to do this weekend?
M I'm going to bike with my father. How about you?
W I'm going to take a piano class with my sister.
M Have a good time.
W You, too.

해석
남 안녕, 수진.
여 안녕, Tom. 너는 이번 주말에 무엇을 할 예정이니?
남 난 아빠와 함께 자전거를 탈 거야. 너는?
여 나는 나의 여동생과 함께 피아노 수업을 받을 예정이야.
남 즐겁게 지내.
여 너도.

해설 남자는 주말에 아빠와 함께 자전거를 탄다고 했다.

02 W Peter, are you still watching TV?
M Yes, Mom. But I finished taking a walk with the dog.
W Good. You have one more thing to do.
M OK. What is it, Mom?
W Would you clean up your room while I'm cooking dinner?
M No problem. Don't worry, Mom.

해석
여 Peter, 너 아직도 텔레비전을 보고 있니?
남 네, 엄마. 하지만 전 개와 산책하는 것을 마쳤어요.
여 잘했다. 네가 해야 할 일이 하나 더 있어.
남 좋아요. 그게 뭐예요, 엄마?
여 내가 저녁 요리를 하는 동안 네 방을 치울래?
남 네, 그럴게요. 걱정하지 마세요, 엄마.

해설 엄마는 아들에게 자신이 요리하는 동안 방 청소를 해 달라고 했고, 아들은 그러겠다고 했다.

03 W Hi, James. How was your winter vacation?
M Nothing special. How about you? You look better.
W For exercise, I swam at the sports center for 30 minutes every morning.
M Good for you.

해석
여 안녕, James. 너의 겨울 방학은 어땠니?
남 특별한 건 없어. 너는? 너 좋아 보인다.
여 운동 때문이야. 나는 스포츠 센터에서 매일 아침 30분 동안 수영을 했어.
남 잘됐구나.

해설 여자는 겨울 방학 동안 매일 아침 수영을 했다고 했다.

09 주제·화제 파악 p. 17

01 ② **02** ① **03** ①

 해석
여 Nick, 너는 뭐 하고 있니?
남 나는 해야 할 자원봉사 일을 인터넷에서 찾고 있어.
여 너는 어떤 종류의 일을 하고 싶니?

남 나는 사람들에게 바이올린을 연주해 주고 싶어.
여 흠… 어, 이것 봐! 너는 나라 병원의 환자들을 위해 연주할 수 있어.
남 훌륭해.

해설 두 사람은 봉사 활동에 대해 인터넷을 찾으며 대화를 나누고 있다.

01 M What kind of movie do you want to see?
W I like sci-fi movies.
M Then..., how about *Star Wars*?
W That sounds great. What time does the movie start?
M It starts at two thirty. Thirty minutes from now.

해석
남 너는 어떤 종류의 영화를 보고 싶니?
여 나는 공상 과학 영화를 좋아해.
남 그럼…, '스타 워즈'를 볼까?
여 좋아. 영화는 몇 시에 시작해?
남 그것은 2시 30분에 시작해. 지금부터 30분 후야.

해설 두 사람은 어떤 영화를 볼지에 대해 대화를 나누고 있다.

02 M You're back. How was your vacation?
W Fantastic! I had a great time.
M How was the weather in London?
W The weather was not good! It was always cloudy and foggy.
M Really? That's too bad.
W How was it here, in Korea?
M Hmm, it was very cold here.

해석
남 너 돌아왔구나. 방학은 어땠니?
여 멋졌어! 나는 정말 즐겁게 지냈어.
남 런던의 날씨는 어땠니?
여 날씨는 좋지 않았어! 늘 구름 끼고 안개가 끼었어.
남 정말? 그거 유감이구나.
여 여기 한국에서의 날씨는 어땠니?
남 음, 이곳은 매우 추웠어.

해설 개학하고 만난 두 사람은 서로 있던 곳의 날씨에 대해 대화를 나누고 있다.

03 M This fruit is round. Usually, it's red on the outside but beige on the inside. You can peel it with a knife and eat it with a folk. You can eat the skin. It is good for your health, but it does not have the best taste.

해석
남 이 과일은 둥글어. 보통, 바깥쪽은 빨간색이고 안쪽은 베이지색이다. 당신은 칼로 그것의 껍질을 깎아서 포크로 먹을 수 있다. 당신은 껍질을 먹을 수 있다. 그것은 당신의 건강에 좋지만, 좋은 맛은 아니다.

해설 바깥쪽은 빨간색이고, 안쪽은 베이지색인 동그란 과일이며 껍질을 깎아서나 껍질째 먹을 수 있는 과일은 사과에 대한 설명이다.

10 장소 추론 p. 17

01 ② 02 ② 03 ⑤

기출 해석
여 이 방은 왜 이렇게 더운 거니?
남 우리는 막 체육 수업에서 돌아왔거든요. 우린 아직도 땀흘리고 있어요.
여 문 좀 열고 수업을 시작하자.
남 그래요, 선생님.
여 여러분의 책상을 4조로 나눠라. 이제 역사 과제를 시작하자.

해설 수업 시작 전에 창문을 열고, 책상을 옮기는 것으로 보아 교실에서 이루어지는 대화임을 알 수 있다.

01 W Justin, why don't we play tennis this afternoon?
M That sounds great! When do you want to go? I'm free after 4 p.m.
W How about six?
M That's fine. Can we meet at Central Park?
W Sure. No problem.
M Okay. See you then.

해석
여 Juntin, 오늘 오후에 테니스 치러 가는 게 어때?
남 좋아! 언제 갈까? 나는 오후 4시 이후로는 괜찮아.
여 6시는 어때?
남 좋아. Central Park에서 볼까?
여 좋아. 괜찮아.
남 좋아. 그때 보자.

해설 오후에 테니스 치러 가기로 한 두 사람은 공원에서 보기로 했다.

02 W Excuse me, I'm looking for a book. Can you help me?
M Sure. What's the title of the book?
W It's *The Kite Runner*.
M Oh, it's very popular. Please check those books over there.
W Thank you very much. How long can I check it out?
M You have to return it by next Thursday.

해석
여 실례합니다, 저는 책을 찾고 있습니다. 저를 도와줄 수 있나요?
남 물론이죠. 그 책의 제목은 뭔가요?
여 그것은 'The Kite Runner'입니다.
남 아, 그것은 매우 인기가 있어요. 저쪽에 있는 책들을 살펴보세요.
여 무척 감사드려요. 얼마나 대출 가능해요?
남 다음 주 목요일까지 반납하셔야 합니다.

해설 책을 찾고 있는 것을 도와주고, 대출일을 묻고 답하는 것으로 보아 두 사람은 도서관에 있다.

03 M May I help you?
W I'm looking for a present for my sister's birthday.
M How old is your sister?

W She is 5 years old.

M Then, how about this cat doll? I think your sister will like it. When you press it, it says "I love you."

W It's cute and fun. I'll take it.

해석

남 도와드릴까요?

여 저는 제 여동생에게 줄 생일 선물을 찾고 있어요.

남 여동생이 몇 살인가요?

여 그 애는 5살입니다.

남 그럼, 이 고양이 인형은 어떠세요? 여동생이 좋아할 것 같은데요. 이것을 누르면, 그것은 '널 사랑해.'라고 말해요.

여 귀엽고 재미있네요. 그것을 살게요.

해설 여동생에게 줄 생일 선물을 고르는 것으로 보아 대화가 이루어지는 장소는 선물 가게이다.

11 어색한 대화 찾기 p. 19

01 ④ **02** ④ **03** ⑤

기출 해석

① 남 저를 도와줄 수 있나요?
여 물론이죠. 뭔데요?

② 남 버스 정류장이 어디인가요?
여 저는 버스를 타고 학교에 갑니다.

③ 남 당신은 지금 무엇을 하고 있나요?
여 저는 음악을 듣고 있습니다.

④ 남 제가 당신의 전화기를 사용해도 될까요?
여 물론이죠. 여기 있습니다.

⑤ 남 상자 안에 고양이가 있나요?
여 네, 있습니다.

해설 버스 정류장이 어디인지 묻는 말에 대해 버스 타고 학교에 간다는 대답은 어색하다.

01 ① M May I take your order?
W Yes. I'd like *bibimbap*, please.

② M Is that your new bag?
W Yes. My brother bought it for me.

③ M How old is your sister?
W She's seven years old.

④ M Can I help you?
W I'm sorry, but I can't.

⑤ M What do you want to be in the future?
W I want to be a scientist.

해석

① 남 주문을 하실래요?
여 네. 저는 비빔밥을 주세요.

② 남 저것은 너의 새 가방이니?
여 응. 나의 오빠가 나에게 사 주었어.

③ 남 너의 여동생은 몇 살이니?
여 그녀는 7살이야.

④ 남 도와드릴까요?
여 미안하지만, 안 되겠어요.

⑤ 남 너는 미래에 무엇이 되기를 원하니?
여 저는 과학자가 되고 싶어요.

해설 도와주겠다고 하는 말에 대해 '미안하지만, 안 되겠다.'라는 대답은 어색하다.

02 ① M How much is this cap?
W It's ten dollars.

② M Is this *kimchi* spicy?
W Yes, it is.

③ M What's your favorite fruit?
W I like apples most.

④ M How do you go to school?
W I usually go to study.

⑤ M What did you do last Sunday?
W I watched a soccer game on TV.

해석

① 남 이 모자는 얼마예요?
여 10달러입니다.

② 남 이 김치는 매운가요?
여 네.

③ 남 네가 가장 좋아하는 과일은 뭐니?
여 나는 사과를 가장 좋아해.

④ 남 학교에 어떻게 가니?
여 나는 보통 공부하러 학교에 가.

⑤ 남 너는 지난 일요일에 뭐했니?
여 나는 TV로 축구 경기를 봤어.

해설 학교에 가는 방법을 묻는 질문에 대해 공부하러 간다는 말은 어색하다.

03 ① W What is Mike doing now?
M He is reading a magazine.

② W How often do you exercise?
M I exercise three times a week.

③ W I washed the dishes for you.
M How kind of you!

④ W Will you lend me a red pen?
M Sorry, but I don't have one.

⑤ W What are you going to do this weekend?
M I took a trip with my family.

해석

① 여 Mike는 지금 뭐 하고 있니?
남 그는 잡지를 읽고 있어.

② 여 너는 얼마나 자주 운동을 하니?
남 나는 일주일에 세 번 운동해.

③ 여 내가 당신을 위해 설거지를 했어.
남 너는 정말 친절하구나!

④ 여 빨간 펜을 빌려 줄래?
남 미안하지만, 난 빨간 펜이 없어.

⑤ 여 이번 주말에 무엇을 할 거야?
남 나는 가족과 함께 여행을 갔어.

해설 이번 주말에 무엇을 할 것인지 계획을 묻는 말에 대해 지난 일을 대답하는 것은 어색하다.

12 마지막 말에 대한 응답 찾기 p. 19

01 ③ **02** ③ **03** ④

기출 해석

여 수호야, 안녕. 이번 여름방학에 넌 뭐 할 거니?
남 나는 가족과 여행 갈 거야.
여 멋지다! 어디로 갈 거니?
남 우리는 울릉도를 방문하려 해.
여 오, 난 작년에 거기에 갔는데.
남 정말? 너는 울릉도에서 뭐 했니?
여 난 여러 맛있는 해산물을 먹었어.
① 난 14살이야.
② 난 기차를 타고 거기에 갈 거야.
③ 난 내 숙제를 하는 중이야.
⑤ 난 수영 캠프에 참가하려고 해.

해설 울릉도에서 무엇을 했는지 묻는 질문에 대해 맛있는 해산물을 먹었다고 하는 ④가 응답으로 적절하다.

01 M Mom, I'm home. I'm so hungry.
W Dinner will be ready soon. Before that, would you like some fruit?
M Great! Where are they?
W ______________________________

해석
남 엄마, 저 왔어요. 배가 너무 고파요.
여 저녁 식사가 곧 준비될 거야. 그 전에, 과일을 좀 먹을래?
남 좋아요! 어디 있나요?
여 식탁 위에.
① 10달러야. ② 매우 맛있어. ④ 숟가락으로. ⑤ 5분 후에.

해설 과일의 위치를 묻는 말에 대해 위치를 말하는 ③이 적절한 응답이다.

02 W You know about my Internet friend, Jane, don't you?
M Yes, I do. You mean your American friend, right?
W Right! She is coming to Incheon this vacation. I got a message from her.
M ______________________________

해석
여 나의 인터넷 친구 Jane 알지?
남 응, 알아. 너의 미국인 친구를 말하는 거지?
여 맞아! 그녀가 이번 방학에 인천에 올 거야. 나는 그녀에게서 메시지를 받았어.
남 그 얘길 들으니 기쁘다.
① 마음껏 드세요. ② 너는 곧 회복될 거야. ④ 나는 컴퓨터 게임을 하는 것을 좋아해. ⑤ 나는 기계 고치는 것을 못 해.

해설 미국인 친구로부터 메시지를 받았다고 하는 말에 대해 기뻐하는 ③이 적절한 응답이다.

03 W This summer was very hot and long.
M You're right. What did you do last weekend?
W Oh, nothing special. What about you?
M Well.... I went swimming with Jim and Susan. But Jim slipped on a wet road and broke his leg.
W Oh, no. Is he okay now?
M No. He's still in the hospital.
W ______________________________

해석
여 올 여름은 너무 덥고 길었어.
남 네 말이 맞아. 지난 주말에 뭐했니?
여 아, 특별한 건 없었어. 너는?
남 음…. 나는 Jim과 Susan하고 같이 수영하러 갔어. 그런데 Jim이 젖은 길에 미끄러져서 다리가 부러졌어.
여 오, 저런. 지금은 괜찮아?
남 아니. 그는 아직 병원에 입원 중이야.
여 그거 안됐구나.
① 나는 매우 바빴어. ② 미안하지만, 할 수 없어. ③ 이것을 함께 하자. ⑤ 여행은 재미있을 것 같아.

해설 친구가 아직 병원에 입원해 있다는 남자의 말에 대해 안타까움을 표시하는 ④가 적절한 응답이다.

PART 2

영어 듣기모의고사

01회 영어 듣기모의고사 pp. 22~23

01 ④	02 ③	03 ④	04 ②	05 ⑤
06 ④	07 ①	08 ④	09 ②	10 ⑤
11 ①	12 ④	13 ①	14 ④	15 ④
16 ④	17 ③	18 ④	19 ④	20 ④

Dictation Test 01회 pp. 24~29

01 ❶ a long and thin body ❷ Birds and frogs
02 ❶ looking for ❷ any rectangular ones ❸ take it
03 ❶ The rain will last ❷ carry your umbrella
04 ❶ have a headache ❷ You'd better go
05 ❶ am from ❷ usually cook
06 ❶ express bus terminal ❷ thirty minutes
07 ❶ like to sing ❷ be a famous singer
08 ❶ return a book ❷ what to do
09 ❶ take a walk ❷ for lunch ❸ buy some milk
10 ❶ in your free time ❷ listen to music
11 ❶ near here ❷ taking a bus
12 ❶ not kind to ❷ another bakery
13 ❶ pleased to meet ❷ love your songs
14 ❶ Go straight one block ❷ turn left ❸ got it
15 ❶ my test score ❷ check my test paper
16 ❶ going to the mall ❷ after shopping
17 ❶ my history textbook ❷ help me find it
18 ❶ find novels ❷ for romantic novels
19 ❶ looking for ❷ hot item
20 ❶ Why don't we meet ❷ Around four

01 그림 정보 파악 – 동물 | ④

해석

남 나는 곤충입니다. 나는 길고 가느다란 몸을 가지고 있습니다. 나는 또한 두 쌍의 긴 날개가 있습니다. 나는 연못, 호수, 그리고 강 근처에 삽니다. 새들과 개구리들은 나를 좋아하지만, 나는 그들을 좋아하지 않습니다. 나는 누구일까요?

해설 길고 가는 몸체와 두 쌍의 긴 날개를 가졌고, 호수와 강 근처에 살며 새들과 개구리가 좋아하는 것은 잠자리이다.

02 그림 정보 파악 – 사물 | ③

해석

남 도와드릴까요?
여 네. 엄마에게 드릴 스카프를 찾고 있어요.
남 이 정사각형 모양은 어때요?
여 엄마가 정사각형 모양의 스카프를 좋아하지 않으세요. 직사각형 스카프 있나요?
남 그럼요. 이것을 보세요. 하트 모양이 있어요.
여 저것 좀 봐도 될까요? 엄마가 꽃을 좋아하시거든요.
남 좋아요. 여기 있어요.
여 엄마가 이런 걸 좋아하실 것 같아요. 그걸로 살게요.

해설 여자는 꽃무늬가 있는 직사각형 모양의 스카프를 사기로 했다.

03 그림 정보 파악 – 날씨 | ④

해석

여 안녕하세요. 일기 예보의 Jenny입니다. 지금 당장은 화창합니다. 하지만, 오늘 저녁에는 구름 끼고 바람이 불 것입니다. 내일은 비가 올 것입니다. 비는 내일 밤까지 계속될 것입니다. 내일 외출할 계획이 있으시다면, 우산 챙기시는 것을 잊지 마세요.

해설 내일은 비가 밤까지 계속 내릴 것이라고 했다. Tomorrow, it will rain. 이하 문장을 잘 듣도록 한다.

04 의도 파악 | ②

해석

여 어떻게 지내니?
남 별로 좋지 않아. 머리가 아프거든.
여 너는 감기에 걸렸니?
남 아니, 나는 하루 종일 책을 읽었어.
여 너는 줄곧 실내에만 있었구나.
남 응, 맞아.
여 너는 밖으로 나가서 시원한 공기를 쐬는 게 좋겠어.

해설 You'd better ~.는 상대방에게 충고할 때 쓰는 표현이다.

05 언급하지 않은 것 | ⑤

해석

남 안녕? 나는 David야. 나는 호주에서 왔어. 지금 나는 용산에서 살고 있어. 나의 가족들도 용산에서 나와 함께 살고 있어. 여유로운 시간에, 나는 주로 요리를 해. 요리는 내 취미야. 너희 모두를 만나서 정말 행복해.

해설 남자는 이름, 출신 국가, 사는 곳, 취미는 언급하였으나 장래 희망에 대해서는 언급하지 않았다.

06 숫자 정보 파악 – 시각 | ④

해석

남 Mary야, 너는 오늘 천안에 있는 박물관에 갈 예정이니?
여 응, 그래.
남 천안행 버스는 언제니?
여 오전 11시 15분에 출발해. 고속버스 터미널에서.
남 시간이 충분하구나. 9시 15분밖에 안 됐잖아.
여 맞아, 터미널까지 가는 데 약 30분 걸려.

해설 여자가 타는 천안행 버스는 고속버스 터미널에서 11시 15분에 출발한다고 했다.

07 직업 및 장래 희망 | ①

해석

여 Mike, 넌 목소리가 좋구나. 넌 성우가 되는 게 어때?

남 고마워. 하지만 난 사실 음악에 관심이 있어. 나는 노래하는 것을 좋아하거든.

여 너는 대스타가 되고 싶은 거구나?

남 응, 난 유명한 가수가 되고 싶어.

해설 남자는 음악에 관심이 있고, 노래 부르는 것을 좋아해서 유명한 가수가 되고 싶다고 했다.

08 심정 파악 | ④

해석

남 아, 나 어쩌지?

여 뭐가 잘못됐어?

남 응. 난 오늘 도서관에 책을 반납해야 하는데, 그 책을 버스에 두고 내렸어.

여 버스 회사에 전화해 봤니?

남 해 봤는데, 찾지 못했다고 하더라고. 어떻게 해야 할지 모르겠어.

해설 도서관에 반납해야 하는 책을 버스에 두고 내렸으므로 남자는 걱정스러울 것이다.

09 한 일 / 할 일 파악 | ②

해석

남 점심 식사 후에 뭐 할 거니, Jane?

여 나는 공원에서 산책을 할 거야. Mark, 너는 어때?

남 난 축구를 하려고 해.

여 재밌게 들린다. 그건 그렇고, 오늘 점심으로 뭐 가져왔니?

남 난 샌드위치 가져왔어.

여 나도!

남 오, 잠깐 기다려 줄래? 난 우유를 사고 싶어.

여 알았어.

해설 남자는 마지막 말에서 여자에게 우유를 사야 하니 잠시 기다려 달라고 했다.

10 주제 파악 | ⑤

해석

여 David, 너는 자유 시간에 뭐 하니?

남 나는 주로 컴퓨터 게임을 해. 너는 어떠니?

여 나는 음악을 듣거나 피아노를 연주해.

남 운동은 안 하니?

여 아니. 나는 탁구 치는 것도 좋아해.

해설 두 사람이 자유 시간에 무엇을 하는지 묻고 답하는 내용의 대화이다.

11 특정 정보 파악 | ①

해석

여 실례합니다. ABC 극장에는 어떻게 가나요?

남 여기에서 가까워요. 그곳에 걸어서 가시려고요?

여 모르겠어요. 제가 택시를 타야 할까요?

남 아니요, 그럴 필요는 없어요. 그럼… 버스를 타는 건 어때요? 버스가 극장 앞에 선답니다.

여 오, 그게 좋겠네요. 고마워요!

해설 여자는 남자의 제안을 받아들여 버스를 타고 극장에 갈 것이다.

12 이유 파악 | ④

해석

여 저기 봐! 새로 생긴 빵집이다. 아주 좋은 냄새가 나네. 빵을 좀 사자.

남 아니, 난 그러고 싶지 않아. Jane이 어제 빵을 사기 위해 거기에 갔었대.

여 그녀는 뭐라고 했어?

남 빵은 맛있는데, 주인이 어린 학생들에게 친절하지 않았대.

여 오, 별로네! 다른 제과점으로 가자.

해설 남자의 마지막 말인 but the owner was not kind to young students를 통해 그 이유를 알 수 있다.

13 관계 추론 | ①

해석

여 믿을 수가 없어요! 제가 꿈꾸고 있는 건가요? 저는 당신을 만나서 정말 기뻐요.

남 저를 환영해 주셔서 감사합니다. 저 또한 당신을 만나서 아주 기뻐요.

여 저는 당신의 노래를 정말 좋아해요. 오늘이 제겐 굉장한 날이네요. 우리 함께 사진을 찍을 수 있을까요?

남 물론이죠. 저도 좋습니다.

여 대단히 감사해요.

해설 누군가를 만나 기분이 좋아져서 사진을 찍자고 제안하고, 이를 받아들이는 것으로 보아 두 사람은 팬과 가수의 관계임을 알 수 있다.

14 그림 정보 파악 – 길 찾기 | ④

해석

여 실례합니다만, 가장 가까운 약국에 어떻게 가나요?

남 잠시만요. 한 블록 곧장 가신 후에 왼쪽으로 도세요. 그것은 당신의 왼쪽에 있어요.

여 한 블록을 곧장 가다가 오른쪽으로 돌라고요?

남 아니요, 왼쪽으로 도세요. 그러면 그것은 왼쪽에 있어요. John's 약국이 패스트푸드점 옆에 있어요.

여 네, 알겠습니다.

해설 한 블록을 곧장 간 다음 좌회전하면 왼쪽에 있다고 했으므로 여자가 가려고 하는 장소는 ④이다.

15 부탁한 일 파악 | ④

해석

여 안녕, 준아. 어떻게 지내니?

남 잘 지내요, 김 선생님. 저를 만나 주셔서 감사합니다.

여 천만에.

남 사실, 저는 제 시험 점수 때문에 왔어요.

여 뭐가 잘못됐니?

남 저는 제 점수가 만점일 거라고 생각했는데, 95점을 받았거든요. 제 시험지를 다시 확인해 주실 수 있으세요?

해설 남자의 마지막 말 Can you check ~?에서 남자는 여자에게 점수를 다시 확인해 줄 것을 부탁하고 있다.

16 제안한 일 파악 | ④

해석

여 이번 토요일에 우리 무엇을 할까?

남 난 '아이언 맨'을 보고 싶어. 진짜 재미있다고 들었어.

여 우리는 지난주에 영화를 봤잖아. 쇼핑몰에 가는 것은 어떠니?

남 싫어. 이 영화를 놓치기 싫어.

여 그럼, 쇼핑 후에 그 영화를 보자. 괜찮지?
남 좋아.
해설 쇼핑을 한 후 영화를 보자는 여자의 제안에 대해 남자가 수락하고 있는 내용의 대화이다.

17 특정 정보 파악 | ③

해석
여 너는 무엇을 찾고 있니?
남 응, 난 내 역사 교과서를 찾을 수 없어. 다음 수업이 역사이지, 그렇지 않니?
여 아니, 우리의 다음 수업은 수학이야.
남 오, 그래?
여 응, 하지만 우리는 수학 다음에 바로 역사 수업이 있어.
남 그래서 난 내 교과서가 필요해. 그 책을 찾는 것을 도와줄 수 있니?
여 물론이지.
해설 남자가 역사 교과서를 잃어버려 여자에게 함께 찾아 달라고 부탁하고 있는 내용의 대화이다.

18 직업 및 장래 희망 | ④

해석
여 안녕하세요, 소설은 어디에서 찾을 수 있나요?
남 어떤 종류의 소설을 찾으시나요?
여 음, 저는 로맨틱 소설을 읽고 싶어요.
남 네. F 구역에 로맨틱 소설이 있어요. 베스트셀러 구역에서도 몇 권을 찾을 수 있어요.
여 무척 친절하시네요. 고마워요.
남 천만에요.
해설 소설을 찾고 있는 여자에게 해당 책이 있는 곳을 안내해 주는 것으로 보아 남자는 서점 직원임을 알 수 있다.

19 알맞은 응답 찾기 | ④

해석
남 도와드릴까요?
여 네, 전 스키니 진을 찾고 있어요.
남 어떤 색상을 원하시나요?
여 저는 파란색이나 검은색을 원해요.
남 이것은 어떠세요? 이것은 가장 잘 팔리는 상품이거든요.
여 저는 그것이 마음에 들어요. 그 색상이 좋아요.
① 여기 있어요. ② 그것은 재미있게 들려요.
③ 그것은 당신의 잘못이 아니었어요.
⑤ 좋아요, 저에게 물어봐 줘서 고마워요.
해설 신상품을 제안하는 남자의 마지막 말에 대해 이를 마음에 들어 하는 내용의 ④가 적절한 응답이다.

20 알맞은 응답 찾기 | ④

해석
여 이 수학 문제들이 어려워. 우리 함께 공부할 수 있을까?
남 물론이지. 우리 학교 도서관에서 만나는 게 어때? Peter와 Mary도 그곳으로 올 거야.
여 좋아. 몇 시에 만날까?
남 4시쯤.
여 좋아, 그때 보자.
① 가자. ② 늦어서 미안해.
③ 즐거운 하루 보내. ⑤ 그 말을 들으니 기쁘다.
해설 남자가 4시에 보자며 시간 약속을 하는 말에 대해 그때 보자고 하는 ④가 적절한 응답이다.

02회 영어 듣기모의고사 pp. 30~31

01 ②	02 ③	03 ①	04 ⑤	05 ①
06 ③	07 ④	08 ③	09 ⑤	10 ②
11 ③	12 ②	13 ⑤	14 ③	15 ④
16 ⑤	17 ⑤	18 ②	19 ②	20 ①

Dictation Test 02회 pp. 32~37

01 ❶ very sharp ❷ cut clothes and paper
02 ❶ my favorite team ❷ baseball shirt
03 ❶ from Monday to Wednesday ❷ be cloudy
04 ❶ do me a favor ❷ mail it for me ❸ ask your mom
05 ❶ to practice English ❷ every Tuesday and Thursday
06 ❶ a little late ❷ let's meet at
07 ❶ like my father ❷ introduce good products
08 ❶ we didn't get them ❷ it was already cold
09 ❶ feel like going out ❷ go to the stadium
10 ❶ picking some flowers ❷ keep our nature beautiful
11 ❶ want to go ❷ take the cable car
12 ❶ Can you go ❷ go to the dentist
13 ❶ what to eat ❷ not at all ❸ Anything else
14 ❶ there's one near ❷ turn left ❸ next to the museum
15 ❶ going to the library ❷ return this book
16 ❶ buy a present ❷ what to buy ❸ try to buy something online
17 ❶ visited my uncle's house ❷ many exciting events
18 ❶ open an account ❷ fill out this form ❸ want to deposit
19 ❶ Will you go to ❷ What time
20 ❶ all of this food ❷ a piece of cake

01 그림 정보 파악 – 사물 | ②

해석

남 그것의 몸체는 금속입니다. 그것은 두 개의 큰 귀를 가지고 있습니다. 그것은 또한 두 개의 긴 다리를 가지고 있습니다. 그것의 다리는 아주 날카롭습니다. 우리는 그것들로 옷과 종이를 자를 수 있습니다. 우리는 그것들로 머리카락과 음식들도 자를 수 있습니다. 그것은 무엇일까요?

해설 몸체는 금속이고 두 개의 큰 귀에 긴 다리를 지닌 물체로, 천이나 종이를 자를 때 사용하는 도구는 가위이다.

02 그림 정보 파악 – 사물 | ③

해석

여 이것은 네게 주는 선물이야.

남 오, 고마워. 열어 봐도 되니?

여 물론이지. 네가 좋아하길 바라.

남 와! 내가 가장 좋아하는 팀인 뉴욕 메츠네.

여 입어 보렴.

남 응. 이것은 아주 좋은 야구 셔츠네. 난 이게 좋아.

해설 남자는 가장 좋아하는 팀의 로고가 있는 야구 셔츠를 받고 좋아하고 있다.

03 그림 정보 파악 – 날씨 | ①

해석

여 좋은 아침입니다. 일기 예보의 Jennifer입니다. 이번 주 날씨를 알려드리겠습니다. 월요일부터 수요일까지 날씨는 덥고 화창하겠습니다. 하지만 목요일에는 온종일 구름이 낄 것이며, 금요일에는 폭우가 내릴 것입니다. 하지만 걱정하지 마세요. 주말에는 맑은 하늘을 보실 것입니다.

해설 목요일에는 하루 종일 흐리다고 했다. (← On Thursday, however, it will be cloudy all day long, ~.)

04 의도 파악 | ⑤

해석

남 내 부탁 하나 들어줄 수 있니?

여 그럼요, 아빠, 뭔데요?

남 내가 오후에 이 편지를 부쳐야 하는데, 오후 3시부터 회의가 있어. 나 대신 그것을 부쳐 줄 수 있니?

여 죄송하지만, 안 되겠어요. 저는 오늘 방과 후 수업에 가야 하거든요.

남 음, 신경 쓰지 마. 네 엄마에게 부탁할게.

해설 I'm sorry, but I can't.는 상대방의 말에 대해 거절할 때 쓰는 표현이다.

05 언급하지 않은 것 | ①

해석

여 영어 동아리에 온 것을 환영합니다. 우리 동아리 활동에 대해 알려 드리겠습니다. 우리의 목표는 영어를 연습하는 것입니다. 우리는 영어로만 이야기합니다. 우리는 종종 영어 노래를 듣거나, 영어 책을 읽거나, 영어로 된 영화를 봅니다. 우리는 영어 동아리 방에서 매주 화요일과 목요일에 만납니다.

해설 여자는 동아리의 활동 목표, 활동 내용, 모임 횟수, 모임 장소에 대해서는 언급하였으나 모임 시간에 대해서는 언급하지 않았다.

06 숫자 정보 파악 – 시각 | ③

해석

[*휴대 전화벨이 울린다.*]

남 여보세요, Susan!

여 이봐, Bill! 어디야? 지금 벌써 11시야.

남 미안해, Susan. 나는 조금 늦겠어.

여 몇 시에 여기 올 것 같니?

남 20분 후면 도착할 거야.

여 그럼 매표소 앞에서 11시 20분에 만나자.

남 알았어.

해설 두 사람은 매표소 앞에서 11시 20분에 만나기로 했다.

07 직업 및 장래 희망 | ④

해석

여 너는 장래에 무엇이 되고 싶니?

남 나는 우리 아버지처럼 프로듀서가 되고 싶어. 너는 어때?

여 음…. 나는 사람들에게 좋은 상품을 소개하고 싶어.

남 너는 홈쇼핑 채널의 쇼 호스트가 되고 싶은 거구나, 그렇지 않니?

여 응, 맞아.

해설 여자는 사람들에게 좋은 물건을 소개하고 싶다고 했고, 홈쇼핑 채널의 쇼 호스트가 되고 싶은지 묻는 남자의 질문에 동의했으므로 ④가 정답이다.

08 심정 파악 | ③

해석

여 어제, 내 남동생과 나는 오전 11시에 피자를 주문했다. 우리는 포테이토 피자와 큰 콜라를 주문했다. 그러나 우리는 오후 1시까지도 그 음식들을 받지 못했다. 마침내, 피자가 배달되었지만, 이미 식어 있었다. 게다가, 우리는 큰 콜라는 받지 못했다. 나는 그 서비스가 만족스럽지 않았다.

해설 어제 오전 11시에 주문한 피자가 오후 1시가 넘어서 식은 채로 도착했는데, 콜라도 오지 않아 여자는 불만족스러웠을 것이다.

09 한 일 / 할 일 파악 | ⑤

해석

남 Jenny, 나는 따분해.

여 나도 그래. 우리 DVD를 한 편 보자.

남 그건 좋은 생각이 아니야. 나는 밖에 나가고 싶어.

여 그럼, 쇼핑몰에 가는 건 어떠니? 윈도쇼핑도 재미있을 거야.

남 나는 그것을 좋아하지 않아.

여 그럼, 너는 뭘 하고 싶은 거니? 말해 봐.

남 경기장에 갈까? 야구 경기가 있어.

여 그래. 가자.

해설 남자는 야구장에 가자고 제안했고 여자가 이를 수락했으므로, 두 사람은 야구장에 갈 것임을 알 수 있다.

10 주제 파악 | ②

해석

여 James! 너는 뭐 하고 있니?

남 저는 꽃을 좀 꺾고 있어요. 그것들은 매우 예쁘거든요.

여 오, 너는 꽃을 꺾으면 안 돼.

남 왜 안 돼요?

여 우리는 자연을 아름답고 깨끗하게 지켜야 해, 알겠지?

남 네, 엄마.

해설 꽃을 꺾으려는 남자에게 여자는 자연을 아름답고 깨끗하게 보호해야 한다고 했으므로 ②가 정답이다.

11 특정 정보 파악 | ③

해석

남 준비됐니?

여 응. 가자. N 서울 타워에 어떻게 가고 싶니?

남 우리는 서울역이나 충무로 지하철역에서 남산 셔틀 버스를 탈 수 있어.

여 음, 나는 산 위까지 케이블카를 타고 싶어.

남 좋아. 그러면, 지하철을 타고 명동 역에 가자. 그곳에서부터 우리는 케이블카 타는 곳까지 약 15분을 걸을 수 있어.

해설 두 사람은 지하철을 타고 명동 역으로 간 후에 케이블카를 타고 N 서울 타워에 갈 것이다.

12 이유 파악 | ②

해석

남 너는 네 방학 숙제를 끝냈니?

여 거의, 그런데 난 아직 박물관 견학을 못 갔어.

남 나도 그것을 못 했어. 우리 같이 가자.

여 좋은 생각이야. 이번 주 수요일 8월 14일에 갈 수 있니?

남 잠시만··· 나는 그날에 치과를 가야 해, 그 다음날은 어때?

여 좋아.

해설 남자의 마지막 말 I have to go to the dentist on that day.를 통해 이유를 알 수 있다.

13 관계 추론 | ⑤

해석

여 실례합니다. 무엇을 먹어야 할지 결정 못 하겠네요. 도와주실 수 있나요?

남 그럼, 이 파전을 먹어 보는 건 어떠세요? 이건 새로운 품목인데, 많은 젊은이들이 그것을 정말 좋아해요.

여 오, 새로운 거예요? 너무 맵지는 않죠? 저는 매운 것들은 좋아하지 않거든요.

남 아니요, 전혀요.

여 좋아요, 파전을 먹도록 하죠.

남 네. 그밖에 다른 것은요?

여 아니요, 괜찮습니다.

해설 음식을 주문하고 있는 상황이므로 두 사람은 식당 종업원과 손님의 관계임을 알 수 있다.

14 그림 정보 파악 - 길 찾기 | ③

해석

여 실례합니다. 이 근처에 서점이 있습니까?

남 네, 자연사 박물관 근처에 하나 있어요.

여 거기에 어떻게 가나요?

남 한 블록을 곧장 간 다음 왼쪽으로 도세요.

여 알겠어요. 그 다음은 어떻게 해요?

남 다시 똑바로 가면 오른쪽에 박물관이 보일 거예요. 서점은 박물관 옆에 있어요.

해설 한 블록 곧장 가서 좌회전한 뒤, 다시 곧장 가면 오른쪽에 박물관이 보이는데 그 옆에 서점이 있다고 했으므로 정답은 ③이다.

15 부탁한 일 파악 | ④

해석

여 Chris, 너는 오늘 도서관에 갈 거니?

남 응, 나는 책을 좀 읽기 위해 도서관에 갈 거야.

여 그럼, 나를 위해 이 책을 도서관에 반납해 줄 수 있니?

남 알았어! 내게 그 책을 줘.

여 고마워.

해설 여자는 책을 읽으러 도서관에 가는 남자에게 책을 반납해 달라고 부탁하고 있다.

16 제안한 일 파악 | ⑤

해석

남 오늘 오후에 뭐 할 거니?

여 나는 쇼핑몰에 갈 거야. 내 동생에게 줄 선물을 사려고.

남 아, 나도 누나한테 줄 선물이 필요한데. 그런데 그녀를 위해 뭘 사야 할지 모르겠어.

여 쇼핑몰에 같이 가는 게 어때?

남 그전에 먼저 온라인으로 구입하도록 해 보자. 온라인에서 쓸 수 있는 할인 쿠폰이 많이 있거든.

여 그거 좋은 생각이야.

해설 선물을 사러 쇼핑몰에 가자는 여자의 제안에 남자는 온라인으로 구입하자고 했으므로, 두 사람은 인터넷으로 쇼핑을 할 것이다.

17 한 일 / 할 일 파악 | ⑤

해석

남 너는 지난 주말에 뭐 했니?

여 삼촌 댁에 갔었어. 그는 농부시거든. 나는 신선한 과일을 먹었어. 너는 어땠니?

남 나는 콘서트에 가고 싶었는데, 표가 매진됐어. 대신에, 나는 도서 전시회에 가서 책을 몇 권 샀어.

여 와, 나도 거기 가고 싶었는데. 사람들이 많은 재미있는 행사가 있다고 하더라.

해설 남자는 주말에 도서 전시회에 가서 책을 구입했다고 했다.

18 직업 및 장래 희망 | ②

해석

여 무엇을 도와드릴까요?

남 저는 계좌를 개설하고 싶습니다.

여 이 양식을 작성해 주세요.

남 알겠습니다.

여 사진이 있는 신분증을 좀 볼 수 있을까요?

남 물론이에요. 여기 있습니다.

여 얼마를 입금하고 싶으신가요?

남 오늘 500달러를 입금하겠습니다.

해설 은행에 가서 계좌를 새로 개설하고 있는 내용의 대화이므로 여자의 직업은 은행원이다.

19 알맞은 응답 찾기 | ②

해석

남 안녕, Amy. 너는 오늘 Peter의 생일 파티에 갈 거니?

여 Peter의 생일 파티라고?

남 그가 우리를 그의 생일 파티에 초대했어.

여 어머, 깜빡했네. 그 파티가 몇 시지?

남 오후 2시야.

① 일요일에. ③ 나도 그렇게 생각해.

④ Peter의 집에서. ⑤ 미안해, 다음번에 하자.

해설 파티가 몇 시인지 묻는 여자의 마지막 말에 대해 시간을 말하는 ②가 적절한 응답이다.

20 알맞은 응답 찾기 | ①

해석

남 와, 당신이 이 모든 음식을 다 만들었나요?
여 그랬죠.
남 이 예쁜 케이크도 당신이 만들었어요? 달콤한 냄새가 나네요.
여 케이크 한 조각 드셔 보실래요?
남 네, 그럴게요.
② 전혀 그렇지 않아요. ③ 천만에요.
④ 저는 당신의 의견에 동의하지 않아요. ⑤ 그거 안됐군요.

해설 케이크 한 조각을 먹겠냐며 음식을 권하는 여자의 말에 이를 수락하는 ①이 적절한 응답이다.

03회 영어 듣기모의고사 pp. 38~39

01 ①	02 ③	03 ②	04 ②	05 ④
06 ②	07 ①	08 ④	09 ①	10 ③
11 ③	12 ④	13 ⑤	14 ①	15 ⑤
16 ①	17 ③	18 ⑤	19 ④	20 ⑤

Dictation Test 03회 pp. 40~45

01 ❶ have white hair ❷ a very cold place
02 ❶ take some notes ❷ I have Post-its
03 ❶ raining and windy ❷ get sunny and nice
04 ❶ see a musical ❷ it is fantastic
05 ❶ likes playing with me ❷ relax and sit
06 ❶ a free lunch coupon ❷ lunch time starts at
07 ❶ Did you paint them ❷ be a good painter ❸ be an animal doctor
08 ❶ going to the airport ❷ can't wait to see
09 ❶ am buying ❷ go to a mall
10 ❶ go on a picnic ❷ ride a boat
11 ❶ take a trip ❷ go there by ship ❸ to take a ship
12 ❶ looks good on you ❷ with orange-colored clothes
13 ❶ didn't he eat things ❷ get well soon
14 ❶ Go straight to ❷ turn left ❸ opposite the hospital
15 ❶ meet my friends ❷ lock the door
16 ❶ the Science Contest ❷ get some ideas
17 ❶ have any plans ❷ going to the movies
18 ❶ nervous on the stage ❷ What's your part
19 ❶ went skiing ❷ Let's go there
20 ❶ what club ❷ want to join

01 그림 정보 파악 – 동물 | ①

해석

여 나는 커다란 동물입니다. 나는 흰색 털이 있습니다. 내 귀는 작고 둥글며, 내 꼬리는 아주 짧습니다. 나는 네 개의 강한 다리가 있습니다. 내 뒷다리는 내 앞 다리보다 깁니다. 나는 몹시 추운 곳에 삽니다. 그리고 나는 겨울에 매우 자주 잠을 잡니다. 나는 누구일까요?

해설 흰 털을 가진 커다란 동물로 작고 둥근 귀와 짧은 꼬리를 가졌으며 뒷발이 앞발보다 길고 아주 추운 곳에 사는 동물은 ①이다.

02 그림 정보 파악 – 사물 | ③

해석

남 Ann, 나는 필기를 해야 해. 너는 종이 한 장 있니?
여 아니, 없어. 하지만 붙임쪽지는 있어.
남 그거면 되겠다. 내가 한 장 가질 수 있을까?
여 물론이지. 여기 있어.

해설 노트를 빌려 달라고 하는 남자에게 여자는 노트가 없어서 붙임쪽지를 빌려주겠다고 하고 있으므로 정답은 ③이다.

03 그림 정보 파악 – 날씨 | ②

해석

남 안녕하세요, 오늘의 일기 예보입니다. 지금 비가 오고 바람이 불고 있으므로, 우산을 가지고 다니는 것을 잊지 마세요. 그러나 이 비는 곧 멈춰서 오후에는 해를 보실 수 있습니다. 날씨가 맑아지고 좋아지겠습니다. 감사합니다.

해설 But 이하에서 비가 곧 그치고 오후에 해를 볼 수 있다고 했으므로 오후의 날씨는 화창할 것이다.

04 의도 파악 | ②

해석

여 너는 지난 주말에 뭐 했니?
남 나는 뮤지컬을 보러 갔어.
여 그랬어? 어떤 뮤지컬을 봤니?
남 나는 '캣츠'를 봤어.
여 나도 그것을 봤는데. 나는 그것이 환상적이라고 생각해.
남 음, 나도 그렇게 생각해.

해설 I think so, too.는 상대방의 말에 동의하는 표현이다.

05 언급하지 않은 것 | ④

해석

남 안녕하세요! 내 가장 친한 친구 Cutty를 소개하고 싶습니다. 그녀는 한 살짜리 고양이입니다. 그녀는 제 할머니 집에 살아요. 나는 주말마다 그녀를 보러 갑니다. 그녀는 나와 노는 것을 좋아해요. 우리는 레슬링을 해요. 그 후에 우리는 쉬면서 햇빛을 받으며 앉아 있어요. 우리는 종종 할머니의 침대에서 낮잠을 잡니다.

해설 고양이의 이름, 나이, 사는 곳, 놀이 활동은 언급하였으나 가족 수에 관해서는 언급하지 않았다.

06 숫자 정보 파악 – 시각 | ②

해석

여 나는 '선데이 식당'에서 이용할 수 있는 무료 점심 쿠폰이 생겼어. 내일 나랑 같이 갈래?

남 물론이지! 몇 시에?

여 점심시간은 11시 30분에 시작하고, 쿠폰은 11시 30분에서 1시 사이에 이용할 수 있어.

남 그러면, 내가 너희 집에 11시에 갈게.

여 알았어! 그때 보자.

해설 식당의 점심시간은 11시 30분이라고 했다.

07 직업 및 장래 희망 | ①

해석

남 이 사진 좀 봐.

여 멋지다! 네가 그렸니?

남 응, 내가 그렸어. 나는 화가가 되고 싶어.

여 나는 네가 멋진 화가가 될 거라는 걸 확신해.

남 고마워. 너는 무엇이 되고 싶니?

여 나는 동물들에게 관심이 있어. 나는 수의사가 되고 싶어.

해설 그림을 잘 그리는 남자는 화가가 되고 싶다고 한다. 수의사는 여자의 장래 희망이므로 혼동하지 않도록 한다.

08 심정 파악 | ④

해석

남 너는 오늘 오후에 특별한 계획이라도 있니?

여 응. 나는 아빠와 함께 공항에 갈 거야.

남 공항에? 왜?

여 엄마가 출장에서 돌아오실 거거든. 나는 2주 동안이나 엄마를 못 봤어. 엄마를 보는 게 몹시 기대돼.

해설 여자는 출장을 간 엄마가 돌아와서 행복해하고 있다.

09 한 일 / 할 일 파악 | ①

해석

여 Sam, 너는 뭐 하고 있니?

남 나는 이 흰색 티셔츠를 온라인으로 사려고 해. 그런데 확신할 수가 없어. 나한테 맞을까?

여 너는 치수를 말하는 거니? 저 셔츠의 상표를 알아?

남 응, 알아.

여 그럼, 쇼핑몰에 가서 입어 보는 게 낫겠어. 내가 같이 갈게.

남 정말? 고마워. 우리 오늘 오후에 조이 몰에 같이 가자.

해설 온라인으로 티셔츠를 사려는 남자에게 여자는 쇼핑몰에 가서 입어 보고 사라고 제안하면서 같이 가 준다고 했으므로, 두 사람은 쇼핑몰에 갈 것이다.

10 주제 파악 | ③

해석

남 너희 반은 소풍을 어디로 가니?

여 올림픽 공원. 우리는 공원 주변에서 자전거를 탈 거야.

남 재미있겠다.

여 너희 반은 어떠니?

남 우리 반은 한강으로 갈 거야. 우리는 거기서 배를 탈 계획이야.

여 그것 역시 재미있겠는데.

해설 남자와 여자가 서로 소풍을 어디로 가는지 묻고 답하는 내용의 대화이다.

11 특정 정보 파악 | ③

해석

남 Susan, 너는 왜 그렇게 신이 났니?

여 나는 이번 주에 가족과 제주도로 여행을 갈 거야.

남 와! 너는 그곳에 비행기를 타고 가니?

여 아니, 우리는 배를 타고 그곳에 갈 거야.

남 배를 타고? 하지만 시간이 오래 걸릴 텐데.

여 알지만, 나는 정말 배를 타고 싶어. 무척 신이 날 거야!

해설 여자는 이번 주에 가족들과 제주도에 배를 타고 여행을 간다(we'll go there by ship)고 했다.

12 이유 파악 | ④

해석

남 그 주황색 드레스가 네게 잘 어울리는구나.

여 고마워.

남 너는 주황색 옷을 자주 입지, 그렇지 않니?

여 맞아. 나는 주황색 옷을 입으면 행복해.

남 맞아. 너는 오늘 행복해 보여.

해설 여자의 마지막 말 I feel happy with orange-colored clothes.를 통해 그 이유를 알 수 있다.

13 관계 추론 | ⑤

해석

남 안녕하세요. 당신의 강아지가 어디 아픈가요?

여 내 강아지, Ben이 아무것도 먹으려고 하지 않아요.

남 얼마나 오랫동안 먹지 않았나요?

여 이틀 동안이요.

남 음. 물은 마셨나요?

여 네, 조금이요.

남 제가 이 약을 드릴게요. 강아지의 물에 약을 섞으세요. 금방 나을 겁니다.

여 네, 감사합니다.

해설 애완견이 먹지 않아서 진찰을 받는 상황으로 두 사람의 관계는 수의사와 강아지 주인이다.

14 그림 정보 파악 – 길 찾기 | ①

해석

여 실례합니다. 이 근처에 서점이 있나요?

남 네. 파크 애비뉴에 하나가 있어요.

여 거기에 어떻게 가죠?

남 파크 애비뉴까지 곧장 가시다가, 왼쪽으로 도세요.

여 직진하다가 왼쪽으로 돌라고요. 그런 다음에는요?

남 왼쪽에서 병원을 볼 수 있을 거예요. 그 서점은 그 병원 맞은편에 있답니다.

여 아, 알겠어요. 감사합니다.

해설 파크 애비뉴까지 곧장 가서 좌회전하면 왼쪽에 병원이 있고,그 맞은편에 서점이 있다고 했다

15 부탁한 일 파악 | ⑤

해석

여 아들아, 나는 외출할 거야. 집 잘 보렴.

남 그런데, 엄마, 저도 곧 나갈 거예요.

여 그래? 뭐 때문에?

남 우리 팀 프로젝트 때문에 친구들을 만나려고요. 하지만 오후 5시까지는 돌아올게요.

여 오, 알았다. 그렇다면, 문을 잠그는 거 잊지 마라.

남 네, 걱정하지 마세요.

해설 여자의 마지막 말 remember to lock the door로 보아 여자가 남자에게 부탁한 일은 문단속하기임을 알 수 있다.

16 제안한 일 파악 | ①

해석

남 우리 과학 경시대회에 무엇을 만들까?

여 글쎄, 나도 모르겠어. 네 누나에게 물어보면 어떨까? 그녀가 작년에 일등상을 탔잖아.

남 나는 벌써 물어봤지만, 그녀의 아이디어가 마음에 안 들었어.

여 오, 알겠어.

남 그럼, 과학박물관에 갈까? 아마 그곳에서 우리는 몇 가지 아이디어를 얻을 수 있을 거야.

여 그거 좋은 생각이다.

해설 과학 경시대회를 위해 남자는 과학박물관에 갈 것을 제안했고, 여자는 이를 수락했다.

17 한 일 / 할 일 파악 | ③

해석

여 일요일에 계획 있니?

남 응. 나는 등산하러 갈 거야.

여 일기 예보는 주말 내내 비가 올 거라고 하던데.

남 정말? 그럼, 이번 주말에 나는 뭘 하지?

여 우리 영화 보러 가지 않을래?

남 좋아.

해설 여자가 영화를 보러 가자고 제안하자 남자가 좋다고 했으므로 두 사람은 일요일에 영화를 보러 갈 것이다.

18 직업 및 장래 희망 | ⑤

해석

남 당신의 일에 대해 어떻게 생각하십니까?

여 저는 이 일을 정말로 좋아해요. 저는 연기하고, 춤추고, 노래하는 게 좋아요.

남 무대 위에서 긴장되지는 않나요?

여 전혀요. 저는 행복하고 신이 나요.

남 그런 것 같네요. '맘마미아'에서 당신의 역할은 무엇입니까?

여 저는 엄마, Donna예요.

해설 여자는 연기와 춤과 노래하는 것을 좋아하고, '맘마미아'에서 엄마 역할을 맡았다고 했으므로 여자의 직업은 뮤지컬 배우이다.

19 알맞은 응답 찾기 | ④

해석

남 안녕, Paula. 주말을 잘 보냈어?

여 응, 그랬어. 부모님과 스키 타러 갔어.

남 와! 너 스키 탈 수 있어? 멋지다! 나는 지난 주말에 시청 앞 아이스 링크에 스케이트를 타러 갔어.

여 그랬니? 이번 주말에 거기에 같이 가자.

남 미안하지만, 난 갈 수 없어.

① 그것 참 안됐구나. ② 괜찮아.

③ 믿을 수가 없네. ⑤ 걱정하지 마.

해설 Let's ~.로 제안을 했으므로 이를 수락하거나 거절하는 말이 응답으로 올 수 있는데, 제안을 거절하는 ④가 적절한 응답이다.

20 알맞은 응답 찾기 | ⑤

해석

남 Jenny, 너는 어떤 동아리에 가입할 거니?

여 나는 만화 동아리에 가입할 거야.

남 오, 너는 만화를 좋아하니?

여 응, 나는 만화를 그리는 데 관심이 있어. 너는 어떤 동아리에 가입하고 싶니?

남 나는 수영 동아리에 가입하고 싶어.

① 미안하지만, 할 수 없어. ② 그 만화책은 지루해.

③ 만화 동아리는 어때 ④ 나는 오늘 밤에 극장에 갈 거야.

해설 어느 동아리에 가입하고 싶은지 묻고 있으므로 수영 동아리에 가입하고 싶다고 하는 ⑤가 적절한 응답이다.

04회 영어 듣기모의고사 pp. 46~47

01 ⑤	02 ④	03 ⑤	04 ③	05 ⑤
06 ③	07 ⑤	08 ⑤	09 ⑤	10 ③
11 ②	12 ②	13 ⑤	14 ②	15 ④
16 ⑤	17 ③	18 ①	19 ③	20 ⑤

Dictation Test 04회 pp. 48~53

01 ❶ it cannot fly ❷ run faster than

02 ❶ mean the gray one ❷ white stripes on the front

03 ❶ rain all day ❷ come out soon

04 ❶ How about going swimming ❷ Why not

05 ❶ in good condition ❷ two stories

06 ❶ eight dollars each ❷ four melons and one watermelon

07 ❶ planned and produced ❷ to be like him

08 ❶ where are you going ❷ left my wallet

09 ❶ in the mirror ❷ come with me ❸ if you want

10 ❶ made of plastic ❷ is marked ❸ draw straight lines

11 ❶ go by bus ❷ walk there for exercise

12 ❶ What's up ❷ can't make it

13 ❶ lost my bag ❷ check it out
14 ❶ a flower shop ❷ Go straight two blocks ❸ on the left
15 ❶ learn to play it ❷ lend one to me
16 ❶ try it on ❷ looks nice on ❸ using it
17 ❶ Are you free ❷ How about watching
18 ❶ read a different part ❷ make a group
19 ❶ I'm reading ❷ to be a doctor ❸ in the future
20 ❶ not happy with it ❷ looks good on you ❸ do you think so

01 그림 정보 파악 – 동물 | ⑤

해석

여 그것은 키가 큰 동물입니다. 그것은 긴 목과 튼튼한 두 다리를 가졌습니다. 그것은 한 쌍의 날개가 있는 큰 몸집을 가지고 있습니다만, 날 수는 없습니다. 하지만 말보다 더 빠르게 달릴 수 있습니다. 그것은 무엇일까요?

해설 긴 목과 강한 두 다리를 갖고 있는 커다란 동물로 날개가 있지만 날 수 없고 말보다 더 빠른 동물은 타조이다.

02 그림 정보 파악 – 사물 | ④

해석

남 엄마, 내 모자 보셨어요?
여 회색 모자 말이니?
남 아뇨, 검은 색 모자요.
여 아! 그 모자 옆쪽에 네 이름이 있지, 그렇지?
남 네, 그리고 앞쪽에 흰 줄무늬가 몇 개 있어요.
여 그게 어디 있는지 모르겠다. 함께 찾아보자.

해설 남자가 찾고 있는 것은 옆쪽에 남자의 이름이 새겨져 있고 앞쪽에는 흰 줄무늬가 몇 개 있는 검은색 모자이므로 정답은 ④이다.

03 그림 정보 파악 – 날씨 | ⑤

해석

남 안녕하세요! 저는 아시아 일기 예보의 Michael입니다. 오늘 홍콩, 싱가포르, 마닐라에서는 하루 종일 비가 올 예정입니다. 베이징에는 비가 오지는 않겠지만, 흐리고 바람이 불겠습니다. 도쿄는 지금은 흐리지만, 곧 해가 나겠습니다. 그래서 오후에는 맑아지겠습니다.

해설 도쿄는 지금 흐리지만, 곧 해가 나와 오후에는 화창할 거라고 했다.

04 의도 파악 | ③

해석

여 오늘 오후에 우리 수영하러 가는 거 어때?
남 미안하지만 난 갈 수 없어. 난 감기에 걸렸거든.
여 안됐구나. 진찰 받았니?
남 응, 받았어.
여 그럼 집에서 영화를 보자.
남 좋아. 내가 쿠키를 좀 가져올게.

해설 Why not?은 '왜 안되겠어?' 또는 '좋아.'라는 의미로, 상대방의 제안을 수락하는 표현이다.

05 언급하지 않은 것 | ⑤

해석

여 나는 아름다운 집에 삽니다. 그 집은 50년이 되었지만, 여전히 상태가 좋습니다. 집은 작은 호수 옆에 있고, 2층입니다. 4개의 침실, 거실, 주방, 그리고 2개의 욕실이 있습니다. 나는 이 집에서 조부모님, 부모님, 남동생과 함께 살고 있습니다.

해설 여자는 집의 상태, 층수, 방의 개수, 거주 인원은 언급하였으나 정원이 있는지 여부에 대해서는 언급하지 않았다.

06 숫자 정보 파악 – 금액 | ③

해석

남 무엇을 도와드릴까요?
여 안녕하세요. 이 멜론들은 얼마인가요?
남 네 개에 10달러입니다.
여 수박은요?
남 하나에 8달러예요.
여 그럼, 저는 멜론 네 개와 수박 한 개를 주세요.
남 여기 있습니다.

해설 멜론은 4개에 10달러이고, 수박은 하나에 8달러인데, 멜론 4개와 수박 하나를 산다고 했으므로 여자는 18달러를 지불할 것이다.

07 직업 및 장래 희망 | ⑤

해석

여 와! 뮤지컬이 대단했어!
남 맞아!
여 너 그거 알아? 우리 삼촌이 이 뮤지컬을 기획하고 제작하셨어.
남 정말?
여 응! 나는 삼촌처럼 되고 싶어. 나는 공연을 기획하고 제작하고 싶어.

해설 여자는 자신의 삼촌처럼 공연을 기획하고 제작하고 싶다고 했으므로 여자의 장래 희망은 공연 기획자이다.

08 심정 파악 | ⑤

해석

여 James, 넌 어디 가는 중이니?
남 나는 선물 가게에 가는 중이야.
여 왜? 뭐 살 게 있니?
남 난 지갑을 상점에 두고 온 것 같아. 그래서 그것을 찾으러 거기 가는 중이야. 그런데 확실치 않아.
여 맘 편히 가져. 넌 상점에서 그것을 찾을 수 있을 거야.

해설 선물 가게에 지갑을 놓고 와 그것을 찾으러 가는 상황이므로 남자의 심정은 걱정될 것이다.

09 한 일 / 할 일 파악 | ⑤

해석

남 너는 거울로 무엇을 보고 있니?
여 내 머리. 나는 머리를 짧게 자를 거야.
남 정말? 언제?
여 이번 주 토요일에. 나와 함께 갈래?
남 글쎄, 잘 모르겠어.

여 이봐. 머리 자르는 데 오래 걸리지 않을 거야. 너는 그냥 앉아서 잠시만 기다리면 돼.
남 그래, 네가 원한다면.
해설 여자는 남자에게 미용실에 같이 가자고 하고 있고, 남자가 여자의 제안을 수락하는 내용의 대화이다.

10 주제 파악 | ③

해석

남 이것은 보통 플라스틱으로 만들어졌다. 그것은 길지만, 짧은 것들도 좀 있다. 어떤 학생들은 이것을 자신들의 필통 속에 가지고 있다. 이것에는 센티미터와 밀리미터가 표시되어 있다. 우리는 종종 곧은 선을 그리기 위해 이것을 사용한다.
해설 플라스틱으로 만들어졌고, 센티미터나 밀리미터가 표시되어 있으며 직선을 긋는 데 사용하는 것은 자이다.

11 특정 정보 파악 | ②

해석

남 너 지금 나가니?
여 응, Star 백화점에 갈 거야.
남 아, 그래? 나는 시립 도서관에 갈 건데.
여 지하철을 탈 거야?
남 아니, 나는 버스로 갈 거야. 너는 어때?
여 운동 삼아 거기까지 걸어갈 거야. 다섯 블록밖에 안 떨어져 있어.
해설 남자는 시립 도서관에 버스를 타고 간다(I'll go by bus.)고 했다.

12 목적 파악 | ②

해석

[*휴대 전화벨이 울린다.*]
여 여보세요?
남 여보세요, 유민아. 나 Tom이야.
여 아, 안녕. 무슨 일이니, Tom?
남 내가 오후 4시에 너를 만날 수 없겠어. 우리 엄마가 아직 집에 안 오셨어. 내 남동생을 혼자 둘 수가 없거든.
여 아, 너는 그 시간을 바꾸기를 원하니?
남 아니, 내 생각에 오늘은 못 만날 것 같아. 미안해.
여 걱정하지 마. 괜찮으니까.
해설 남자는 엄마가 집에 안 계셔서 동생을 혼자 내버려 둘 수 없다며 약속을 취소하려고 여자에게 전화를 걸었다.

13 장소 추론 | ⑤

해석

남 실례합니다. 제가 가방을 잃어버렸어요. 저를 도와주실 수 있나요?
여 물론이죠. 어디에서 잃어버리셨죠?
남 시청 역에서 1호선 지하철에 그것을 두고 내렸습니다. 한 시간 전에 벌어진 일입니다.
여 그렇군요. 가방은 어떻게 생겼나요?
남 작은 갈색 가방입니다.
여 제가 확인해 보겠습니다.
해설 가방을 잃어버린 남자가 이를 찾기 위해 여자와 대화하는 내용이므로 대화가 이루어지는 장소는 분실물 센터이다.

14 그림 정보 파악 – 길 찾기 | ②

해석

여 실례합니다. 제가 꽃을 사야 하는데요. 이 근처에 꽃집이 있나요?
남 네, 브라운 스트리트에 하나가 있어요.
여 브라운 스트리트는 어디에 있나요?
남 여기에서 두 블록 직진한 다음 우회전하시면 됩니다.
여 제가 오른쪽으로 돌면 브라운 스트리트에 있는 건가요?
남 네. 당신은 왼편에서 꽃집을 찾으실 수 있으실 겁니다.
해설 두 블록 직진한 다음 우회전하면 왼편에 있는 꽃집이 보인다고 했으므로 ②가 정답이다.

15 부탁한 일 파악 | ④

해석

여 너는 좋은 우쿨렐레들이 있구나!
남 나는 그것들을 선물로 받았어. 나는 우쿨렐레 연주하는 것을 좋아해.
여 나도 그걸 연주하는 법을 배우고 싶다!
남 네가 배우는 걸 도와줄게.
여 정말 고마워! 며칠 동안 나한테 하나 빌려줄 수 있니?
남 물론이야. 이걸 사용해.
여 정말 고마워! 내가 곧 하나 살게!
해설 여자는 남자에게 우쿨렐레를 잠시 빌려줄 것을 부탁했다.

16 제안한 일 파악 | ⑤

해석

여 이 재킷을 봐.
남 입어 보는 게 어때?
여 알았어. 내가 어때 보여?
남 너한테 잘 어울려 보인다! 이것을 하나 사야겠다.
여 아, 내가 생각했던 것보다 비싸네.
남 나한테 10% 할인 쿠폰이 있어. 그걸 사용하는 게 어때?
여 고마워! 그럼 이것을 사야겠다.
해설 남자는 여자에게 자신의 10% 할인 쿠폰을 사용하라고 제안했다.

17 한 일 / 할 일 파악 | ③

해석

여 이번 주말에 너는 뭐 할 거니?
남 나는 일요일에 할머니, 할아버지를 찾아뵐 거야.
여 너는 토요일에는 시간 있어?
남 응, 토요일에 난 아무 계획이 없어.
여 축구 경기 보는 게 어때?
남 좋아! 게임이 몇 시에 시작하지?
여 오후 3시에.
해설 토요일에 축구 경기를 보자고 여자가 제안하자 남자는 이를 수락했으므로 두 사람은 경기를 볼 것이다.

18 직업 및 장래 희망 | ①

해석

남 오늘, 우리는 '신데렐라' 이야기를 영어로 읽을 거예요. 우리는 그것을 모둠별로 읽을 거예요. 각 모둠은 다른 부분을 읽을 겁니다. 그러니 4명씩 한 모둠을 만들어 봅시다. 그런 다음에, 제가 여러분에게 활동지를 드릴게요. (*잠시 후*) 수민아, 너는 모둠을 만들었니?
여 네, 만들었어요.

남 좋아. 수민아, 각 모둠에 활동지를 한 장씩 나눠 줄래?
여 네, 그렇게 할게요.
해설 수업에서 학생들에게 조를 나눠 다른 부분을 읽도록 하고, 활동지를 나눠 줄 것을 지시하는 것으로 보아 남자는 교사임을 알 수 있다.

19 알맞은 응답 찾기 | ③

해석
남 너는 뭐 하고 있니?
여 나는 책을 읽고 있어. 그것은 허준에 관한 책이야.
남 허준? 난 그를 알아. 그는 위대한 사람이잖아.
여 그래, 나도 동의해. 허준처럼, 나도 의사가 되어 아픈 사람들을 돕고 싶어.
남 좋을 것 같네.
여 너는 어때? 너는 미래에 뭐가 되고 싶니?
남 나는 변호사가 되고 싶어.
① 나도 의사야. ② 나는 소설을 읽고 있어.
④ 나는 즐겁게 지낼 거야. ⑤ 나는 의사가 되기를 원했어.
해설 여자가 남자에게 무엇이 되고 싶은지 묻고 있으므로 장래 희망을 말하는 ③이 적절한 응답이다.

20 알맞은 응답 찾기 | ⑤

해석
여 와, 이게 네 교복이니?
남 응. 나는 그것을 어제 샀어.
여 좋다. 나는 그것이 맘에 들어.
남 정말? 하지만 나는 그것이 맘에 안 들어.
여 왜? 그것은 너한테 잘 어울려.
남 그것은 유행이 지난 거잖아.
여 왜 그렇게 생각하니?
남 색이 너무 어두워서.
① 나도 그렇게 생각해. ② 내가 확인할게.
③ 나는 너에게 동의하지 않아.
④ 나는 네가 두 번 생각해야 한다고 생각해.
해설 교복이 유행에 뒤떨어져 있다고 하는 남자에게 여자가 그 이유를 묻고 있으므로 색이 너무 어둡다고 이유를 말하는 ⑤가 적절한 응답이다.

05회 영어 듣기모의고사 pp. 54~55

01 ④	02 ④	03 ②	04 ⑤	05 ④
06 ⑤	07 ⑤	08 ⑤	09 ⑤	10 ③
11 ⑤	12 ①	13 ③	14 ①	15 ⑤
16 ⑤	17 ⑤	18 ②	19 ③	20 ③

Dictation Test 05회 pp. 56~61

01 ❶ don't have hair ❷ am good at jumping
02 ❶ key rings ❷ buying T-shirts
03 ❶ until Thursday ❷ windy and rainy
04 ❶ still hungry ❷ to eat some dessert ❸ Why don't we have
05 ❶ has four members ❷ thirteen years old ❸ want to be
06 ❶ in a hurry ❷ in twenty minutes
07 ❶ become a teacher ❷ travel around the world ❸ be a traveler
08 ❶ raining now ❷ go to the park
09 ❶ went to ❷ Will you join
10 ❶ terrible headache ❷ caught a cold
11 ❶ taking a bus ❷ will be late for ❸ take the subway
12 ❶ new sneakers ❷ Why did you need
13 ❶ looking for a book ❷ the writer's name ❸ can find it
14 ❶ turn left ❷ on your left
15 ❶ look around the lobby ❷ the guide book
16 ❶ be very late ❷ is very terrible ❸ text me
17 ❶ buy for him ❷ a laptop backpack
18 ❶ with great responsibility ❷ carry a gun
19 ❶ English writing homework ❷ why don't you search
20 ❶ the basketball game ❷ scored ten points

01 그림 정보 파악 – 동물 | ④

해석
남 저는 지구상에서 가장 똑똑한 동물이지요. 제 몸엔 털이 없고, 제 피부는 아주 부드러워요. 저는 훌륭한 수영 선수예요. 저는 점프를 잘해요. 여러분은 저를 아쿠아리움에서 볼 수 있어요. 저는 누구일까요?
해설 몸에 털이 없고, 피부는 부드러우며 수영과 점프를 잘하고 아쿠아리움에서 볼 수 있는 동물은 ④이다.

02 그림 정보 파악 – 사물 | ④

해석
남 엄마, 제게 어떤 것이 좋은 선물이 될까요?
여 열쇠고리는 어떠니, Dave? 여기 선물 가게에는 예쁜 열쇠고리가 좀 있구나.
남 싫어요, 엄마. 전 이미 많이 가지고 있거든요.
여 음. 티셔츠는 어때? 많은 사람이 티셔츠를 사는구나.
남 좋은 생각이에요.
해설 남자는 티셔츠를 기념품으로 구입하자는 엄마의 제안을 수락했으므로 티셔츠를 구입할 것이다.

03 그림 정보 파악 – 날씨 | ②

해석
여 좋은 아침입니다. 일기 예보입니다. 오늘부터 목요일까지는 따뜻하고 맑을 것입니다. 금요일에는, 구름이 끼고 약간 비가 올 것입니다. 토요일에는, 바람이 불고 비가 올 것입니다. 그러나 일요일에는, 맑은 하늘을 볼 수 있을 것입니다. 감사합니다.
해설 On Saturday, it will be windy and rainy.를 통해 토요일에는 바람이 불고 비가 온다는 것을 알 수 있다.

04 의도 파악 | ⑤

해석

여 Brian, 음식이 어땠니?

남 훌륭했어요, 엄마. 하지만 전 여전히 배가 고파요.

여 스테이크를 좀 더 주문할까?

남 아니요, 전 디저트를 좀 먹고 싶어요.

여 무엇을 먹고 싶니?

남 아직 결정하지 못했어요. 저는 차갑고 달콤한 것을 먹고 싶어요.

여 아이스크림을 먹는 건 어때?

해설 Why don't we ~?는 상대방에게 무언가 제안할 때 쓰는 표현이다.

05 언급하지 않은 것 | ④

해석

여 제 자신을 소개할게요. 제 이름은 Julia예요. 제 가족은 4명인데, 아빠, 엄마와 남동생 그리고 저예요. 전 13살이에요. 전 영화를 좋아합니다. 전 또한 영화를 만드는 것에 관심이 있어요. 미래에 저는 영화 감독이 되고 싶어요. 전 그것이 훌륭한 직업이라고 생각합니다.

해설 여자는 자신의 이름, 가족 관계, 나이, 장래 희망은 언급하였으나 출신 지역에 대해서는 언급하지 않았다.

06 숫자 정보 파악 – 시각 | ⑤

해석

남 Mary, 벌써 5시야. 우리 이제 집에 가는 게 좋겠어.

여 무슨 일이니? 왜 서두르니?

남 내가 가장 좋아하는 TV 쇼가 20분 후에 시작하거든.

여 오, '러닝 가이'를 말하는 거야? 나도 그거 좋아해.

남 좋아. 뛰자!

해설 지금 시각은 5시이고, 20분 뒤에 프로그램이 시작된다고 했으므로 TV 프로그램의 시작 시각은 5시 20분이다.

07 직업 및 장래 희망 | ⑤

해석

남 너는 미래에 무엇이 되고 싶니?

여 어렸을 때, 나는 교사가 되고 싶었어. 하지만 지금은 여배우나 가수가 되고 싶어. 넌 어떠니?

남 글쎄, 난 전 세계를 여행하고 싶어.

여 아, 알았다. 너는 여행가가 되고 싶구나, 맞지?

남 응, 맞아.

해설 남자는 세계를 여행하고 싶어 한다고 했고, 여자의 마지막 말 You want to be a traveler, right?에 동의를 하고 있으므로 남자의 장래 희망은 여행가이다

08 심정 파악 | ⑤

해석

여 지금 비가 내리고 있어.

남 오, 안 돼. 우리는 하루 종일 집에 있어야 하니?

여 아쉽게도 그러네. 오늘 정말 공원에 가고 싶은데.

남 와, Mary야! 밖을 봐! 비가 그쳤어.

여 정말이야? 우리는 그곳에 갈 수 있어.

해설 여자가 남자에게 비가 정말 멈췄는지를 확인하며 공원에 갈 수 있겠다고 했으므로 마지막에 느낀 심정은 반가움일 것이다.

09 한 일 / 할 일 파악 | ⑤

해석

남 너는 지난 주말에 무엇을 했니?

여 나는 텔레비전을 보고 내 방을 청소했어. 너는?

남 난 Grouse 강에 갔었지. 수상 스키를 타러 갔어.

여 정말? 재밌었겠다. 나도 수상 스키를 타 보고 싶어.

남 나는 이번 주말에 다시 그곳에 갈 거야. 너도 같이 갈래?

여 그러고 싶어.

해설 남자가 여자에게 이번 주말에 수상 스키를 타러 갈 것을 제안하자 여자가 이를 수락하고 있으므로 두 사람은 수상 스키를 타러 강에 갈 것이다.

10 주제 파악 | ③

해석

여 당신은 정말 아파 보여요. 무슨 일이세요?

남 저는 머리가 심하게 아프고 열이 있어요.

여 목도 아프세요?

남 예, 조금요. 저는 기침도 해요.

여 제가 좀 확인할게요…. 음, 당신은 감기에 걸린 것 같아요. 제가 주사를 놓아 드릴게요.

해설 감기에 걸려 의사에게 진찰을 받고 있는 내용의 대화이다.

11 특정 정보 파악 | ⑤

해석

여 우리는 영화관까지 택시를 타야 해.

남 그건 비싸잖아. 버스를 타는 것은 어때?

여 하지만 영화 시간에 늦을 거야. 30분밖에 안 남았어.

남 음. 지하철을 타는 것은 어떠니? 영화관 근처에 지하철역이 있어. 우린 30분 안에 거기에 도착할 수 있어.

여 그게 좋겠다.

해설 택시는 비싸고 버스는 영화 시간에 늦을 거 같다며 남자가 지하철을 타자고 제안하고 있고, 이를 여자가 수락하고 있다.

12 이유 파악 | ①

해석

남 이것들은 새 운동화네! 근사한데.

여 고마워, James.

남 너는 그것들을 어디에서 샀니?

여 백화점에서 샀어.

남 너는 왜 새 신발이 필요했니?

여 나는 체중을 줄이기 위해 조깅을 할 계획이야.

해설 여자의 마지막 말 I'm planning to go jogging to lose weight.를 통해 여자는 다이어트를 위해 조깅할 계획이라고 했다.

13 관계 추론 | ③

해석

여 안녕하세요. 어떻게 도와드릴까요?

남 영어 회화와 관련한 책을 찾고 있어요. 그런데 제목이 기억이 안 나서요.

여 작가의 이름을 아세요?

남 아니요, 모르겠어요.

여 그렇다면 C 구역에서 그 책을 찾을 수 있을 거예요. 그것은 영어 서적을 위한 구역이거든요.

남 도움 주셔서 감사해요.

해설 영어 회화 관련 책을 찾고 있는 남자에게 책 위치를 안내해 주고 있으므로, 두 사람의 관계로 알맞은 것은 ③이다.

14 그림 정보 파악 – 길 찾기 | ①

해석

남 실례합니다. 역사박물관까지 가는 길을 알려 주실 수 있나요?

여 물론이죠. 두 블록을 곧바로 가시다가 왼쪽으로 도세요.

남 곧장 가다가 왼쪽으로 돌라고요?

여 맞아요. 그 박물관은 왼편 두 번째 건물이에요. 쉽게 찾을 수 있을 거예요.

남 알겠습니다. 대단히 고맙습니다.

해설 두 블록을 곧장 가서 좌회전하면 왼쪽 두 번째 건물이라고 했으므로 남자가 가려고 하는 장소는 ①이다.

15 부탁한 일 파악 | ⑤

해석

남 오, 멋진 호텔이에요! 엄마, 로비를 둘러봐도 돼요?

여 물론이지. 하지만 6시에 호텔 식당에서 저녁 식사를 할 거야.

남 제가 6시 전에 거기로 갈게요.

여 그래. 그때 로비에서 안내 책자를 가져다줄 수 있니?

남 그럼요.

해설 여자는 남자에게 로비에서 안내 책자를 가져다줄 것을 부탁하고 있다.

16 제안한 일 파악 | ⑤

해석

[*휴대 전화벨이 울린다.*]

여 여보세요?

남 안녕, Jessica. 나 Peter야. 내가 많이 늦을 것 같아.

여 오, 정말? 5시 45분이야. 콘서트는 6시에 시작하는데.

남 알아. 하지만 지금 교통 체증이 아주 심해.

여 그럼, 내가 6시 이후에는 콘서트홀에 있을 테니까, 네가 이곳에 도착하면, 나한테 문자 주는 게 어때?

남 알았어, 그렇게 할게.

해설 여자의 마지막 말 When you arrive here, why don't you text me?를 통해 도착하면 문자할 것을 제안했음을 알 수 있다.

17 특정 정보 파악 | ⑤

해석

여 오빠가 다음 주에 고등학교를 졸업해. 오빠에게 무엇을 사 줘야 하지?

남 오빠한테 노트북 컴퓨터가 있어?

여 응, 있어.

남 그러면 노트북 배낭 가방은 어때?

여 좋은 생각이야! 오빠한테 좋은 졸업 선물이 될 것 같아.

해설 남자가 노트북 컴퓨터를 넣을 수 있는 가방을 제안하자 여자가 좋다고 했다.

18 직업 및 장래 희망 | ②

해석

여 아빠, 저는 아빠의 직업이 매우 멋지다고 생각해요.

남 많은 사람이 그렇게 생각하지. 하지만 그것은 그다지 좋지 않아.

여 이해해요. 큰 책임감도 따르지요.

남 맞아. 나는 나쁜 사람들로부터 사람들을 보호해야 해. 보통, 나는 총을 가지고 다녀. 그건 내 직업이 위험하다는 뜻이지.

여 알아요. 어쨌든, 저는 아빠가 자랑스러워요.

해설 나쁜 사람들로부터 사람들을 보호하고 총을 지니고 다녀 위험한 직업이라고 했으므로 남자의 직업은 ②가 알맞다.

19 알맞은 응답 찾기 | ③

해석

여 영어 작문 숙제가 있어. 나 좀 도와줄 수 있니?

남 물론이지. 너는 무엇을 쓸 예정이니?

여 모르겠어.

남 네 가족에 대해 쓰는 건 어떠니?

여 좋은 생각이야. 하지만 너무 흔한 것 같아.

남 그러면 인터넷으로 정보를 좀 찾아보는 게 어떨까?

여 그거 좋겠다.

① 배가 불러, 고마워. ② 그걸 들으니 유감이다.

④ 그렇지 않아, 하지만 난 그것을 좋아해.

⑤ 내가 그것을 찾을 수 있기 때문이야.

해설 온라인으로 정보를 찾아보자는 제안에 대해 이를 수락하는 ③이 적절한 응답이다.

20 알맞은 응답 찾기 | ③

해석

여 농구 경기는 어땠니?

남 우리가 그 경기에서 졌어. 20대 12로 졌어.

여 오, 안됐구나.

남 응, 그런데 내가 10점을 득점했지.

여 너는 잘했구나.

① 맞아. ③ 좋아. 내가 그것을 만들게.

④ 고마워. 내가 할게. ⑤ 나는 너를 만나서 행복해.

해설 농구 시합에서 팀은 졌지만 10점을 득점했다는 남자를 칭찬하는 ③이 적절한 응답이다.

06회 영어 듣기모의고사 pp. 62~63

01 ④	02 ③	03 ②	04 ②	05 ②
06 ⑤	07 ①	08 ③	09 ③	10 ③
11 ②	12 ③	13 ④	14 ②	15 ④
16 ③	17 ①	18 ⑤	19 ③	20 ⑤

Dictation Test 06회 pp. 64~69

01 ❶ jump high ❷ both adults and children ❸ help you feel

02 ❶ am wearing my cap ❷ cute face painting

03 ❶ will be some changes ❷ partly cloudy

04 ❶ he can't come here ❷ get well soon

05 ❶ her own hair salon ❷ visit her shop

06 ❶ to arrive there ❷ within thirty minutes

07 ❶ a great teacher ❷ very impressive

08 ❶ can't find it ❷ look for it together
09 ❶ the speech contest ❷ should check email
10 ❶ in the kitchen ❷ cool and fresh ❸ go bad easily
11 ❶ missed the bus ❷ taking a subway ❸ Can I get to
12 ❶ I can't watch ❷ finish my homework
13 ❶ the same elementary school ❷ happy to see you
14 ❶ near here ❷ in front of ❸ next to the bank
15 ❶ trying to shop online ❷ how to order online
16 ❶ how to swim ❷ learn to swim ❸ Let's do it
17 ❶ have any plans ❷ join the bazaar
18 ❶ should finish drawing ❷ have to upload
19 ❶ see a movie ❷ What kind of movies
20 ❶ How long ❷ Where will you

01 그림 정보 파악 – 사물 | ④

해석

여 높이 점프하고 싶으신가요? 이것을 신어 보세요. 이것은 뛰면서 재미있게 놀 수 있도록 도와줄 것입니다. 이것은 성인과 어린이 모두에게 재미있습니다. 착용하기 쉽습니다. 다리와 허리에 문제가 있습니까? 이것은 여러분이 고통을 덜 느끼도록 도와줄 것입니다.

해설 높이 뛰게 해 주고 다리와 등의 통증을 도와주는 기계로 적절한 것은 ④이다.

02 그림 정보 파악 – 인물 | ③

해석

여 참 더운 날이네!
남 강한 햇빛 때문에, 나는 모자를 쓰고 있어.
여 잘했네. 그런데, 너는 그 귀여운 페이스 페인팅을 어디서 했니?
남 나는 학교 축제에서 이 해바라기 모양의 페인팅을 얻었어.
여 정말? 나도 그것을 얻고 싶다.

해설 남자는 강한 햇볕 때문에 모자를 썼고, 얼굴에는 해바라기 모양의 페인팅을 했다고 했다.

03 그림 정보 파악 – 날씨 | ②

해석

여 좋은 아침입니다! 저는 "좋은 날씨"의 Jennifer입니다. 지난 며칠간 비가 내렸습니다. 그러나 오늘 날씨는 약간 변화가 있을 것입니다. 로스앤젤레스와 샌프란시스코는 맑을 것입니다. 하지만, 뉴욕은 오늘 오후에 부분적으로 구름이 낄 것입니다. 워싱턴은 하루 종일 강한 바람이 불 것입니다.

해설 오늘 날씨가 바뀌어 LA와 샌프란시스코는 화창할 것이라고 했다.

04 의도 파악 | ②

해석

남 안녕하세요, Parker 선생님.
여 안녕, Peter. 너도 왔구나. Daniel만 아직 안 왔네.
남 그는 정말 이번 현장 학습을 가고 싶어 했어요. 하지만 그는 여기 올 수 없어요.
여 왜 못 오니? 무슨 문제가 있니?
남 배가 아프데요.
여 이런! 나는 그가 금방 회복하기를 바란다.

해설 Daniel이 배가 아프다고 하니까 회복하기를 바란다고 했으므로 여자의 마지막 말은 동정을 나타낸 것이다.

05 언급하지 않은 것 | ②

해석

남 우리 어머니는 미용사예요. 어머니는 미용실을 운영하십니다. 어머니는 매일 약 50명의 고객이 가게를 방문한다고 말합니다. 어머니는 가게를 오전 10시에 열고 오후 7시에 문을 닫습니다. 월요일은 휴무입니다.

해설 미용실이 언제 문을 처음 열었는지에 대해서는 언급하지 않았다.

06 숫자 정보 파악 – 시각 | ⑤

해석

여 우리가 조부모님 댁에 몇 시에 도착할 수 있나요?
남 우리는 그곳에 도착하려면 30분이 더 걸릴 것 같아.
여 지금 몇 시예요? 저는 우리의 도착 시각을 알려 주기 위해 그분들께 전화드릴게요.
남 지금 오후 5시 30분이야. 우리는 30분 안에 그곳에 도착할 수 있어.
여 알았어요.

해설 지금 시각이 5시 30분이고, 30분 뒤에 도착한다고 했으므로 두 사람의 도착 시각은 6시일 것이다.

07 직업 및 장래 희망 | ①

해석

여 너는 앞으로 무엇이 되고 싶니?
남 나는 John Keating과 같은 훌륭한 교사가 되고 싶어.
여 John Keating? 그가 누군데?
남 나는 영화 '죽은 시인의 사회'를 봤어. 그 영화에서 그의 수업은 매우 감동적이었어.
여 좋지만, 그처럼 되려면 너는 공부를 열심히 해야 해.

해설 남자는 영화 속 주인공처럼 훌륭한 선생님이 되고 싶다고 했다.

08 심정 파악 | ③

해석

여 오, 이런! 나는 곤경에 빠졌어!
남 무슨 일이니, Susan?
여 내가 도서관에서 책을 빌렸는데, 나는 그것을 찾을 수가 없어.
남 너는 그것을 어디에서 마지막으로 봤니?
여 모르겠어. 내가 어떻게 해야 하지?
남 우리 같이 찾아보자.

해설 도서관에서 빌린 책을 찾지 못하는 상황이므로 여자는 당황스러울 것이다.

09 한 일 / 할 일 파악 | ③

해석

남 말하기 대회가 언제니?
여 다음 주 목요일이야. 나는 긴장돼.
남 걱정 마. 넌 잘할 거야. 대회는 몇 시에 시작되니?
여 오후 3시에.
남 몇 시에 거기에 도착해야 하는 거야?

여 확실히 잘 모르겠어. 이메일을 확인해봐야 해.
남 지금 확인해 보지 그래?
여 알았어, 그럴게.
해설 남자는 여자에게 말하기 대회 도착 시간에 대한 이메일을 확인해 보라고 했고, 여자는 그러겠다고 했다.

10 주제 파악 | ③

해석
남 이것은 부엌에 있습니다. 그것은 매우 큽니다. 우리는 문을 열고 그것 안에 음식을 넣어요. 그것은 음식을 차갑고 신선하게 유지합니다. 그것이 없다면, 음식은 쉽게 상할 거예요. 그것은 우리 부엌에서 매우 중요한 기계입니다. 그것은 무엇일까요?
해설 부엌에 있고, 문을 열어 음식을 넣을 수 있으며 시원하고 신선하게 음식을 보관해 주는 것은 냉장고에 대한 설명이다.

11 특정 정보 파악 | ②

해석
남 이봐, Stella, 무슨 일이야? 너 화나 보인다.
여 방금 버스를 놓쳤어. 기차에 늦을까 봐 걱정돼.
남 지하철을 타는 게 어때? 나, 지하철역에 가는 길이야.
여 2시 전에 내가 기차역에 갈 수 있을까?
남 물론. 겨우 20분밖에 안 걸려.
여 그래. 가자.
해설 버스를 놓쳐 기차 시간에 늦을까 봐 걱정하는 여자에게 남자가 지하철을 타고 가라고 권하자 여자가 이를 수락했다.

12 이유 파악 | ③

해석
[*휴대 전화벨이 울린다.*]
남 여보세요, 세진아. 무슨 일이니?
여 안녕, Leo. 지금 TV를 켜 봐. 네가 좋아하는 배우가 TV쇼에 나왔어.
남 오, 이런. 나는 지금 그 쇼를 볼 수 없는데.
여 왜? 너는 지금 바쁘니?
남 응. 나는 오늘 밤까지 내 숙제를 끝내야 하거든.
여 알았어. 내가 그 쇼에 대해 말해 줄게.
해설 남자는 오늘밤까지 숙제를 끝내야 해서 TV를 볼 수 없다고 했다.

13 관계 추론 | ④

해석
남 실례합니다만, 저를 아세요? 전에 당신을 본 적이 있는 것 같거든요.
여 와우, 너는 James지, 그렇지 않니? 나는 Angela야. 우리는 같은 초등학교에 다녔잖아.
남 맞아. 오랜만이야. 어떻게 지냈니?
여 잘 지내. 너를 다시 보다니 반갑다.
남 나도 너를 보니 기뻐.
해설 초등학교 동창인 두 사람이 우연히 만나 서로 반가워하고 있는 대화이다.

14 그림 정보 파악 – 길 찾기 | ②

해석
남 근처에 이탈리아 레스토랑이 있나요?
여 네.
남 여기서 어떻게 갈 수 있어요?
여 직진하면 큰 광장에 도착할 거예요.
남 레스토랑이 광장 앞에 있나요?
여 아뇨. 광장을 지나서 메이플 스트리트로 가세요.
남 알았어요.
여 오른쪽에 은행이 보이실 거예요. 레스토랑은 은행 옆에 있어요.
남 고맙습니다.
해설 큰 광장을 지나서 메이플 스트리트로 접어들면 오른쪽에 은행이 보이고 그 옆에 이탈리아 레스토랑이 있다고 했으므로, 레스토랑은 ②이다.

15 부탁한 일 파악 | ④

해석
여 뭐 하고 있니?
남 온라인 쇼핑을 하고 있어.
여 너는 온라인으로 물건을 사 본 적이 없잖아?
남 응. 하지만 나는 이 장갑을 사고 싶어.
여 아, 멋지다.
남 온라인으로 주문하는 방법을 보여 줄래?
여 물론이지.
해설 남자는 여자에게 온라인으로 주문하는 방법을 알려 달라고 했다.

16 제안한 일 파악 | ③

해석
여 여름 방학 동안 넌 뭐 할 거니?
남 모르겠어. 좋은 생각 있어?
여 수영하는 법을 배우는 건 어때?
남 아, 물에 들어가는 것이 두려워.
여 자! 그래서 수영하는 법을 배워야 하는 거야.
남 넌 수영할 수 있어?
여 아니, 이번 여름에 수영하는 법을 배울 거야. 같이 해 보자.
남 알았어… 노력해 볼게.
해설 여자는 남자에게 이번 여름방학에 함께 수영을 배우자고 제안했다.

17 한 일 / 할 일 파악 | ①

해석
남 Diane, 크리스마스이브에 계획 있니?
여 특별한 것은 없어. 왜?
남 우리 동아리에서 바자회를 열 거야. 우리는 돈을 모아 노숙자들을 도울 거거든.
여 바자회에 함께해도 되니?
남 물론이야. 함께 동아리실에 가자.
해설 크리스마스이브에 남자의 동아리에서 바자회를 연다고 했고 여자도 함께하겠다고 했다.

18 직업 및 장래 희망 | ⑤

해석
여 컴퓨터 앞에서 바쁘군요.
남 네, 이 웹툰 페이지 그리는 것을 마쳐야 해요.
여 오늘 업로드해야 하는 거예요?
남 네, 오후 2시 전에 업로드해야 합니다.
여 점심을 그 후에 먹을 건가요?
남 네, 2시 넘어서요.

해설 남자는 웹툰 그리는 작업을 마쳐야 한다고 했으므로 남자의 직업은 웹툰 작가이다.

19 알맞은 응답 찾기 | ③

해석

여 너는 이번 토요일에 무엇을 하고 싶니?
남 음…. 나는 영화를 보고 싶어.
여 영화? 그게 좋겠다. 너는 어떤 종류의 영화를 좋아하니?
남 나는 미스터리 영화를 좋아해. 너는?
여 나는 만화 영화를 좋아해.

① 그거 좋겠다. ② 안됐다.
④ 나는 너를 만나서 기뻐. ⑤ 나는 만화책 읽는 것을 좋아해.

해설 남자는 미스터리 영화를 좋아한다고 말하며 상대방의 의견을 물었으므로, 애니메이션을 좋아한다고 하는 ③이 적절한 응답이다.

20 알맞은 응답 찾기 | ⑤

해석

남 여권 좀 보여 주시겠어요?
여 예. 여기 있습니다.
남 미국에는 얼마 동안 머무르실 거죠?
여 2주 동안이요.
남 어디에서 묵으실 겁니까?
여 저는 삼촌 댁에서 머무를 거예요.

① 호텔은 끔찍했어요.
② 저는 여러 장소를 방문하고 싶어요.
③ 저는 사업차 L.A.를 방문 중이에요.
④ 저는 2주 동안 이곳에 있을 겁니다.

해설 공항 입국 심사 과정으로 어느 곳에 머물지 남자가 묻고 있으므로, 삼촌의 집에서 머문다고 하는 ⑤가 적절한 응답이다.

07회 영어 듣기모의고사 pp. 70~71

01 ④	02 ⑤	03 ⑤	04 ⑤	05 ②
06 ④	07 ②	08 ③	09 ③	10 ②
11 ③	12 ②	13 ③	14 ③	15 ③
16 ④	17 ③	18 ⑤	19 ②	20 ②

Dictation Test 07회 pp. 72~77

01 ❶ Korean traditional stories ❷ like to eat carrots
02 ❶ two children on it ❷ have to drive below
03 ❶ have a fun time ❷ a little cloudy ❸ will be sunny
04 ❶ have a look at ❷ what I mean
05 ❶ my daily life ❷ before I do my homework
06 ❶ meet at seven ❷ thirty minutes earlier ❸ better for me
07 ❶ good at fixing things ❷ be a racing dancer
08 ❶ with all my classmates ❷ your first time
09 ❶ anything to eat ❷ go out to eat
10 ❶ take a picture ❷ change the size ❸ press the red button
11 ❶ should take the subway ❷ to take a bus
12 ❶ the new shoes ❷ didn't have my color
13 ❶ does it cost ❷ takes a week
14 ❶ shall we go first ❷ go straight from ❸ across from the castle
15 ❶ such a mess ❷ put away things ❸ Let's do it
16 ❶ one of the sports clubs ❷ going to join ❸ Let's join
17 ❶ shall we do ❷ how to make ❸ Let's do it
18 ❶ drive a bus ❷ they always smile
19 ❶ gave it to me ❷ learned it from
20 ❶ started climbing ❷ take a break

01 그림 정보 파악 – 동물 | ④

해석

남 여러분은 한국의 전래 동화에서 나를 찾을 수 있습니다. 나는 한 이야기에서 거북과 경주를 합니다. 나는 다른 이야기에서는 달에서 일합니다. 나는 당근을 먹는 것을 좋아합니다. 나는 크고, 강력한 뒷다리가 있습니다. 나는 긴 귀와 짧은 꼬리를 가지고 있습니다. 나는 무엇일까요?

해설 한국의 전래 동화에서 거북이와 경주하고, 달에서 일하는 동물은 토끼이다.

02 그림 정보 파악 – 사물 | ⑤

해석

여 아빠, 왜 천천히 달려요?
남 나는 저 표지판을 봤거든.
여 표지판에 두 명의 아이가 있는 그림을 보신 거죠? 그 표지판이 무엇을 의미하는데요?
남 그것은 우리가 학교 가까이에 있다는 의미야. 우리는 시속 30km 이하로 달려야 해.
여 오, 그렇군요.

해설 표지판에 두 어린이가 있고, 느리게 운전해야 함을 나타내는 것에 해당하는 것은 ⑤이다.

03 그림 정보 파악 – 날씨 | ⑤

해석

여 드디어, 제주도에 가는구나.
남 우리는 거기에서 즐겁게 지낼 거야.
여 나도 그렇게 생각해. 오, 밖에 비가 온다. 너는 제주도의 날씨를 아니?
남 응, 내가 기상청에 전화해 봤어. 지금은 약간 흐리대. 하지만 오후에는 맑을 거래.
여 알겠어.

해설 제주도의 현재 날씨는 약간 흐리나 오후에는 화창해질 거라고 했다.

04 의도 파악 | ⑤

해석

여 너는 무엇과 씨름을 하고 있니?

남 응, 이 수학 문제들이 쉽지 않아.

여 내가 그 문제들을 한번 볼게.

남 좋아. 여기 있어.

여 음, 식은 죽 먹기인데.

남 정말?

여 이게 이 문제를 푸는 방법이야…. 내가 뭐라는지 알겠니?

해설 Do you know what I mean?은 '내 말 뜻이 무엇인지 아는지' 물어보는 말로 이해를 점검할 때 쓰는 표현이다.

05 언급하지 않은 것 | ②

해석

여 다음은 내 일상생활입니다. 나는 등교하기 위해 보통 아침 6시 30분에 일어납니다. 학교는 8시 50분에 시작합니다. 우리는 12시 10분에 점심을 먹습니다. 방과 후에, 나는 배드민턴을 칩니다. 나는 가족과 함께 6시 30분에 저녁을 먹습니다. 그 다음, 숙제하기 전에 한 시간 동안 TV를 봅니다.

해설 여자는 등하교를 어떻게 하는지에 대한 내용은 언급하지 않았다.

06 숫자 정보 파악 – 시각 | ④

해석

여 안녕, David.

남 안녕, Ellen. 우리 저녁 식사 때문에 7시에 만나기로 했잖아.

여 그랬었지, 무슨 문제라도 있니?

남 음, 30분 더 일찍 만날 수 있을까? 벌써 배가 고파서 그래.

여 6시 30분에? 문제없어. 사실, 그게 나한테도 더 좋아.

남 그럼 그때 보자.

해설 7시에 만나기로 했으나 남자가 배고프다며 30분 일찍 만나자고 했고, 여자가 이를 수락하는 상황이므로 두 사람은 6시 30분에 만날 것이다.

07 직업 및 장래 희망 | ②

해석

남 봐! 네 자전거 타이어가 바람이 빠져 있어.

여 아, 정말?

남 내가 고칠 수 있어.

여 너는 수리를 잘하지, 그렇지?

남 그런 것 같아.

여 정비사가 되고 싶니?

남 아니, 나는 카레이서가 되고 싶어.

여 카레이서가 되는 것은 위험한 직업이야. 심사숙고하는 게 좋을 거야.

해설 정비사가 되고 싶냐고 하는 여자의 질문에 대해 남자는 카레이서가 되고 싶다고 했다.

08 심정 파악 | ③

해석

여 너는 기말고사가 끝나면 무엇을 할 거니?

남 나는 우리 반 친구들 모두와 함께 축구 경기를 보러 갈 거야.

여 재미있겠다. 이번 축구 경기를 보는 게 넌 처음이지?

남 맞아, 정말 기대가 돼.

여 나는 네가 좋아할 거라고 확신해.

해설 축구 경기를 처음으로 보게 되어 기대하고 있으므로 남자의 심정은 신이 났을 것이다.

09 한 일 / 할 일 파악 | ③

해석

남 Daisy, 주방에 먹을 게 있니?

여 없는데. 왜? 배가 고프니?

남 응. 나 점심을 못 먹었거든.

여 음…. 그럼 우리 외식하러 나가자. 중국 음식점에 가고 싶니?

남 난 싫어. 피자는 어때?

여 좋아. 가자.

해설 피자를 먹자는 남자의 말에 여자가 수락했으므로 두 사람은 대화 직후 피자를 먹으러 갈 것이다.

10 주제 파악 | ②

해석

남 먼저, 사진 찍기를 바라는 사물이나 사람을 선택하세요. 오른쪽 위의 버튼을 누르세요. 그러면, 사진이 찍힐 것입니다. 왼쪽의 버튼은 줌 렌즈입니다. 그것으로, 당신은 이미지의 크기를 바꿀 수 있습니다. 사진을 다시 보고 싶다면, 중앙에 있는 빨간색 버튼을 누르세요.

해설 사진을 찍는 방법과 사진 이미지를 조절하고 확인하는 과정을 설명하는 것으로 보아 카메라 사용법에 대해 설명하고 있음을 알 수 있다.

11 특정 정보 파악 | ③

해석

남 너 왜 이렇게 늦었니?

여 시청 주변에 교통 체증이 심했어.

남 오, 알겠어. 극장까지 어떻게 왔니?

여 버스를 타고. 거의 한 시간 걸렸어.

남 다음번엔, 지하철을 타야 해. 그게 더 빠를 거야.

여 네 조언을 따라야겠어. 버스를 타는 것이 너무 오래 걸렸어.

해설 버스를 타고 오느라 늦은 여자에게 다음번엔 지하철을 탈 것을 충고하는 내용의 대화이다.

12 이유 파악 | ②

해석

남 Amy, 이것이 네가 내게 말했던 그 새 신발이니?

여 아니, 나는 아직 그걸 받지 못했어.

남 아직 못 받았다고? 너 일주일 전에 온라인으로 주문했잖아.

여 내가 주문한 색상이 없었어. 그래서 한 주 더 기다려야 해.

남 오, 안됐구나.

해설 여자는 새 신발을 온라인으로 주문했는데 원하는 색상이 없어서 한 주 더 기다려야 한다고 했다.

13 장소 추론 | ③

해석

여 도와드릴까요?

남 네, 이 편지를 항공 우편으로 보내고 싶어요.

여 어디로요?

남 로스앤젤레스로요. 금액이 얼마인가요?

여 10달러입니다.

남 얼마나 걸립니까?

여 일주일 걸립니다.
해설 항공 우편으로 편지를 보내는 상황이므로 대화가 이루어지는 장소는 우체국임을 알 수 있다.

14 그림 정보 파악 – 길 찾기 | ③
해석
남 이 Kent Village는 아주 크네.
여 우리 어디에 먼저 갈까?
남 Farm House는 어때?
여 그것은 어디 있니?
남 이 지도를 봐. 선물 가게에서 Wagon Store까지 곧장 가는 거야.
여 알았어. 그 다음 모퉁이에서 좌회전해야 하네.
남 Farm House는 성 바로 맞은편에 있어.
해설 Wagon Store까지 곧장 간 다음 좌회전하면 성 바로 맞은편에 있다고 했으므로 ③이 정답이다.

15 부탁한 일 파악 | ③
해석
여 오, 네 방이 아주 엉망이로구나!
남 괜찮아요. 모든 게 어디에 있는지 다 알아요.
여 아니, 아니. 바닥에 있는 물건을 치워야 해.
남 나중에 하면 안 되나요?
여 지금 하자.
남 알겠어요….
여 문 옆에 상자가 있단다. 그것을 갖다 줄래?
남 네.
해설 여자는 남자에게 문 옆에 있는 상자를 갖다 달라고 부탁했다.

16 제안한 일 파악 | ④
해석
여 넌 학교 동아리에 가입할 거니, Ted?
남 응, 난 스포츠가 좋아. 나는 스포츠 동아리 중 한 곳에 가입하고 싶어. 너는 어떠니?
여 나는 탁구 동아리에 가입할 거야.
남 너 탁구 잘하니?
여 아니, 잘 못해. 하지만 탁구 치는 법을 배우고 싶어. 그 동아리에 함께 가입하자.
남 좋은 생각 같아.
해설 여자는 남자가 스포츠 동아리에 가입하고 싶다고 해서 같이 탁구 동아리에 가입하자고 제안했다.

17 한 일 / 할 일 파악 | ③
해석
남 알다시피, 이번 주 일요일은 어머니의 날이야.
여 우리 뭘 할까?
남 케이크 만드는 건 어때?
여 만드는 법 알아?
남 응. 난 빵, 케이크, 쿠키를 굽는 법을 배우고 있거든.
여 알았어. 이번 주 토요일에 하자.
해설 일요일이 어머니의 날이라서 두 사람은 토요일에 케이크를 만들기로 했다.

18 직업 및 장래 희망 | ⑤
해석
여 나는 학생들을 위해 일합니다. 나는 버스를 운전합니다. 매일 아침, 나는 학생들을 학교에 데려다줍니다. 그들은 나를 보면, 항상 미소를 짓습니다. 오후에는 그들을 집으로 데려다줍니다. 나는 항상 안전하게 운전하려고 노력합니다. 나는 내 일을 좋아합니다.
해설 학생들을 위해 버스를 운전하는 일은 한다고 했으므로 여자의 직업은 ⑤이다.

19 알맞은 응답 찾기 | ②
해석
남 와! 멋진 바이올린이다!
여 고마워. 아빠가 생일 선물로 그것을 내게 주셨어.
남 너는 바이올린 연주할 줄 아니? 그런 줄 몰랐네.
여 응, 나는 엄마에게 그것을 배웠어. 너는 어때?
남 나는 어떻게 연주하는지 몰라. 나에게 가르쳐 줄 수 있니?
여 물론이지, 가르쳐 줄게.
① 여기 있어. ③ 안됐구나.
④ 이 바이올린은 비싸. ⑤ 나는 음악 듣는 것을 좋아해.
해설 바이올린 연주하는 법을 가르쳐 달라고 하는 남자의 말에 대해 여자가 흔쾌히 승낙하는 ②가 적절한 응답이다.

20 알맞은 응답 찾기 | ②
해석
남 이봐, 수미야! 내게 물 좀 줘.
여 그래, 여기 있어. 아, 이 산은 정말 높다.
남 맞아. 우리는 두 시간 전에 등산을 시작했는데, 여전히 정상에서 멀리 있잖아.
여 정말 피곤해.
남 그럼, 우리 잠시만 쉴까?
여 좋은 생각이야.
① 나 다리가 부러졌어. ③ 행운을 빌어!
④ 고맙지만 괜찮아. 나 배가 불러. ⑤ 너 정말 그렇게 생각해
해설 등산을 하는 중간에 잠시 쉬자는 남자의 제안에 대해 여자가 동의하는 ②가 적절한 응답이다.

08회 영어 듣기모의고사 pp. 78~79

01 ⑤	02 ②	03 ④	04 ①	05 ④
06 ③	07 ④	08 ⑤	09 ⑤	10 ①
11 ②	12 ③	13 ②	14 ④	15 ④
16 ⑤	17 ③	18 ④	19 ③	20 ④

Dictation Test 08회 pp. 80~85

01 ❶ made of glass ❷ see yourself ❸ look in me
02 ❶ in the left square ❷ draw a circle
03 ❶ cloudy in London ❷ be sunny

04 ❶ look worried ❷ get better soon
05 ❶ take place on Sunday ❷ help awarding medals
06 ❶ have to be there ❷ twenty minutes left
07 ❶ after this show ❷ About three hours ❸ be a director
08 ❶ looking for something ❷ look like ❸ find him together
09 ❶ finished doing ❷ buy garbage bags
10 ❶ yellow on the outside ❷ in the summer
11 ❶ go to the theater ❷ need some exercise
12 ❶ answer your cellphone ❷ doesn't work
13 ❶ we won the game ❷ really helpful
14 ❶ Cross the river ❷ on your right
15 ❶ on the top shelf ❷ take it out
16 ❶ send them to ❷ use an app
17 ❶ swim every Saturday ❷ go swimming
18 ❶ your new English teacher ❷ glad to hear that
19 ❶ time to go ❷ can you wake me up
20 ❶ Go down two blocks ❷ on your left

01 그림 정보 파악 – 사물 | ⑤

해석

여 나는 유리로 만들어졌습니다. 나를 보세요, 그러면 여러분은 자신을 보게 될 겁니다. 내 오른쪽 다리는 여러분의 왼쪽 다리이고, 내 오른손은 여러분의 왼손입니다. 사람들은 외출하기 전에 보통 나를 들여다봅니다. 나는 누구일까요?

해설 유리로 만들어졌고, 자신을 볼 수 있는 것은 거울이다.

02 그림 정보 파악 – 사물 | ②

해석

여 여러분, 잘 들으세요. 먼저 종이에 정사각형 두 개를 그리세요. 그런 다음, 왼쪽 정사각형 안에 숫자 13을 쓰세요. 그리고 오른쪽 정사각형 안에 원을 그리세요. 다 하셨나요?

해설 두 개의 정사각형을 그린 후에 왼쪽 정사각형에는 숫자 13을 적고, 오른쪽 정사각형에는 원을 그린 것은 ②이다.

03 그림 정보 파악 – 날씨 | ④

해석

남 좋은 아침입니다! 세계 일기 예보의 Matt George입니다. 오늘, 영국의 런던은 구름이 낄 것입니다. 미국의 뉴욕은 아침에 비가 내리겠지만 오후에는, 맑게 갤 것입니다. 한국의 서울은 하루 종일 눈이 내릴 것입니다.

해설 뉴욕은 아침에는 비가 오지만 오후엔 화창할 것이라고 했다.

04 의도 파악 | ①

해석

여 너 걱정돼 보인다. 무슨 일 있니?

남 엄마가 많이 편찮으셔서 지금 병원에 입원해 계셔.

여 아, 그 말을 들으니 유감이다.

남 나는 남동생을 돌봐야 해.

여 오, 참 안됐구나. 곧 모든 상황이 나아지길 바랄게.

해설 여자는 엄마가 병원에 입원해 계신다는 남자에게 모든 것이 나아질 것이라며 위로하고 있다.

05 언급하지 않은 것 | ④

해석

여 '장애인 달리기와 소풍'을 위한 자원봉사자를 찾고 있습니다. 우리는 30명의 자원봉사자들이 필요합니다. 행사는 5월 10일 일요일에 열릴 것입니다. 자원봉사자들은 소풍 가방을 포장하는 일을 도울 것입니다. 그들은 또한 메달 수여를 도울 것입니다.

해설 여자는 행사의 이름, 날짜, 활동 내용, 필요한 자원봉사자 수는 언급하였으나 행사 장소에 대해서는 언급하지 않았다.

06 숫자 정보 파악 – 시각 | ③

해석

남 수미야, 나는 무료 콘서트 티켓 두 장이 생겼어. 나와 같이 갈래?

여 재미있겠다! 누구의 콘서트인데?

남 아이돌 Jelly의 콘서트야. 우리는 5시 50분까지는 그곳에 도착해야 해.

여 콘서트가 몇 시에 시작하는데?

남 여섯 시에 시작해.

여 겨우 20분 남았구나. 우리 서두르는 게 좋겠어!

해설 콘서트 시작 시간은 6시인데 20분밖에 남지 않았다고 했으므로 현재 시각은 5시 40분이다.

07 직업 및 장래 희망 | ④

해석

여 너 TV를 또 보고 있구나! 숙제는 이미 끝마쳤니?

남 아뇨, 엄마. 저는 이 프로그램이 끝나면 할 거예요.

여 넌 매일 TV를 몇 시간 보니?

남 매일 약 3시간쯤인 것 같아요.

여 너무 많구나.

남 엄마, 저는 오락 프로그램과 드라마를 보는 것이 정말 좋아요. 저는 연출가가 되고 싶어요.

해설 남자는 오락 프로그램과 드라마를 보는 것을 좋아한다고 말하면서 연출가가 되고 싶다고 했다.

08 심정 파악 | ⑤

해석

여 안녕, Jason. 너는 무엇을 찾고 있는 거니?

남 내 개가 방금 사라졌어!

여 그 개는 어떻게 생겼니?

남 그 개는 귀가 길어. 점박이 무늬야.

여 알았어. 함께 찾아보자.

남 고마워, Ann.

해설 개가 사라져서 찾고 있는 상황이므로 남자의 심정은 걱정스러울 것이다.

09 한 일 / 할 일 파악 | ⑤

해석

여 Sam, 너는 아직도 네 남동생이랑 놀고 있니?

남 네, 엄마. 하지만 저는 제 숙제를 끝냈어요.
여 잘했구나. 할 일이 하나 더 있어.
남 알겠어요. 그게 뭔데요, 엄마?
여 내가 설거지하는 동안 쓰레기봉투를 사다 줄래?
남 네, 그럴게요. 걱정하지 마세요, 엄마.
해설 엄마는 설거지하는 동안 아들에게 쓰레기봉투를 사다 달라고 부탁하고 있다.

10 주제 파악 | ①

해석
남 이 과일의 겉은 노란색이지만 안은 하얀색입니다. 우리는 보통 그것을 먹기 전에 몇 조각으로 자릅니다. 그것 안에는 많은 씨가 있습니다. 우리는 그것을 여름에 즐깁니다. 그것은 무엇일까요?
해설 겉은 노랗고 안은 하얀 과일로, 안에 많은 씨앗을 지니고 있으며 여름에 즐길 수 있는 과일은 참외이다.

11 특정 정보 파악 | ②

해석
남 오늘 영화 보러 가자.
여 그러자. DH 몰에 있는 극장에 갈까요?
남 알았어. 지하철역으로 가자.
여 자전거를 타고 가는 건 어때? 우리는 약간의 운동이 필요하거든.
남 좋은 생각이야.
해설 영화를 보러 가기로 한 두 사람은 운동도 할 겸 자전거를 타고 갈 것이다.

12 목적 파악 | ③

해석
[*전화벨이 울린다.*]
남 여보세요?
여 여보세요, Mike와 통화할 수 있나요?
남 전데요? 누구시죠?
여 Mike, 나 미나야. 너는 집에 있었구나. 왜 휴대 전화를 받지 않았니?
남 미안해. 내가 학교 사물함 안에 휴대 전화를 두고 온 것 같아. 어쨌든, 무슨 일이니?
여 내 컴퓨터에 문제가 있어. 작동이 안 돼. 도와줄 수 있니?
남 물론이지. 그곳으로 곧 갈게.
해설 여자는 컴퓨터에 문제가 있어 남자에게 도움을 요청하기 위해 전화를 걸었다.

13 관계 추론 | ②

해석
남 우리가 경기에서 이겨서 전 정말 행복해요.
여 오늘 정말 잘했어!
남 감사합니다, Ellen 선생님. 우리 팀 모든 선수가 아주 잘했어요.
여 네 골이 우리 팀을 구했단다. 대단했어!
남 고마워요. 선생님의 훈련이 정말 도움이 되었어요.
여 나는 네가 정말 자랑스럽구나!
해설 시합에서 이겨 기뻐하는 남자를 여자가 칭찬하고, 남자가 훈련 덕분이라며 여자에게 고마워하고 있으므로 두 사람은 각각 코치와 선수임을 알 수 있다.

14 그림 정보 파악 – 길 찾기 | ④

해석
여 실례합니다. Sophie 미술관에 어떻게 가나요?
남 저쪽에 있는 다리가 보이세요?
여 네.
남 강을 건너 우회전하세요.
여 알겠습니다. 그 다음은요?
남 한 블록 곧장 가서 좌회전하세요. 미술관은 오른쪽에 있습니다.
여 알겠어요. 고맙습니다.
해설 다리를 건너 우회전한 다음, 한 블록 곧장 가서 다시 좌회전하면 미술관이 오른쪽에 있다고 했으므로 미술관의 위치는 ④이다.

15 부탁한 일 파악 | ④

해석
여 실례합니다. '큰 숲속의 작은 집'을 찾고 있는데요.
남 그 책은 저기 맨 위쪽 선반에 있어요.
여 맨 위 선반에 손이 닿지 않아요. 대신 좀 거기서 꺼내 주실 수 있나요?
남 물론이죠. 여기 있습니다.
여 감사합니다.
해설 여자는 꼭대기 선반에 있는 책에 손이 닿지 않아 책을 꺼내 달라는 부탁을 했다.

16 제안한 일 파악 | ⑤

해석
여 이 사진들 좀 봐.
남 와! 정말 멋지다!
여 그것들을 친구들에게 보내고 싶어.
남 이 모든 사진을?
여 응, 하지만 보낼 게 너무 많아.
남 앱을 사용하는 게 어때? 사진과 음악으로 비디오를 만들 수 있어.
여 그거 좋은 생각이야.
해설 많은 사진을 친구들에게 보내고 싶다는 여자에게 남자는 앱을 사용해서 비디오를 만들라고 제안했다.

17 한 일 / 할 일 파악 | ③

해석
남 일주일 중 네가 가장 좋아하는 요일은 무엇이니?
여 나는 토요일이 제일 좋아.
남 왜 그 요일을 좋아하니?
여 나는 매주 토요일에 수영하러 가거든. 그것은 내가 가장 좋아하는 거야. 이번 주 토요일에 나와 같이 갈래?
남 미안해, 나는 이번 주 토요일에 내 방과 앞뜰을 청소해야 해. 하지만 일요일에는 한가해.
여 좋아. 그럼 이번 주 일요일에 같이 수영하러 가자.
남 재미있겠다.
해설 여자가 일요일에 수영하러 가자고 제안하자 남자가 이를 수락했으므로 두 사람은 수영하러 갈 것이다.

18 직업 및 장래 희망 | ④

해석
여 너의 새로 오신 영어 선생님은 어떠시니?
남 그녀는 수업 중에 우리에게 여러 재미있는 이야기를 해 주셔.

여 아! 그러시니?
남 응. 많은 학생이 그녀를 좋아해.
여 나는 그 얘기를 들으니 기쁘다.
해설 여자가 선생님에 대해 어떻게 생각하는지 묻자 많은 학생들이 그녀를 좋아한다고 답한 것으로 보아 남자는 학생임을 알 수 있다.

19 알맞은 응답 찾기 | ③

해석
여 Ryan, 잘 시간이다. 벌써 11시란다.
남 엄마, 저는 숙제를 끝마쳐야 해요.
여 늦었어. 너는 내일 아침 일찍 할 수도 있잖니.
남 음…. 그럼, 아침 6시에 저를 깨워 주실 수 있나요?
여 당연하지, 걱정하지 마.
① 또 보자. ② 그것 참 안됐구나.
④ 나는 공부를 잘해. ⑤ 너는 다음번에는 더 잘할 거야.
해설 아침에 깨워 달라는 남자의 말에 대해 걱정하지 말라고 하는 ③이 가장 적절한 응답이다.

20 알맞은 응답 찾기 | ④

해석
여 실례합니다. 우체국으로 가려면 어떻게 해야 하나요?
남 어디 봅시다. 로즈 스트리트까지 두 블록을 내려 가세요.
여 그러고나서는요?
남 그리고 오른쪽으로 도세요. 당신은 왼쪽에서 그것을 볼 수 있을 거예요. 그것은 병원 옆에 있어요.
여 대단히 감사합니다.
① 물론이죠. ② 그럼요. 몹시 기다려져요.
③ 당신은 농담하고 있는 게 틀림없어요.
⑤ 당신은 훌륭한 의사가 될 수 있어요.
해설 길을 안내해 주는 남자에게 고맙다고 하는 ④가 가장 적절한 응답이다.

09회 영어 듣기모의고사 pp. 86~87

01 ①	02 ②	03 ③	04 ①	05 ④
06 ②	07 ③	08 ①	09 ④	10 ①
11 ③	12 ⑤	13 ⑤	14 ④	15 ④
16 ①	17 ④	18 ②	19 ②	20 ④

Dictation Test 09회 pp. 88~93

01 ❶ provide information ❷ means quick response
02 ❶ with my sister ❷ drinking orange juice ❸ wearing a dress
03 ❶ it'll be cloudy ❷ windy and will get cold
04 ❶ can't see well ❷ next to your bag
05 ❶ lives with her family ❷ loves listening to music
06 ❶ send this letter to ❷ will be five dollars ❸ by regular mail
07 ❶ greatest inventions ❷ invent new things
08 ❶ got a prize ❷ really proud of you
09 ❶ take a break ❷ to watch the parade
10 ❶ when you drink something ❷ won't spill
11 ❶ take a taxi ❷ going by subway
12 ❶ didn't do my homework ❷ left my phone
13 ❶ wrap it up ❷ the box and the paper
14 ❶ Go straight one block ❷ bookstore on my left ❸ next to the bookstore
15 ❶ set the alarm clock ❷ a wake-up call
16 ❶ often get tired ❷ read paper books rather than ❸ feel less tired
17 ❶ bought fried chicken ❷ wash your hands
18 ❶ in danger ❷ put out fires ❸ people's lives in fires
19 ❶ doesn't work ❷ can do ❸ good at fixing
20 ❶ needed to help ❷ asked me ❸ walked her

01 그림 정보 파악 – 사물 | ①

해석
여 우리는 여러 다양한 제품에서 그것을 볼 수 있습니다. 사진, 음악 사운드 또는 웹사이트에 대한 정보를 제공할 수 있습니다. 우리는 스마트폰에서 스캔할 수 있습니다. 우리는 그것을 읽을 리더기가 필요합니다. 그것은 '빠른 응답'이라는 의미입니다. 그것은 대개 검은 색과 흰색 사각형을 가지고 있습니다.
해설 다양한 제품에 있는 것으로 사진이나 음악 사운드 또는 웹사이트에 대한 정보 등이 담겨 있으며 스마트폰으로 스캔할 수 있는 것은 QR 코드이다.

02 그림 정보 파악 – 사람 | ②

해석
여 안녕, Mike. 너는 이 파티에 혼자 왔니?
남 아니, 내 여동생하고 같이 왔어.
여 네 여동생이 누구니?
남 저기 있는 여자아이야. 그녀는 오렌지 주스를 마시고 있어.
여 긴 생머리 여자아이를 말하는 거니?
남 아니, 그녀는 그 여자아이 옆에 있어. 그녀는 드레스를 입고 있어.
해설 드레스를 입고 오렌지 주스를 마시고 있는 소녀가 여동생이라고 했으므로 ②이다.

03 그림 정보 파악 – 날씨 | ③

해석
여 즐거운 저녁입니다. 오늘은 매우 맑은 날씨였지만, 내일은 달라지겠습니다. 부산은, 내일 아침부터 비가 내리겠습니다. 그리고 광주와 대전은, 아침에는 흐리다가 늦은 오후부터 비가 내리기 시작하겠습니다. 서울에서는, 비가 내리지 않겠지만, 바람이 매우 세고 추워지겠습니다. 감사합니다.

해설 마지막 부분에서 내일 서울의 날씨는 바람이 몹시 불고 추워질 거라고 했다.

04 의도 파악 | ①

해석

남 안녕, Sally. 이 포스터를 봐.
여 그래. 어디 보자. 내 안경이 어디 있지? 안경이 없으면 잘 볼 수 없는데.
남 어디에 두었는데?
여 여기에 두었다고 생각했는데, 찾을 수가 없어.
남 오, 여기 네 가방 옆에 안경이 있다.
여 아, 네가 찾았구나! 고마워.

해설 I appreciate it.으로 여자는 안경을 찾아 준 남자에게 이에 대한 감사를 나타내는 표현이다.

05 언급하지 않은 것 | ④

해석

남 저쪽에 여자분이 보이나요? 그녀는 벤치에 앉아 있습니다. 그녀는 제 영어 선생님입니다. 그녀는 스코틀랜드 출신입니다. 그녀는 서울에서 가족과 함께 살고 있습니다. 그녀에게는 남편과 아들이 있습니다. 그녀는 음악 듣는 것을 좋아합니다. 그녀는 종종 콘서트에 갑니다.

해설 남자는 여자의 직업, 출신지, 가족 관계, 취미는 언급하였으나 여자의 나이에 대해서는 언급하지 않았다.

06 숫자 정보 파악 – 금액 | ②

해석

남 어떻게 도와드릴까요?
여 저는 이 편지를 도쿄로 보내고 싶습니다. 이것에 대한 우편 요금은 얼마인가요?
남 5달러입니다.
여 만약 이것을 빠른우편으로 보내면요?
남 20달러일 것입니다.
여 음, 저는 그냥 그것을 일반 우편으로 보낼게요.

해설 일반 우편은 5달러이고, 빠른우편은 20달러인데 도쿄로 일반 우편을 보내겠다고 했으므로 여자가 지불할 금액은 5달러이다.

07 직업 및 장래 희망 | ③

해석

남 안녕, Lucy.
여 안녕, Mike.
남 넌 뭐 하고 있니?
여 난 세계 최고의 위대한 10대 발명품에 대해 읽고 있어.
남 너는 물건을 발명하는 데 관심 있니?
여 응, 나는 새로운 것을 발명하고 싶어. 나는 훌륭한 과학자가 되고 싶어.

해설 여자는 새로운 것을 발명하는 것에 관심이 있어 과학자가 되고 싶다고 했다.

08 심정 파악 | ①

해석

남 엄마, 저는 상을 받았어요!
여 정말이니? 뭐 때문에?
남 제가 이번 달에 우리 반에서 책을 가장 많이 읽었거든요.
여 와, 축하한다! 책을 얼마나 많이 읽었니?
남 이번 달에 20권의 책을 읽었어요.
여 아, 너는 정말 많은 책을 읽었구나. 나는 네가 정말 자랑스럽다.

해설 독서를 많이 해서 상을 받은 아들을 엄마가 칭찬해 주고 있는 대화이므로 남자는 기쁠 것이다.

09 한 일 / 할 일 파악 | ④

해석

남 와! 이 놀이 기구를 타는 것은 정말로 신이 났었어!
여 그래, 그랬어!
남 이 벤치에서 잠깐만 쉬자.
여 그러자. 다음에 무엇을 하고 싶니?
남 퍼레이드를 볼 시간이 거의 다 됐어.
여 그래. 가자.

해설 두 사람은 퍼레이드를 볼 시간이 거의 다 되어 퍼레이드를 보러 가기로 했다.

10 주제 파악 | ①

해석

남 이것은 보통 플라스틱으로 만들어집니다. 이것은 길고 얇은 빈 관입니다. 여러분은 무언가를 마실 때 이것을 이용합니다. 어린이들은 주스나 우유, 물을 마실 때조차도 이것을 필요할지도 모릅니다. 여러분이 이것을 가지고 있으면, 여러분은 옷에 무언가를 흘리지 않을 겁니다.

해설 플라스틱으로 만들어진 것으로, 가늘고 긴 튜브이며 무언가를 마실 때 사용하는 것은 빨대에 대한 설명이다.

11 특정 정보 파악 | ③

해석

남 저녁 식사 자리를 예약했나요?
여 물론, 했지요. 갑시다.
남 거기에 어떻게 갈까요?
여 택시를 탑시다.
남 오, 지금은 러시아워예요. 지하철로 가는 게 어때요?
여 그거 좋은 생각이에요.

해설 택시를 타자는 여자의 제안에 남자가 지하철로 가자고 제안했고, 여자가 이에 동의했다.

12 이유 파악 | ⑤

해석

여 안녕, Kevin. 너는 동아리 모임에 왜 오지 않았니?
남 오, 정말 미안해. 교실에 남아서 공부를 해야 했거든.
여 왜?
남 음, 내가 숙제를 안 했어. 그래서 선생님이 4시 30분까지 교실을 떠나지 못하게 하셨어.
여 아, 그럼 왜 전화를 받지 않았니?
남 나는 내 전화를 집에 놓고 왔어.

해설 남자는 숙제를 안 해서 교실에 남아 공부를 하느라 동아리 모임에 참석하지 못했다고 했다.

13 장소 추론 | ⑤

해석

여 실례합니다. 저는 이 머리핀을 사려고요. 이것을 포장해 주실 수 있나요?

남 물론이죠. 그것을 상자에 넣기를 원하세요? 아니면 포장지로 싸 드릴까요?

여 오, 상자와 포장지를 볼 수 있을까요?

남 그럼요. 물론이죠.

해설 머리핀을 사서 포장을 부탁한 후 포장 방법을 어떻게 할지 묻고 답하는 것으로 보아 선물 가게에서 나누는 대화임을 알 수 있다.

14 그림 정보 파악 – 길 찾기 | ④

해석

남 실례합니다. 이 근처에 꽃 가게가 있나요?

여 네, 4번가에 하나가 있어요.

남 그곳까지 가는 방법을 제게 알려 주실 수 있나요?

여 물론이죠. 한 블록 곧장 가시다가, 왼쪽으로 도세요. 당신은 왼쪽에서 서점을 하나 볼 수 있을 거예요.

남 네, 한 블록 곧장 가다가 왼쪽으로 돌면, 제 왼쪽에서 서점을 볼 수 있군요.

여 네. 꽃 가게는 그 서점 옆에 있어요.

남 대단히 감사합니다.

해설 한 블록을 곧장 가서 좌회전하면 왼쪽에 서점이 있고 그 옆이 꽃 가게라고 했으므로 ④가 정답이다.

15 부탁한 일 파악 | ④

해석

여 Sam, 넌 오늘 아침 수영 수업에 왜 오지 않았니?

남 난 늦게 일어났어.

여 알람 시계는 맞췄어?

남 응, 그랬지. 그것은 6시에 울렸어. 하지만 나는 그것을 끄고 계속 잤지.

여 오, 딱한 Sam. 정말 안됐다.

남 내일 내게 모닝콜을 해 줄래?

여 그래. 내가 네게 몇 시에 전화할까?

남 6시 정각에. 고마워.

해설 남자는 여자에게 내일 모닝콜을 해 달라고 부탁하고 있다.

16 제안한 일 파악 | ①

해석

여 넌 피곤해 보인다.

남 응, 그래. 내 눈이 자주 피곤해져.

여 넌 스마트폰으로 자주 전자책을 읽지, 안 그래?

남 응. 나는 읽는 것을 좋아해.

여 전자책보다는 종이책을 보는 게 어때?

남 종이책?

여 응. 종이책이 눈을 덜 피곤하게 할 거야.

해설 스마트폰으로 자주 전자책을 보는 남자에게 여자는 종이책을 보라고 제안했다.

17 한 일 / 할 일 파악 | ④

해석

여 Andy, 너는 뭘 하고 있니?

남 저는 수학 숙제를 하고 있어요.

여 식탁으로 오너라. 내가 너를 위해 치킨을 사 왔단다.

남 정말이에요? 저는 그것이 먹고 싶었어요.

여 하지만, 그것을 먹기 전에 손을 먼저 씻어야 해.

남 알았어요. 그럴게요.

해설 여자는 남자에게 프라이드치킨을 먹기 전에 먼저 손을 씻으라고 했다.

18 직업 및 장래 희망 | ②

해석

여 당신은 당신의 일을 좋아하나요?

남 네, 그렇습니다. 저는 위험에 처한 사람들을 돕는 것을 좋아합니다.

여 하지만 불을 끌 때 다치진 않나요?

남 네, 가끔 그렇죠. 그래서 저는 항상 조심하려고 노력합니다.

여 이 일에서 가장 좋은 것이 무엇입니까?

남 불 속에서 사람들의 생명을 구할 때 기분이 정말 좋아요.

여 아, 그렇군요. 훌륭하신 분이네요.

해설 위험에 처해 있는 사람들을 돕고 불을 끄는 일을 하는 사람은 소방관이다.

19 알맞은 응답 찾기 | ②

해석

여 James, 내가 네 컴퓨터를 사용할 수 있을까?

남 아니, 그것이 작동하지를 않아. 나는 컴퓨터를 켤 수가 없어.

여 잠시만. 내가 뭔가 할 수 있을 것 같아. 하지만 컴퓨터 내부를 봐야 해.

남 너는 컴퓨터를 잘 고치니?

여 <u>응, 나는 꽤 잘해.</u>

① 응, 나는 기분이 좋아. ③ 새 것을 사는 게 어때?

④ 컴퓨터를 고치는 게 어때? ⑤ 아니, 나는 네 컴퓨터를 쓰고 싶지 않아.

해설 컴퓨터 고치는 것을 잘하느냐는 남자의 질문에 대해 그것을 잘한다고 대답하는 ②가 적절한 응답이다.

20 알맞은 응답 찾기 | ④

해석

여 David, 나는 오늘 아침에 네가 학교까지 걷는 걸 봤어. 너는 보통 학교에 버스 타고 오잖아, 그렇지 않니?

남 응, 하지만 오늘 아침에 누군가를 도와줘야 했어.

여 무슨 말이야?

남 어떤 노부인이 병원까지 가는 길을 알려 달라고 내게 부탁하셨어.

여 우리 학교 근처에 있는 그 병원 말이야?

남 응, 그래서 그분을 병원까지 바래다드렸어.

여 <u>정말 잘했네!</u>

① 안됐구나. ② 축하해!

③ 만나서 반갑다. ⑤ 나는 그것에 대해서 유감이다.

해설 노부인을 병원에 모셔다 드렸다고 하는 남자의 말에 대해 이를 칭찬하는 ④가 적절한 응답이다.

10회 영어 듣기모의고사 pp. 94~95

01 ④	02 ③	03 ③	04 ④	05 ③
06 ③	07 ④	08 ②	09 ⑤	10 ⑤
11 ②	12 ④	13 ①	14 ③	15 ④
16 ①	17 ③	18 ⑤	19 ②	20 ④

Dictation Test 10회

pp. 96~101

01 ❶ black and white ❷ use all ten fingers
02 ❶ many different types of ❷ has feet shapes ❸ on the front
03 ❶ go hiking ❷ raining in Seoul ❸ watching a movie
04 ❶ getting better ❷ give up
05 ❶ lives alone ❷ keeps domestic animals
06 ❶ starts at six o'clock ❷ ten minutes earlier ❸ half past five
07 ❶ be a reporter ❷ I'm always curious
08 ❶ turn off the gas ❷ Good job
09 ❶ over there ❷ Let me call
10 ❶ her surprise birthday party ❷ get some grape juice
11 ❶ go to the stadium ❷ too much traffic ❸ by subway
12 ❶ go home early ❷ need more sleep
13 ❶ How long ❷ so many cars ❸ no need to hurry
14 ❶ go straight ❷ turn left ❸ across from
15 ❶ broke my leg ❷ send a package
16 ❶ move to another school ❷ writing a thank-you card
17 ❶ shall we walk ❷ walk our dogs
18 ❶ all these numbers ❷ have any questions
19 ❶ to save money ❷ such a nice dream
20 ❶ inviting me ❷ I've heard a lot ❸ Would you like

01 그림 정보 파악 – 사물 | ④

해석

남 그것은 88개의 건반을 가지고 있습니다. 이 건반들은 흰색과 검은색입니다. 사람들은 음악을 연주하기 위해 손가락을 이용해서 이 건반을 누릅니다. 간단한 노래를 연주하기 위해서 한두 개의 손가락만을 사용할 수 있습니다. 그러나 대개 노래를 연주하기 위해서는 열 손가락 모두를 사용해야 합니다.

해설 하얀색과 까만색으로 된 88개의 건반이 있고, 음악 연주를 위해 열 손가락을 다 사용하는 악기는 피아노이다.

02 그림 정보 파악 – 사물 | ③

해석

남 저는 티셔츠를 찾고 있어요.
여 우리 매장엔 여러 다양한 종류의 티셔츠가 있습니다.
남 저 회색 티셔츠를 볼 수 있을까요?
여 그럼요. 여기 있습니다.
남 그것엔 발 모양이 있네요. 전 그게 마음에 들지 않습니다.
여 이건 어때요? 이것 또한 회색이고, 앞쪽에 TIGER라는 단어가 있습니다.
남 좋아요. 그걸로 할게요.

해설 남자는 TIGER라는 단어가 적힌 회색 티셔츠를 구입할 것이다.

03 그림 정보 파악 – 날씨 | ③

해석

[전화벨이 울린다.]
여 여보세요?
남 안녕, 보라야. 나 Steve야. 나는 그냥 안부를 전하려고 전화했어.
여 오, 안녕, Steve. 어떻게 지내니?
남 잘 지내. 오늘 부산은 따뜻해서 나는 오후에 등산을 갈 거야. 서울 날씨는 어때?
여 서울엔 비가 오고 있어서 난 집에 있어.
남 집에서 뭘 하고 있니?
여 '구름 속의 산책'이라는 영화를 보고 있어.

해설 여자는 서울에 비가 와서 집에 있다고 했다.(It's raining in Seoul and I'm staying at home.)

04 의도 파악 | ④

해석

남 지금 내 기록이 어떻게 되니?
여 11.98초야.
남 내가 경주에서 이길 수 있을 것 같지 않아.
여 아니야, 네 기록은 좋아지고 있어.
남 하지만 경주가 이번 주 일요일이야.
여 힘 내! 넌 할 수 있어. 포기하지 마!

해설 경주에서 이길 자신이 없다며 낙담하는 남자를 여자가 Come on!과 Don't give up!의 표현으로 격려하고 있다.

05 언급하지 않은 것 | ③

해석

남 우리 할아버지는 저와 함께 사시지 않아요. 그는 시골에서 혼자 살고 계십니다. 그는 농부이십니다. 그는 과일 나무를 재배하십니다. 그는 또한 돼지와 같은 가축을 기르세요. 그는 낚시를 좋아하셔서 매주 일요일 낚시를 하러 가십니다. 그는 생선 드시는 걸 좋아하세요.

해설 남자는 할아버지가 사시는 곳, 직업, 취미 생활, 좋아하는 음식은 언급하였으나 좋아하는 과일에 대해서는 언급하지 않았다.

06 숫자 정보 파악 – 시각 | ③

해석

여 이번 주 토요일에 우리 계획을 기억하지, 그렇지 않니?
남 물론이지. 콘서트는 6시에 시작해. 우리 몇 시에 만날까?
여 콘서트 시작하기 20분 전에.
남 그보다 10분 더 일찍은 어때? 그 시간엔 교통이 혼잡하잖아.
여 그래. 5시 30분에 만나자.

해설 두 사람은 공연 시작하기 30분 전에 만나기로 했으므로 5시 30분에 만날 것이다.

07 직업 및 장래 희망 | ④

해석

여 네 꿈이 뭐니, Allen?
남 내 꿈은 유명한 배우가 되는 거야. 네 꿈은?
여 나는 기자가 되고 싶어.
남 왜 기자가 되고 싶은데?
여 알잖아, 나는 항상 호기심이 많아. 그리고 나는 사람들을 만나서 이야기하는 것을 좋아해.

남 알겠어.

해설 여자는 호기심이 많고 사람들을 만나고 함께 이야기하는 것을 좋아해서 기자가 되고 싶다고 했다.

08 심정 파악 | ②

해석

[*휴대 전화벨이 울린다.*]

여 여보세요, James. 너는 어디에 있니?

남 저 집에 있어요. 무슨 일이에요, 엄마?

여 내가 가스 잠그는 것을 잊었어. 지금 바로 부엌에 가서 그것을 잠그렴.

남 걱정하지 마세요, 엄마. 제가 이미 했어요.

여 정말이니? 잘했다!

해설 가스 불 끄는 것을 잊어버려 걱정하던 엄마는 아들이 이미 그것을 껐다는 말에 안심했을 것이다.

09 한 일 / 할 일 파악 | ⑤

해석

남 봐! 저쪽에 빵집이 있어.

여 거기에서 케이크를 사자.

남 좋아. 우리는 여기서 길을 건너야 해.

여 파티가 5시에 시작되지, 그렇지?

남 응. 벌써 4시 반이야. 우리가 늦을까 봐 걱정돼.

여 지금 John에게 전화할게. 우리가 30분쯤 늦을 거라고 그에게 말할게.

해설 여자의 마지막 말 Let me call John now.로 보아 여자는 대화 직후 John에게 전화를 할 것이다.

10 주제 파악 | ⑤

해석

남 Susan, 아주 맛있는 냄새가 나네. 그게 뭐니?

여 나는 유진이를 위해 딸기 케이크를 굽고 있어.

남 이건 그녀의 깜짝 생일 파티를 위한 거니?

여 응. 그런데 나는 주스를 좀 사오는 것을 잊었어. 파티를 위해서 슈퍼마켓에서 주스를 좀 사다 주겠니?

남 물론이지. 포도 주스를 사 올게.

여 좋아. 그것이 그녀가 가장 좋아하는 주스이지.

해설 두 사람이 유진이의 생일 파티를 준비하는 내용의 대화이다.

11 특정 정보 파악 | ②

해석

남 야구 경기가 몇 시에 시작하지?

여 오후 7시 5분에 시작해.

남 우리 경기장에 어떻게 갈까?

여 택시를 타고 가자.

남 안 돼, 교통량이 아주 많을 거야

여 버스는 어때? 우리는 버스에서 밖을 볼 수 있잖아.

남 그곳에 가는 버스가 없어.

여 그럼 지하철로 가자.

남 그게 좋겠다.

해설 두 사람은 지하철을 타고 야구장에 가기로 했다.

12 이유 파악 | ④

해석

여 Justin, 미안한데 난 방과 후에 너와 만날 수 없을 것 같아. 나는 오늘 일찍 집에 가고 싶어.

남 무슨 일 있는 거니?

여 머리가 아파.

남 너는 창백해 보인다. 감기에 걸렸니?

여 아니, 나는 어젯밤에 숙제하느라 늦게까지 잠을 자지 못했어. 잠을 좀 더 자야 할 것 같아.

남 알겠어. 집에 가서 좀 쉬렴.

해설 여자는 어젯밤에 숙제하느라 밤을 새워서 잠을 자기 위해 집에 일찍 가려고 한다.

13 관계 추론 | ①

해석

남 어디로 모실까요?

여 로열 호텔이요.

남 예, 손님.

여 얼마나 걸릴까요?

남 약 15분 정도요. 그러나 길에 차가 너무 많네요.

여 걱정하지 마세요. 서두르실 필요 없습니다. 전 바쁘지 않거든요.

해설 남자가 목적지를 묻고, 여자가 목적지까지 얼마나 걸리는지 묻는 것으로 보아 두 사람은 택시 기사와 승객의 관계임을 알 수 있다.

14 그림 정보 파악 – 길 찾기 | ③

해석

남 실례합니다. 저는 길을 잃었어요.

여 어디에 가려고 하시나요?

남 저는 가장 가까운 우체국에 가려고요.

여 음, 한 블록을 곧장 가시다가 모퉁이에서 왼쪽으로 도세요.

남 한 블록을 곧장 간 후에 왼쪽으로 돌라고요?

여 맞습니다. 당신은 오른쪽에서 그것을 볼 수 있을 거예요. 그것은 서점 건너편에 있습니다.

남 대단히 감사합니다. 즐거운 하루 보내세요.

해설 가장 가까운 우체국은 한 블록 직진한 후 모퉁이에서 좌회전하면 오른쪽에 있으며 서점 맞은편이라고 했으므로 ③이 알맞다.

15 부탁한 일 파악 | ④

해석

[*휴대 전화벨이 울린다.*]

남 안녕, Maria. 너 집에 있니?

여 응. 지금 집에 오고 있는 거야?

남 아니, 병원에 있어. 축구를 하다가 다리가 부러졌거든.

여 오, 이런! 넌 괜찮니?

남 응, 난 괜찮아. Maria, 부탁 하나 해도 될까?

여 물론이야. 뭔데?

남 우체국에서 소포를 부쳐 줘. 소포는 내 책상 위에 있어.

해설 축구를 하다 다쳐 병원에 입원한 남자는 여자에게 우체국에 가서 소포를 보내 줄 것을 부탁했다.

16 제안한 일 파악 | ①

해석

남 Parker 선생님이 다음 달에 다른 학교로 옮기셔.

여 정말로? 그건 몰랐네.

남 사실이야.

여 그분을 위해 우리 무엇을 할까?

남 감사 카드를 쓰는 건 어때?

여 그거 좋은 생각이야. 그리고 꽃도 드리자.

남 좋았어.

해설 다른 학교로 전근 가시는 선생님을 위해 남자는 여자에게 감사 카드를 쓰자고 제안했다. 꽃다발을 사는 것은 여자의 제안이다.

17 한 일 / 할 일 파악 | ③

해석

여 Mike, 금요일 밤에 공원에서 우리의 개들을 산책시킬까?

남 나도 그러고 싶지만, 난 매주 금요일에 수영 수업을 받아. 토요일은 어떠니?

여 엄마는 토요일마다 내가 집안일을 돕기를 원하셔. 하지만 일요일에는 한가해.

남 그러면, 일요일에 우리의 개들을 산책시키자.

여 좋아.

해설 두 사람은 일요일에 개를 산책시키기로 했다.

18 직업 및 장래 희망 | ⑤

해석

여 안녕하세요, Brown 선생님. 저는 지난 수업에 설명해 주셨던 이 수학 문제를 이해 못 했어요. 이것을 다시 설명해 주실 수 있나요?

남 물론, 어디 보자. 이 부호는 네가 이 모든 수를 더해야 한다는 의미야. 이해했니?

여 아, 이해해요. 쉽게 설명해 주셔서 감사해요.

남 어떤 질문이든지 생기면, 내게 물어보렴.

해설 여자가 남자에게 수학 문제를 묻고, 남자는 설명해 주고 있으므로 남자는 수학 선생님임을 알 수 있다.

19 알맞은 응답 찾기 | ②

해석

남 Jane, 너는 왜 돈을 모으려고 노력하니?

여 나는 좋은 기타를 살 거야. 나는 가수가 되고 싶거든. 그게 내 꿈이야.

남 진심이야?

여 응. 밴드에서 노래하는 것이 내 꿈이야.

남 우와, 정말 멋진 꿈이다. 나는 네 꿈이 실현되길 바라.

여 고마워, 너는?

남 나는 비행기 조종사가 되고 싶어.

① 나도. ③ 나는 지난밤에 좋은 꿈을 꿨어.

④ 나는 밴드 음악을 듣는 것을 좋아해. ⑤ 나도 많은 돈을 저축하고 있어.

해설 How about you?로 상대방이 물은 것을 되묻고 있으므로, 마찬가지로 장래 희망을 말하는 ②가 적절한 응답이다.

20 알맞은 응답 찾기 | ④

해석

남 아드님의 파티에 초대해 주셔서 감사합니다.

여 천만에요. 와 주셔서 감사합니다. 저는 Andy에게서 따님 이야기를 많이 들었어요.

남 지나도 댁의 아드님에 대해 많이 얘기해요. 그런데, 음식이 정말 맛있어요.

여 고맙습니다. 피자 좀 더 드시겠어요?

남 고맙지만, 괜찮습니다. 배가 불러요.

① 안됐군요. ② 바싹 익혀 주세요.

③ 이것을 같이 하죠. ⑤ 그것에 대해 걱정하지 마세요.

해설 피자를 더 먹겠냐며 음식을 권유하는 질문에 대해 괜찮다며 사양하는 ④가 적절한 응답이다.

11회 영어 듣기모의고사 pp. 102~103

01 ③	02 ④	03 ①	04 ④	05 ②
06 ②	07 ①	08 ④	09 ①	10 ②
11 ③	12 ④	13 ②	14 ③	15 ②
16 ③	17 ④	18 ①	19 ①	20 ⑤

Dictation Test 11회 pp. 104~109

01 ❶ a good swimmer ❷ has a hard cover ❸ live up to

02 ❶ any special plans ❷ on the fourth Saturday ❸ have another plan

03 ❶ a family picnic ❷ sunny and warm

04 ❶ wins the race ❷ How fast

05 ❶ coming here ❷ to play hockey ❸ help me a lot

06 ❶ shall we meet ❷ before the game begins

07 ❶ make movies ❷ live other people's lives

08 ❶ bring my umbrella ❷ left it ❸ my favorite umbrella

09 ❶ a pair of jeans ❷ in a small size ❸ check for the larger size

10 ❶ poor animals ❷ the campaign ❸ saving animals

11 ❶ I'll drive today ❷ won't be heavy

12 ❶ want to exchange ❷ the new model ❸ exchange it

13 ❶ have a fever ❷ fill out ❸ have to wait

14 ❶ from here ❷ Go straight two blocks ❸ at the end of

15 ❶ hand in ❷ doesn't work ❸ print it out for me

16 ❶ walking her ❷ getting a pet

17 ❶ take part in ❷ join me ❸ trip to Japan

18 ❶ interview some famous people ❷ write their stories

19 ❶ act in a play ❷ memorized your lines

20 ❶ bring the computer file ❷ can download it

01 그림 정보 파악 – 동물 | ③

해석

여 그것은 어류가 아니지만, 바다에서 수영을 잘합니다. 그것은 대부분의 일생을 물에서 지냅니다. 그것은 알을 낳을 때만 바다를 떠납니다. 그것은 딱딱한 껍질을 가지고 있고, 매우 무거워 보입니다. 또 다른 놀라운 사실이 있습니다. 이것은 150년이나 그 이상까지 살 수 있습니다.

해설 육지에 알을 낳고 딱딱한 껍질을 가지고 있으며 150년 이상 사는 동물은 거북이다.

02 그림 정보 파악 – 날짜 | ④

해석

남 4월이네! 이번 달에 특별한 계획이라도 있니?

여 응, 나는 4월 19일에 콘서트에 갈 계획이야. 너는 어떠니?

남 나는 서울 십 대 마라톤에 참가할 계획이야.

여 마라톤이라고? 언제인데?

남 이번 달의 넷째 주 토요일이야. 너도 참가할래?

여 4월 26일에? 아니, 나는 그날에 다른 계획이 있어.

해설 마라톤 대회는 이번 달 네 번째 토요일에 열린다고 했으므로 4월 26일이다.

03 그림 정보 파악 – 날씨 | ①

해석

여 안녕하세요. 오늘은 어린이날입니다. 가족 소풍을 계획하고 계신가요? 그렇다면, 날씨는 걱정하지 마세요. 지금은 비가 약간 내리고 있지만, 곧 그칠 것입니다. 오후에는, 화창하고 따뜻할 거예요. 소풍하기에 완벽한 날입니다!

해설 지금은 비가 조금 오지만 오후에는 화창하고 따뜻해질 거라고 했다.

04 의도 파악 | ④

해석

남 경주가 곧 시작될 거야.

여 응, John이 이번 경주에서 우승하기를 바라!

남 꼭 우승할 거야! 그는 연습을 많이 했거든.

(탕!)

여 그들이 출발했다.

남 봐! 그는 정말 빠르구나!

해설 How fast he is!는 감탄문으로, 남자는 John이 달리는 속도가 매우 빠르다고 칭찬하고 있다.

05 언급하지 않은 것 | ②

해석

남 여러분, 만나서 반갑습니다. 저는 한 달 동안 교환 학생으로 이곳에 왔어요. 제 이름은 Dan이에요. 저는 캐나다에서 왔어요. 저는 지난주에 엄마와 함께 한국에 왔어요. 아빠와 남동생은 캐나다에 있어요. 저는 하키 하는 것을 좋아해요. 저는 한국말을 잘하지 못합니다. 그래서 저는 여러분이 저를 많이 도와주시기를 바라요.

해설 교환 학생으로 온 남자가 자신을 소개하고 있는데 나이는 언급하지 않았다.

06 숫자 정보 파악 – 시각 | ②

해석

남 몇 시에 농구 경기가 시작되지?

여 오후 6시 30분에.

남 그럼, 우리 5시에 만날까?

여 경기 시작 2시간 전에는 나가야 할 거 같은데.

남 알았어. 그때 버스 정류장에서 만나자.

여 좋아. 나중에 보자.

해설 경기 시작 시간이 6시 30분인데 경기 시작 2시간 전에 만나기로 했으므로 두 사람은 4시 30분에 만날 것이다.

07 직업 및 장래 희망 | ①

해석

여 이번 주말에 영화 보러 가자.

남 또? 우린 지난 주말에 이미 두 편이나 봤잖아.

여 너도 알다시피, 내가 영화 보는 걸 정말 좋아하잖아.

남 너는 나중에 영화를 만들고 싶은 거니?

여 아니, 다른 사람들의 인생을 연기해 보고 싶어.

남 너는 장차 배우가 되고 싶다는 말이구나?

여 응, 그래.

해설 영화 관람을 좋아하는 여자는 다른 사람들의 삶을 연기할 수 있는 영화 배우가 되고 싶다고 했다.

08 심정 파악 | ④

해석

여 안녕, David. 어제 집에 잘 들어갔니?

남 응, 네 덕분에.

여 다행이네. 너는 내 우산을 가져왔니?

남 아, 정말 미안한데, 내가 그것을 버스에 두고 내렸어.

여 뭐라고? 맙소사…. 그건 내가 가장 좋아하는 우산이라고! 내가 "우산 돌려주는 것을 잊지 마."라고 여러 번 말했잖아.

남 진정해. 정말 미안해.

해설 여자는 자신이 가장 좋아하는 우산을 남자가 버스에 두고 와서 화가 났다.

09 한 일 / 할 일 파악 | ①

해석

남 나는 청바지 한 벌을 살까 생각 중이야.

여 이 검은색은 어때?

남 글쎄, 난 어두운 색을 좋아하지 않아. 나는 연한 색을 좋아해.

여 이 연한 색 청바지는 어떠니? 하지만, 이곳에는 작은 치수의 청바지밖에 없어.

남 정말? 나는 이 색이 마음에 드는데.

여 그럼, 우리 더 큰 치수를 확인하러 다른 상점으로 가 보자.

남 좋아, 가자.

해설 남자는 연한 색의 바지가 맘에 드는데 작은 사이즈의 바지밖에 없다고 하자 여자는 더 큰 사이즈가 있는 다른 상점에 가자고 했다.

10 주제 파악 | ②

해석

남 무엇을 그리고 있니?

여 나는 가엾은 동물에 관한 포스터를 그리고 있어.

남 무엇 때문에?

여 오, 불쌍한 동물을 구하기 위한 캠페인의 일환이야. 너 그거 알아? 지구상에서 60초마다 동물 한 종씩이 사라지고 있대.
남 정말이야? 놀랍다.
여 나도 몰랐었어. 이 캠페인을 하면서, 동물 보호에 관심을 두게 되었어.
해설 여자는 멸종하고 있는 동물을 위해 포스터를 그리고 있으며 동물을 보호하는 일에 관심을 갖게 되었다고 했다.

11 특정 정보 파악 | ③

해석
남 엄마, 오늘 우리 할아버지를 방문하죠, 그렇죠?
여 응, 그래. 점심 식사 후에 가자.
남 지하철을 타고 가요?
여 아니, 오늘은 내가 운전할 거야.
남 차가 많지 않아요?
여 오늘은 일요일이니까 교통량이 많지 않을 거야.
해설 엄마는 운전해서 할아버지 댁에 간다고 했으므로 두 사람은 자가용으로 갈 것이다.

12 이유 파악 | ④

해석
남 실례합니다만, 이 태블릿 PC를 바꾸고 싶어요.
여 무슨 문제가 있나요? 그것을 이틀 전에 사셨잖아요.
남 네, 하지만 저는 오늘 새 모델이 출시된다고 들었어요. 사실인가요?
여 네. 저희도 그것을 어제 알았어요. 회사가 그것을 비밀로 했거든요.
남 그러면, 제가 이것을 그 새 모델로 교환할 수 있을까요?
여 물론이지요. 그렇지만 추가 비용을 지불하셔야 합니다.
남 물론이지요, 지불하겠습니다.
해설 남자는 오늘 나온 새로운 모델을 사려고 이틀 전에 구입한 태블릿 PC를 교환하려고 한다.

13 장소 추론 | ②

해석
여 안녕하세요. 어떤 문제가 있으시죠?
남 저는 열이 나요. 저는 독감에 걸린 것 같아요.
여 알겠습니다. 이곳에는 처음 오신 건가요?
남 네.
여 그럼, 이 서류를 작성해 주세요. 나중에 이름을 부르겠습니다.
남 얼마나 기다려야 하죠?
여 약 30분 정도 기다리셔야 합니다.
해설 남자는 열이 있어 진찰을 받기 위해 필요한 서류를 작성하고 있으므로 두 사람은 병원에서 대화를 하고 있음을 알 수 있다.

14 그림 정보 파악 – 길 찾기 | ③

해석
여 실례합니다. 피카소 미술관은 어떻게 갈 수 있나요?
남 여기서 10분 정도 걸려요.
여 어떻게 가죠?
남 여기에서 두 블록을 곧장 가서 우회전하세요.
여 두 블록 곧장 가서 우회전하고….
남 5분 쯤 다시 곧장 가세요. 미술관은 그 길의 끝에 있어요.
해설 두 블록을 곧장 가서 우회전한 다음에 다시 곧장 가면, 길 끝에 미술관이 있다고 했으므로 정답은 ③이다.

15 부탁한 일 파악 | ②

해석
남 우리 과학 리포트를 내일 제출해야 하지, 맞지?
여 응, 맞아. 뭐 잘못된 거 있어?
남 내 프린터가 작동하지 않는데, 내일 수리될 거야.
여 그래서 리포트를 아직 출력하지 못했구나.
남 응, 못했어. 대신 출력 좀 해 줄 수 있니?
여 문제없어. 집에 가면 내게 이메일로 보내.
남 정말 고마워, Ann!
해설 남자의 프린터가 고장이 나서 내일 제출할 과제를 출력하지 못하는 상황이라 여자에게 출력을 부탁했다.

16 제안한 일 파악 | ③

해석
남 이거 네 애완동물이야?
여 응, 난 산책시키고 있는 중이야.
남 아주 귀엽구나!
여 응, 그래! 너는 개를 좋아하니?
남 응, 좋아해.
여 애완동물을 키워 보는 거 어때?
남 그러고 싶지만, 우선 엄마한테 여쭤봐야 해.
해설 개를 좋아한다고 한 남자에게 여자는 애완동물을 키워 보라고 제안하고 있다.

17 한 일 / 할 일 파악 | ④

해석
남 너는 이번 주말에 뭐 할 거니?
여 나는 이번 주 토요일에 달리기 대회에 참가할 거야.
남 정말? 멋지다. 나도 달리기를 좋아해.
여 너 나와 함께 갈래?
남 다음에. 나는 주말 동안 일본으로 가족 여행을 갈 거거든.
여 와, 그거 멋지다.
해설 여자가 남자에게 달리기 대회에 나가자고 권하자 남자는 주말 내내 가족과 함께 일본 여행을 간다며 거절하고 있는 내용의 대화이다.

18 직업 및 장래 희망 | ①

해석
남 내 직업은 유명한 사람들을 인터뷰하고 그들의 사진을 찍는 것입니다. 나는 그들에게 그들의 삶과 직업 그리고 가족에 대해 많은 질문을 하죠. 그리고, 신문에 그들의 이야기를 씁니다. 사람들은 신문을 읽고, 유명한 사람들에 대해 좀 더 알게 되죠. 전 제 일이 좋아요.
해설 유명한 사람들과 인터뷰를 하고 사진을 찍으며, 그들의 이야기를 신문에 쓴다고 했으므로 남자의 직업은 기자이다.

19 알맞은 응답 찾기 | ①

해석
여 너 기분이 안 좋아 보여. 무슨 일이니?
남 내일 나는 영어 수업 시간에 연극에서 연기할 거야.
여 영어 연극이니?
남 응. 조별 연극인데, 내 역할은 선생님이야.
여 네 대사는 다 외웠니?
남 물론이지, 하지만 난 몹시 긴장하면 그것들을 잊어버릴지도 몰라.

여 걱정하지 마.
② 슬퍼하지 마. ③ 나는 암기를 잘해.
④ 너는 그것을 기억할 필요 없어. ⑤ 열심히 영어 공부하는 것을 잊지 마.
해설 긴장되어 대사를 잊어버릴까 봐 걱정하고 있는 남자에게 걱정하지 말라고 격려하는 ①이 적절한 응답이다.

20 알맞은 응답 찾기 | ⑤

해석

여 오, 맙소사! 우리 조별 발표에 쓸 컴퓨터 파일을 가져오는 것을 잊었어!
남 파워포인트 파일을 말하는 거야?
여 응, 어떻게 하지?
남 걱정하지 마. 네가 어제 그 파일이 첨부된 이메일을 내게 보냈었잖아. 그러니까 우리는 그것을 내려받을 수 있어.
여 그 말을 들으니 기쁘다.
① 포기하지 마. ② 그거 안됐다. ③ 괜찮아. ④ 나도 그렇게 생각해.
해설 남자가 어제 자신이 이메일로 받은 파일을 내려받으면 된다며 여자를 안심시키고 있으므로 이에 대해 안도하는 ⑤가 적절한 응답이다.

12회 영어 듣기모의고사 pp. 110~111

01 ①	02 ③	03 ①	04 ③	05 ⑤
06 ③	07 ③	08 ②	09 ④	10 ②
11 ⑤	12 ③	13 ①	14 ①	15 ①
16 ②	17 ③	18 ③	19 ②	20 ④

Dictation Test 12회 pp. 112~117

01 ❶ insert a coin ❷ come out from the machine
02 ❶ on the second Tuesday ❷ have one more week
03 ❶ a little cloudy ❷ be sunny and hot
04 ❶ tastes so delicious ❷ make them yourself
05 ❶ have a stomachache ❷ Take this medicine
06 ❶ go shopping ❷ something to buy ❸ before going shopping
07 ❶ be a car designer ❷ design the cars
08 ❶ a little heavy ❷ have health problems
09 ❶ something to tell you ❷ can't go to the movies ❸ cancel the tickets
10 ❶ don't want to use ❷ want to protect nature ❸ can use my cup
11 ❶ drive to work ❷ not safe to drive ❸ take the subway
12 ❶ speak to you ❷ forgot about the place
13 ❶ drove too fast ❷ show me your license
14 ❶ on your right ❷ next to ❸ easy to find
15 ❶ water a few plants ❷ bring the plants
16 ❶ listen to them first ❷ Being a good listener
17 ❶ looking for Jane ❷ is studying now ❸ go there
18 ❶ Did you design this ❷ see the show
19 ❶ she didn't answer ❷ left her cellphone at home
20 ❶ don't look good ❷ lost my bag ❸ my keys are in it

01 그림 정보 파악 – 사물 | ①

해석

남 이것을 어떻게 사용하는지 말씀드릴게요. 먼저, 기계에 동전을 넣으세요. 그런 후, 음료수를 선택하고 버튼을 누르세요. 그러면, 음료수가 기계에서 나올 것입니다. 당신은 그것을 꺼내기만 하면 됩니다.
해설 동전을 기계에 넣고 음료수를 고른 후 버튼을 누르면 음료수가 나온다고 했으므로 음료 자판기에 대한 설명이다.

02 그림 정보 파악 – 날짜 | ③

해석

남 보라야, 우리 수학 시험이 언제이니?
여 응, 이번 달의 두 번째 주 화요일인 것 같아.
남 오늘이 7월 2일이지. 맞니?
여 응. 그래서 우리는 공부할 시간이 일주일 더 있지.
남 오늘 방과 후에 함께 도서관에 공부하러 가지 않을래?
여 좋아.
해설 수학 시험은 두 번째 화요일이고, 오늘이 7월 2일인데 일주일 남았다고 했으므로 수학 시험 날짜는 7월 9일이다.

03 그림 정보 파악 – 날씨 | ①

해석

여 안녕하세요, 여러분. 드디어, 내일이 체육 대회입니다. 지금은 비가 오고 있어요. 그래서 여러분은 내일 날씨에 대해 걱정하고 있을 겁니다. 제가 인터넷으로 날씨를 확인했습니다. 내일은 아침에 약간 구름이 낄 거예요. 오후에는 해가 비치고 더울 것입니다. 그러니 날씨에 대해서는 잊고, 운동복을 입고 오는 것을 잊지 마세요.
해설 지금은 비가 오지만 체육 대회가 있는 내일은 아침에 약간 흐릴 것이라고 했다.

04 의도 파악 | ③

해석

남 이 케이크는 정말 맛있다.
여 고마워. 내가 어젯밤에 그것을 만들었어.
남 정말? 와, 믿을 수가 없어. 이 쿠키들도 맛있어. 네가 이것들도 직접 만들었니?
여 아니. 엄마가 그 쿠키들을 만드셨어. 좀 더 먹을래?
남 고맙지만 사양할게. 나는 배가 불러.
해설 음식을 더 먹으라고 권하는 여자에게 남자는 고맙지만 배부르다며 사양하고 있다.

05 언급되지 않은 것 | ⑤

해석

여 무슨 일인가요?

남 배가 아파요.

여 드신 게 뭔가요?

남 저는 오늘 아침에 우유 한 컵을 마셨어요. 그게 상했던 것 같아요.

여 그럴 수 있어요. 이 약을 식사 후에 하루 세 번 드세요. 그리고 끓인 물과 익힌 음식을 드세요.

남 알겠어요. 그럴게요.

해설 대화에서 남자가 아픈 증상이나 원인, 약 먹는 횟수, 음식 먹는 법은 언급되었으나 치료 기간은 언급되지 않았다.

06 숫자 정보 파악 – 시각 | ③

해석

남 Jane, 오늘 밤에 어떤 계획이 있니?

여 응. 나는 새 운동화가 필요해. 그래서 나는 쇼핑을 가려고 해.

남 그럼, 내가 너와 같이 가도 될까? 나도 사야 할 것이 있거든.

여 물론이지. 6시 30분에 쇼핑몰 앞에서 만나자.

남 6시에 만나서 쇼핑하러 가기 전에 함께 저녁을 먹는 것이 어떠니?

여 오, 그거 좋은 생각이야. 그때 보자.

해설 오늘밤에 쇼핑하러 가기로 한 두 사람은 쇼핑 전에 저녁을 먹기 위해 6시에 만나기로 했다.

07 직업 및 장래 희망 | ③

해석

여 너는 무엇을 읽고 있니?

남 나는 자동차 잡지를 읽고 있어.

여 너는 자동차에 관심 있니?

남 아주 많이. 나는 커서 자동차 디자이너가 되고 싶거든.

여 멋지다. 어떤 종류의 차에 관심 있니?

남 난 스포츠카가 좋아. 그 차들을 멋지게 디자인하고 싶어.

해설 남자는 스포츠카를 디자인하고 싶어한다고 하면서 자동차 디자이너가 되고 싶다고 했다.

08 심정 파악 | ②

해석

여 Brown 씨, 저는 당신의 건강 검진 결과를 봤어요. 당신은 약간 뚱뚱하더군요.

남 제가 어떻게 해야 하죠?

여 당신은 운동하지 않죠, 그렇죠?

남 아니요, 합니다. 아주 조금이지만요.

여 날마다 30분씩 운동하세요. 그렇지 않으면 건강에 문제가 생길 거예요.

남 네, 그럴게요.

해설 여자가 남자에게 운동하지 않으면 문제가 생길 거라며 하는 것으로 보아 남자는 걱정스러울 것이다.

09 한 일 / 할 일 파악 | ④

해석

남 Lisa, 네게 할 말이 있어.

여 뭔데?

남 미안한데, 난 이번 주 일요일에 영화를 보러 갈 수가 없어. 내가 그날 시험을 보는 것을 잊어버리고 있었어.

여 음, 괜찮아. 그런데 우리는 티켓을 취소해야 해.

남 온라인으로 할 수 있지, 그렇지?

여 응. 지금 하자.

해설 두 사람은 이번 주 일요일에 보기로 한 영화표를 온라인으로 취소할 것이다.

10 주제 파악 | ②

해석

남 Susan, 내가 네 컵을 빌릴 수 있을까?

여 저쪽에 종이컵이 조금 있어. 너는 그것들을 사용해도 돼.

남 알아. 하지만 나는 종이컵을 쓰고 싶지 않아.

여 왜 싫어?

남 사람들은 종이컵을 만들기 위해서 많은 나무들을 베거든. 나는 우리 자연을 보호하고 싶어. 그래서 나는 그것들을 쓰지 않을 거야.

여 우리 자연을 위해? 그렇다면 너는 내 컵을 사용해도 돼.

해설 자연 보호를 위해 종이컵을 사용하지 않겠다고 하는 남자의 말을 통해 이 대화는 자연 보호에 대한 내용임을 알 수 있다.

11 특정 정보 파악 | ⑤

해석

여 아, 눈이 많이 내리고 있네요.

남 오늘 운전해서 출근했어요?

여 네, 그랬어요.

남 오늘 운전하는 것은 안전하지 않아요.

여 저도 그렇게 생각해요. 어떻게 집에 가실 거예요?

남 나는 보통 버스로 가는데, 오늘은 지하철을 탈 거예요.

여 알았어요. 저도 지하철로 갈 거예요.

해설 눈이 많이 와서 남자가 지하철로 간다고 하자 여자도 지하철을 이용하겠다고 했다.

12 목적 파악 | ③

해석

[*전화벨이 울린다.*]

여 여보세요, Jack?

남 여보세요, Ann? 너와 지금 통화할 수 있을까?

여 물론이지. 무슨 일이니?

남 나는 내일 우리 조 모임의 장소를 잊었어. 우리 어디서 만나는 거지?

여 우리 집에서 오후 3시에 만나기로 한 거 아니었어?

남 오, 그렇구나. 고마워. 그때 보자.

해설 남자는 내일 모임 장소를 잊어서 이를 물어보려고 여자에게 전화를 걸었다.

13 관계 추론 | ①

해석

남 실례합니다. 제가 당신의 운전면허증을 볼 수 있을까요?

여 왜요? 제가 뭔가 잘못 했나요?

남 제한 속도를 넘어 과속 운전을 하셨어요.

여 아, 전 몰랐어요. 정말 죄송합니다.

남 당신의 운전면허증을 보여 주세요. 저는 당신에게 딱지를 떼야 합니다.

여 그러면, 알겠습니다.

해설 과속을 한 여자에게 남자가 운전면허증을 요구하며 주의를 주는 상황이므로, 두 사람은 경찰관과 운전자의 관계임을 알 수 있다.

14 그림 정보 파악 – 길 찾기 | ①

해석

여 실례합니다. 이 지역에서 백화점까지 가는 길을 알려 주실 수 있나요?
남 잠시만요. 메인 스트리트까지 곧장 가서 모퉁이에서 왼쪽으로 도세요.
여 곧장 가서…, 어느 쪽으로 돌라고요?
남 왼쪽으로 도세요. 당신은 오른편에서 그것을 볼 수 있어요.
여 오, 알겠어요.
남 그것은 꽃 가게 옆에 있어요. 찾기 쉬워요.
여 도와주셔서 감사합니다.

해설 백화점은 직진해서 좌회전하면 오른쪽에 있다고 했으므로 정답은 ①이다.

15 부탁한 일 파악 | ①

해석

남 너희는 언제 대만에 가니?
여 우리는 월요일에 출발할 거야.
남 너는 휴가를 얼마 동안 가니?
여 일주일 동안. Tony, 다음 주에 나 대신 화초에 물을 줄 수 있니?
남 문제없어.
여 정말 고마워! 내가 일요일에 너희 집에 화초를 가지고 갈게.
남 알았어.

해설 휴가를 갈 예정인 여자는 남자에게 화초에 물 주는 것을 부탁했다.

16 제안한 일 파악 | ②

해석

남 미나야. 무슨 일이니? 심각해 보인다.
여 나는 친구를 많이 사귀고 싶은데, 반 친구들이 내 말을 듣지 않아.
남 그들의 얘기를 먼저 들어보는 것은 어떠니?
여 그게 효과가 있을 거라고 생각하니?
남 응. 잘 듣는 사람이 되는 것이 친구를 사귀는 데 중요해.
여 좋아. 노력해 볼게. 충고해 줘서 고마워.

해설 많은 친구들을 사귀고 싶어서 고민하는 여자에게 남자는 우선 잘 들어 주라고 제안하고 있다.

17 한 일 / 할 일 파악 | ③

해석

남 수미야, 안녕. 나는 Jane을 찾고 있어. 너는 그녀를 봤니?
여 그녀는 시립 도서관에서 과학 시험공부를 할 거라고 했어.
남 그녀가 아직 그곳에 있을까? 나는 과학 시험에 관해 몇 가지 질문이 있거든.
여 오, 정말? 그녀는 피아노 수업이 끝난 후에 그곳에 갔어. 아마 지금 도서관에서 공부하고 있을 거야.
남 알았어. 지금 바로 그곳으로 가 볼게. 고마워.

해설 남자는 Jane을 찾으러 도서관에 갈 것이다.

18 직업 및 장래 희망 | ③

해석

남 Amy, 이거 입어 봐라.
여 와! 정말 멋진 치마네요! 이것을 디자인하셨어요, 아빠?
남 그래, 너를 위해 디자인했단다.
여 정말 마음에 들어요! 다음 패션쇼는 언제예요?
남 토요일에 있을 거야.
여 이번에는 제가 쇼를 볼 수 있을까요, 아빠?
남 물론이지. 이번 것은 아동복 패션쇼란다.

해설 딸을 위해 멋진 치마를 디자인해 주고, 토요일에는 패션쇼가 있다는 것으로 보아 남자의 직업은 패션 디자이너임을 알 수 있다.

19 알맞은 응답 찾기 | ②

해석

[*전화벨이 울린다.*]
남 여보세요?
여 여보세요. 저는 Christine이에요. Baker 선생님과 통화할 수 있을까요?
남 그녀는 지금 집에 없어요. 그녀는 슈퍼마켓에 갔어요. 그녀의 휴대 전화로 전화하는 게 어때요?
여 오, 그랬는데, 그녀는 전화를 안 받았어요.
남 잠깐만요. 오, 그녀가 휴대 전화를 집에 두고 갔네요. 메시지를 남기실래요?
여 아뇨, 제가 나중에 다시 전화할게요.

① 응, 나는 기대돼.
③ 물론이죠. 저는 신경 쓰지 않아요.
④ 고맙지만 사양할게요. 저는 많이 먹었어요.
⑤ 네. 저는 그녀와 쇼핑을 갈게요.

해설 메시지를 남길지 묻는 남자의 질문에 대해 나중에 다시 전화하겠다고 말한 ②가 적절한 응답이다.

20 알맞은 응답 찾기 | ④

해석

여 Mike, 너 안 좋아 보인다. 무슨 일이니?
남 나는 무엇을 해야 할지 모르겠어. 도서관에서 가방을 잃어버렸거든. 누군가 벌써 그것을 가져간 것 같아.
여 오, 이런. 그 안에 네 지갑이 있니?
남 응. 그리고 내 휴대 전화와 열쇠도 그 안에 있어.
여 안됐구나.

① 좋아. ② 축하해! ③ 잘됐다. ⑤ 너는 다음번에는 더 잘할 거야.

해설 도서관에서 가방을 잃어버렸는데 휴대 전화와 열쇠도 그 안에 있다고 했으므로 유감을 나타내는 ④가 적절한 응답이다.

13회 영어 듣기모의고사 pp. 118~119

01 ②	02 ②	03 ②	04 ①	05 ②
06 ⑤	07 ③	08 ⑤	09 ①	10 ②
11 ②	12 ④	13 ④	14 ①	15 ④
16 ④	17 ①	18 ③	19 ⑤	20 ①

Dictation Test 13회

pp. 120~125

01 ❶ can jump high ❷ has a pocket ❸ carries its body
02 ❶ near the window ❷ talking on the phone
03 ❶ so nice and sunny ❷ be sunny ❸ to make some shade
04 ❶ broke my mp3 player ❷ feel really upset
05 ❶ just moved from ❷ enjoy drawing
06 ❶ so excited ❷ when will you come back ❸ takes one hour
07 ❶ like reading books ❷ to be a professor ❸ in front of people
08 ❶ there's something wrong ❷ left it on my desk ❸ get in trouble
09 ❶ a piece of pizza ❷ take a shower
10 ❶ land at ❷ enjoyed the light
11 ❶ during the holiday ❷ take the subway ❸ go by bus
12 ❶ tastes good ❷ not hungry ❸ had some snacks
13 ❶ how to use ❷ choose the movie ❸ get the tickets
14 ❶ Where is ❷ Cross the street ❸ on the left
15 ❶ have a lot of guests ❷ lots of food ❸ take out the garbage
16 ❶ too many things ❷ give them to charity
17 ❶ have a bad toothache ❷ made a reservation ❸ Can you go
18 ❶ find my schoolbag ❷ headed for
19 ❶ want to eat ❷ What about
20 ❶ how to use it ❷ turn it on

01 그림 정보 파악 – 동물 | ②

해석

여 그것은 다리가 네 개이고 긴 꼬리가 있습니다. 그것은 뒷다리로 높이 점프할 수 있습니다. 그것은 꼬리로 균형을 잡을 수 있습니다. 그리고 그것은 배에 주머니가 있습니다. 그 주머니에 새끼를 넣고 다닙니다. 이 주머니 속에서, 그것은 새끼를 따뜻하고 편안하게 지킵니다. 그것의 새끼는 그 주머니에 있는 것을 아주 좋아합니다.

해설 다리 네 개와 긴 꼬리를 가지고 있으며 높이 뛸 수 있고, 배에 있는 주머니에 새끼를 넣어 다닐 수 있는 동물은 캥거루이다.

02 그림 정보 파악 – 사람 | ②

해석

여 너는 네 남동생과 함께 이곳에 왔니?
남 응. 그는 창문 근처에 서 있어.
여 안경 쓴 남자를 말하는 거니?
남 아니, 그는 안경을 쓰고 있지 않아. 그는 지금 통화 중이야.

해설 창가쪽에 서서 전화를 걸고 있는 소년이 남자의 남동생이다.

03 그림 정보 파악 – 날씨 | ②

해석

여 James, 날씨가 아주 좋고 화창해.
남 그럼, 우리 공원에 갈까?
여 좋아. 우리 큰 우산을 가져가야겠다.
남 왜? 오후에 비가 올까?
여 아니, 화창할 거야. 하지만 그것이 약간의 그늘을 만드는 데 필요하거든.
남 그거 좋은 생각이다.

해설 오늘 오후에는 날씨가 화창할 것이라고 했다.

04 의도 파악 | ①

해석

여 Sam, 무슨 일이야?
남 Paul이 내 mp3 플레이어를 고장 내서 나는 매우 화가 나.
여 오, 그거 안됐구나. 그런데 Paul은 네 개 맞지, 그렇지 않니?
남 응, 전에 녀석이 내 휴대 전화를 고장 낸 적도 있어. 나는 정말 화가 나.
여 나는 네가 너의 물건을 좀 더 안전한 곳에 두어야 한다고 생각해.

해설 개가 mp3 플레이어를 망가뜨려 화가 나 있는 남자에게 여자는 물건을 안전한 곳에 보관하라며 충고하고 있다.

05 언급하지 않은 것 | ②

해석

남 안녕하세요, 여러분. 저는 준호예요. 만나서 반가워요. 오늘은 이 학교의 첫 번째 날이에요. 저는 광주에서 가족과 이사 왔어요. 제가 좋아하는 과목은 미술이에요. 저는 그림 그리는 것을 좋아해요. 그리고 저는 불고기를 아주 많이 좋아해요. 저는 우리가 좋은 친구가 되기를 바랍니다.

해설 남자는 자신의 이름, 취미, 좋아하는 과목과 음식은 언급하였으나 현재 거주하는 곳에 대해서는 언급하지 않았다.

06 숫자 정보 파악 – 시각 | ⑤

해석

여 Mike, 오늘은 너의 체험 학습 날이야!
남 네, 엄마. 저는 공룡 박물관에 가게 되어 무척 신이 나요.
여 나도 그 말을 들으니 기쁘구나. 그런데 너는 언제 돌아올 거니?
남 흠, 우리는 오후 세 시에 박물관을 떠날 거예요.
여 학교로 돌아오는 데 얼마나 걸리니?
남 버스로 한 시간 반 걸려요.
여 알겠다. 즐거운 여행 되렴!

해설 박물관에서 3시에 떠나는데 학교까지 버스로 1시간 30분 걸린다고 했으므로 학교로 돌아오는 시각은 4시 30분이다.

07 직업 및 장래 희망 | ③

해석

남 넌 또 책 읽고 있구나.
여 응. 알다시피 나는 정말 독서를 좋아해.
남 작가가 되고 싶니?
여 아니, 나는 교수가 되고 싶어. 그런데 내 꿈에 대해 걱정이야.
남 왜?
여 나는 아주 수줍음이 많고 사람들 앞에서 말하는 게 두렵거든.
남 힘내! 넌 할 수 있어. 자신감을 가져!

해설 책 읽는 것을 좋아하는 여자는 장래에 교수가 되고 싶은데 수줍음이 많아서 걱정이라고 했다.

08 심정 파악 | ⑤

해석

남 Jenny, 너 과학 숙제 가져왔지, 그렇지?
여 물론이지. 오, 뭔가 잘못된 것 같은데.
남 무슨 말이니?
여 내 숙제가 가방에 없어. 내가 가방에 넣었다고 생각했는데. 오, 이런. 집에 책상 위에 놓고 왔어.
남 진정해. 엄마에게 전화해서 가져다 달라고 부탁해.
여 그럴 수 없어. 엄마는 일본으로 여행하시는 중이거든. 집에는 아무도 없어.
남 방법이 없네. 과학 선생님께 사실대로 말하는 것이 좋겠다.
여 오, 이번이 두 번째야. 나는 곤란해지고 싶지 않아.

해설 과학 숙제를 집에 두고 왔는데, 엄마가 여행 가서 부탁할 수도 없는 상황이므로 여자는 당황스러울 것이다.

09 한 일 / 할 일 파악 | ①

해석

남 엄마, 저 집에 왔어요. 뭔가 맛있는 냄새가 나네요. 피자인가요?
여 응, 그래. 저녁이야. 어, Mike, 네 옷은 왜 그렇게 더럽니?
남 전 Sam과 농구를 했어요. 엄마, 저는 무척 배가 고파요.
여 그래. 네가 샤워하는 동안 내가 상을 차릴게.
남 엄마, 전 너무 배가 고파요. 지금 당장 피자 한 조각을 먹어도 될까요?
여 안 돼, 너는 먼저 샤워를 해야 한다.
남 네. 지금 바로 할게요.

해설 피자 한 조각을 먹어도 되는지 묻는 남자의 질문에 엄마는 먼저 샤워를 하라고 했고, 남자가 그러겠다고 하는 내용의 대화이다.

10 주제 파악 | ②

해석

남 집중해 주시겠습니까? 저는 기장인 김입니다. 우리는 10분 후에 인천공항에 착륙할 것입니다. 현지 시각은 현재 오후 4시 15분입니다. 지금은 화창합니다. 기온은 25도입니다. 비행을 즐기셨기를 바랍니다. 다음 여행에도 우리 항공기를 이용해 주세요.

해설 비행기 기장이 현재 시각과 날씨, 기온을 말하며 착륙을 안내하고 있다.

11 특정 정보 파악 | ②

해석

남 Chris가 휴일에 우리를 그의 집으로 초대했어.
여 잘됐다.
남 우리 어떻게 갈까?
여 지하철을 타고 가자.
남 우리는 지하철역에서 20분 이상 걸어야 해.
여 그의 집으로 가는 버스가 있어?
남 응. 그의 집 바로 앞에 20번 버스가 정차해.
여 알았어. 버스를 타고 가자.

해설 Chris에게 초대 받은 두 사람은 버스를 타고 Chris의 집에 가기로 했다.

12 이유 파악 | ④

해석

남 이 케이크 좀 먹어 볼래? 내가 만들었어.
여 응, 그래. 맛있어 보인다. (잠시 후) 와! 맛도 역시 좋다.
남 좀 더 먹을래
여 아니, 괜찮아. 나는 배가 고프지 않아.
남 저녁을 벌써 먹었니?
여 아니. 나는 여기 오기 전에 간식을 조금 먹었거든.

해설 음식을 권하는 남자의 제안을 여자는 배가 고프지 않다며 거절하고 있다.

13 장소 추론 | ④

해석

남 실례합니다. 이 티켓 판매기 사용하는 방법을 보여 주실 수 있나요?
여 물론이죠. 영화와 상영 시간은 정하셨나요?
남 네. 오후 5시에 '반 고흐의 일생'이에요.
여 그럼, 영화와 상영 시간을 확인하세요. 그리고 사고자 하는 표의 수를 입력하세요.
남 알겠습니다.
여 마지막으로, 돈을 넣으시면 표를 받으시게 될 거예요.
남 도와주셔서 감사합니다.

해설 영화 티켓 판매기 사용 방법에 대해 안내를 받고 있는 것으로 보아 영화관에서 이루어지는 대화임을 알 수 있다.

14 그림 정보 파악 - 길 찾기 | ①

해석

남 실례합니다. 경기장이 어디에 있나요?
여 저쪽에 있어요.
남 그곳에 어떻게 갈 수 있죠?
여 길을 건너 왼쪽으로 도세요. 곧장 한 블록을 가서 우회전하세요.
남 그곳에서 한 블록 간 다음 우회전해야 하는군요.
여 맞아요. 한 블록을 다시 가면 왼편에 경기장이 보입니다.
남 감사합니다.

해설 길을 건너 왼쪽으로 돈 다음 곧장 한 블록을 가서 우회전하고 한 블록을 다시 가면 왼편에 경기장이 보인다고 했으므로 정답은 ①이다.

15 부탁한 일 파악 | ④

해석

남 엄마, 아주 바빠 보여요.
여 우리는 오늘 저녁에 많은 손님이 오실 거야.
남 많은 손님이요? 무슨 말씀이세요?
여 네 아빠가 친구들을 집에 초대하셨어.
남 알겠어요. 그래서 엄마가 많은 음식을 요리하고 계시는군요. 제가 집을 청소할까요?
여 아니, 네 여동생이 할 거야. 오, 너는 쓰레기를 버려 줄래?
남 네.

해설 여자는 남자에게 쓰레기를 버려 줄 수 있는지 물었고, 남자는 그러겠다고 했다.

16 제안한 일 파악 | ④

해석

남 네게 침대를 사 주려고 하는데, 지민아.
여 감사합니다. 아빠!

남 하지만 네 방에 물건이 너무 많아.
여 아, 아빠, 그것들 모두 필요해요.
남 넌 더 이상 장난감이 필요 없어. 자선 단체에 기부하지 그러니?
여 그게 좋겠어요, 아빠.
해설 남자는 여자에게 필요 없는 장난감을 자선 단체에 기부하라고 제안했다.

17 한 일 / 할 일 파악 | ①

해석
여 아빠, 저는 치통이 심해요. 너무 아파요.
남 오, 그거 안됐구나. 너는 치과에는 갔었니?
여 아직이요. 저는 오늘 오후에 치과에 예약했어요. 하지만 정말 두려워요.
남 진정해, 걱정하지 마. 괜찮을 거야.
여 정말요? 저와 함께 가실래요? 아직도 두려워요.
남 그래, 그럴게.
해설 충치가 있어 치과 예약을 한 여자가 무섭다며 아빠에게 같이 가 달라고 하자 아빠가 승낙하고 있는 내용의 대화이다.

18 목적 파악 | ③

해석
[*전화벨이 울린다.*]
남 여보세요. 메트로 지하철 사무소입니다. 무엇을 도와드릴까요?
여 네. 저는 제 책가방을 찾으려고 전화했어요. 제가 한 시간 전에 그것을 지하철에 두고 내렸거든요.
남 그것은 어떻게 생겼나요?
여 그것은 크고 검은색이에요.
남 지하철 호선을 알려 주실래요
여 서울역으로 가는 4호선이었어요.
해설 여자는 잃어버린 책가방을 찾으려고 지하철 역 사무실에 전화를 걸었다.

19 알맞은 응답 찾기 | ⑤

해석
남 우리는 콘서트 전까지 약 한 시간이 남았어. 저녁을 먹자.
여 좋아. 나는 배고파. 너는 무엇을 먹고 싶니?
남 나는 중국 음식을 먹고 싶어. 너는 어떠니?
여 흠, 사실 나는 중국 음식을 그다지 좋아하지 않아.
남 이탈리아 음식은 어떠니?
여 좋아. 근처의 이탈리아 식당에 가자.
① 나도 그래. 나는 이탈리아 음식을 가장 좋아해.
② 나는 클래식 음악 콘서트를 좋아해.
③ 좋은 생각이야. 표 두 장을 사자.
④ 흠. 나는 콘서트 전에 저녁을 먹고 싶어.
해설 저녁 식사로 이탈리아 음식은 어떤지 의견을 묻고 있으므로 이에 동의하며 가까운 이탈리아 음식점에 가자고 하는 ⑤가 적절한 응답이다.

20 알맞은 응답 찾기 | ①

해석
여 우와, 그거 청소 로봇인가요?
남 네. 여기 보세요.
여 어떻게 사용하는지 말씀해 주실래요?
남 물론이죠. 무척 쉬워요. 먼저, 배터리 팩에 배터리를 넣어요. 그런 다음, 전원을 켜세요. 그러고 나서, 로봇에게 집을 청소하라고 말하세요. 그게 전부예요. 이해하셨나요?
여 네, 그래요.
② 진정하세요. ③ 천만에요. ④ 너무 비싸요. ⑤ 그거 좋군요.
해설 청소 로봇의 사용법을 설명한 후 이해 여부를 묻고 있으므로 이해했다고 답하는 ①이 적절한 응답이다.

14회 영어 듣기모의고사 pp. 126~127

01 ③	02 ④	03 ③	04 ②	05 ②
06 ③	07 ⑤	08 ⑤	09 ③	10 ⑤
11 ④	12 ⑤	13 ④	14 ④	15 ①
16 ④	17 ①	18 ①	19 ①	20 ⑤

Dictation Test 14회 pp. 128~133

01 ❶ long and thin animal ❷ are afraid of me
02 ❶ birthday presents ❷ the pretty skirt ❸ gave me this watch
03 ❶ at many famous places ❷ it was terrible ❸ It was sunny
04 ❶ have any plans ❷ too tired today
05 ❶ I was in London ❷ I'm interested in ❸ good at playing basketball
06 ❶ look very nervous ❷ in ten minutes
07 ❶ jumping through hoops ❷ interested in training dolphins ❸ a great dolphin show
08 ❶ lost my little brother ❷ he wasn't there ❸ has short hair
09 ❶ in the hospital ❷ had a traffic accident ❸ sorry to hear
10 ❶ cooking soup ❷ you taste it
11 ❶ faster than the bus ❷ the subway station
12 ❶ good for us ❷ learn a lot from
13 ❶ brand-new phone ❷ a little expensive ❸ follow me
14 ❶ on your right ❷ to walk there
15 ❶ don't have much time ❷ go to the restroom
16 ❶ I'm planning to cook ❷ may I cook
17 ❶ booked a ticket ❷ can even spend ❸ My flight is
18 ❶ Here's a package ❷ sign here
19 ❶ moved to ❷ How about coming
20 ❶ so much food ❷ missed him

01 그림 정보 파악 – 동물 | ③

해석

남 나는 길고 가는 동물입니다. 나는 팔과 다리가 없습니다. 나는 곤충과 개구리를 먹을 수 있습니다. 나는 냉혈 동물입니다. 나는 겨울에 깊은 잠을 잡니다. 많은 사람이 내 독 때문에 나를 두려워합니다. 그러나 몇몇 사람들은 나를 애완동물로 좋아합니다. 나는 누구일까요?

해설 팔과 다리가 없는 가늘고 긴 냉혈 동물로, 많은 사람들이 무서워하지만 애완동물로도 길러진다고 했으므로 뱀에 대한 설명이다.

02 그림 정보 파악 – 사물 | ④

해석

남 와! 너는 생일 선물을 많이 받았구나!

여 응, 난 아주 행복해. 가방은 우리 아빠가 주신 거고, 책은 내 친구 지나가 준 거야.

남 그 예쁜 치마는 너의 엄마가 주신 거니?

여 아니, 이 치마는 언니가 준 거야. 엄마는 이 손목시계를 주셨어.

남 모든 것이 아주 멋지구나. 네가 부러워.

해설 가방은 아빠에게, 책은 친구에게, 치마는 동생에게 각각 받은 것이고, 엄마는 시계를 선물로 줬다고 했다.

03 그림 정보 파악 – 날씨 | ③

해석

남 Susie, 너 돌아왔구나. 나는 네가 방학 동안에 영국에 갔다고 들었어.

여 응, 그랬지. 그것은 정말 좋았어. 나는 여러 유명한 장소들을 구경했어.

남 작년에 나도 그곳에 갔었어. 비 때문에 끔찍했었는데. 그곳의 날씨는 어땠니?

여 내가 여행하는 동안에는 화창했어.

남 넌 운이 좋았구나.

해설 남자가 작년에 영국으로 여행 갔을 때에는 비 때문에 날씨가 안 좋았지만, 여자가 영국으로 여행 갔을 때에는 화창했다고 했다. (← It was sunny during my trip.)

04 의도 파악 | ②

해석

[*휴대 전화벨이 울린다.*]

남 여보세요, Julie.

여 안녕, Peter. 넌 뭐 하고 있니?

남 나는 그냥 집에서 텔레비전을 보고 있어.

여 이후에 어떤 계획이라도 있니?

남 사실, 아무 계획이 없어. 집에 있을 것 같아.

여 그러면, 오후 4시에 '스타 트랙'을 보러 갈래? 내가 가장 좋아하는 영화야.

남 미안하지만, 오늘은 너무 피곤하거든. 다음에 보자.

해설 영화를 보자고 하는 여자의 제안을 남자가 피곤하다며 거절하고 있는 내용의 대화이다.

05 언급되지 않은 것 | ②

해석

남 안녕, 여러분. 나는 Leo야. 나는 아버지 일 때문에 런던에 있었어. 그러고 나서 나는 2주 전에 이곳으로 이사를 왔어. 지금은 서울 문래동에 살고 있어. 나는 공룡에 관심이 있어. 나는 나의 아버지처럼 의사가 되고 싶어. 나는 또한 농구를 잘해. 나중에 함께 경기하자.

해설 남자의 이름, 사는 곳, 관심사 그리고 장래 희망은 언급되었지만, 나이에 대해서는 언급되지 않았다.

06 숫자 정보 파악 – 시각 | ③

해석

남 너 괜찮니? 무척 긴장돼 보여.

여 나는 곧 많은 사람 앞에서 연설할 거야. 지금 몇 시지?

남 4시야.

여 10분 후에 내 차례가 올 거야.

남 깊게 숨을 쉬면, 괜찮아질 거야.

여 알았어, 그럴게.

해설 여자는 10분 뒤에 많은 사람들 앞에서 연설을 해야 한다고 했는데 현재 시각이 4시이므로 4시 10분에 연설을 시작할 것이다.

07 직업 및 장래 희망 | ⑤

해석

여 봐! 돌고래들이 고리를 통과해서 점프하고 있어!

남 그래. 그들은 아주 똑똑하지.

여 돌고래에 대해 넌 잘 아는구나.

남 물론이지. 돌고래는 내가 가장 좋아하는 동물이야. 난 돌고래를 조련하는 데에도 관심이 있어.

여 오, 정말? 그거 놀랍구나!

남 나는 미래에 멋진 돌고래 쇼를 만들 거야.

해설 남자는 돌고래를 가장 좋아하고 돌고래 조련에 관심이 있어서 나중에 멋진 돌고래 쇼를 할 것이라고 했다.

08 심정 파악 | ⑤

해석

여 저를 도와주실 수 있나요? 저는 제 남동생을 잃어버렸어요.

남 오, 유감이구나. 너는 그를 어디에서 마지막으로 봤니?

여 음…. 저는 그에게 저 큰 나무 앞에서 기다리라고 말했어요. 그리고 아이스크림을 사러 갔죠. 그런데 제가 돌아왔을 때 그가 거기에 없었어요.

남 그는 어떻게 생겼니?

여 그는 노란색 바지를 입고 있고 짧은 머리예요. 제발 그 애를 찾아 주세요.

해설 여자는 동생을 잃어버려 남자에게 생김새를 말하며 도움을 요청하고 있으므로 여자의 심정은 걱정스러울 것이다.

09 한 일 / 할 일 파악 | ③

해석

남 오늘 오후에 무엇을 할 계획이니?

여 나는 병원에 있는 Jane을 보러 갈 거야.

남 병원? 무슨 일이 있었니?

여 오, 너 그거 모르니? 그녀는 교통사고를 당해서 팔이 부러졌어.

남 아, 그런 소식을 듣게 되다니 유감이야. 나도 같이 가도 되니?

여 좋아. 함께 그녀를 보러 가자.

해설 두 사람은 오늘 오후에 교통사고로 팔이 부러져 병원에 입원해 있는 Jane을 병문안 가기로 했다.

10 주제 파악 | ⑤

해석

여 무엇을 하고 있니, Tom?

남 전 수프를 요리하고 있어요, 엄마. 수업 시간에 그것을 배웠거든요.

여 무슨 종류의 수프를 만들고 있니?
남 닭고기 수프요. 맛 좀 봐 주실래요?
여 좋아. (잠시 후) 훌륭하구나. 마음에 들어.
남 정말 고맙습니다.
해설 수업 시간에 배운 요리를 직접 해 보고 엄마에게 맛을 봐 달라고 하고 있는 상황이므로 이 대화는 요리 실습에 관한 내용이다.

11 특정 정보 파악 | ④

해석
남 서울 공원에 버스 타고 가고 싶니?
여 아니. 택시를 타자. 그것이 버스보다 더 빠를 거야.
남 맞아. 하지만 우리는 서두를 필요가 없어. 지하철은 어떠니?
여 여기서 지하철역까지는 가깝니?
남 응. 모퉁이만 돌면 있어.
여 좋아.
해설 서울 공원에 가기로 한 두 사람은 지하철을 타기로 했다.

12 이유 파악 | ⑤

해석
여 나는 텔레비전이 좋아. 나는 텔레비전이 우리에게 유익하다고 생각해.
남 넌 왜 그렇게 생각하니, Mary?
여 왜냐하면 우리는 텔레비전에서 하는 여러 좋은 프로그램에서 많은 것을 배울 수 있거든. 그것에 대해 어떻게 생각해?
남 나는 그렇게 생각하지 않아. 사람들은 텔레비전 때문에 서로 이야기를 하지 않거든.
해설 여자는 TV의 여러 좋은 프로그램을 통해 많은 것을 배울 수 있다고 했다.

13 관계 추론 | ④

해석
여 저는 이 전화기가 좋아요. 얼마예요?
남 2년 동안 매달 50달러씩 내야 해요. 새로 나온 전화기죠.
여 좋아 보이지만 조금 비싸네요. 다른 것 좀 보여 주실 수 있나요?
남 네, 저를 따라오세요. 저쪽에 더 많은 전화기가 있어요.
여 알겠어요.
해설 여자는 전화기를 사려고 하고 남자가 안내를 하고 있는 것으로 보아, 두 사람은 판매원과 손님의 관계임을 알 수 있다.

14 그림 정보 파악 – 길 찾기 | ④

해석
남 이 근처에 서점이 있나요?
여 음…. 앞으로 직진하세요. 서점은 오른쪽에 있어요. 그것은 제과점과 커피숍 사이에 있어요. 그 서점의 이름은 K Book이에요.
남 그냥 곧장 가라고요?
여 맞아요. 그곳까지는 걸어서 5분 걸려요.
남 알겠습니다. 대단히 고맙습니다.
해설 남자가 가려는 서점은 직진하면 커피숍과 빵집 사이에 있다고 했으므로 서점의 위치는 ④이다.

15 부탁한 일 파악 | ①

해석
남 도착했다. 우린 시간이 충분하지 않아.
여 응. 영화가 10분 후에 시작할 거야.
남 우선 매표소에서 티켓을 받아야 해.
여 네가 직접 해 줄래? 나, 지금 화장실에 먼저 가야 하거든.
남 알았어, 그럴게.
해설 남자는 화장실에 가야 하기 때문에 여자에게 예약한 티켓을 매표소에서 직접 받아 줄 것을 부탁했다.

16 제안한 일 파악 | ④

해석
남 엄마, 저녁 식사는 뭐예요?
여 스파게티를 만들려고 해. 네가 좋아할 것 같아서.
남 오, 이런. 사실, 점심에 친구들과 스파게티를 먹었어요.
여 정말이니? 몰랐네.
남 대신에, 제가 저녁 식사로 비빔밥을 요리해 드려도 될까요? 제가 맛있는 비빔밥을 만들 수 있어요.
여 오, 좋은 생각이구나.
해설 남자는 스파게티를 점심 식사로 먹었다며 엄마에게 자신이 직접 비빔밥을 요리해 드릴 것을 제안하고 있다.

17 특정 정보 파악 | ①

해석
여 나 드디어 시드니행 티켓을 예매했어.
남 좋겠다! 이제 너는 크리스마스 동안 가족을 방문할 수 있겠구나.
여 맞아! 난 매우 기뻐.
남 언제 떠나는데?
여 12월 23일에 출발해. 나는 크리스마스이브도 가족과 함께 보낼 수 있게 되었어.
남 아침 비행기이니?
여 응. 내 항공편은 오전 6시에 있어.
해설 여자는 12월 23일 아침 비행기를 예약했으며, 가족들과 크리스마스이브를 보낼 것이라고 했다.

18 직업 및 장래 희망 | ①

해석
[*딩동!*]
남 안녕하세요, 부인. 당신이 김미리 씨인가요?
여 아니요, 제가 아닌데요. 그녀는 지금 집에 없어요. 저는 그녀의 언니예요. 뭘 도와드릴까요?
남 여기 샌프란시스코에서 소포가 하나 왔어요. 이것을 받아서 그녀에게 전해 주시겠어요?
여 그러지요.
남 감사합니다. 여기에 서명해 주세요.
여 알겠습니다.
해설 남자는 소포를 배달해 주는 배달원이다.

19 알맞은 응답 찾기 | ①

해석
남 나는 네가 새 아파트로 이사했다고 들었어.
여 응, 맞아. 나는 근처로 이사 왔어.
남 언제 이사했니?
여 지난 일요일에. 이번 주 토요일에 새 아파트에서 파티하려고 하는데. 파티를 위해 나의 새집에 오는 게 어떠니?
남 좋아.

② 내가 그것들을 가질게. ③ 어서 하렴.
④ 만나서 반가워. ⑤ 정말? 다시 만나서 반가워.
해설 여자가 새로 이사 와서 남자를 초대하고 있으므로 이에 대해 수락하는 ①이 적절한 응답이다.

20 알맞은 응답 찾기 | ⑤
해석
남 와, 엄마. 식탁 위에 음식이 왜 이렇게 많아요?
여 우리는 오늘 저녁에 특별한 저녁 식사를 할 거야.
남 특별한 저녁이요? 왜요
여 아, 너의 삼촌이 L.A.에서 돌아오셨어. 너는 그를 보고 싶어 했잖아.
남 저는 그를 보는 게 너무 기대 돼요.
① 저는 괜찮아요. ② 힘내세요!
③ 많이 드세요. ④ 안 됐네요.
해설 여자는 남자가 그리워하던 삼촌이 LA에서 왔다고 했으므로 기대된다고 하는 ⑤가 적절한 응답이다.

15회 영어 듣기모의고사 pp. 134~135

01 ③	02 ②	03 ③	04 ②	05 ⑤
06 ③	07 ③	08 ②	09 ②	10 ①
11 ④	12 ⑤	13 ④	14 ③	15 ①
16 ②	17 ②	18 ①	19 ②	20 ⑤

Dictation Test 15회 pp. 136~141

01 ❶ show you the time ❷ see three hands ❸ with the numbers
02 ❶ black with small white dots ❷ on the left glove
03 ❶ started with some clouds ❷ wear rain boots
04 ❶ bought a soccer ball ❷ Can you play
05 ❶ lives next door to me ❷ because of his job
06 ❶ stays at school ❷ have only ten minutes
07 ❶ write a review ❷ be a movie reviewer
08 ❶ down again ❷ what to do
09 ❶ go to the zoo ❷ just stay at home ❸ I'll call her
10 ❶ some volunteer work ❷ make them laugh ❸ people in need
11 ❶ time to go ❷ not far from here
12 ❶ do volunteer work ❷ visit the post office ❸ sign up
13 ❶ looking for a tie ❷ May I try on
14 ❶ in front of you ❷ on the first street ❸ on your left
15 ❶ English novel for my son ❷ something fun and easy ❸ fun to read
16 ❶ stopped working again ❷ get a new phone
17 ❶ I'm so bored ❷ How about basketball
18 ❶ taking a boat ❷ tell you about
19 ❶ be late for ❷ bring your science homework
20 ❶ going anywhere on vacation ❷ planning to do

01 그림 정보 파악 – 사물 | ③
해석
남 그것은 여러분에게 언제 어디서나 시간을 보여 줍니다. 당신은 그것에서 세 개의 바늘을 볼 수 있어요. 예를 들면, 시침, 분침, 초침이 있어요. 그러나 바늘이 없는 디지털로 된 것도 있어요. 대신에, 디지털로 된 것은 숫자로 시간을 보여 주지요.
해설 시침, 분침, 초침으로 구성된 세 개의 바늘을 가지고 있으며, 언제 어디서나 시간을 보여 주는 것은 시계에 대한 설명이다.

02 그림 정보 파악 – 사물 | ②
해석
여 저는 제 장갑을 잃어 버렸어요.
남 무슨 색깔인가요?
여 검은 색이고 작은 흰색 점들이 있어요.
남 장갑에 또 다른 것이 있습니까?
여 제 이름인 'Sue'가 왼쪽 장갑에 있어요.
남 알겠어요. 확인해 볼게요.
해설 작은 흰색 점들이 있는 검은색 장갑으로, 왼쪽 장갑에는 Sue라는 이름이 있다고 했으므로 정답은 ②이다.

03 그림 정보 파악 – 날씨 | ③
해석
여 안녕하세요. 저는 기상 리포터 Jessica Kim입니다. 오늘 아침은 하늘에 구름이 낀 채 시작했는데요. 하지만 지금은 대부분 지역에서 햇빛이 비치고 있습니다. 내일은 많은 비가 내리겠습니다. 따라서 외출하실 때는 우산을 가져가시고, 장화를 신으세요.
해설 내일은 폭우가 올 예정이므로 우산과 장화를 챙기라고 했다.

04 의도 파악 | ②
해석
여 주말은 어땠니, Peter?
남 좋았어. Jenny. 나는 K몰에 갔었어.
여 정말? 거기서 뭘 했는데?
남 축구공과 티셔츠를 샀어.
여 와, 너는 즐거운 시간을 보냈구나. 너는 축구하는 것을 좋아하지, 그렇지?
남 맞아. 나는 이번 토요일에 축구를 할 거야. 너도 나와 함께할래?
여 문제없어.
해설 No problem.은 상대방의 제안을 승낙하는 표현이다.

05 언급하지 않은 것 | ⑤
해석
남 Brown 씨는 우리 옆집에 삽니다. 그분은 우리 엄마의 가장 친한 친구입니다. 그분은 주말마다 엄마를 만납니다. 그분은 매우 친절합니다. 그분은 간호사입니다. 그분은 캐나다 출신입니다. 남편은 일 때문에 일본에 삽니다. 그분은 두 명의 자녀를 두고 있으며, 그들은 엄마와 함께 살고 있습니다.

해설 엄마 친구의 사는 곳, 성격, 직업, 출신지는 언급하였으나 학력에 대해서는 언급하지 않았다.

06 숫자 정보 파악 – 시각 | ③

해석

여 안녕, Harry! 너 바빠 보인다. 어디 가는 길이니?

남 나는 영어 선생님을 만나러 가야 해.

여 한 선생님 말이니? 내가 듣기로는 그는 보통 6시까지 학교에 계신다던데.

남 너무 늦은 것 같아. 겨우 10분 남았어.

여 맞아. 하지만 빨리 달리면, 그를 만날 수 있을 거야. 서둘러!

남 알았어. 고마워.

해설 영어 선생님이 6시까지 학교에 계신데 10분밖에 남지 않았다고 했으므로 현재 시각은 5시 50분이다.

07 직업 및 장래 희망 | ③

해석

남 영화는 어땠니?

여 연기가 훌륭했어.

남 줄거리는 어때?

여 조금 지루했어.

남 이 영화에 대한 비평도 쓸 거야?

여 물론이지. 사실 난 내 꿈을 위해 비평 쓰는 것을 즐겨.

남 너는 영화 평론가가 되고 싶니?

여 응, 그래.

해설 영화를 보고 비평을 쓴다는 여자는 영화 평론가가 되고 싶다고 했다.

08 심정 파악 | ②

해석

남 Susan, 무슨 일이니?

여 난 정말 화가 나.

남 무슨 문제가 있니?

여 내 컴퓨터가 또 작동이 안 돼. 이번이 세 번째야.

남 그거 안됐구나.

여 나는 컴퓨터로 해야 할 숙제가 있어. 어떻게 해야 할지 모르겠어.

해설 숙제를 해야 하는데 컴퓨터가 계속 다운되어 여자는 속상해 하는 상황이다.

09 한 일 / 할 일 파악 | ②

해석

남 내일은 토요일이야. 우리 동물원에 가자.

여 나도 가고 싶지만, 갈 수 없어. 다음주 월요일에 시험이 있거든. 그래서 시험공부를 해야만 해.

남 모두 바쁘네. 나는 그냥 집에 있어야 할 거 같아.

여 Mary에게 물어 보는 건 어때? 그 애는 동물을 정말 좋아하거든.

남 정말? 지금 바로 전화해 봐야겠구나.

해설 토요일에 동물원에 가자는 남자의 제안을 여자가 거절하면서 Mary에게 물어보라고 제안하자 남자도 그러겠다고 했으므로, 남자는 대화 후에 Mary에게 전화를 할 것이다.

10 주제 파악 | ①

해석

남 안녕, Jenny. 너는 즐거운 주말 보냈니?

여 응. 나는 'Happy Children's House'에서 자원봉사를 좀 했어.

남 거기에서 무엇을 했니?

여 나는 아이들이 숙제하는 것을 도와주고, 책을 읽어 주고, 그들 방을 청소해 줬어.

남 우와. 너는 좋은 일을 했구나.

여 나는 그들을 많이 웃게 해 줘서 정말 기분이 좋았어. 다음 주에 나와 같이 가는 거 어떠니?

남 좋아. 나도 도움이 필요한 사람들을 돕고 싶어.

해설 어린이집에서 아이들을 위해 봉사하는 여자가 남자에게 함께하자며 제안하는 내용의 대화이다.

11 특정 정보 파악 | ④

해석

남 농구 경기장에 갈 시간이야.

여 우리, 버스나 지하철을 타야 하나?

남 그럴 필요 없어. 여기에서 멀지 않거든.

여 그럼 우리, 걸어서 갈 수 있어?

남 응, 그래. 가자.

해설 두 사람은 농구 경기장까지 걸어서 가기로 했다.

12 목적 파악 | ⑤

해석

[*전화벨이 울린다.*]

여 우체국입니다. 무엇을 도와드릴까요?

남 우체국에서 봉사 활동을 하고 싶습니다. 제가 무엇을 해야 하나요?

여 학생증을 가지고 우체국을 방문해야 합니다. 언제 일하고 싶은가요?

남 이번 주 금요일 오후에 봉사하고 싶습니다.

여 그렇다면 금요일 전에 등록해야 합니다. 이해했나요?

남 네, 이해했습니다. 고맙습니다.

해설 남자는 금요일 오후에 자원봉사를 하고 싶다며 전화를 걸었고, 이에 대해 여자가 안내하고 있는 내용의 대화이다.

13 관계 추론 | ④

해석

여 도와드릴까요, 손님?

남 네, 부탁드릴게요. 저는 넥타이를 찾고 있어요.

여 여기 멋진 것들이 몇 개 있습니다. 무슨 색을 좋아하시죠?

남 저는 갈색이 좋아요. 저 갈색 넥타이를 한번 해 봐도 될까요?

여 물론이죠. (*잠시 후*) 잘 어울리네요.

해설 남자는 넥타이를 찾고 있고, 여자는 여러 넥타이를 보여 주는 것으로 보아 두 사람은 점원과 손님의 관계이다.

14 그림 정보 파악 – 길 찾기 | ③

해석

남 실례합니다. 저는 Mali B&B House를 찾고 있어요.

여 앞을 보세요.

남 네.

여 세 개의 작은 길이 있습니다. 첫 번째 거리에 있는 레스토랑이 보이시나요?

남 네, 보입니다.
여 첫 번째 거리로 가세요. 똑바로 가서 모퉁이에서 우회전하세요. 숙소는 왼쪽에 있어요.
남 감사합니다.
해설 레스토랑이 있는 골목으로 들어가서 직진하다가 모퉁이에서 우회전하면 왼쪽에 숙소가 있다고 했으므로 정답은 ③이다.

15 장소 추론 | ①

해석
여 무엇을 도와드릴까요?
남 전 아들에게 줄 영어 소설을 찾고 있어요.
여 마음에 두고 있는 것이 있나요?
남 아니요. 하지만 저는 재미있고 쉬운 것을 원해요.
여 이 책은 어떤가요? 이것은 읽기에 쉽고 재미있어요. 또한, 십 대들 사이에서 인기 도서 중 하나예요.
남 완벽해요! 그것으로 할게요.
해설 여자가 아들이 읽을 책을 고르고 있는 남자를 도와주고 있는 상황으로, 대화가 이루어지고 있는 장소는 서점이다.

16 제안한 일 파악 | ②

해석
남 아, 이런! 내 전화기가 또 작동하지 않네.
여 누군가에게 전화해야 되니?
남 응, 엄마한테 전화해야 해.
여 내 스마트폰을 써.
남 고마워.
여 새것을 하나 사는건 어때?
남 응, 새것을 사려고 생각 중이야. 이건 아주 오래됐어.
해설 휴대 전화가 자주 고장 나는 남자에게 여자가 새 휴대 전화를 사라고 제안하는 내용의 대화이다.

17 특정 정보 파악 | ②

해석
[*전화벨이 울린다.*]
여 여보세요?
남 여보세요, Jenny. 나야, Tim. 난 오늘 너무 지루해. 나랑 탁구하는 거 어떠니?
여 아니. 나는 하는 방법을 몰라. 농구는 어때?
남 음… 좋아. 몇 시에 만날까?
여 공원 앞에서 3시에 만나자.
남 좋아. 그때 보자.
해설 남자는 탁구를 하자고 했지만 여자가 탁구를 할 줄 모른다며 농구를 하자고 해서 이를 남자가 수락했으므로 두 사람은 농구를 할 것이다.

18 직업 및 장래 희망 | ①

해석
여 오늘 오전에는 우리 어디에 방문할 예정인가요?
남 과학박물관을 먼저 방문할 거예요. 그 다음 우리는 프랑스 식당에서 점심을 먹을 거예요.
여 오늘 우리는 배를 타나요?
남 네, 점심 식사 후에 강에서 배를 탈 거예요.
여 좋습니다.
남 이제 모두 버스에 탑승하셨죠? 우선, 오늘 우리 계획에 대해 말씀드리겠습니다.
해설 여자에게 오전 일정을 자세히 알려 주고, 모두 버스에 탑승했는지 확인한 다음 오늘 계획에 대해 알려 준다고 하는 것으로 보아 남자는 관광 가이드임을 알 수 있다.

19 알맞은 응답 찾기 | ②

해석
남 엄마, 지금 몇 시예요?
여 벌써 8시야, Peter. 서둘러! 학교에 늦겠다.
남 네, 지금 가고 있어요.
여 과학 숙제 가지고 가는 거 잊지 마.
남 알았어요. 고마워요.
① 기쁘다. ③ 놀랍구나! ④ 잘했어. ⑤ 흥미롭게 들린다!
해설 과학 숙제를 가져가는 것을 잊지 말라고 당부하는 여자의 말에 대해 알았다고 하는 ②가 적절한 응답이다.

20 알맞은 응답 찾기 | ⑤

해석
남 안녕, Dina. 방학 때 어디든 갈 거니?
여 응, 가족과 함께 호주에 갈 거야. 오페라 하우스에 가 보고 싶어. 넌 어떠니?
남 난 부산에 갈 거야. 삼촌이 거기 사시거든.
여 거기에서 뭐할 건데
남 우리는 해운대 해변에서 수영하러 갈 거야.
여 좋겠구나. 나는 방학이 몹시 기대돼.
남 그래. 나도 기대 돼.
① 걱정하지 마. ② 정말 고마워.
③ 응, 그는 그래. ④ 나는 그것에 대해 만족하지 않아.
해설 방학이 기대된다는 여자의 말에 대해 자신도 그렇다며 기대를 표현하는 ⑤가 적절한 응답이다.

16회 영어 듣기모의고사 pp. 142~143

01 ④	02 ②	03 ⑤	04 ④	05 ⑤
06 ⑤	07 ⑤	08 ①	09 ⑤	10 ③
11 ②	12 ②	13 ④	14 ④	15 ①
16 ②	17 ④	18 ③	19 ③	20 ⑤

Dictation Test 16회 pp. 144~149

01 ❶ fly it in the air ❷ On a windy day
02 ❶ bought this for me ❷ has a big apple
03 ❶ hot and sunny day ❷ cloudy and cool
04 ❶ great to see you ❷ miss your flight
05 ❶ pack sunglasses ❷ need a jacket

06 ❶ What time is it ❷ The movie starts ❸ a little hungry

07 ❶ won first prize ❷ be a car designer ❸ will come true

08 ❶ had a great day ❷ proud of you

09 ❶ make an appointment with ❷ complaining of a headache ❸ bring him right away

10 ❶ we are looking for ❷ please report it

11 ❶ waiting for my friend ❷ had a fever

12 ❶ What kind of classes ❷ have soccer practice

13 ❶ brought my book ❷ the due date for

14 ❶ on the corner of ❷ a parking lot

15 ❶ while I'm away ❷ water about once a week ❸ water about twice a week

16 ❶ feeling well ❷ get some rest

17 ❶ invited my friends ❷ watched a movie

18 ❶ did you fly in space ❷ went on a spacewalk ❸ an amazing experience

19 ❶ don't look well ❷ told me to go home

20 ❶ there's something interesting ❷ can swim on Christmas day

01 그림 정보 파악 – 사물 | ④

해석

여 그것은 일종의 장난감입니다. 여러분은 그것을 하늘에 날릴 수 있습니다. 그것은 날개가 없습니다. 그것을 날리기 위해서, 당신은 바람만 있으면 됩니다. 바람 부는 날에, 그것을 날리는 것은 매우 재미있습니다. 한국에서는, 아이들이 특별한 명절에 그것을 날립니다. 이것은 무엇일까요?

해설 바람 부는 날에 날리기 좋은 장난감이고, 한국에서 명절에 아이들이 갖고 노는 것은 연에 대한 설명이다.

02 그림 정보 파악 – 사물 | ②

해석

남 셔츠 정말 멋지다!

여 고마워. 삼촌이 나를 위해 이것을 사 주셨어.

남 그는 그것을 어디서 사셨니? 그거 아니?

여 응, 그는 이것을 뉴욕에서 사셨어. 지난달에 그곳으로 출장을 가셨거든.

남 그래서 셔츠에 큰 사과 그림이 있구나.

여 맞아. 그것은 뉴욕 시의 상징이래.

해설 여자는 뉴욕의 상징인 큰 사과가 그려진 셔츠를 입고 있다.

03 그림 정보 파악 – 날씨 | ⑤

해석

남 좋은 아침입니다. 오늘의 날씨 예보입니다. 대부분 지역이 덥고 화창하겠습니다. 서울은 화창하겠습니다. 부산은 덥고 습하겠습니다. 그러나 강릉은 흐리고 서늘하겠습니다. 제주도는 맑지만 바람이 불겠습니다.

해설 서울은 화창할 것이라고 했다.

04 의도 파악 | ④

해석

여 방문하러 와 줘서 고마워.

남 내가 기뻐. 널 다시 만나서 정말 좋았어.

여 언제 또 볼 수 있을까?

남 내가 전화로 알려줄게.

여 그래. 넌 가야겠다. 안 그러면 비행기를 놓칠 거야.

해설 You'd better ~.는 상대방에게 충고하는 표현이다.

05 언급하지 않은 것 | ⑤

해석

남 안녕, Amy, 너는 여행 갈 준비했니?

여 아니 아직. 나는 여전히 짐을 싸고 있어. 무엇을 가져가야 할지 모르겠어.

남 선글라스와 모자는 챙겼니? 제주도는 화창하고 더울 거야.

여 응, 챙겼어. 재킷도 필요할까?

남 물론이지. 밤에는 바람이 불고 서늘할 거야. 비옷은 챙겼니?

여 비가 올까?

남 거기는 날씨가 자주 변해. 가져가는 게 좋을 거야.

여 응, 그럴게.

해설 여자가 여행에 가져갈 물건으로 우산은 언급하지 않았다.

06 숫자 정보 파악 – 시각 | ⑤

해석

남 지금 몇 시니?

여 6시 40분이야.

남 우리 뭐 좀 먹을 시간이 있을까?

여 물론이지. 영화는 30분 후에 시작해.

남 그럼 간단한 간식을 먹자. 모퉁이에 도넛 가게가 있어.

여 좋아. 실은 나도 조금 배가 고프거든.

해설 지금 시각이 6시 40분이고, 영화는 30분 뒤에 시작한다고 했으므로 영화의 시작 시각은 7시 10분이다.

07 직업 및 장래 희망 | ⑤

해석

남 너 그거 아니, Jane?

여 뭔데?

남 David가 미래의 자동차 디자인 경연 대회에서 일등을 했어.

여 굉장하구나. David는 자동차 그리는 것을 좋아하지, 그렇지 않니?

남 응, 그래. 그의 방에는 여러 다양한 모델 자동차들이 있어. 그는 자동차 디자이너가 되고 싶다고 말했어.

여 아, 그래서 그는 모델 자동차를 수집하는구나.

남 맞아! 나는 언젠가 그의 꿈이 이뤄질 거라고 확신해.

해설 미래 자동차 디자인 대회에서 대상을 받은 David는 자동차 디자이너가 되고 싶어 한다고 했다.

08 심정 파악 | ①

해석

남 오늘 학교는 어땠니?

여 멋진 하루였어요, 아빠.

남 오, 좋은 소식이라도 있니?

여 지난번에 제가 수학 시험에서 나쁜 점수를 받았잖아요.

남 그래, 기억난다. 네가 크게 실망했었지.

여 그런데 있잖아요. 오늘 본 시험에서 A를 받았어요.
남 와, 축하한다! 네가 정말 자랑스럽구나.
해설 지난 수학 시험 성적이 좋지 않았던 여자가 오늘 시험에서는 A를 맞아 아빠가 칭찬해 주고 있으므로, 여자는 기쁠 것이다.

09 한 일 / 할 일 파악 | ⑤

해석

[전화벨이 울린다.]

남 여보세요. 닥터 Brown 진료소입니다. 뭘 도와드릴까요?
여 네. 의사 선생님과 예약을 하려고요.
남 무엇에 대한 예약이죠?
여 오늘 아침에 제 아들 Tony가 침대에서 점프하다가 떨어져서 머리를 책상에 부딪쳤어요.
남 아이가 두통을 호소하나요?
여 네.
남 아, 심각한 것 같군요. 아이를 즉시 데려오셔야 합니다.
여 네. 감사합니다.
해설 남자의 마지막 말 You should bring him right away.에서 아들을 즉시 병원으로 데려오라고 했고 여자가 알겠다고 했으므로 여자는 아들을 병원에 데려갈 것이다.

10 주제 파악 | ③

해석

남 신사 숙녀 여러분, 우리는 5살짜리 소년을 찾고 있습니다. 그의 이름은 Paul입니다. 그는 파란색 셔츠에 흰색 바지를 입고 있습니다. 여러분은 그를 보시면, 안내 데스크에 알려 주시기 바랍니다. 감사합니다.
해설 5살짜리 소년을 찾고 있다고 안내하는 방송이다.

11 특정 정보 파악 | ②

해석

여 이봐, Greg! 무슨 일로 도서관에 왔니?
남 나는 기말고사를 대비해 공부하고 있어. 너는 여기에서 뭘 하고 있니?
여 나는 내 친구 Sally를 기다리고 있어. 그녀의 공책을 복사해야 하거든.
남 왜? 수업을 놓쳤니?
여 어제 열이 나서 학교에 올 수 없었거든.
남 오, 그것 참 안됐구나.
해설 여자는 어제 결석을 해서 친구에게 공책을 복사하려고 도서관에서 기다리고 있다고 했다.

12 이유 파악 | ②

해석

여 우리 방과 후 수업을 듣는 게 어때?
남 좋은 생각이야! 어떤 종류의 수업이 있는데
여 요리, 댄스, 미술 그리고 스포츠 수업이 있어.
남 댄스 수업을 같이 듣자. 그것은 화요일마다 있네.
여 나도 듣고 싶지만, 나는 매주 화요일에 독서 모임이 있어. 요리 수업은 어때?
남 그것은 수요일마다 있네. 나는 수요일마다 축구 연습이 있어.
여 음, 이번에는 서로 다른 수업을 듣는 게 낫겠다.
해설 남자는 수요일에 축구 연습이 있어서 요리 수업을 들을 수 없다고 했다.

13 관계 추론 | ④

해석

남 실례합니다, Roberts 선생님. 저는 독후감을 가져왔습니다. 너무 늦어서 죄송해요.
여 그래. 어디 한번 보자. *(잠시 후)* 책은 재미있었니?
남 네, 저는 특히 주인공이 마음에 들었어요. 그는 용감하고 절대 포기하지 않았어요.
여 내가 방금 네 독후감을 훑어봤다. 참 잘했구나! 그런데 다음에는 독후감 제출일을 잊으면 안 돼.
남 알겠어요. 고맙습니다, Roberts 선생님.
해설 늦게 제출한 독후감 숙제에 대해 나누는 대화이므로 두 사람은 교사와 학생의 관계임을 알 수 있다.

14 그림 정보 파악 – 길 찾기 | ④

해석

남 실례합니다. 여기가 처음이거든요. 주차장이 어디에 있나요?
여 음… 우선, 서점을 찾으셔야 해요. 웨스턴 로와 5번가의 모퉁이에 있어요. 그게 보이세요?
남 네, 보여요.
여 서점과 병원 사이에 주차장이 있어요.
남 아, 알겠어요. 정말 고맙습니다.
여 천만에요.
해설 주차장은 서점과 병원 사이에 있다고 했다.

15 부탁한 일 파악 | ①

해석

여 내가 없는 동안 내 화초들에 물 좀 줄래?
남 그럼, 뭘 해야 되는지 말만 해.
여 부엌에 있는 이 화분들에 1주일에 1번 물을 주면 돼.
남 알았어.
여 그리고 거실에 있는 대부분의 화초들은 1주일에 2번 정도 물을 주면 돼.
남 알겠어. 너를 대신해서 내가 화초들을 돌볼게.
해설 여자의 첫 번째 말 Can you water my plants ~?에서 자신이 없는 동안 화초에 물을 좀 주라는 부탁임을 알 수 있다.

16 제안한 일 파악 | ②

해석

여 Jeff, 너 안색이 안 좋은데. 괜찮은 거야?
남 요즘 며칠 동안 몸이 안 좋거든.
여 의사한테 가 봐야 되겠네. 요즘 독감이 유행이라고 들었어.
남 독감에 걸린 것 같진 않아. 단지 아주 피곤해서 그래. 그게 다야.
여 그러면 너 좀 쉬어 주는 게 어때?
남 좋은 생각이네.
해설 여자는 피곤해 하는 남자에게 휴식을 취할 것을 제안했다.

17 한 일 / 할 일 파악 | ④

해석

남 지난주 토요일에 넌 무엇을 했니?
여 엄마 생일 선물을 사러 쇼핑을 갔었어. 너는 무엇을 했니?
남 나는 친구들과 캠핑을 가고 싶었어. 그런데 비가 오기 시작해서 우리는 가지 못했지.

여 그럼 그냥 집에 머물면서 텔레비전을 봤니?
남 아니. 대신 내 친구들을 우리 집으로 초대했어.
여 훨씬 낫네.
남 응, 우리는 영화를 봤지. 재미있었어.
해설 남자는 친구들과 캠핑을 하려고 했으나 비가 와서 친구들과 함께 집에서 영화를 시청했다고 했다.

18 직업 및 장래 희망 | ③

해석
여 당신은 몇 차례나 우주 비행을 했나요?
남 세 번이요. 마지막은 1년 전이었어요.
여 우주선을 떠난 적이 있나요?
남 네. 우주 유영을 하러 갔죠.
여 정말이요? 언제 그것을 했죠?
남 2014년에 우주 정거장으로 간 임무 때요.
여 그건 어땠나요?
남 정말 멋진 경험이었어요!
해설 남자는 우주선을 타고 우주를 방문하기도 했고 우주 유영도 했다고 하고 있으므로 우주 비행사임을 알 수 있다.

19 알맞은 응답 찾기 | ③

해석
여 안녕, 민수야. 너는 뭐 하고 있니?
남 가방을 싸고 있어. 나는 지금 집으로 가야 하거든.
여 무슨 일이야? 안색이 좋지 않네.
남 나는 기침이 나고 머리가 아파. 선생님께서 집에 가라고 하셨어.
여 그 말을 들으니 유감이다.
① 그것은 네 잘못이 아니다.
② 나도 그러고 싶지만, 나는 할 수 없어.
④ 이봐, 그렇게 말하지 마.
⑤ 나는 그것을 몰랐어. 고마워.
해설 감기에 걸려 머리가 아프다고 하는 남자의 말에 대해 유감을 표현하는 ③이 적절한 응답이다.

20 알맞은 응답 찾기 | ⑤

해석
여 너는 겨울 방학 동안 어디에 갔었니?
남 나는 가족과 함께 호주를 여행했어.
여 와! 여행은 어땠니? 너는 그곳에서 즐겁게 지냈니?
남 멋졌지. 그리고 호주에는 무언가 흥미로운 것이 있었어.
여 그게 뭔데? 말해 줘.
남 거기는 12월이 더워서, 사람들이 크리스마스에 수영할 수 있어.
여 정말? 그거 놀라운데.
① 나는 네가 부러워. ② 그것은 너무 위험해.
③ 나는 그것을 들으니 기뻐. ④ 나도 즐겁게 지냈어.
해설 호주에서는 크리스마스에 수영을 한다는 남자의 말에 대해 놀라움을 표현하는 ⑤가 적절한 응답이다.

17회 영어 듣기모의고사 pp. 150~151

01 ①	02 ④	03 ③	04 ②	05 ③
06 ③	07 ②	08 ②	09 ④	10 ⑤
11 ④	12 ⑤	13 ③	14 ②	15 ①
16 ①	17 ⑤	18 ②	19 ④	20 ③

Dictation Test 17회 pp. 152~157

01 ❶ made of plastic or metal ❷ cut things into pieces
02 ❶ a pot on the table ❷ next to the knife
03 ❶ cloudy skies ❷ Rain will start ❸ enjoy sunshine
04 ❶ had a heart attack ❷ in intensive care
05 ❶ went there on vacation ❷ speak the language well ❸ very far away from
06 ❶ Let's make it ❷ thirty more minutes
07 ❶ teach math ❷ teach others
08 ❶ lost my dog ❷ played with a ball ❸ didn't come back
09 ❶ my favorite restaurant ❷ are always friendly
10 ❶ dried fruit ❷ dark brown ❸ sweet and healthy
11 ❶ take a bus ❷ faster than a bus
12 ❶ still at school ❷ not answering her phone ❸ is canceled
13 ❶ too many cars ❷ any parking spaces ❸ a space to park in
14 ❶ the nearest hotel ❷ across from
15 ❶ Sorry to bother you ❷ be available for ❸ will last
16 ❶ have a look at ❷ I'll be back
17 ❶ makes me sad ❷ enjoyed the meals ❸ ride a snowboard
18 ❶ Step on the scale ❷ take any medicine ❸ call your name
19 ❶ very difficult for ❷ can't understand ❸ Why don't we
20 ❶ Didn't you listen ❷ later than expected

01 그림 정보 파악 – 사물 | ①

해석
여 보통 그것은 플라스틱이나 금속으로 만들어집니다. 사람들은 물건을 조각 내 자르거나 길이를 짧게 하고 싶을 때 이것을 사용합니다. 또한, 미용사들은 머리카락을 자를 때 이것을 사용합니다. 이것은 무엇일까요?
해설 플라스틱이나 금속으로 만들어졌고, 물건이나 머리를 자를 때 사용하는 것은 가위이다.

02 그림 정보 파악 - 그림 | ④

해석

여 ① 고양이가 의자 아래에 있습니다.
② 냄비 하나가 식탁 위에 있습니다.
③ 케이크가 냉장고 안에 있습니다.
④ 전화기가 벽에 걸려 있습니다.
⑤ 숟가락 두 개가 칼 옆에 있습니다.

해설 고양이는 의자 위에, 냄비는 가스레인지 위에, 케이크는 탁자 위에, 두 개의 숟가락은 케이크 옆에 있다.

03 그림 정보 파악 - 날씨 | ③

해석

남 좋은 아침입니다, 여러분! 저는 일기 예보의 Carter Brown입니다. 오늘 우리는 구름 낀 하늘로 하루를 시작할 거예요. 비는 오후에 내리기 시작해서 오늘 밤 늦게 갤 거예요. 내일은 화창한 햇살을 즐길 수 있을 것입니다.

해설 오늘 오후에는 비가 내릴 것이라고 했다.

04 의도 파악 | ②

해석

남 실례합니다.
여 뭘 도와드릴까요?
남 우리 아버지 Mike Wilson한테 무슨 일이 생긴 겁니까?
여 아버님은 심장마비세요.
남 오, 세상에. 괜찮으신가요?
여 지금은 집중 치료실에 계시지만, 이겨 내실 거예요.
남 정말 다행이군요!

해설 Thank goodness!는 '정말 다행이군요!'라는 뜻으로, 아버지가 심장마비를 이겨낼 것이라는 말을 듣고 안도한 상황에서 한 말이다.

05 언급하지 않은 것 | ③

해석

여 Frank가 이탈리아의 카프리로 이주했다는 거 들었어? 그런 일이 어떻게 일어났대?
남 그는 휴가차 거기에 갔는데 그곳이 정말 좋았대. 그는 지금 거기에 살면서 호텔에서 일해.
남 정말 운이 좋네!
여 흠… 난 잘 모르겠어. 난 다른 나라에서 사는 건 힘들다고 생각하거든.
남 정말?
여 음, 그는 그 언어를 잘하지 못하잖아.
남 사실이지.
여 또, 그는 그의 가족과 친구들로부터 아주 멀리 있지.
남 그렇긴 하겠다.

해설 여자는 Frank가 새로 구한 집에 대해서는 언급하지 않았다.

06 숫자 정보 파악 - 시각 | ③

해석

여 공원에서 장미 축제를 한대. 우리 이번 주 토요일에 거기 갈까?
남 좋은 생각이야.
여 몇 시에 만날까?
남 오전 8시에 만나자. 오후엔 사람이 많을 거야.
여 나에겐 너무 일러. 30분만 더 줘.
남 좋아. 늦으면 안 돼.

해설 8시에 만나자고 하는 남자의 제안에 대해 너무 이른 시간이라며 여자는 30분을 더 달라고 했으므로 두 사람은 8시 30분에 만날 것이다.

07 직업 및 장래 희망 | ②

해석

남 안녕, Kelly. 넌 장래에 뭐가 되고 싶어?
여 난 중학교나 고등학교에서 수학을 가르치고 싶어.
남 왜?
여 난 수학을 몹시 좋아하고, 다른 사람들을 가르치는 걸 좋아하거든.
남 하지만 월급이 썩 좋지 않잖아. 또 스트레스가 많은 직업이야.
여 괜찮아. 그 애들이 배우는 것에 대해 재미있어 하는 한 난 행복할 거야.

해설 여자의 첫 번째 말 I want to teach math at middle school or high school.에서 여자의 장래 희망이 수학 교사임을 알 수 있다.

08 심정 파악 | ②

해석

여 무슨 일이니? 너 기분이 안 좋아 보인다.
남 난 내 개, Charlie를 잃어버렸어.
여 언제 어디에서 그를 잃어버렸니?
남 어제 난 그를 공원에 데리고 갔고, 우린 공놀이를 했어.
여 그런데 어떻게 됐어?
남 내가 공을 던져서 Charlie가 그것을 따라갔어. 그런데 돌아오질 않는 거야.
여 오, 이런. 정말 안타깝다.

해설 남자는 자신의 개를 공원에 데려갔다가 잃어버린 후 찾지 못하고 있으므로 슬플 것이다.

09 한 일 / 할 일 파악 | ④

해석

남 이곳이 내가 제일 좋아하는 음식점이야. 난 거의 매주 이곳에 와.
여 왜 이곳을 제일 좋아하는데?
남 음식이 훌륭해. 치킨 카레를 한번 먹어 봐.
여 알았어. 그렇게 해 볼게.
남 여기 서비스도 좋아. 종업원들이 언제나 친절하거든.
여 음, 종업원이 이리로 오고 있어. 주문하자.

해설 여자의 마지막 말 Well, here comes the waiter now. Let's order.에서 두 사람은 음식 주문을 할 것임을 알 수 있다.

10 주제 파악 | ⑤

해석

여 이것은 말린 과일입니다. 원 과일은 과즙이 많고 부드럽지만, 이것은 물기가 없고 질깁니다. 이것은 맛이 없어 보일 수도 있습니다. 색깔은 자주색이라기보다는 어두운 갈색입니다. 그러나, 매우 달고 건강에 좋습니다. 이것에는 비타민과 미네랄이 들어 있습니다. 이것은 무엇일까요?

해설 짙은 갈색의 말린 과일로 맛있어 보이지 않지만 아주 달콤하고 건강에 좋은 것은 건포도에 대한 설명이다.

11 특정 정보 파악 | ④

해석

여 진수야, 안녕. 이번 휴일에 너는 무엇을 할 예정이니?
남 난 울산에 있는 내 옛 친구를 방문하려고 해.

여 거기는 어떻게 가려고?
남 나는 버스 타고 갈까 해.
여 그건 좋은 생각이 아니다. 기차를 타는 건 어때? 기차가 버스보다 빠르거든.
남 알았어. 네 충고를 따를게.
해설 친구를 만나러 버스를 타고 울산에 간다는 남자에게 여자가 버스보다 기차가 더 빠를 거라고 제안하자 남자는 이를 받아들이고 있다.

12 이유 파악 | ⑤

해석

[전화벨이 울린다.]
남 여보세요. 저는 James예요. 미나와 통화할 수 있을까요?
여 안녕, James. 미나는 아직 학교에 있는 것 같구나. 오늘 방과 후 수업을 듣는 중이거든.
남 아, 그렇군요. 그래서 전화를 안 받았군요.
여 무슨 일이 있니? 메시지 전해 줄까?
남 음, 내일의 모임이 취소되었다고 전해 주실래요?
여 모임이 취소되었다고? 알았다. 그녀에게 전해 줄게.
해설 남자는 여자에게 내일 모임이 취소됐음을 알리기 위해 전화를 걸었다.

13 장소 추론 | ③

해석

남 와! 벌써 차들이 너무 많구나.
여 아마 그럴 거야. 이 가게가 오늘 대폭 할인을 하거든.
남 주차할 곳을 찾을 수가 없어.
여 우리 아래층으로 내려가는 게 어때?
남 알았어. 나는 주차할 공간이 있으면 좋겠다.
해설 차가 많아 주차할 공간을 찾을 수 없다며 더 아래층으로 내려가자고 하는 것으로 보아 두 사람은 주차장에서 나누는 대화임을 알 수 있다.

14 그림 정보 파악 – 길 찾기 | ②

해석

여 실례합니다. 가장 가까운 호텔에 가려고 하는데요.
남 한 블록 가셔서 모퉁이에서 오른쪽으로 도세요.
여 한 블록 가서 모퉁이에서 오른쪽으로 돌라고요?
남 맞아요. 왼편에 그게 보여요. 그것은 우체국 건너편에 있어요.
여 정말 감사합니다.
남 천만에요.
해설 남자의 첫 번째 말 Go straight one block and turn right at the corner.과 두 번째 말 You can see it on your left.를 통해 여자가 찾는 호텔의 위치를 알 수 있다.

15 부탁한 일 파악 | ①

해석

남 여보세요?
여 안녕, John. 나, Maria야. 집에 있는데 성가시게 해서 미안해.
남 괜찮아. 내가 뭐 도와줄 일이 있니?
여 내일 12시에 있는 직원회의에 올 수 있니?
남 어디 보자. 응, 12시면 괜찮을 것 같아. 3시까지면 끝나겠지?
여 그래, 확실히 그땐 끝날 거야. 그 회의는 기껏해야 한 시간 정도 할 거니까.
남 알았어. 내일 12시에 보자.
여 고마워. 안녕.
해설 여자는 남자에게 내일 12시에 있을 직원회의에 참석해 줄 것을 부탁하고 있다.

16 제안한 일 파악 | ①

해석

남 우리가 탈 비행기는 언제 떠나는 거죠?
여 12시 반에요.
남 그럼 1시간 30분을 더 기다려야 하네요.
여 맞아요. 상점들을 구경하러 가는 건 어때요?
남 난 여기 있으면서 이 잡지나 읽고 있을게요.
여 알았어요. 30분 후에 돌아올게요.
해설 남자는 여자에게 상점을 구경하러 가자고 제안했다.

17 특정 정보 파악 | ⑤

해석

남 크리스마스 시즌이 끝나다니 믿을 수가 없어.
여 나도. 그게 나를 슬프게 해.
남 그래. 시간 참 빠르다. 연휴 동안 무엇을 했니?
여 그냥 가족과 함께하는 시간을 보냈어. 우리 가족과 나는 음식을 준비하고, 식사하고, 함께 텔레비전을 봤어. 너는?
남 난 스키장에 갔어. 나는 이번엔 스노보드를 타 봤지.
여 와, 너는 처음 탄 거니? 어땠니?
남 응, 이번이 처음이었어. 재미있었어. 난 아주 좋았어.
해설 남자는 크리스마스 기간 동안 스키장에 가서 스노보드를 탔다.

18 직업 및 장래 희망 | ②

해석

여 안녕하세요, 준호 군. 먼저 체중을 잴게요. 체중계에 올라가세요.
남 네. 체중이 얼마나 나가나요?
여 음…. 약 45킬로그램 나갑니다. 여기 오기 전에 약을 드셨나요?
남 네, 어젯밤 아스피린을 먹었습니다. 그런데 얼마나 더 기다려야 하나요?
여 몇 분만 더 기다려 주세요. 곧 의사 선생님께서 당신의 이름을 부르실 거예요.
남 네. 알겠어요.
해설 의사에게 진찰을 받기 위해 온 남자에게 체중을 잰 후 안내를 해 주고 있는 것으로 보아 여자는 간호사임을 알 수 있다.

19 알맞은 응답 찾기 | ④

해석

남 Judy, 수학 시험 어땠니? 난 매우 어려웠어.
여 난 그렇게 생각하지 않아. 그렇게 어렵지는 않았어.
남 영어 시험은 어땠니? 듣기 부분이 쉬웠지, 그렇지 않니?
여 응, 그랬어. 그렇지만 난 독해 부분은 어려웠어.
남 나도 그래. 아직도 마지막 문제는 이해하지 못하겠어.
여 우리 선생님께 가서 그 문제를 여쭤 볼까?
남 그게 좋겠다.
① 난 시간이 없었어. ② 안됐다.
③ 미안, 난 기다릴 수 없어.⑤ 너는 더 많이 공부해야 해.
해설 선생님에게 가서 시험 문제에 대해 여쭤 보자는 여자의 제안에 대해 동의하는 ④가 적절한 응답이다.

20 알맞은 응답 찾기 | ③

해석

여 이봐, Sam. 왜 그렇게 급하게 가니?

남 우리 늦었어. 소풍 가는 버스가 5분 후에 출발할 거야.

여 학교 방송 못 들었니?

남 아니, 못 들었는데. 무엇에 대한 거였니?

여 버스가 예정보다 30분 늦게 출발할 거라고 했어.

남 다행이다!

① 조심해! ② 천천히 해!

④ 걱정하지 마! ⑤ 서두르는 게 좋겠다!

해설 버스가 예정보다 30분 늦게 출발한다고 알려 주는 여자의 말에 대해 안도하는 ③이 적절한 응답이다.

18회 영어 듣기모의고사 pp. 158~159

01 ③	02 ①	03 ②	04 ③	05 ④
06 ⑤	07 ④	08 ⑤	09 ③	10 ④
11 ②	12 ①	13 ①	14 ②	15 ①
16 ①	17 ⑤	18 ⑤	19 ③	20 ①

Dictation Test 18회 pp. 160~165

01 ❶ long front teeth ❷ jump high and fast

02 ❶ squared and flowered ❷ it has straps

03 ❶ will be sunny ❷ will be snowy ❸ will change to rain

04 ❶ hiking in the mountains ❷ through the Internet

05 ❶ from America ❷ have a younger brother

06 ❶ watch the soccer match ❷ starts in two hours

07 ❶ as a firefighter ❷ real lifesavers ❸ love taking pictures

08 ❶ just stayed at home ❷ my big mistake

09 ❶ planning to do ❷ clean up

10 ❶ when we have problems ❷ When there's a fire ❸ this car will come

11 ❶ see your passport ❷ purpose of your visit ❸ enjoy your stay

12 ❶ go to school ❷ missed classes

13 ❶ were talking about ❷ good report card

14 ❶ get a shirt cleaned ❷ one block from here ❸ turn left

15 ❶ don't have enough money ❷ Could you spare ❸ pay you back

16 ❶ have an eye infection ❷ some of these eye drops

17 ❶ buy for them ❷ buy them T-shirts ❸ will look nice

18 ❶ has a flat tire ❷ to change it

19 ❶ looking at this poster ❷ I'm interested ❸ good at singing

20 ❶ it was too boring ❷ won't listen to any stories

01 그림 정보 파악 – 동물 | ③

해석

남 이것은 긴 앞니를 가진 작은 동물입니다. 이 동물은 대개 큰 귀로 유명하고, 풀과 뿌리 그리고 잎을 먹어요. 많은 사람들은 이 동물이 매우 귀여워서 좋아해요. 이것은 높이 그리고 빠르게 뛰어오를 수 있어요. Bunny가 이 동물의 애칭이에요.

해설 긴 앞니와 긴 귀를 가지고 있고, 풀을 먹으며 높이 뛰고 빨리 달릴 수 있는 동물은 토끼이다.

02 그림 정보 파악 – 사물 | ①

해석

여 이런, 내 가방을 못 찾겠어.

남 내가 도와줄게. 그건 어떻게 생겼어?

여 빨간색에, 네모지고 꽃무늬가 있어.

남 끈이 달려 있니?

여 응, 내가 어깨에 멜 수 있게 끈이 있어.

남 알았어. 내가 그것을 찾는 걸 도와줄게.

여 정말 고마워.

해설 여자의 가방은 네모난 모양으로 꽃무늬가 있는 빨간색이며 끈이 달려 있다고 했으므로 ①이 적절하다.

03 그림 정보 파악 – 날씨 | ②

해석

여 좋은 아침입니다. 세계 날씨 보도의 Jessica Brown입니다. 오늘 뉴욕은 화창할 것입니다. 밴쿠버는 아침에 눈이 내릴 것이지만 오후에는 비로 바뀔 것입니다. 서울은 하루 종일 춥고 바람이 불 것입니다. 함께 해 주셔서 감사합니다.

해설 밴쿠버는 오전에 눈이 오고, 오후에는 비로 바뀔 거(it will change to rain)라고 했다.

04 의도 파악 | ③

해석

남 산에서 하이킹하기에 완벽한 날씨네.

여 그래. 맑고 시원하고 건조해.

남 산들바람도 조금 불고, 나뭇잎들은 색깔을 바꾸고 있어.

여 난 네 등산 스틱이 마음에 들어. 그것을 어디서 산거야?

남 인터넷으로 주문했어.

여 그나저나 여기서 일몰이 정말 아름답네. 우리 앉아서 바라보는 게 어때?

해설 여자의 마지막 말 Why don't we sit down and watch it?은 앉아서 해 지는 것을 바라보자고 제안하는 표현이다.

05 언급하지 않은 것 | ④

해석

여 안녕! 난 진희야. 너 우리 반에 새로 전학 왔지, 그렇지 않니?
남 응, 안녕! 난 David야. 만나서 반가워.
여 나도 만나서 반가워. 그런데, 넌 어디에서 왔니?
남 미국에서 왔어. 아빠 직장 때문에 이곳으로 왔어. 그는 군인이시거든.
여 오, 알겠다. 형제나 자매가 있니?
남 응, 남동생이 한 명 있어.
여 그렇구나. 우리 친구로 지내자.
해설 이 대화에서는 남자의 나이는 언급되지 않았다.

06 숫자 정보 파악 - 시각 | ⑤

해석

여 Mark, 방과 후에 축구 경기 같이 볼래?
남 그거 재미있겠다.
여 우리 집에 올 수 있어?
남 응. 내가 간식을 좀 가져갈게. 지금 몇 시지?
여 5시 30분이야.
남 2시간 후에 경기가 시작하는구나. 나는 수업이 빨리 끝났으면 좋겠어.
해설 현재 시각은 5시 30분이고, 축구 경기는 2시간 뒤에 있다고 했으므로 축구 경기는 7시 30분에 시작할 것이다.

07 직업 및 장래 희망 | ④

해석

여 안녕, Mike. 넌 졸업 후에 뭐 할 거야?
남 난 소방관으로 일할 거야.
여 그 일은 위험해.
남 알아. 하지만 또한 중요한 일이야. 소방관들은 진짜로 생명을 구하는 사람들이지. 너는 어때?
여 나는 사진을 공부하고 싶어. 너도 알다시피, 내가 사진 찍는 걸 아주 좋아하잖아.
남 흥미로운데!
해설 남자의 첫 번째 말 I'll work as a firefighter.에서 남자의 장래 희망이 소방관임을 알 수 있다.

08 심정 파악 | ⑤

해석

남 어제 난 도서관에서 Jenny를 만나기로 한 것을 잊었다. 우리는 영어 시험공부를 함께 할 예정이었다. 그러나 난 그때 그냥 집에 있었다. 그녀는 한 시간 동안 나를 기다렸다. 그리고 내 전화기는 꺼져 있었다. 그것은 나의 큰 실수였다.
해설 남자는 도서관에서 Jenny를 1시간 동안 기다리게 했으므로 미안할 것이다.

09 한 일 / 할 일 파악 | ③

해석

남 이번 주 일요일에 무엇을 할 거니?
여 나는 잠실 경기장에 가려고 해.
남 야구 경기를 보려고 거기에 가는 거야
여 어, 아니. 나는 경기장을 청소할 거야. 그것은 자원봉사 활동이야.
남 멋지다!
해설 여자는 이번 주 일요일에 야구를 보러 가는 것이 아니라 자원봉사 활동으로 경기장을 청소하러 간다고 했다.

10 주제 파악 | ④

해석

여 이것은 특별한 차예요. 대개, 색깔은 흰색이고요. 우리에게 문제가 있을 때 매우 유용하지요. 이것은 아픈 사람들을 병원에 데려다주기 위한 차입니다. 불이 날 때 소방차와 이 차가 그곳에 가게 돼요. 그래서 긴급할 때, 당신이 119로 전화를 하면 이 차가 당신에게 올 겁니다.
해설 문제가 생기거나 위급 상황시에 119에 전화하면 오는 하얀색 차는 앰뷸런스에 대한 설명이다.

11 장소 추론 | ②

해석

남 여권 좀 볼 수 있을까요?
여 네, 여기 있어요.
남 당신의 방문 목적은 무엇인가요?
여 저는 가족과 함께 휴가를 보낼 거예요.
남 미국에는 얼마나 오래 머물 건가요?
여 6일간 머물 겁니다.
남 알겠습니다. 머무시는 동안 즐겁게 지내세요.
해설 남자가 여자에게 여권을 보여 달라고 하면서 방문 목적을 묻는 것으로 보아 여자는 공항에서 입국 심사를 받고 있음을 알 수 있다.

12 목적 파악 | ①

해석

[휴대 전화벨이 울린다.]
여 여보세요? 저는 Susan의 엄마예요. 한 선생님이신가요?
남 네. 안녕하세요? 그런데, 무슨 일이신가요?
여 Susan이 오늘 학교에 못 갈 것 같아요?
남 그녀에게 무슨 문제라도 있나요?
여 인라인스케이트를 타다가 다리가 부러졌거든요.
남 오. 안됐군요. 빨리 낫기를 바랍니다. 그녀에게 빠진 수업에 관한 요약본을 주겠다고 전해 주세요.
여 고맙습니다, 한 선생님.
해설 여자는 인라인스케이트를 타다가 다리가 부러진 딸이 학교에 못 가게 된 것을 남자에게 알리기 위해 전화했다.

13 관계 추론 | ①

해석

여 커피 여기 있어요.
남 고맙다, Mary. 너희 엄마와 난 네 생일 선물에 관해 이야기하고 있었단다.
여 정말이요? 전 태블릿 PC가 정말 갖고 싶어요.
남 그건 네 시간을 너무 많이 뺏을 수 있어.
여 걱정하지 마세요. 전 그것으로 열심히 공부할게요. 그래서 다음 어버이날에, 선물로 훌륭한 성적표를 드릴게요.
남 알겠다.
해설 생일 선물로 태블릿 PC를 받고 싶다고 하는 딸에게 아빠가 시간을 많이 뺏길 수 있다고 하자 딸이 아빠를 설득하는 내용의 대화이다.

14 그림 정보 파악 – 길 찾기 | ②

해석

남 실례합니다. 어디서 셔츠를 빠르게 세탁할 수 있나요?

여 매디슨 로에 있는 CBA 빌딩 안에 세탁소가 있어요. 여기서 한 블록 정도 거리예요.

남 아, 가깝군요. 좋아요. 그리고 어떤 게 CBA 빌딩이죠?

여 공원을 따라 그랜트 가를 내려가세요. 그러고 나서 우체국에서 왼쪽으로 도세요. 그게 CBA 빌딩이에요.

남 정말 고맙습니다.

여 천만에요.

해설 여자의 첫 번째 말로 보아, 세탁소는 CBA 빌딩 안에 있으므로, 여자의 두 번째 말까지 유의해서 듣고 CBA 빌딩을 찾아야 세탁소의 위치를 알 수 있다.

15 부탁한 일 파악 | ①

해석

남 흠… 부탁 좀 해도 돼?

여 응, 뭐가 잘못됐니?

남 난 계산할 돈이 충분하지 않거든.

여 아, 문제없어. 얼마나 필요해?

남 5달러만 내 줄래? 이거 정말 창피하다.

여 걱정 마. 여기 있어.

남 정말 고마워. 내일 갚을게.

여 안 그래도 돼. 저녁 식사에 초대해 줘서 고마운 걸 뭐.

해설 남자의 두 번째 말 I don't have enough money for the bill.과 세 번째 말 Could you spare $5?에서 식사비가 모자라서 여자에게 빌리는 상황임을 알 수 있다.

16 제안한 일 파악 | ①

해석

남 안녕하세요, Jones 부인. 무엇을 도와드릴까요?

여 안녕하세요, 의사 선생님. 제가 눈병이 난 것 같아서요.

남 통증이 있으세요?

여 네 조금요. 오른쪽 눈에서 하루 종일 눈물이 나네요.

남 전에도 이런 증상이 있었나요?

여 아뇨, 전혀 없었어요.

남 이 안약들을 구입해서 사용해 보실 것을 제안합니다.

해설 남자는 눈병에 걸린 여자에게 안약을 구입해서 사용해 보라고 제안하고 있다.

17 특정 정보 파악 | ⑤

해석

여 내일이 어버이날이야. 그분들에게 무엇을 사 드리고 싶니?

남 글쎄. 사진 앨범은 어떨까?

여 아니야, 그분들은 그게 필요치 않을 것 같아.

남 오, 알겠어. 그러면, 티셔츠를 사 드리는 것은 어떨까? 똑같은 디자인으로 두 개의 티셔츠를 사자.

여 좋은데. 그분들이 분명히 마음에 들어 하실 거야! 같은 옷을 입으면 멋져 보일 거야!

남 좋아. 사러 가자.

해설 두 사람은 같은 디자인의 티셔츠 두 개를 부모님에게 사 드릴 것이다.

18 직업 및 장래 희망 | ⑤

해석

여 실례합니다. 제 차에 문제가 좀 있어요. 점검해 주실 수 있나요?

남 물론이죠. 이런, 차에 펑크가 났어요.

여 정말이요? 어느 쪽이요?

남 오른쪽 앞바퀴가 펑크 났어요. 아주 심각할 수 있어요.

여 오, 전 몰랐어요. 그 바퀴를 갈아 끼워 주세요. 얼마나 걸릴까요?

남 그것을 갈아 끼우는 데 30분 정도 걸릴 거예요.

여 네. 기다릴게요.

해설 타이어에 펑크가 났다며 교체하는 데 30분 걸릴 거라고 안내하는 것으로 보아 남자는 자동차 정비사임을 알 수 있다.

19 알맞은 응답 찾기 | ③

해석

남 Amy, 넌 무엇을 보고 있니?

여 난 그냥 포스터를 보고 있어.

남 그것은 어떤 것에 대한 포스터인데?

여 노래 대회에 대한 거야.

남 오, 넌 예선에 참가해 볼 거니?

여 아니. 관심은 있지만, 내가 그것을 할 수 있을 것 같지 않아.

남 오, 힘내! 나는 네가 훌륭한 가수가 될 거라고 생각해. 너는 노래를 잘하니까.

여 <u>정말? 한 번 지원해 볼게.</u>

① 안됐다. ② 행운을 빌어.

④ 유감이다. ⑤ 이봐. 너는 할 수 있어.

해설 남자는 여자에게 노래를 잘한다고 칭찬하며 노래 자랑 대회에 나가 볼 것을 제안하고 있으므로 이에 대해 노력해 보겠다고 하는 ③이 적절한 응답이다.

20 알맞은 응답 찾기 | ①

해석

남 그건 긴 영화였어, 그렇지 않니?

여 응. 너무 길었어. 사실, 너무 지루했어. 넌 어땠니? 재미있었니?

남 사실은 아니야. 그 영화에 대해서 너무 많이 들었거든.

여 나도 그랬어. 그게 문제였지.

남 다음에는, 영화를 보기 전에 어떤 이야기도 듣지 않을 거야.

여 <u>나도.</u>

② 고마워. ③ 물론 기대돼.

④ 네가 그것을 좋아하니 기쁘다.

⑤ 오, 난 전에 그것을 본 적이 없어.

해설 다음번에는 영화를 보기 전에 어떤 이야기도 듣지 않겠다고 한 남자의 마지막 말에 대해 동의하는 ①이 적절한 응답이다.

19회 영어 듣기모의고사 pp. 166~167

01 ①	02 ④	03 ②	04 ⑤	05 ④
06 ⑤	07 ③	08 ②	09 ③	10 ③
11 ①	12 ④	13 ⑤	14 ⑤	15 ①
16 ④	17 ②	18 ①	19 ⑤	20 ④

Dictation Test 19회 pp. 168~173

01 ❶ helps us find ways ❷ where buildings and places are
02 ❶ look like ❷ had long straight hair ❸ wearing a flower hairpin
03 ❶ have sun ❷ get very cold and snow
04 ❶ speak French or German ❷ Nice to meet you
05 ❶ understands many words ❷ remembering words ❸ a piece of bacon
06 ❶ already eight thirty ❷ in ten minutes ❸ I will
07 ❶ won first prize ❷ be a songwriter ❸ will come true
08 ❶ The final game ❷ still worried ❸ I don't think
09 ❶ go out and do something ❷ let's do that
10 ❶ work out every day ❷ go to the gym ❸ About once a week
11 ❶ right across from ❷ Get off bus
12 ❶ your group work ❷ hasn't started yet ❸ decided on the topic
13 ❶ Is there something wrong ❷ did you order ❸ what you ordered
14 ❶ how to get to ❷ turn left on ❸ on the left
15 ❶ a letter of recommendation ❷ pleasure to recommend
16 ❶ some spring cleaning ❷ moving them up ❸ give you a hand
17 ❶ have a special dinner ❷ try to make ❸ want to cook
18 ❶ with other nurses ❷ in the emergency room
19 ❶ lives in Daejeon ❷ How often
20 ❶ something wrong ❷ restart the computer ❸ What should I do

01 그림 정보 파악 – 사물 | ①

해석

여 이것은 어떤 장소에 대한 그림입니다. 그것은 우리가 한 장소에서 다른 장소로 가는 방법들을 찾는 데에 도움을 줍니다. 또한 이것은 건물과 장소들이 어디에 있는지를 알려줍니다. 우리는 이 그림에서 건물과 장소를 나타내는 간단한 기호를 볼 수 있습니다. 그것은 무엇일까요?

해설 길을 찾는 것을 도와주고 건물과 장소가 어디인지 보여 주는 것은 지도에 대한 설명이다.

02 그림 정보 파악 – 사람 | ④

해석

남 이 사진을 봐!
여 난 그 당시 4살이었어. 이 아이들 중에서 내가 누구인지 맞출 수 있겠니?
남 어떻게 생겼었니? 곱슬머리였어?
여 아니, 난 긴 생머리였어.
남 머리띠를 하고 있었니?
여 아니, 꽃 모양 머리핀을 하고 있었어.
남 좋아, 나는 너를 찾았어.

해설 long straight hair, wearing a flower hairpin으로 사진 속의 소녀는 ④임을 알 수 있다.

03 그림 정보 파악 – 날씨 | ②

해석

여 좋은 아침입니다. 한국 일기 예보의 정사라입니다. 이틀간 계속된 비가 지나고, 오늘 아침에 드디어 해가 떴습니다. 오늘 하루 종일 화창하고 시원하겠습니다. 그러나 내일은 매우 추워지고 눈이 오기 시작할 것입니다. 그러니 내일 외출하실 때 코트 입는 것을 잊지 마세요.

해설 내일은 추워지고 눈이 내릴 것(it will start to get very cold and snow)이라고 했다.

04 의도 파악 | ⑤

해석

여 소풍 가기에 멋진 날이야.
남 그래. 넌 이 근처에 사니?
여 응, 하지만 원래는 나는 스위스 출신이야.
남 아, 넌 프랑스어나 독일어를 할 줄 알아?
여 난 독일어를 해.
남 그건 그렇고, 내 이름은 John이야.
여 만나서 반가워, John. 내 이름은 Anna야.

해설 여자는 마지막 말 Nice to meet you, John. My name's Anna.로 남자에게 만나서 반갑다며 자신의 이름을 소개하고 있다.

05 언급하지 않은 것 | ④

해석

남 이것은 제 애완동물 Bob입니다. 그는 두 살 된 셰퍼드입니다. 그는 매우 똑똑하고 많은 단어를 이해합니다. 그는 단어를 매우 잘 기억합니다. 그는 모든 종류의 음식을 좋아합니다. 하지만 그가 가장 좋아하는 음식은 베이컨입니다. Bob과 함께 놀고 싶으세요? 그렇다면 베이컨 한 조각을 줘 보세요.

해설 남자는 애완동물의 이름, 나이, 특기, 좋아하는 음식은 언급하였으나 별명은 언급하지 않았다.

06 숫자 정보 파악 – 시각 | ⑤

해석

여 너는 아직도 텔레비전을 보고 있니? 벌써 8시 30분이야.
남 이건 제가 가장 좋아하는 TV 프로그램이에요, 엄마. 이 프로그램을 보고 나서 제 숙제를 할게요.
여 너는 두 시간 넘게 텔레비전을 보고 있어.
남 10분만 더요, 제발. 10분 후에 TV를 끄고 숙제할 것을 약속드릴게요.
여 알았다! 너는 약속을 꼭 지켜야 해, Jason.
남 네, 그럴게요.

해설 남자는 TV 쇼를 10분 더 본 뒤에 숙제를 할 거라고 했는데 현재 시각이 8시 30분이므로 남자가 숙제를 시작할 시각은 8시 40분이다.

07 직업 및 장래 희망 | ③

해석

여 축하해! 너 피아노 대회에서 1등 했구나.

남 고마워. 난 피아노 연주하는 것이 좋아.

여 그럼, 너는 미래에 피아니스트가 되고 싶은 거야?

남 사실은 아냐. 실은 작곡가가 되고 싶어.

여 곡을 만들어 본 적이 있니?

남 그저 연습으로. 난 여전히 배우는 중이야.

여 네 꿈이 이루어지길 바랄게.

해설 남자의 세 번째 말 I really want to be a songwriter.를 통해 남자는 작곡가가 되고 싶어 한다는 것을 알 수 있다.

08 심정 파악 | ②

해석

남 결승전이 다가오고 있어. 바로 내일이야.

여 걱정하지 마. 나는 네가 최선을 다해 왔다는 것을 알아.

남 그렇지만, 난 여전히 걱정돼. 상대는 최고의 축구팀이거든.

여 우리 학교 팀도 최고 중 한 팀이야. 이번 결승은 멋진 시합이 될 거야.

남 그렇게 말해 주다니 너는 정말 착하구나.

여 이제 집에 가서 푹 자.

남 하지만 난 잠을 잘 못 잘 것 같아.

해설 최고의 팀과의 축구 결승전 시합을 앞두고 있는 남자는 걱정하고 있다.

09 한 일 / 할 일 파악 | ③

해석

남 정말 아름다운 날이군!

여 그래. 우리는 나가서 무언가를 해야 해.

남 네 말이 맞아. 하이킹 가는 건 어때?

여 글쎄. 자전거를 타고 시내를 도는 건 어때?

남 좋아. 그렇게 하자.

여 좋았어! 가자.

해설 여자가 남자에게 자전거 탈 것을 제안하고 남자가 이를 수락했으므로, 두 사람은 자전거를 탈 것이다.

10 주제 파악 | ③

해석

여 나는 운동하는 것을 아주 좋아한다. 대개 날마다 운동을 한다. 아침에 일찍 일어나 한 시간 정도 달리기를 한다. 그러고 나서 자주 체육관에 가서 에어로빅을 한다. 오후에는 이따금 산책을 하러 간다. 일주일에 한 번 정도는 농구를 한다.

해설 첫 번째 말에서 I love to exercise.라고 하며, 구체적으로 어떤 운동들을 언제 즐겨 하는지 이야기하고 있다.

11 특정 정보 파악 | ①

해석

여 Fred, 너희 사무실에 어떻게 가니?

남 시내의 우체국 바로 맞은편에 있어.

여 그럼 거기에 버스나 지하철을 타고 갈 수 있겠네.

남 맞아. 하지만 버스 정류장이 내 사무실에서 더 가까워. 57번 버스에서 내려서 오른쪽을 봐. 그러면 거기에 사무실이 있어.

여 알겠어. 그럼 오늘 오후에 보자.

남 좋아. 곧 보자.

해설 남자의 두 번째 말 But the bus stop is closer to my office. Get off the bus 57 ~.을 통해 여자는 버스를 탈 것임을 알 수 있다.

12 이유 파악 | ④

해석

여 조별 과제는 어떻게 돼 가니?

남 거의 다했어. 우리 조는 매일 방과 후에 과제를 해.

여 부럽다. 우리 조는 아직 시작도 못 했어.

남 왜 시작을 못 했어?

여 왜냐하면 아직 주제를 결정하지 못했거든. 모두 다른 의견을 가지고 있어.

남 주제를 정하는 건 중요해. 조별 과제는 월요일까지야.

해설 여자의 조는 조원들이 서로 다른 의견들을 갖고 있어서 아직 주제를 정하지 못했다고 했다.

13 관계 추론 | ⑤

해석

남 실례합니다. 저는 서비스가 만족스럽지 않네요.

여 손님, 무엇이 잘못되었나요?

남 네, 저는 이 음식을 주문하지 않았습니다.

여 죄송합니다. 무엇을 주문하셨죠, 고객님?

남 구운 감자를 곁들인 쇠고기 스테이크를 주문했습니다.

여 정말 죄송합니다. 주문하신 것으로 바로 가져다드리겠습니다.

해설 주문하지 않은 음식이 나와 불평하고 이에 대해 사과하는 내용의 대화로, 두 사람은 식당 종업원과 손님의 관계이다.

14 그림 정보 파악 – 길 찾기 | ⑤

해석

남 실례합니다. 시립 공원에 어떻게 가는지 알려 주시겠어요?

여 네. 우선 다음 모퉁이까지 가서 오크 스트리트에서 오른쪽으로 도세요.

남 알았습니다.

여 그 다음 한 블록을 운전해 가서 파인 스트리트에서 왼쪽으로 도세요. 아시겠어요?

남 네, 알겠어요.

여 왼쪽에 공원이 보일 거예요.

남 정말 감사합니다.

해설 여자의 첫 번째 말, 두 번째 말, 세 번째 말을 모두 주의해서 들어야 남자가 찾는 시립 공원의 위치를 알 수 있다.

15 부탁한 일 파악 | ①

해석

여 죄송하지만 부탁 좀 드려도 될까요?

남 그럼요. 뭔가요?

여 제게 추천서 좀 써 주시겠어요?

남 기꺼이 그럴게요. 어디에 지원하나요?

여 저는 기술직을 찾고 있어요.

남 당신처럼 훌륭한 학생을 추천하게 되어 기쁘네요.

해설 여자의 두 번째 말 Would you write me a letter of recommendation?을 통해 여자는 남자에게 추천서를 써 줄 것을 부탁하고 있음을 알 수 있다.

16 제안한 일 파악 | ④

해석

남 안녕, 뭐 하고 있어?
여 봄맞이 대청소 중이야.
남 저 상자들엔 뭐가 들어 있니?
여 약간의 오래 된 옷들. 아이들이 그 옷들에 비해 너무 커졌거든.
남 그것들을 어떻게 할 건데?
여 다락으로 옮기려고.
남 무겁겠는데. 내가 도와줄까?
여 그래 주면 좋지. 고마워!

해설 남자는 아이들의 옷이 담긴 상자를 다락방으로 옮겨 줄 것을 제안하고 있다.

17 한 일 / 할 일 파악 | ②

해석

남 부모님이 이번 주말에 파티에 가실 거야.
여 그러면 우린 우리를 위해 특별한 저녁 식사를 하자.
남 저녁으로 무엇을 먹을까?
여 특별한 피자를 만들어 보고 싶어.
남 요리를 하고 싶다고? 나는 피자를 주문하고 싶은데.
여 제발, 재미있을 거야.
남 알았어. 한번 해 보자.

해설 여자는 특별한 피자를 만들어 보고 싶다고 했고, 남자도 이에 동의했으므로 두 사람은 주말에 피자를 만들 것이다.

18 직업 및 장래 희망 | ①

해석

남 병원의 하루에 대해 말씀해 주시겠어요?
여 전 오전 6시부터 오후 2시까지 오전 근무를 해서 4시 30분에 일어나야 해요. 6시에 다른 간호사들과 회의를 시작하죠.
남 일이 스트레스가 많은가요?
여 네, 그래요. 응급실에서 근무하거든요.
남 당신은 힘든 일을 하는 것 같네요
여 네, 하지만 전 제 일이 좋아요.

해설 오전 교대 근무를 하고 다른 간호사들과 오전에 회의를 하며 응급실에서 일한다고 했으므로 여자의 직업은 간호사이다.

19 알맞은 응답 찾기 | ⑤

해석

여 나는 이번 주말에 할머니 댁을 방문할 거야.
남 그녀는 어디에 사시니?
여 대전에 사셔.
남 여기에서 멀어?
여 그렇게 멀진 않아. 차로 약 두 시간 걸려.
남 얼마나 자주 방문하니?
여 한 달에 한두 번.

① 그것은 충분하지 않아. ② 약 150km야.
③ 가능한 한 빨리. ④ 지난주 토요일이었어.

해설 할머니 집에 얼마나 자주 방문하는지 묻는 남자의 질문에 대해 빈도로 답하는 ⑤가 적절한 응답이다.

20 알맞은 응답 찾기 | ④

해석

남 내 컴퓨터에 이상이 있어.
여 무엇이 문제인데?
남 키보드가 작동하지 않아.
여 컴퓨터를 다시 켜 보았니?
남 응, 하지만 어떤 일도 일어나지 않았어. 내가 어떻게 해야 하지?
여 수리점에 전화하는 게 어때?

① 굉장해, 네가 그것을 해냈구나!
② 걱정하지 마. 나는 괜찮아.
③ 나는 보통 컴퓨터 게임을 해.
⑤ 너는 스케이트보드를 너무 많이 타서는 안 돼.

해설 컴퓨터가 고장이 나 재부팅을 해도 여전하다며 어떻게 해야 하는지 묻는 남자의 질문에 대해 수리 기사를 부르라고 충고하는 ④가 적절한 응답이다.

20회 영어 듣기모의고사 pp. 174~175

01 ②	02 ⑤	03 ⑤	04 ④	05 ④
06 ②	07 ①	08 ②	09 ④	10 ②
11 ①	12 ⑤	13 ③	14 ①	15 ①
16 ④	17 ②	18 ②	19 ⑤	20 ⑤

Dictation Test 20회 pp. 176~181

01 ❶ traditional Korean food ❷ good for your health ❸ eat this with rice
02 ❶ too simple ❷ has stripes ❸ blue one with dots
03 ❶ will be cloudy ❷ be careful on icy roads
04 ❶ How often ❷ What about playing
05 ❶ I am thirsty ❷ tastes good ❸ help me lose weight
06 ❶ giving a free concert ❷ getting there earlier ❸ five thirty
07 ❶ taking computer engineering ❷ get into law school ❸ to be President someday
08 ❶ lost my puppy ❷ never see it again ❸ one woman called me
09 ❶ the Italian place ❷ where we'll eat ❸ trying Thai food
10 ❶ are hiring ❷ The working hours ❸ give you lunch
11 ❶ stop playing ❷ my neighbors like you
12 ❶ news programs only ❷ useful lessons or information ❸ waste of time
13 ❶ running shoes ❷ What size

14 ❶ already looked ❷ on the piano ❸ found it
15 ❶ watch the kids ❷ plan to go skiing ❸ get away for
16 ❶ some work to do ❷ for inviting me ❸ going bike riding
17 ❶ didn't read it ❷ take care of ❸ for my swimming lesson
18 ❶ How tall ❷ brown and curly ❸ we'll catch him soon
19 ❶ Something wonderful ❷ take part in ❸ get the good result
20 ❶ your weekend ❷ like fishing ❸ during the weekend

01 그림 정보 파악 – 사물 | ②

해석

남 제가 전통적인 한국 음식을 하나 소개할게요. 이것은 빨갛고 매워요. 이것은 다양한 채소로 만들어집니다. 이것은 여러분의 건강에 좋아요. 그것은 많은 종류의 비타민을 가지고 있어요. 한국 사람들은 이것을 밥과 다른 음식과 함께 먹는 것을 좋아해요. 이것은 무엇입니까?

해설 한국의 전통 음식으로 빨갛고 매우며 비타민이 많아 건강에 좋은 것은 김치에 대한 설명이다.

02 그림 정보 파악 – 사물 | ⑤

해석

남 아, 저 넥타이를 봐, Amy. 아빠한테 완전히 잘 어울리겠어.
여 이 회색 넥타이 말이야? 난 잘 모르겠어. 너무 단순해.
남 아니, 오렌지색 넥타이. 줄무늬가 있어.
여 아, 이거? 흠, 오렌지색은 아빠한테 어울리는 색이 아니야.
남 음, 저건 어때? 꽤 괜찮은데.
여 어떤 거?
남 저 물방울무늬가 있는 파란색 넥타이 말이야.
여 와, 그게 아빠한테 잘 어울리겠다.

해설 두 사람은 물방울무늬의 파란색 넥타이를 구입할 것이다.

03 그림 정보 파악 – 날씨 | ⑤

해석

여 좋은 아침입니다. 저는 월요일 일기 예보의 Sue입니다. 지금 서울은 잔뜩 구름이 끼어 있습니다. 서울은 화요일까지 흐릴 것입니다. 하지만 수요일 아침부터 시작하여, 약 5~20밀리미터의 눈이 내릴 것입니다. 운전자분들, 빙판길을 조심하세요.

해설 Seoul will be cloudy until Tuesday.로 보아 화요일에는 흐릴 것임을 알 수 있다.

04 의도 파악 | ④

해석

여 넌 테니스를 치니?
남 조금. 너는 치니?
여 응, 하지만 그리 잘하는 건 아니야. 너는 얼마나 자주 해?
남 어, 일주일에 두 번 정도. 너는 어때?
여 일주일에 한 번. 금요일 오후에 한 게임 할래?
남 그럼! 나도 하고 싶어.

해설 남자의 마지막 말 Sure! I'd love to.는 '그럼! 나도 하고 싶어.'라는 의미로 여자의 제안을 수락하는 표현이다.

05 언급되지 않은 것 | ④

해석

남 Kathy, 넌 뭘 마시고 있니?
여 나는 녹차를 좀 마시고 있어. 나는 그것을 좋아해.
남 그것을 좋아하는 이유라도 있니?
여 내가 목이 마를 때, 그것은 정말 도움이 돼. 또, 목에 통증이 있을 때 나는 그것을 따뜻하게 마셔.
남 오, 나는 그런 사실을 몰랐어.
여 그것은 물론 향과 맛도 좋아.
남 너는 정말 녹차를 좋아하는구나.
여 무엇보다도, 그것은 살을 빼는 것을 도와줄 수 있어.
남 정말? 좋은데.

해설 여자가 녹차를 좋아하는 이유로 졸음 퇴치에 대한 내용은 언급되지 않았다.

06 숫자 정보 파악 – 시각 | ②

해석

남 너 그거 아니? 싸이가 청계천에서 내일 저녁에 무료 음악회를 열 거야.
여 정말? 놀랍구나! 몇 시에 시작하니?
남 7시에 시작해. 나랑 같이 보러 가고 싶니?
여 그래, 그거 좋겠다. 6시 30분에 주 출입구 근처에서 만나는 것은 어떠니?
남 흠, 보통은 좌석이 많지 않아. 그러니 좀 더 일찍 그곳에 가는 게 어떨까?
여 좋아. 5시 30분은 어떠니?
남 그게 좋겠다. 그때 보자.

해설 여자가 마지막에 5시 30분에 만나자고 했고, 이를 남자가 수락했으므로 두 사람은 5시 30분에 만날 것이다.

07 직업 및 장래 희망 | ①

해석

남 너는 뭘 전공할 거야?
여 컴퓨터 공학을 전공할 거야. 너는 어때? 내년에 어느 학교에 다닐 거야, Ben?
남 난 정말 잘 모르겠어. 그래서, 넌 대학에 다닌 뒤에 큰 회사에서 일하고 싶은 거야?
여 아니, 난 로 스쿨에 들어가고 싶어.
남 와, 넌 야망이 있구나!
여 실은 나는 언젠가 대통령이 되고 싶거든.

해설 여자의 마지막 말 Actually, I'd like to be President someday.를 통해서 여자의 장래 희망이 대통령임을 알 수 있다.

08 심정 파악 | ②

해석

남 Mike, 내가 이틀 전에 강아지를 잃어버린 거 알지. 그런데 난 그것을 찾았어.
남 정말? 좋은 소식이구나.
여 응, 나는 내가 그것을 다시는 못 볼까 봐 걱정했거든.
남 어떻게 그것을 찾았니?

여 흠, 나는 공원 곳곳에 포스터를 붙였어. 다행히 한 여자분이 내게 전화했어.
남 잘됐구나.
해설 이틀 전에 잃어버린 강아지를 찾게 된 여자의 심정은 기쁠 것이다.

09 한 일 / 할 일 파악 | ④

해석
남 어디서 먹을까?
여 아, 모르겠네. 이탈리아 식당은 어때?
남 거기는 지난 주에 갔었잖아.
여 알았어, 그러면 중국 식당은 어때?
남 넌 언제나 중국 식당만 찾더라.
여 좋아. 우리가 어디서 식사할지 네가 정할래?
남 난 다른 데로 가고 싶어. 어디 보자…. 태국 음식을 먹어 보는 건 어때?
여 좋은 생각이야.
해설 남자의 마지막 말 How about trying Thai food?에 대해 여자가 That's a good idea.라고 수락하는 대답을 한 것으로 보아 두 사람은 태국 음식을 먹으러 갈 것이다.

10 주제 파악 | ②

해석
남 우리는 슈퍼마켓에서 일할 판매원을 고용하려고 합니다. 근무 시간은 월요일에서 토요일까지로 오전 8시부터 오후 6시까지입니다. 우리는 매달 2,000달러를 지급할 것입니다. 매일 점심을 제공하고 유니폼을 제공할 것입니다. 333-3434로 전화 주세요.
해설 슈퍼마켓에서 일할 판매원을 모집하는 내용의 광고이다.

11 관계 추론 | ①

해석
남 실례합니다. 당신에게 요청드릴 것이 있어요.
여 뭔데요?
남 저녁 9시 이후에는 피아노 치는 것을 멈춰 주실 수 있나요? 저는 9시 쯤에 일찍 잠자리에 들거든요.
여 오, 정말 죄송해요. 그게 당신 같은 이웃들을 방해하는지 몰랐어요. 9시 이후에는 피아노를 치지 않을게요.
남 고마워요.
해설 9시 이후에 피아노 치는 것을 멈춰 달라고 이웃에게 부탁하고 있는 대화이다.

12 이유 파악 | ⑤

해석
여 너는 보통 어떤 TV 프로그램을 보니?
남 나는 오직 뉴스 프로그램만 봐.
여 다른 프로그램들은 전혀 안 보니?
남 전혀.
여 정말? 놀랍구나. 그러는 데 무슨 이유가 있니?
남 나는 다른 프로그램들에서 어떤 유익한 교훈이나 정보를 얻을 수 없다고 생각해. 나는 그것이 시간 낭비라고 생각하거든.
여 와, 나는 네가 그렇게 생각할 줄 몰랐어.
해설 남자의 마지막 말 I can't get any useful lessons or information ~.을 통해 그 이유를 알 수 있다.

13 장소 추론 | ③

해석
남 무엇을 도와드릴까요?
여 오, 저는 운동화를 찾고 있어요. 있나요?
남 오, 이것은 어떤가요? 그것은 매우 가볍고 편안해요.
여 흠, 신어 봐도 되나요?
남 물론이죠. 몇 치수를 신나요?
여 8 사이즈를 신어요.
해설 여자가 운동화를 사고 있는 상황이므로 대화가 이루어지고 있는 장소는 ③이 적절하다.

14 그림 정보 파악 – 물건 찾기 | ①

해석
남 엄마, 제 휴대 전화가 어디에 있어요?
여 탁자 위에 있는 거 같아.
남 전 이미 거기를 봤지만, 없어요.
여 흠, 침대 위에서 그것을 찾아봤니?
남 거기에도 역시 없어요.
여 흠…. 이상하다. 피아노 위는 어떠니?
남 오, 엄마, 찾았어요. 거기 있어요.
해설 남자는 피아노 위에서 자신의 휴대 전화를 찾았다.

15 부탁한 일 파악 | ①

해석
남 부탁 좀 해도 될까요?
여 물론입니다. 뭐죠?
남 주말 동안에 저희 대신 아이들 좀 봐 줄 수 있을까 해서요.
여 잠깐 생각 좀 해 볼게요. 토요일은 문제가 없는데, 일요일에는 친구들이랑 스키를 타러 가기로 했거든요.
남 아, 그것 참 유감이군요. 제 아내가 사실은 주말 내내 떠나 있고 싶어 했거든요.
해설 남자의 첫 번째 말 I wonder if you could watch the kids for us over the weekend.에서 주말에 아이들을 봐 달라는 부탁임을 알 수 있다.

16 제안한 일 파악 | ④

해석
여 늦었어. 난 정말 가 봐야겠어.
남 벌써?
여 응, 내일 해야 할 일이 좀 있거든.
남 음, 네가 와 줘서 반가웠어.
여 파티에 초대해 줘서 내가 고마운 걸. 즐거웠어.
남 와 줘서 고마워.
여 다음 주말에 공원으로 자전거 타러 가는 건 어때? 바야흐로 봄이잖아.
남 좋아. 난 햇빛을 좋아해.
해설 여자의 마지막 말 How about going riding in the park next weekend?에서 다음 주말에 공원에서 자전거 타자고 제안하는 것임을 알 수 있다.

17 특정 정보 파악 | ②

해석

여 방과 후에, 나는 도서관에 가서 한국 역사에 관한 책을 빌렸다. 그러나 나는 오후 내내 너무 바빠서 그것을 읽지 못했다. 우선, 나는 내 방을 청소하고 내 어린 여동생을 돌봐야 했다. 우리 엄마가 집에 오셨을 때, 나는 수영 수업을 받으러 수영장에 갔다.

해설 여자는 오늘 방과 후에 역사책을 빌렸지만 읽지 못했다고 했다.

18 직업 및 장래 희망 | ②

해석

남 들어오셔서 앉으세요. 옷부터 시작하죠. 뭘 입고 있었죠?

여 파란색 셔츠였던 것 같아요.

남 그는 얼마나 키가 컸나요?

여 키가 컸던 건 확실해요. 그가 마른 체격인 게 기억나네요. 그리고 머리는 갈색 곱슬머리였어요.

남 한 가지 질문만 더요. 나이가 몇 살쯤이던가요?

여 그는 십 대였어요. 십 대 후반이요. 그는 젊어 보였어요.

남 알았습니다. 정보에 감사드립니다. 틀림없이 그를 곧 잡을 겁니다.

해설 남자가 여자에게 누군가의 인상착의를 묻고 있으며, 꼭 그를 잡겠다고 말하는 것으로 보아 경찰관임을 알 수 있다.

19 알맞은 응답 찾기 | ⑤

해석

남 너 오늘 아주 행복해 보인다. 무슨 일이니?

여 멋진 일이 나에게 일어났어. 나는 정말 신이 나.

남 내가 맞춰 볼게. 오늘 오후에 우리 학교에서 모형 비행기 날리기 대회가 있었지. 너는 그 대회에 참가했니?

여 응, 재미 삼아 참가했어.

남 결과가 좋았니?

여 응. 나는 일 등을 했어.

남 와! 축하해!

① 괜찮아! ② 동감이야.

③ 그 말을 듣게 되어 유감이야. ④ 난 너에게 동의하지 않아.

해설 모형 비행기 날리기 대회에서 1등했다는 여자의 말에 대해 축하해 주는 ⑤가 적절한 응답이다.

20 알맞은 응답 찾기 | ⑤

해석

남 Bella, 네 주말은 어땠니?

여 좋았어. 나는 낚시에 가서 많은 물고기를 잡았어.

남 재미있었겠다! 나는 네가 낚시를 좋아하는지 몰랐어.

여 그건 재미있어. 아버지가 나에게 낚시하는 법을 가르쳐 주셨어. 너는 주말 동안 무엇을 했니?

남 난 부산에 사는 친구를 방문했어.

① 너의 아빠는 훌륭하시네. ② 영화 보러 가자.

③ 나는 어떤 계획도 없어. ④ 나는 도서관에 갈 거야.

해설 주말 동안 무엇을 했는지 묻는 질문에 대해 부산의 친구를 방문했다는 ⑤가 적절한 응답이다.

21회 영어 듣기모의고사 pp. 182~183

01 ③	02 ②	03 ②	04 ①	05 ⑤
06 ④	07 ②	08 ⑤	09 ④	10 ⑤
11 ②	12 ④	13 ③	14 ①	15 ①
16 ②	17 ④	18 ④	19 ③	20 ④

Dictation Test 21회 pp. 184~189

01 ❶ a garbage can ❷ on the wall

02 ❶ every Wednesday and Friday ❷ due this Thursday ❸ next Thursday

03 ❶ cloudy skies ❷ fall down below zero ❸ keep snowing

04 ❶ need to exercise more ❷ are too tiring ❸ I don't think

05 ❶ come from ❷ live in Seoul ❸ are very kind

06 ❶ thirty dollars ❷ Only green one ❸ the blue one

07 ❶ build this new table ❷ a great carpenter ❸ be a professional carpenter

08 ❶ am just worried ❷ speak in front of ❸ calm down

09 ❶ a long week ❷ get some rest ❸ need some rest

10 ❶ I respect most ❷ search for some information

11 ❶ see a doctor ❷ the doctor's note ❸ she gets well soon

12 ❶ my battery is dead ❷ I understand

13 ❶ free and comfortable ❷ only read and borrow ❸ can borrow

14 ❶ walk along the theater ❷ walk one more block ❸ across from the hotel

15 ❶ broke my leg ❷ return this book ❸ borrow a book

16 ❶ go to the park ❷ Walks in the park

17 ❶ just stay home ❷ to buy some books ❸ a book signing event

18 ❶ feed them ❷ can tell ❸ interested in animals

19 ❶ After two blocks ❷ totally new here

20 ❶ it's her hobby ❷ you'd better ask

01 그림 정보 파악 - 사물 | ③

해석

남 ① 책상 옆에 휴지통이 있습니다.

② 서랍 속에 헤드폰이 있습니다.

③ 고양이가 책상 밑에서 자고 있습니다.

④ 벽에 메모판이 있습니다.

⑤ 책이 책상 위에 펼쳐져 있습니다.

해설 고양이는 책상 밑이 아니라 책상 위에서 잠자고 있다.

02 그림 정보 파악 – 날짜 | ②

해석

여 이번 수학 숙제는 너무 어렵다. 우리 같이 할까?

남 그래, 우린 그래야 해. 내일 도서관에서 만나자.

여 유감스럽지만, 안 돼. 화요일마다 피아노 수업이 있어. 수요일은 어떠니?

남 나는 수요일과 금요일마다 축구 연습을 해.

여 그럼 오늘 해야겠다. 이 수학 숙제는 이번 주 목요일까지거든.

남 정말? 난 다음 주 목요일인 줄 알았는데.

여 아니야. 6월 19일까지야.

해설 수학 숙제 마감이 이번 주 목요일인 6월 19일인데, 화요일은 피아노 레슨, 수요일과 금요일은 축구 연습 때문에 오늘 함께 숙제를 하기로 했으므로 오늘은 6월 16일 월요일이다.

03 그림 정보 파악 – 날씨 | ②

해석

여 안녕하세요, 여러분? 이번 주 날씨입니다. 월요일에서 수요일까지는 흐리고 비가 오겠습니다. 그러나 목요일부터는 영하로 떨어져서 비가 눈으로 바뀔 것입니다. 토요일까지 눈이 계속 내릴 것입니다.

해설 It will keep snowing until Saturday.라고 했으므로 토요일에는 눈이 올 것이다.

04 의도 파악 | ①

해석

남 운동을 좀 더 해야겠어.

여 나도. 우리 같이 운동하는 게 어떨까?

남 정말? 네가 날 따라올 수 있을 것 같아?

여 물론이지. 그런데 난 아주 지치는 운동은 별로야.

남 나도 그렇게 생각했어. 그럼 어떤 게 좋아?

여 볼링 어때?

남 볼링? 그건 내가 살 빼는데 도움이 안 돼.

해설 남자의 마지막 말 I don't think that's going to help me.에서 남자는 볼링이 도움이 되지 않는다고 생각한다며 반대의 의견을 내고 있다.

05 언급하지 않은 것 | ⑤

해석

여 나는 Elena야. 나는 스페인에서 왔어. 나의 어머니는 스페인인이고, 아빠는 한국인이셔. 나는 작년에 한국에 와서 지금 서울에서 살고 있어. 처음에는, 내 조국을 그리워했었지만, 지금은 한국이 좋아. 한국 사람들은 무척 친절해.

해설 여자는 자신의 이름, 출신 국가, 부모님 국적, 사는 곳은 언급하였으나 성격은 언급하지 않았다.

06 숫자 정보 파악 – 금액 | ④

해석

남 실례합니다. 이 셔츠는 얼마입니까?

여 30달러입니다.

남 이 셔츠가 마음에 드는데, 색상이 마음에 안 듭니다. 파란색으로 찾아주실 수 있으세요?

여 물론이죠. 여기 있습니다. 파란색, 초록색, 그리고 검은색이 있습니다. 초록색만 20퍼센트 할인이고요.

남 그러면, 얼마인데요?

여 24달러입니다.

남 음, 전 여전히 파란색이 좋군요. 파란색으로 사겠습니다.

해설 여자가 녹색 옷은 20% 할인 판매한다고 했음에도 남자는 파란색 옷을 사겠다고 했는데 할인된 금액이 24달러이므로 정가인 30달러를 지불했을 것이다.

07 직업 및 장래 희망 | ②

해석

여 와, 네가 이 새 탁자를 직접 만든 거야?

남 음, 내 친구 Sam이 좀 도와줬어.

여 너는 이런 걸 어디서 배웠어?

남 어릴 때 이따금 할아버지를 도와드렸거든.

여 할아버지가 목수이시거나 그런 직업이었니?

남 응, 훌륭한 목수셨어.

여 이건 정말 멋지다.

남 정말 힘든 일이지만, 난 언젠가 우리 할아버지처럼 전문적인 목수가 되고 싶어.

해설 남자의 마지막 말 I want to be a professional carpenter like my grandfather someday.에서 남자의 장래 희망이 목수임을 알 수 있다.

08 심정 파악 | ⑤

해석

여 John, 너 괜찮아? 기분이 안 좋아 보여.

남 난 영어 말하기 시험 때문에 걱정이 돼서 그래.

여 너 영어 말하기를 잘 하잖아. 걱정하지 마.

남 많은 사람 앞에서 말할 때 긴장되거든.

여 진정해. 너는 괜찮을 거야.

남 고마워, 하지만 그 시험이 끝났을 때 나는 진정할 수 있을 것 같아.

해설 사람들 앞에서 긴장하는 남자는 영어 말하기 대회를 앞두고 걱정하고 있다.

09 한 일 / 할 일 파악 | ④

해석

여 난 시험이 드디어 끝나서 매우 좋아.

남 나도 그래. 긴 한 주였어.

여 우리 영화를 보러 갈까? 극장에 새 영화가 개봉했대.

남 음, 난 집에 가서 좀 쉬고 싶어.

여 그러지 말고. 이렇게 좋은 날씨에 집에 가서 잠이나 잘 순 없어.

남 미안하지만, 난 정말 좀 쉬어야겠어.

여 알았어, 그럼 내일 영화 보자.

해설 시험이 끝나서 여자는 영화를 보러 가자고 남자에게 제안했지만 남자는 쉬고 싶다며 거절했다.

10 주제 파악 | ⑤

해석

여 난 역사 숙제를 시작할 수가 없어.

남 무엇에 대한 건데?

여 내가 가장 존경하는 인물에 대한 거야. 그나 그녀는 과거의 인물이어야 해.

남 너는 누구를 가장 존경하니?

여 모르겠어. 나는 운동선수들을 좋아하지만, 그들은 모두 살아 있거든.

남 인터넷에서 정보를 좀 찾아보는 건 어때?
여 와, 그거 좋은 생각이다.
해설 두 사람은 여자의 존경하는 과거 인물에 대한 역사 과제에 대해 대화를 나누고 있다.

11 특정 정보 파악 | ②
해석
[*전화벨이 울린다.*]
남 여보세요, Johnson입니다.
여 안녕하세요, Johnson 선생님. 저는 미나 엄마예요.
남 안녕하세요, 미나에게 무슨 일이 있나요?
여 학교 가기 전에 병원에 가야 해요. 복통이 있습니다.
남 안됐군요. 학교로 의사 진단서만 보내 주세요.
여 알았습니다.
남 그녀가 빨리 낫길 바랍니다.
해설 남자는 여자에게 의사 진단서를 학교에 보내 달라고 말했다.

12 이유 파악 | ④
해석
여 너는 어젯밤에 전화를 안 받던데. 너는 뭘 했니?
남 가족들과 캠핑을 갔는데 배터리가 다 됐었어.
여 여분의 배터리를 안 가져갔니?
남 그것에 대해 완전히 잊어버렸었어.
여 정말? 이제 이해가 되는구나.
해설 ~ my battery is dead.를 통해 남자의 휴대 전화 배터리가 다 되어서 전화를 받지 못했음을 알 수 있다.

13 장소 추론 | ③
해석
여 여기에서 영화를 본 건 처음이야. 이곳에서 영화를 보는 것에 대해 넌 어떻게 생각하니?
남 좋다고 생각해. 무료에다 편리하잖아.
여 동의해. 나는 이곳에서는 책을 읽거나 빌리는 것만 할 수 있을 거라고 생각했어. 이제 영화 보러 시내에 갈 필요가 없군.
남 너 그거 아니? 여기서는 DVD도 빌릴 수 있어.
여 좋은데!
해설 이곳에서는 책을 읽고 빌릴 수만 있다고 생각했는데 무료로 영화를 보고 DVD도 빌릴 수 있다고 했으므로 두 사람은 도서관에 있다.

14 그림 정보 파악 – 길 찾기 | ②
해석
여 실례합니다. 역사박물관에 어떻게 가는지 알려 주시겠어요?
남 네. 우선 모퉁이까지 극장을 따라 걸어가서 오른쪽으로 도세요.
여 알았어요.
남 그 다음에, 주 도로까지 한 블록을 걸어가서 왼쪽으로 도세요. 이해하시겠어요?
여 네, 이해하고 있어요.
남 그런 후에 한 블록을 더 걸어가시면 왼쪽에 박물관이 보일 거예요. 박물관은 호텔 건너편에 있어요.
여 알겠어요. 감사합니다.
해설 여자가 역사박물관에 가는 길을 묻자, 남자가 세 번에 걸쳐(First ~, Next ~, Then ~) 위치를 설명하고 있으므로 남자의 말을 끝까지 주의해서 듣는다.

15 부탁한 일 파악 | ①
해석
남 Jane, 다리가 왜 그러니?
여 계단에서 떨어져서 다리가 부러졌어.
남 그 말을 들으니 안타깝네. 아프니?
여 아프지만 그다지 심하지는 않아.
남 내가 도와줄 일이 있니?
여 응. 이 책을 도서관에 반납해 줄래?
남 물론이지. 난 영어 숙제를 하려고 책을 빌리기 위해 도서관에 가는 길이야.
여 고마워.
해설 계단에서 넘어져 다리가 부러진 여자는 남자에게 도서관에 책을 반납해 달라고 부탁하고 있다.

16 제안한 일 파악 | ②
해석
남 우리 공원에 가자.
여 하지만 밖은 흐리고 비가 오잖아.
남 괜찮아. 거기에 사람이 많지 않을 테니까.
여 난 이런 날씨에는 가고 싶지 않아.
남 가자! 그렇게 나쁜 날씨도 아니잖아.
여 공원 산책은 날씨가 좋을 때 하는 거야.
해설 남자는 여자에게 궂은 날씨임에도 불구하고 공원에 가자고 제안하고 있다.

17 한 일 / 할 일 파악 | ④
해석
남 너는 오후에 무엇을 할 거니?
여 나는 계획 없어. 나는 그냥 집에 있을 거야. 너는?
남 나는 Dream 서점에 가려고.
여 책을 몇 권 사고 싶은 거야?
남 아니, 그 서점에서 책 사인회가 있어. 같이 가자.
여 그러자.
해설 오후에 집에서 쉬겠다는 여자에게 남자는 서점에서 열리는 책 사인회에 같이 가자고 제안했고, 여자가 수락했으므로 두 사람은 책 사인회에 갈 것이다.

18 직업 및 장래 희망 | ④
해석
남 저는 동물에 관심이 있습니다. 사실, 저는 동물을 좋아합니다. 저는 항상 동물과 함께 일합니다. 저는 그들을 돌보고, 먹이를 줍니다. 저는 동물의 감정을 잘 읽습니다. 그들이 아프고 배고플 때를 알 수 있습니다. 여러분도 동물에 관심이 있으면, 여러분 집 근처에 있는 동물원을 방문해서 저를 만나세요.
해설 동물들에 관심이 있고 함께 일하며 동물들을 돌보고 먹이도 준다고 했으므로 남자의 직업은 사육사이다.

19 알맞은 응답 찾기 | ③
해석
여 잠실역 가는 길을 알려 주실 수 있나요?
남 물론입니다. 두 블록을 곧장 가서 왼쪽으로 도세요.
여 두 블록 후에 왼쪽으로 돌아야 하는 거죠, 맞죠?

남 네, 그러고 나서 50미터 정도 계속 걸으시면 잠실역이 보입니다.
여 찾기 쉽나요? 전 이곳이 완전 처음이거든요.
남 걱정하지 마세요. 쉽게 찾으실 수 있을 거예요.
① 당신의 오른쪽에 있어요.
② 더 일찍 떠나는 게 어때요?
④ 맞아요. 여기에서 가까워요.
⑤ 집에 가려면 약 10분 걸려요.
해설 처음 온 곳이라 불안해하며 잠실역으로 가는 길을 물어보는 여자에게 걱정하지 말라며 쉽게 찾을 수 있을 거라고 말하는 ③이 적절한 응답이다.

20 알맞은 응답 찾기 | ④

해석
남 나는 엄마께 드릴 선물을 사야 해. 좀 도와줄래?
여 엄마가 뭘 하시는 걸 좋아하시니?
남 그녀는 요리를 좋아하시는 것 같아.
여 그건 너의 엄마의 취미가 아닌 것 같은데.
남 하지만 주로 우리를 위해 쿠키와 빵을 구우셔.
여 그럼 네 아빠께 그녀가 무엇을 좋아하는지 여쭙는 게 좋겠어.
남 나는 네 충고를 따를게.
① 궁금해하지 마.
② 내가 아빠 대신에 엄마에게 여쭤 볼게.
③ 와! 너 확실히 바쁘구나. ⑤ 그녀는 할 일이 많아.
해설 아빠에게 엄마가 무엇을 좋아하시는지 물어보라고 충고하는 여자의 말에 대해 조언을 따르겠다고 말하는 ④가 적절한 응답이다.

22회 영어 듣기모의고사 pp. 190~191

01 ①	02 ③	03 ①	04 ④	05 ③
06 ②	07 ⑤	08 ⑤	09 ③	10 ④
11 ③	12 ④	13 ②	14 ④	15 ③
16 ①	17 ③	18 ④	19 ④	20 ⑤

Dictation Test 22회 pp. 192~197

01 ❶ a head injury ❷ save you from accident
02 ❶ do some housework ❷ clean the house ❸ can't do that
03 ❶ very cloudy ❷ began to rain hard
04 ❶ make it ❷ a good cook ❸ just a little
05 ❶ curly brown hair ❷ likes bubbles ❸ so cute
06 ❶ the guitar lesson start ❷ just ten minutes
07 ❶ like sea animals ❷ be a scientist
08 ❶ look tired ❷ for blind people ❸ happy with it
09 ❶ have to find ❷ tell us where
10 ❶ play basketball ❷ exercise a lot ❸ for our health
11 ❶ snowing a lot ❷ so I walked ❸ it has snowed heavily
12 ❶ near the park ❷ meet my friend ❸ play badminton with
13 ❶ all of your songs ❷ planning to have a concert ❸ write about it
14 ❶ Go two blocks ❷ on the left ❸ Across from
15 ❶ the plant ❷ seem to be healthy ❸ needs sunlight
16 ❶ starting to bore me ❷ move things around ❸ can go beside it
17 ❶ learn to ski ❷ read many books ❸ for resting
18 ❶ prepare for class ❷ go abroad ❸ Serving in an airplane
19 ❶ that's right ❷ will be good ❸ be so peaceful
20 ❶ by that name ❷ beg your pardon

01 그림 정보 파악 – 사물 | ①

해석
남 많은 십 대들이 자전거를 타는 것을 즐긴다. 하지만 자전거 사고는 자주 나므로 주의해서 타야 한다. 그것들 중에 머리 부상이 가장 심각하다. 그래서 여러분은 이것을 착용해야 한다. 그것은 사고로부터 여러분을 구해 줄 수 있다. 그리고 그것을 올바른 방법으로 착용하는 것 역시 중요하므로, 여러분의 것을 점검해 보아라.
해설 자전거를 탈 때 머리 부상 방지를 위해 꼭 써야 하는 것은 헬멧이다.

02 그림 정보 파악 – 그림 | ③

해석
남 이번 토요일에 Olivia와 영화를 볼 거야. 너도 같이 갈래?
여 나도 그러고 싶지만, 안 돼.
남 왜 안 되는데?
여 엄마가 편찮으셔서 집안일을 좀 해야 하거든.
남 혼자서 설거지하고 집을 청소하려고?
여 응. 내 여동생들은 너무 어려. 그들은 그걸 할 수 없거든.
남 안됐다.
해설 여자는 엄마가 편찮으셔서 직접 집안일을 해야 한다고 했다.

03 그림 정보 파악 – 날씨 | ①

해석
여 오전에는, 구름이 잔뜩 끼어 있었어. 나는 학교에 우산을 가져갔어. 하지만 학교가 끝날 때까지 비는 오지 않았어. 나는 방과 후에 우산을 챙기는 것을 깜박했지. 집에 오는 길에, 폭우가 내리기 시작했어. 정말 끔찍한 하루였어!
해설 오전에는 매우 흐렸는데(very cloudy), 수업이 끝난 오후에는 비가 오기 시작했다(began to rain)고 했다.

04 의도 파악 | ④

해석
남 와우. 이 닭고기 수프 정말 맛있다. 네가 만들었니?
여 응, 내가 만들었어. 나는 엄마한테서 그걸 배웠어.

남 너는 훌륭한 요리사구나.
여 그렇게 말해 줘서 고마워. 좀 더 먹을래?
남 그래, 그럴게. 하지만 조금만 줘.
해설 Yes, please.는 음식을 권하는 상대방의 말에 수락하는 표현이다.

05 내용 일치·불일치 | ③

해석
남 제 여동생을 여러분에게 소개할게요. 그녀의 이름은 하나예요. 그녀는 7살이죠. 내년에 초등학교에 들어갈 거예요. 그녀의 가장 친한 친구는 강아지 두리예요. 두리는 곱슬곱슬한 갈색 털을 가지고 있어요. 두리는 비눗방울을 아주 좋아해요. 그래서 하나는 비눗방울을 자주 불어요. 두리는 그 비눗방울을 가지고 놀죠. 그들은 정말 귀여워요. 그리고 저는 그들을 사랑해요.
해설 Duri has curly brown hair.로 보아 두리는 갈색 털을 지닌 강아지이다.

06 숫자 정보 파악 – 시각 | ②

해석
남 Amy, 너는 왜 그렇게 바쁘니? 기타 수업 시작하기 전까지 40분이 남았어.
여 아니. 나는 지금 가야 해.
남 기타 수업이 몇 시에 시작하는데?
여 보통 2시 30분에, 하지만 오늘은 2시에 시작해.
남 오, 10분밖에 안 남았구나. 서둘러!
해설 오늘 기타 수업은 2시에 시작한다고 했고 10분 남은 상황이므로 현재 시각은 1시 50분이다.

07 직업 및 장래 희망 | ⑤

해석
여 Justin, 너는 어떤 것에 관심이 있니?
남 나는 해양 동물들과 바다를 정말로 좋아해.
여 너는 나중에 선원이 되고 싶은 거구나, 그렇지 않니?
남 사실은 아냐. 그것들에 대해서 연구를 하고 싶어.
여 과학자가 되고 싶은 거니?
남 바로 그거야.
여 멋지구나! 몰랐어.
해설 바다 동물과 바다를 좋아하고 과학자가 되고 싶다고 했으므로 남자의 장래 희망은 해양 과학자일 것이다.

08 심정 파악 | ⑤

해석
남 Molly, 너는 피곤해 보인다. 무슨 일이야?
여 그래, 난 정말 피곤해. 어제 책 한 권을 타이핑했거든.
남 책 한 권을 타이핑했다고? 무슨 일로?
여 실은, 난 시각 장애인들을 위한 책을 만들고 있어.
남 오, 정말?
여 그래. 주로 문자를 타이핑하고, 때로는 녹음용으로 책을 읽기도 해.
남 멋지다.
여 그래. 쉬운 일은 아니지만, 그 일을 하는 것이 기뻐.
해설 여자는 마지막에 I'm happy with it.이라고 했으므로 여자의 심정은 만족스러울 것이다.

09 한 일 / 할 일 파악 | ③

해석
남 넌 너무 빨리 걸어. 속도를 늦춰 줘.
여 나는 꽃 가게를 찾아야 해. 엄마 생신 파티에 쓸 꽃이 조금 필요하거든. 그리고 나는 오후 4시까지 집에 가야 해.
남 알았어. 윌슨 가로 가는 건 어때?
여 좋아. 누군가에게 길을 물어보자. 그 사람이 그게 어디 있는지 알려줄 수 있을 거야.
남 좋아. 그렇게 하자.
해설 여자의 마지막 말 Let's ask someone for directions.에 대해 남자가 그러자고 했으므로 두 사람은 대화 직후에 길을 물어볼 것이다.

10 주제 파악 | ④

해석
여 Peter, 너는 어디에 가고 있니?
남 난 농구하러 체육관에 가는 중이야.
여 체육관에? 너는 매일 그것을 하니?
남 아니, 하지만 운동을 많이 하려고 노력해. 너는 운동을 하지 않니?
여 응, 나는 운동을 안 해.
남 나는 우리가 건강을 위해서 운동을 해야 한다고 생각해. 건강이 가장 중요하잖아. 만일 네가 아프면, 넌 아무것도 할 수가 없어.
여 알지만, 쉽지가 않아.
해설 남자는 마지막 말 I think we should exercise for our health.에서 건강의 중요성을 강조하고 있다.

11 특정 정보 파악 | ③

해석
남 오늘 눈이 정말 많이 온다, 그렇지 않니?
여 응, 그래. 아침엔 학교에 오는 게 정말 힘들었어.
남 학교에 어떻게 왔어?
여 보통 버스를 타지만 오늘은 지하철을 탔지. 너무 혼잡했어. 너는?
남 우리 집은 학교에서 그다지 멀지 않아서, 나는 걸어왔어.
여 평소에는 자전거를 타고 다니지, 그렇지 않니?
남 응, 그래. 하지만 오늘은 눈이 너무 많이 왔잖아.
해설 남자는 보통 자전거를 타고 학교에 가지만, 오늘은 눈이 많이 내려서 걸어서 갔다고 했다.

12 이유 파악 | ④

해석
여 너는 어디에 가는 중이니?
남 공원 근처에 있는 병원에.
여 왜? 누가 아프니?
남 아니. 나는 병원 앞에서 내 친구 Jennifer를 만날 거야. 그녀는 그 주변에 살거든.
여 아, 그건 몰랐네.
남 그런데, 너는 어디 가니?
여 삼촌과 배드민턴을 하러 공원에 가는 길이야.
남 같이 가자.
해설 남자는 병원 앞에서 친구를 만날 예정이라고 했다.

13 관계 추론 | ②

해석

여 오, 만나게 되어서 정말 기뻐요.

남 저도 그래요.

여 저는 당신의 노래를 모두 좋아해요. 그 곡들은 매우 아름다워요.

남 정말 감사합니다.

여 다음 콘서트는 언제인가요?

남 올 10월에 콘서트를 계획하고 있어요.

여 그 콘서트에 대해 좀 더 말씀해 주시겠어요? 잡지에 그것에 대해서 쓰고 싶어서요. 독자들이 당신 소식을 좋아할 거예요.

남 좋아요.

해설 여자는 남자의 노래가 좋다고 하면서 콘서트 계획을 묻고, 이를 잡지에 쓰겠다고 하는 것으로 보아 두 사람은 잡지 기자와 가수의 관계임을 알 수 있다.

14 그림 정보 파악 – 길 찾기 | ④

해석

여 오, Peter, 피곤하고 배고파. 여기서 쉬자.

남 좋아. 이곳은 쉬기에 좋은 장소야. 이 근처에 패스트푸드점이 있니?

여 응. 두 블록 가서 오른쪽으로 돌아. 그것은 네 왼쪽에, 은행 옆에 있어.

남 우체국 맞은편?

여 맞아.

남 나 거기 알 것 같아. 여기서 기다려. 내가 뭘 좀 사다 줄게.

여 고마워.

해설 패스트푸드 식당은 두 블록 곧장 가서 우회전하면 왼쪽에 있다고 했으므로 ④이다.

15 특정 정보 파악 | ③

해석

여 컴퓨터 책상 위에 있는 식물은 뭐예요?

남 제 친구에게 받은 선물이에요.

여 하지만, 무엇이 잘못되었죠? 건강해 보이지 않아요.

남 잎들이 왜 갈색으로 변하는지 모르겠어요.

여 햇빛이 필요한 것 같은데요. 창문 앞에다 옮겨 보세요.

남 좋은 생각이네요. 그럴게요.

해설 여자는 남자에게 화분을 창문 앞에 두어 햇볕을 쬐게 하라고 충고하고 있다.

16 제안한 일 파악 | ①

해석

여 난 이곳이 지겨워지기 시작했어.

남 그럼 물건 배치를 좀 다시 해야겠네.

여 그래, 그거 좋은 생각이다.

남 소파를 저쪽으로 옮기면 어때?

여 좋아. 그리고 오디오 기기는 저기로 옮기면 되겠다.

남 그럼 책상은 어디에 둘까?

여 다른 창문 옆은 어때?

남 그래. 그리고 그 옆에 스탠드를 두면 되겠다.

해설 남자는 집이 지루해지기 시작했다는 여자에게 가구의 위치를 옮겨 볼 것을 제안했다.

17 한 일 / 할 일 파악 | ③

해석

여 너는 이번 방학에 무엇을 할 계획이니?

남 나는 스키 타는 걸 배울 계획이야. 나는 아직 그것을 못 타.

여 그거 재미있겠다.

남 응, 나도, 기대돼. 너는 어때?

여 별로 없어. 나는 그냥 집에 있으면서 책을 많이 읽으려고 해.

남 그것도 나쁘지 않구나.

여 응, 요즘 너무 바빠서 책 읽을 시간을 낼 수가 없거든.

남 즐거운 시간 갖기를 바라.

해설 이번 방학에 남자는 스키를 배운다고 했고, 여자는 집에서 많은 책을 읽겠다고 했다.

18 직업 및 장래 희망 | ④

해석

여 안녕, Jack, 요즘 어떻게 지내니?

남 나는 학교에서 아주 바쁘게 지내. 아이들은 매우 활달하고 나는 수업을 위한 준비를 해야 해. 너의 새로운 일은 어때?

여 흥미진진하지. 너도 알다시피, 나는 해외로 나가는 것을 무척 원했잖아. 그래서 지금 나는 매우 만족해.

남 너는 오랫동안 서 있어야 하잖아. 피곤하지 않니?

여 응, 조금. 비행기에서 접대하는 것은 쉬운 일이 아니지만, 여러 나라를 여행하는 게 정말 즐거워.

해설 비행기에서 서비스하는 게 쉬운 일은 아니지만 여러 나라 여행을 즐길 수 있어 좋다고 했으므로 여자의 직업은 승무원이다.

19 알맞은 응답 찾기 | ④

해석

여 나는 네가 휴가 동안에 오대산에 갈 거라고 들었어.

남 오, 맞아.

여 나는 작년에 거기에 갔었어. 좋은 경험이었지.

남 모든 사람들이 그렇게 말하더라.

여 다음번에는 템플 스테이를 체험할 예정이야.

남 그것도 좋을 것 같아.

여 음, 절에서 머무르는 것은 무척 평화로울 거야.

남 네 말에 전적으로 동감이야.

① 걱정하지 마. ② 아마 다음번에.

③ 너는 매우 친절하구나. ⑤ 난 너무 바빠서 너와 같이 갈 수 없어.

해설 절에서 머무르는 것이 아주 평화로울 것이라 여자의 말에 대해 동의하는 ④가 적절한 응답이다.

20 알맞은 응답 찾기 | ⑤

해석

[*전화벨이 울린다.*]

남 여보세요

여 여보세요. 전 Emily인데요. Eric과 통화할 수 있나요?

남 죄송합니다. 여기에는 그런 이름을 가지신 분이 없습니다.

여 뭐라고요?

남 전화 잘못거셨어요.

① 그는 외출했어요. ② 오, 죄송합니다.

③ 제가 나중에 걸게요. ④ 메시지 남겨 드릴까요?

해설 I beg your pardon?은 상대방의 말을 잘 못 알아들었을 때 되묻는 표현으로 이에 대해 다시 설명해 주는 ⑤가 적절한 응답이다.

기출문제로 마무리하는 Final Test 01회 pp. 198~199

01 ①	02 ②	03 ①	04 ⑤	05 ③
06 ②	07 ③	08 ①	09 ②	10 ⑤
11 ②	12 ④	13 ③	14 ①	15 ①
16 ⑤	17 ④	18 ②	19 ⑤	20 ③

Dictation Test 01회 pp. 200~205

01 ❶ in the mountains and woods ❷ have black lines
02 ❶ these ones with bears ❷ slippers with ribbons
03 ❶ the weather report ❷ be sunny tomorrow
04 ❶ the free ice cream ❷ want to get some
05 ❶ our club activities ❷ read books to sick children
06 ❶ have any plans ❷ too many people
07 ❶ liked your story ❷ are very good at writing
08 ❶ finally picnic day ❷ can't wait
09 ❶ some good news ❷ won the first prize
10 ❶ look excited ❷ the history of bikes
11 ❶ getting there ❷ take you by car
12 ❶ watched a soccer match ❷ won the match
13 ❶ four-person dinner tables ❷ not expensive
14 ❶ get there ❷ on your right
15 ❶ with these blocks ❷ making a bear ❸ yellow one for the ear
16 ❶ learn to dance ❷ join our club
17 ❶ need some help ❷ good at drawing
18 ❶ like your steak ❷ show me the menu? ❸ bring it
19 ❶ can't play drums ❷ join a club
20 ❶ Did you get anything ❷ almost new

01 그림 정보 파악 – 동물 | ①

해석

남 여러분은 나를 한국의 전래 동화에서 찾을 수 있어요. 나는 산과 숲 깊숙이에서 삽니다. 나는 커다란 동물입니다. 나는 훌륭한 사냥꾼입니다. 내 몸엔 검은 줄이 있습니다. 나는 고양이과의 동물입니다. 나는 누구일까요?

해설 한국의 전래 동화에 자주 등장하고 산과 숲에 사는 커다란 동물로 몸에 검은 줄이 있는 고양이과 동물은 호랑이이다.

02 그림 정보 파악 – 사물 | ②

해석

여 도와드릴까요?
남 네. 저는 제 여동생에게 줄 슬리퍼를 사고 싶어요.
여 네. 곰이 있는 이건 어떤가요?
남 나쁘지 않네요. 하지만 다른 종류 있나요?
여 흠…. 리본이 달린 슬리퍼가 있습니다.
남 리본이 있는 것이 좋네요. 그걸로 살게요.

해설 남자는 리본이 있는 슬리퍼를 사겠다고 했으므로 남자가 구입할 실내화는 ②이다.

03 그림 정보 파악 – 날씨 | ①

해석

여 안녕하세요. 일기 예보입니다. 지금 비가 많이 내리고 있지만, 오늘밤엔 그칠 것입니다. 오늘 비가 내린 후 내일은 화창해질 것입니다. 하늘에 더 이상 구름이 끼지 않을 것입니다. 여러분은 야외 활동을 즐기실 수 있습니다.

해설 오늘 비가 그친 후에 내일 날씨는 화창할 거라고 했다.

04 의도 파악 | ⑤

해석

남 와. 상점 앞에 많은 사람들이 있네.
여 아. 그들은 무료 아이스크림을 기다리고 있는 거야. 새로운 가게가 무료 아이스크림을 나눠 주거든.
남 너는 받으러 가고 싶니? 넌 아이스크림을 좋아하잖아?
여 그러고 싶지만, 못해. 난 지금 수영 강습에 가야 하거든.

해설 여자의 마지막 말 I'd love to, but I can't.는 거절하는 표현이다.

05 언급하지 않은 것 | ③

해석

남 우리의 동아리 활동에 대해 말씀드릴게요. 우리는 여러 종류의 책을 읽고 그 책에 대해 토론합니다. 우리는 책 포스터도 만듭니다. 한 달에 한 번, 우리 동아리는 거리 독서 캠페인을 합니다. 우리는 또한 일 년에 두 번은 병원에서 환자들에게 책을 읽어 줍니다.

해설 남자는 동아리 활동 중 작가에게 편지 쓴다는 내용은 언급하지 않았다.

06 숫자 정보 파악 – 시각 | ②

해석

[전화벨이 울린다.]
여 정수야, 안녕.
남 Alice, 안녕. 내일 기말고사 후에 계획 있니?
여 아니. 무슨 일 있어?
남 우리 점심 먹으러 '델리 떡볶이'에 가는 건 어때?
여 좋아. 오후 1시에 그리로 가자.
남 그때엔 사람이 아주 많아. 12시 30분에 보는 건 어때?
여 그래. 거기서 보자.

해설 1시에는 사람이 많아서 두 사람은 12시 30분에 만나기로 했다.

07 직업 및 장래 희망 | ③

해석

남 안녕하세요, Baker 선생님. 제 숙제를 읽으셨나요?
여 오, 그럼, 하준아. 난 소년과 그의 개에 관한 네 이야기가 정말 좋았어.
남 좋으셨다니 저도 기쁩니다. 전 아주 열심히 했거든요.
여 난 네가 글쓰기를 잘한다고 생각해.
남 고맙습니다. 전 장래에 작가가 되고 싶어요.

해설 남자는 마지막 말에서 장래에 작가가 되고 싶다고 했다.

08 심정 파악 | ①

해석

남 엄마, 이번 주 금요일이 드디어 소풍날이에요.

여 좋네. 난 네가 그것을 오랫동안 기다렸다는 것을 알지. 도시락을 가져가야 하니?

남 네. 저를 위해 김밥을 만들어 주실래요? 전 정말로 김밥이 먹고 싶어요.

여 물론이지.

남 와, 전 기대돼요.

해설 소풍을 기다려 왔던 남자는 소풍날을 맞이하여 설렐 것이다.

09 한 일 / 할 일 파악 | ②

해석

여 안녕, Mike. 어떻게 지내니?

남 난 아주 잘 지내. 고마워.

여 네게 좋은 뉴스를 말해 주고 싶어.

남 뭔데?

여 Emma가 말하기 대회에서 우승했어.

남 대단하다! 당장 그녀에게 축하 전화를 해야겠다.

해설 대화가 끝난 후 남자는 말하기 대회에서 우승한 Emma에게 축하 전화를 할 것이다.

10 주제 파악 | ⑤

해석

여 James, 넌 기분 좋아 보이네. 새로운 거 있니?

남 오늘 우리 반은 자전거 박물관을 방문할 거거든.

여 멋지다. 거기서 넌 뭐 할 거니?

남 우리는 자전거의 역사에 대해 배울 거야.

여 그 밖에 다른 것도 할 거니?

남 우리는 특별한 자전거를 탈 거야. 재미있을 거야.

해설 두 사람은 학급에서 곧 방문하게 될 자전거 박물관에 대해 대화를 나누고 있다.

11 특정 정보 파악 | ②

해석

남 나중에 봐요, 엄마. 전 박물관에 갈 거거든요.

여 거기에 어떻게 가려고, Joe?

남 전 걸어가려고요. 멀지 않거든요.

여 하지만 밖에 비가 오고 있어. 내가 널 차로 데려다줄게.

남 고마워요. 그게 낫겠네요.

해설 박물관에 걸어가려는 남자를 밖에 비가 온다며 자동차로 여자가 데려다주겠다고 했다.

12 이유 파악 | ④

해석

여 상민아, 너 피곤해 보이네. 어젯밤에 뭐 했니?

남 난 새벽 2시까지 TV로 축구 경기를 봤어.

여 정말? 중요한 경기였니?

남 응, 한국과 이란 간의 결승전이었거든.

여 한국이 이겼어?

남 응, 한국이 이겼어.

해설 남자는 어제 한국과 이란의 축구 경기를 보느라 늦게 잤다고 했다.

13 장소 추론 | ③

해석

남 '브라운 우드'에 오신 것을 환영합니다. 도와드릴까요?

여 안녕하세요. 전 4인용 디너 식탁을 찾고 있어요.

남 이것들이 4인용 디너 식탁입니다.

여 어떤 것이 가장 인기 있나요?

남 이것이요. 사람들이 디자인을 좋아하고, 비싸지 않습니다.

여 좋아요. 전 정말 색깔도 좋습니다.

해설 여자는 4인용 식탁을 찾고 있고 남자가 상품을 안내하는 것으로 보아 두 사람은 가구점에서 대화를 나누고 있다.

14 그림 정보 파악 – 길 찾기 | ②

해석

여 안녕, Daniel? 뭐가 잘못됐니?

남 내 휴대 전화가 고장 났어.

여 정말? 난 친절한 서비스 센터를 알아.

남 좋아! 거기 어떻게 가니?

여 두 블록 곧장 간 후에 좌회전해.

남 알았어.

여 도서관과 신발 상점 사이의 오른쪽에 있을 거야.

남 오, 알았어. 고마워.

해설 서비스 센터는 두 블록을 곧장 직진한 후 좌회전하면 서점과 신발 상점 사이의 오른쪽에 있다고 했으므로 ①이다.

15 부탁한 일 파악 | ①

해석

여 Dennis, 넌 이 블록들로 뭐 하고 있니?

남 난 그것들로 곰을 만들고 있어.

여 와, 정말 여러 다른 사이즈와 색이 있네.

남 이런. 하나를 잃어버렸네. 날 위해 그것을 찾아줄 수 있니?

여 그럼. 그것은 어떻게 생겼니?

남 그것은 작고, 귀에 맞는 노란색이야.

여 알았어. 살펴볼게.

해설 블록으로 곰을 만들고 있는 남자는 여자에게 블록 찾는 것을 부탁했다.

16 제안한 일 파악 | ⑤

해석

남 와! 미나야, 너 정말 춤을 잘 추는구나.

여 그렇게 말해 주니 고맙네.

남 넌 어디서 춤을 배웠니?

여 난 작년에 댄스 동아리에 가입했어.

남 멋지네! 나도 춤을 배우고 싶다.

여 그러면 우리 동아리에 가입하는 건 어때?

해설 춤을 배우고 싶다는 남자에게 여자는 댄스 동아리에 가입할 것을 제안했다.

17 한 일 / 할 일 파악 | ④

해석

남 Diane, 이번 주말에 계획 있니?

여 특별한 것은 없어. 왜?

남 우리 동아리가 '지구를 청소하자'라는 캠페인을 하는데 도움이 필요해.
여 내가 어떻게 도울 수 있어?
남 난 토요일에 포스터 몇 장을 그릴 계획이야. 너 그림 잘 그리지?
여 응, 잘 그려. 같이 하자.
해설 남자가 포스터 그릴 것을 도와 달라고 했고 여자가 이를 수락했으므로 두 사람은 토요일에 포스터를 그릴 것이다.

18 직업 및 장래 희망 | ②

해석
남 안녕하세요, 부인. 스테이크는 어땠나요?
여 맛있었어요, 고마워요.
남 잘됐네요. 후식 좀 드릴까요?
여 네. 메뉴판 좀 보여 주실래요?
남 물론이죠. 여기 있습니다.
여 음… 전 초콜릿 케이크를 먹겠습니다.
남 그러세요. 지금 가져다드릴게요.
해설 여자에게 음식이 어떤지 묻고 어떤 디저트를 먹을 것인지 묻고 있는 것으로 보아 남자는 식당 점원임을 알 수 있다.

19 알맞은 응답 찾기 | ⑤

해석
여 Matt, 너는 학교 동아리에 가입할 거니?
남 응, 난 드럼 동아리에 가입하고 싶은데, 난 드럼을 칠 줄 몰라.
여 괜찮아. 넌 동아리에서 배울 수 있거든.
남 너는 어때, 미나야? 너는 동아리에 가입해?
여 그럼, 난 사진 동아리에 가입할 거야. 어떻게 생각해?
남 좋은 생각이다.
① 그건 불공평해.
② 그건 내 잘못이야.
③ 그것은 내 책이야.
④ 여기서 드실 건가요, 가져가실 건가요?
해설 사진 동아리에 가입하고 싶다는 여자의 마지막 말에 대해 동의를 해 주는 내용의 ⑤가 적절한 응답이다.

20 알맞은 응답 찾기 | ③

해석
남 니나야, 오늘 벼룩시장에서 구한 거 있니?
여 응, 난 배드민턴 라켓을 샀어.
남 와! 거의 새 것이네. 가격은 얼마야?
여 아주 쌌어, 천 원밖에 안 해.
남 대단하다.
여 알지! 너는 무엇을 샀니?
남 글쎄, 난 좋은 것을 찾을 수 없었어.
① 좋은 생각이다.
② 그녀는 테니스도 잘 쳐.
④ 배드민턴 시합은 재밌다.
⑤ 맞아. 난 그를 슈퍼마켓에서 봤어.
해설 벼룩시장에서 무엇을 샀는지 묻는 여자의 마지막 말에 대해 좋은 것을 찾을 수 없었다는 내용의 ③이 적절한 응답이다.

기출문제로 마무리하는 Final Test 02회 pp. 206~207

01 ③	02 ②	03 ①	04 ①	05 ③
06 ③	07 ④	08 ⑤	09 ④	10 ①
11 ⑤	12 ⑤	13 ⑤	14 ④	15 ①
16 ③	17 ③	18 ⑤	19 ⑤	20 ③

Dictation Test 02회 pp. 208~213

01 ❶ have thick skin ❷ can live both
02 ❶ see my blanket ❷ has a dog ❸ my name under the dog
03 ❶ be sunny ❷ be very cloudy
04 ❶ dancing in this video ❷ at the dance contest
05 ❶ good for jogging ❷ come in
06 ❶ will you attend ❷ sign up
07 ❶ Do you like dogs ❷ be an animal doctor
08 ❶ play games together ❷ will be fun
09 ❶ make a candle ❷ do face painting
10 ❶ clean the music room ❷ clean the floor
11 ❶ should leave home ❷ take the subway
12 ❶ can't ride your bike ❷ will be held ❸ find another place
13 ❶ something wrong with my car ❷ a small hole
14 ❶ can't find my cellphone ❷ under the chair
15 ❶ the surprise party ❷ need to bring
16 ❶ bake cookies for my mom ❷ make them together
17 ❶ are selling fruits ❷ look fresh
18 ❶ Let me check ❷ remember to bring it back
19 ❶ still here ❷ hurt my foot
20 ❶ play any other sports ❷ How often

01 그림 정보 파악 – 동물 | ③

해석
여 내겐 네 개의 다리와 긴 꼬리가 있습니다. 내겐 두꺼운 피부가 있습니다. 내겐 또한 아주 강하고 날카로운 이빨이 있습니다. 나는 물과 육지 양쪽에서 살 수 있습니다. 나는 누구일까요?
해설 네 개의 다리와 긴 꼬리와 강하고 튼튼한 이빨이 있으며 물과 육지 양쪽에서 살 수 있는 것은 악어이다.

02 그림 정보 파악 – 사물 | ②

해석
여 아빠, 제 담요 보셨나요? 전 그것을 찾을 수가 없어요.
남 Amy, 그건 어떻게 생겼니?
여 그것에는 강아지가 있어요.
남 또 다른 것도 있니?
여 그 강아지 아래에 제 이름이 있어요.
남 알았다. 같이 찾아보자.

해설 강아지 그림이 있고, 그 밑에 여자의 이름이 새겨져 있는 담요는 ②이다.

03 그림 정보 파악 – 날씨 | ①

해석

남 안녕하세요! 오늘의 세계 일기 예보입니다. 도쿄는 하루 종일 비가 내릴 것입니다. 방콕은 화창할 것입니다. 파리는 바람이 불며 몹시 추울 것입니다. 런던은 구름이 많이 낄 것입니다.

해설 방콕은 화창할 거라고 했다. (← Bangkok, it'll be sunny.)

04 의도 파악 | ①

해석

남 Jane, 이 비디오에서 누가 춤추고 있는 거니?

여 그건 내 친구야. 그는 힙합 댄스 콘테스트에 참가했지.

남 와! 그는 훌륭한 춤꾼이었네.

여 응. 그는 댄스 콘테스트에서 우승했어.

남 우리 학교 축제에 그를 초대하는 건 어때?

해설 남자의 마지막 말 Why don't we ~?는 제안하는 표현이다.

05 언급하지 않은 것 | ③

해석

여 여러분, 안녕하세요. '해피 쇼핑'의 Amy입니다. 오늘은 '점프 슈즈'를 소개하고 있습니다. 그 신발은 겨우 400그램입니다. 조깅하기에 아주 좋죠. 그 신발은 파란색과 분홍색으로 나옵니다. 지금 20% 할인된 가격으로 구매하세요. 그래서 겨우 24달러입니다. 주문하시려면, 123-4949로 전화 주세요.

해설 여자는 점프 슈즈의 무게, 색상, 할인율, 가격은 언급하였으나 치수는 언급하지 않았다.

06 숫자 정보 파악 – 시각 | ③

해석

남 미나야, 방과 후 프로그램에 참여할 거니?

여 그럼. 난 요가 수업을 들을 거야.

남 정말? 나도인데. 언제 등록해야 하니?

여 등록은 오늘 오후 4시에 시작해.

남 고마워. 요가 수업은 언제 시작하지?

여 매주 금요일 오후 4시 30분에 시작해.

해설 요가 수업은 매주 금요일 오후 4시 30분에 시작한다고 했다.

07 직업 및 장래 희망 | ④

해석

남 귀여운 강아지 봐. Emily, 너는 강아지를 좋아하니?

여 응, 난 강아지를 아주 좋아해. 너는 어때?

남 난 강아지를 아주 많이 좋아해.

여 너는 고양이도 좋아하니?

남 응, 난 모든 동물을 좋아해. 그래서 나는 수의사가 되고 싶어.

여 난 네가 훌륭한 수의사가 될 거라고 확신해.

해설 모든 동물을 좋아하는 남자는 수의사가 되고 싶다고 했다.

08 심정 파악 | ⑤

해석

남 내일 학급 소풍이 몹시 기대돼.

여 나도 그래. 너는 같이 게임을 하고 싶니?

남 응, '꼬리잡기'하자!

여 좋은 생각이야. 그리고 '술래잡기'는 어때?

남 좋은 생각이야. 내일 재밌겠다.

해설 내일 학급 소풍에 할 게임들을 이야기하며 기대하고 있으므로 남자의 심정은 흥미로울 것이다.

09 한 일 / 할 일 파악 | ④

해석

남 와, 이 학교 축제는 정말 재밌다.

여 그렇지.

남 다음엔 뭘 하고 싶니?

여 체육관에서 양초를 만들자.

남 하지만 시간이 너무 많이 걸려. 페이스페인팅을 하는 건 어때?

여 좋아! 지금 바로 가자.

해설 양초 만들기는 시간이 오래 걸려 두 사람은 페이스페인팅을 하러 가기로 했다.

10 주제 파악 | ①

해석

남 나희야, 우리는 지금 음악실을 청소해야 해.

여 그러자, 성진아. 우선 창문은 열도록 할게.

남 그래. 칠판을 지우도록 할게.

여 그러면, 바닥 청소는 함께하는 거 어때?

남 좋아. 빨리 끝내자.

해설 두 사람은 음악실을 청소하며 대화를 나누고 있다.

11 특정 정보 파악 | ⑤

해석

여 준호야, 콘서트는 언제 시작하니?

남 7시 30분에 시작해.

여 7시 30분? 우리는 지금 집을 나서야 할 것 같아.

남 너무 일러. 아직 6시도 안 됐어.

여 하지만 이맘때쯤에 거리에 차가 많아.

남 응, 그러면 지하철을 타고 가는 건 어때?

여 네 말이 맞다. 지하철을 타자.

해설 콘서트를 보러 가기로 한 두 사람은 차가 많은 시간이라 지하철을 타고 가기로 했다.

12 이유 파악 | ⑤

해석

여 실례합니다. 오늘은 공원에서 자전거를 타실 수 없습니다.

남 정말요? 왜 못 타죠?

여 이곳에서 김치 축제가 있을 거거든요.

남 아, 죄송합니다. 그게 사람들이 많은 이유군요.

여 맞습니다. 축제는 이번 주 금요일까지 열릴 것입니다.

남 아, 알았어요. 그러면 다른 장소를 찾아야겠네요.

해설 공원에서는 김치 축제가 열려서 자전거를 탈 수 없다고 했다.

13 관계 추론 | ⑤

해석

남 도와드릴까요?

여 제 차에 뭔가 문제가 있는 것 같아요.

남 네. 제가 차를 점검해 볼게요.
여 문제가 있나요?
남 흠, 타이어에 작은 구멍이 있습니다.
여 타이어를 수리하는 데 얼마나 걸릴까요?
남 1시간 정도 걸릴 겁니다.
해설 차에 고장이 나 이를 점검한 후 수리하는 데 걸리는 시간을 묻고 답하는 것으로 보아 두 사람은 자동차 정비사와 고객의 관계이다.

14 그림 정보 파악 – 물건 찾기 | ④
해석
남 Katie, 너는 무엇을 찾고 있니?
여 음… 난 내 휴대 전화를 찾을 수가 없어.
남 오늘 아침에 컴퓨터 옆에서 봤던 거 같은데.
여 하지만 거기에 없어.
남 그러면 내 휴대 전화를 써서 네게 전화해 보는 건 어때?
여 좋은 생각이다. [*잠시 후*] [*전화벨이 울린다.*] 의자 밑에 있네.
해설 여자의 휴대 전화는 의자 밑에 있다고 했다.

15 부탁한 일 파악 | ①
해석
남 Carol, Tina의 생일 파티에 대한 계획 기억하니?
여 깜짝 파티 말이니?
남 응. Ben이 케이크를 가져오고 내가 음료를 가져올 거거든.
여 그러면 난 뭘 가져와야 하지?
남 그녀에게 줄 꽃을 사 올 수 있니?
여 물론이지. 문제없어.
해설 남자는 여자에게 Tina에게 줄 꽃을 사 올 것을 부탁했다.

16 제안한 일 파악 | ③
해석
여 어머니날에 너는 뭐 할 거니?
남 나는 우리 엄마를 위해 쿠키를 굽고 싶어.
여 나도 우리 엄마를 위해 쿠키를 구울 건데.
남 정말? 그러면 방과 후에 같이 만들자.
여 좋은 생각이야. 그때 보자.
해설 여자는 남자에게 어머니날에 엄마에게 드릴 쿠키를 같이 만들자고 제안했다.

17 특정 정보 파악 | ③
해석
남 엄마, 보세요! 저쪽에서 과일을 파는 중이에요.
여 응. 가서 좀 사자.
남 음…. 이 사과가 맛있어 보이네요.
여 응. 그런데 집에 사과는 있어.
남 그러면 저 딸기들은 어때요?
여 좋아. 그것들은 신선해 보이네. 몇 개 사자.
해설 사과는 집에 있어서 두 사람은 딸기를 구입할 것이다.

18 직업 및 장래 희망 | ⑤
해석
여 도와드릴까요?
남 네, 저는 '셜록 홈즈의 단편소설집'을 찾고 있어요.
여 도서 목록을 점검해 볼게요. (*키보드 자판 소리*) 여기 있네요.
남 지금 빌릴 수 있나요?
여 네, 회원 카드 있으세요?
남 그럼요. 여기 있습니다.
여 4월 17일까지 반납해야 하는 것 기억하세요.
해설 도서 목록을 확인한 후 반납일을 안내하는 것으로 보아 여자의 직업은 도서관 사서임을 알 수 있다.

19 알맞은 응답 찾기 | ⑤
해석
여 안녕, Dave. 여기서 뭐 하는 중이니?
남 난 집에 가는 버스를 기다리는 중이야.
여 하지만 넌 일찍 학교를 떠났잖아? 왜 아직 여기 있는 거니?
남 버스가 아직 오지 않았어.
여 정말? 집에 그냥 걸어 가지 그래?
남 그러고 싶지만, 어제 난 다리를 다쳤거든.
여 아, 그 말을 들으니 유감이네.
① 만나서 반가워. ② 그러고 싶지만, 할 수 없어.
③ 난 하나도 없어. ④ 네 충고 고마워.
해설 다리를 다쳤다는 남자의 말에 대해 위로를 해 주는 내용의 ⑤가 적절한 응답이다.

20 알맞은 응답 찾기 | ③
해석
여 민수야, 안녕. 방과 후에 너는 뭐 할 거니?
남 나는 친구들과 배드민턴을 할 거야.
여 나도 배드민턴을 좋아하는데.
남 너는 다른 운동도 하니?
여 나는 탁구도 쳐.
남 얼마나 자주 탁구를 치니?
여 일주일에 세 번.
해설 얼마나 자주 탁구를 치는지 묻는 남자의 말에 대해 횟수를 말하는 ③이 적절한 응답이다.